스스로 학습 강화 시리즈

금자랑 놀자!

중학 **도덕** ② 자습서

금성출판사

시험 준비 스케줄 표

시험을 치르기 전에 시간을 효율적으로 관리하면 좋은 결과를 얻을 수 있습니다.
아래 스케줄 표를 이용하여 시험 계획을 세우고 규칙적으로 실천해 보세요.

1 학기 중간평가

D-21	D-20	D-19	D-18	D-17	D-16	D-15	D-14	D-13	D-12	D-11
/	/	/	/	/	/	/	/	/	/	/

D-10	D-9	D-8	D-7	D-6	D-5	D-4	D-3	D-2	D-1	D-day
/	/	/	/	/	/	/	/	/	/	/

1 학기 기말평가

D-21	D-20	D-19	D-18	D-17	D-16	D-15	D-14	D-13	D-12	D-11
/	/	/	/	/	/	/	/	/	/	/

D-10	D-9	D-8	D-7	D-6	D-5	D-4	D-3	D-2	D-1	D-day
/	/	/	/	/	/	/	/	/	/	/

2 학기 중간평가

D-21	D-20	D-19	D-18	D-17	D-16	D-15	D-14	D-13	D-12	D-11
/	/	/	/	/	/	/	/	/	/	/

D-10	D-9	D-8	D-7	D-6	D-5	D-4	D-3	D-2	D-1	D-day
/	/	/	/	/	/	/	/	/	/	/

2 학기 기말평가

D-21	D-20	D-19	D-18	D-17	D-16	D-15	D-14	D-13	D-12	D-11
/	/	/	/	/	/	/	/	/	/	/

D-10	D-9	D-8	D-7	D-6	D-5	D-4	D-3	D-2	D-1	D-day
/	/	/	/	/	/	/	/	/	/	/

II 타인과의 관계

III

사회·
공동체와의
관계

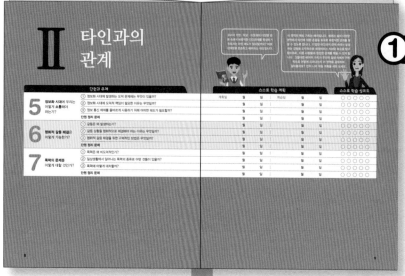

① 단원 열기

도입 | 각 영역의 하위 단원들과 주제를 살펴보고 스스로 학습 계획과 성취도를 점검해 봐요!

② 주제별 학습

주제 핵심 정리 | 주제의 핵심 내용을 한눈에 파악해 본 후 기본 확인 문제를 풀어 볼까요?

탐구 자료 | 내신 만점을 위한 재미있고 유익한 탐구 자료들이 준비되어 있어요!

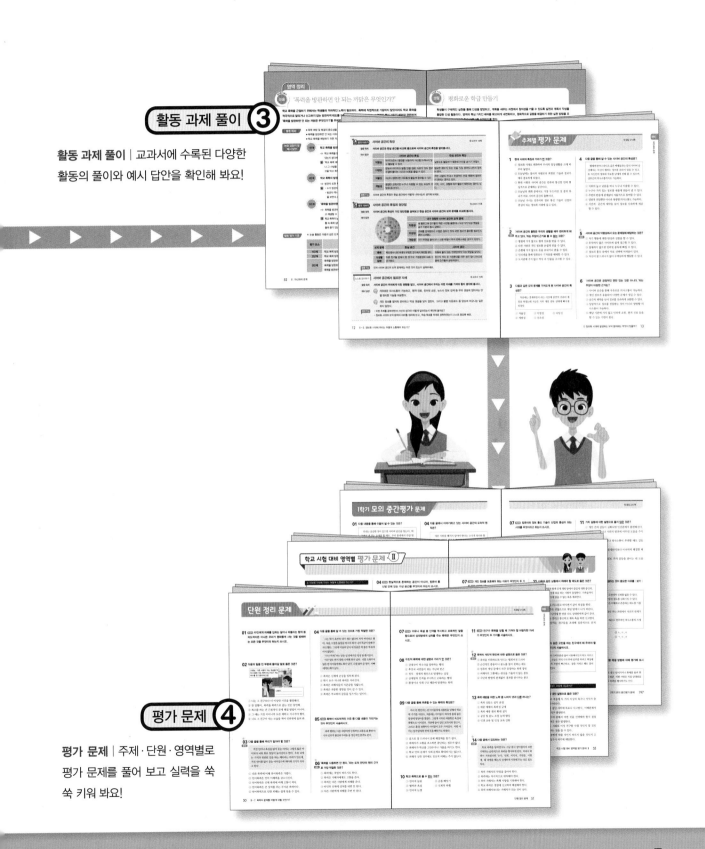

활동 과제 풀이 ③

활동 과제 풀이 | 교과서에 수록된 다양한
활동의 풀이와 예시 답안을 확인해 봐요!

▶▶▶▶▶▶

평가 문제 ④

평가 문제 | 주제·단원·영역별로
평가 문제를 풀어 보고 실력을 쑥
쑥 키워 봐요!

Ⅱ 타인과의 관계

우리가 가정 · 학교 · 이웃과의 다양한 관계 속에서 바람직한 인간관계를 형성하기 위해서는 어떤 태도가 필요할까요? 바로 상대방을 존중하고 배려하는 태도입니다.

이 영역의 핵심 가치는 배려입니다. 배려는 삶의 다양한 영역에서 타인에 대한 존중을 토대로 바람직한 관계를 맺을 수 있도록 합니다. 다양한 타인과의 관계 속에서 발생하는 갈등을 도덕적으로 해결하려는 자세와 태도를 탐구함으로써, 다른 사람들과 원만한 관계를 맺을 수 있게 됩니다. 그렇다면 배려의 가치가 우리의 일상 속에서 구체적으로 어떻게 드러나는지 이 영역을 공부하며 알아볼까요? 먼저 나의 학습 계획을 세워 보세요.

스스로 학습 계획						스스로 학습 성취도
계획일	월	일	학습일	월	일	○ ○ ○ ○ ○
	월	일		월	일	○ ○ ○ ○ ○
	월	일		월	일	○ ○ ○ ○ ○
	월	일		월	일	○ ○ ○ ○ ○
	월	일		월	일	○ ○ ○ ○ ○
	월	일		월	일	○ ○ ○ ○ ○
	월	일		월	일	○ ○ ○ ○ ○
	월	일		월	일	○ ○ ○ ○ ○
	월	일		월	일	○ ○ ○ ○ ○
	월	일		월	일	○ ○ ○ ○ ○
	월	일		월	일	○ ○ ○ ○ ○
	월	일		월	일	○ ○ ○ ○ ○

① 정보화 시대에 발생하는 도덕 문제에는 무엇이 있을까?

교과서 13~15쪽

학습의 주안점
- 사이버 공간의 특성
- 사이버 공간의 도덕 문제
- 사이버 공간과 현실 공간의 비교

1 사이버 공간의 의미와 특징

(1) 정보화 시대의 의미와 등장 배경 [자료1]

① 정보화 시대의 의미: 정보 통신 기술이 산업의 중심이 되는 시대에 살고 있음.

② 등장 배경: 사이버 공간의 출현

(2) 사이버 공간의 의미

① 사이버 공간의 의미: 컴퓨터 통신망❶ 안에 있는 가상❷의 공간

② 사이버 공간의 출현이 끼친 영향: 개인 생활의 편리함뿐만 아니라 사회적 · 경제적 구조나 국가 간의 관계까지 많은 변화를 가져오게 하였음.

(3) 사이버 공간의 특징 [Tip] 공간적 제약을 넘어 신속하게 정보를 주고받을 수 있고, 쌍방향 의사소통도 가능해.

① 익명❸성: 아이디(ID)나 별명으로 자신을 드러내지 않고 활동할 수 있음.

② 다양성: 많은 자료가 있어 정보 수집에 필요한 시간과 비용을 줄일 수 있음.

③ 자율성: 자신이 원할 경우 자유롭게 활동에 참여할 수 있음.

④ 개방성: 환경만 갖추어지면 누구나 이용 가능한 개방된 공간임.

2 사이버 공간의 도덕 문제

(1) 사이버 공간의 특성에서 오는 문제

특성	장점	문제점
익명성	표현의 자유를 누릴 수 있음.	무책임하게 행동할 수 있음.
다양성	정보 수집 시간 · 비용을 줄일 수 있음.	자료 선택에 어려움이 있음.
자율성	자발적으로 참여할 수 있음.	절제하지 않으면 중독에 빠질 수 있음.
개방성	누구나 동등하게 이용할 수 있음.	유해 사이트에 쉽게 접근할 수 있음.

(2) 기타 문제: 개인 정보 유출❹, 한글 파괴, 사이버 범죄 등

❶ **통신망**
랜(LAN)이나 모뎀 따위의 통신 설비를 갖춘 컴퓨터를 이용하여 서로 연결시켜 주는 조직이나 체계

❷ **가상**
사실이 아니거나 사실 여부가 분명하지 않은 것을 사실이라고 가정하여 생각함.

❸ **익명**
이름을 숨김. 또는 숨긴 이름이나 그 대신 쓰는 이름

❹ **유출**
밖으로 흘러 나가거나 흘려 내보냄.

📖 기본 확인 문제

정답 214쪽

1 다음 내용이 옳으면 ○표, 틀리면 ×표를 하시오.
  ① 사이버 공간은 현실적으로 존재하는 공간이다. (   )
  ② 사이버 공간은 쌍방향적 의사소통이 가능하다. (   )
  ③ 사이버 공간은 도덕적 문제가 일어나지 않는다. (   )

2 현실 세계가 아닌 컴퓨터, 인터넷 등으로 만들어진 공간을 무엇이라고 하는가?

3 정보의 홍수 속에서 자료 선택에 어려움이 생기는 이유는 사이버 공간의 어떤 특성 때문인가?

4 다음 빈칸에 들어갈 알맞은 말을 쓰시오.
  ① 오늘날 우리는 컴퓨터와 정보 통신 기술이 산업의 중심이 되는 □□□□□에 살고 있다.
  ② 사이버 공간의 익명성 때문에 □□의 자유를 누릴 수 있다.

내신 만점을 위한 탐구 자료

자료1 인터넷의 역사 ≫

인터넷의 기원인 아르파넷(ARPANET)은 미국 국방성 주도하에 군사적 목적으로 개발한 통신 네트워크로, 신뢰성이 높은 통신 방법을 제공할 목적으로 구축되었다. 1972년 캘리포니아 대학, 스탠포드 연구소 등을 네트워크로 연결하는 데 성공하여 컴퓨터 네트워크의 무한한 가능성을 보여 주었다. 1983년 아르파넷(ARPANET)의 사용자 증가와 통신망 확장에 따라 군사적인 목적으로 사용하던 부분을 밀넷(MILNET)으로 분리하였고, 한 걸음 더 나아가 이용자들이 이 두 개의 통신망 사이에서 통신할 수 있도록 하는 연결 방법도 개발되었다. 이 두 통신망 사이의 교신이 인터넷으로 불리게 되었다. 1986년, '아르파넷'은 다섯 대의 초대형 컴퓨터에 의존하여 대학과 정부의 연구자들을 연구시키는 '국립 과학 재단 통신망(NSFNET)'으로 대체되었다. 이 국립 과학 재단 통신망은 학술 기관들이 개발한 다수의 소규모 통신망들까지 망라하기 시작하였으며, 점차 오늘날 우리가 알고 있는 인터넷이 탄생하게 된 것이다. 1991년 WWW(World Wide Web) 서비스가 개발되면서 일반인들도 인터넷을 쉽고 편리하게 사용할 수 있게 되었다.

우리나라에서는 1982년에 서울대학교와 한국 전자 통신 연구원과 구미 전자 기술 연구소가 연결한 네트워크가 인터넷의 시초이다. 이것은 미국에 이어 전 세계에서 두 번째로 연결된 자체 개발 인터넷 망이었다.

교과서 활동 과제 풀이

스스로 생각하기 | 정보화 시대의 도덕 문제

@ 교과서 13쪽

활동 목적 정보화 시대에 발생하는 도덕 문제(보이스피싱, 스미싱, 파밍 등)에 효과적으로 대처합시다.

예시 답안
생각1 다른 친구들에게 보이스피싱을 조심하라면서 큰소리쳤는데, 내가 당한다면 기분도 나쁘고 창피해서 얼굴을 못 들고 다닐 것 같다.

생각2 가족의 부상을 알리며 치료비를 요구할 때 돈을 바로 보내지 말고 가족에게 전화해 확인하고 나서 경찰에 신고한다. 금융 기관·검찰·경찰을 사칭하여 신상 정보나 금융 정보를 물어볼 경우 이에 대응하지 않는다.

생각 Tip 인터넷 사기 수법의 구체적 사례를 알아보고 이에 대처하는 방법을 생각해 봐요.

본문 활동 | 사이버 공간의 영향

@ 교과서 14쪽

활동 목적 사이버 공간의 출현이 우리 생활에 어떤 영향을 끼쳤는지 알아봅시다.

예시 답안
1. 라디오 방송에 신청곡과 사연을 보내려 한다.
 • 30년 전: 엽서나 편지를 써서 방송국에 보내 신청한다. • 오늘날: 인터넷으로 방송국에 신청한다.
2. 역사 속 인물에 대한 발표 수업 준비를 한다.
 • 30년 전: 도서관에 가서 백과사전이나 인물 사전을 보고 준비한다.
 • 오늘날: 인터넷 검색창에서 해당 인물을 검색하여 자료를 수집한다.

활동 Tip 부모님의 어린 시절을 여쭈어 보면서 내용을 완성하도록 하세요.

생각 더하기 사이버 공간의 특징

📄 교과서 14쪽

활동 목적　**사이버 공간과 현실 공간을 비교해 봄으로써 사이버 공간의 특징을 알아봅시다.**

예시 답안

	사이버 공간의 특징	현실 공간의 특징
익명성	아이디(ID)나 별명을 사용하여 자신을 드러내지 않고 활동할 수 있다.	실명으로 활동하기 때문에 자신을 숨기기 어렵다.
다양성	정보의 바다라고 불릴 만큼 많은 자료가 있어 정보 수집에 들이는 시간과 비용을 줄일 수 있다.	필요한 정보가 있는 곳을 직접 찾아다니면서 얻어야 한다.
자율성	자신이 원한다면 자유롭게 활동에 참여할 수 있다.	주변 사람의 반대나 부정적인 반응 때문에 참여하지 못하는 경우도 있다.
개방성	환경만 갖춰지면 누구나 이용할 수 있는 비교적 개방된 공간이다.	지위, 나이, 성별에 따라 활동이 제한되는 경우도 있다.

활동 Tip　사이버 공간의 특징이 현실 공간에서 어떻게 나타나는지 생각해 보세요.

생각 더하기 사이버 공간의 특징과 장단점

📄 교과서 15쪽

활동 목적　**사이버 공간의 특성이 가진 장단점을 살펴보고 현실 공간과 사이버 공간의 도덕 문제를 비교해 봅시다.**

예시 답안

	내가 경험한 사이버 공간의 도덕 문제
익명성	내 블로그에 친구들과 찍은 사진을 올렸더니 누군가가 악성 댓글을 남겨 기분이 몹시 상했다.
다양성	과제를 검색했더니 수많은 정보가 있어 어떤 정보가 올바른 정보인지 혼란스러웠다.
개방성	전자 우편을 열어 보니 스팸 메일이 떠서 곤혹스러운 경우가 있었다.

도덕 문제	현실 공간	사이버 공간
폭력	복도에서 나와 어깨가 부딪힌 친구에게 폭언을 했다.	마음에 들지 않는 연예인에게 악성 댓글을 달았다.
사생활 침해	다른 친구들 앞에서 한 친구의 가정환경에 대해 수군거렸다.	친구가 자라 온 가정환경을 아무 생각 없이 SNS에 올려 친구들과 공유하였다.

활동 Tip　먼저 사이버 공간의 도덕 문제에는 어떤 것이 있는지 살펴보세요.

스스로 정리하기 사이버 공간에서 필요한 자세

📄 교과서 15쪽

활동 목적　**사이버 공간이 우리에게 미친 영향을 알고, 사이버 공간에서 우리는 어떤 자세를 가져야 할지 생각해 봅시다.**

예시 답안

(정리1) 자유로운 의사소통이 가능하고, 원격 진료, 인터넷 쇼핑, 뉴스나 정보 검색 등 우리 생활에 없어서는 안 될 편리한 기능을 제공한다.

(정리2) 개인 정보를 철저히 관리하고 악성 댓글을 달지 않았다. 그리고 불법 다운로드 등 양심에 어긋나는 일은 하지 않았다.

정리 Tip　• 이번 주제를 공부하면서 자신의 생각이 어떻게 달라졌는지 확인해 볼까요?
　　　　　• 정보화 시대의 도덕 문제의 의미를 정리해 보고, 학습 목표를 제대로 성취하였는지 스스로 점검해 봐요.

1 현대 사회의 특징과 거리가 먼 것은?

① 정보화 시대로 변화하여 우리의 일상생활을 크게 바꾸어 놓았다.

② 오늘날에는 물리적 자원보다 최첨단 기술과 정보가 매우 중요하게 되었다.

③ 현대 사회의 사이버 공간은 컴퓨터 통신망 안에 현실적으로 존재하는 공간이다.

④ 오늘날의 변화 중에서도 가장 두드러진 것 중의 하나가 바로 사이버 공간의 출현이다.

⑤ 오늘날 우리는 컴퓨터와 정보 통신 기술이 산업의 중심이 되는 정보화 시대에 살고 있다.

★2 **중요** '사이버 공간의 출현은 우리의 생활을 매우 편리하게 해 주고 있다.'라는 주장의 근거로 볼 수 없는 것은?

① 병원에 가지 않고도 원격 진료를 받을 수 있다.

② 다른 사람의 개인 정보를 손쉽게 얻을 수 있다.

③ 은행에 가지 않고도 돈을 보내거나 받을 수 있다.

④ 인터넷을 통해 영화표나 기차표를 예매할 수 있다.

⑤ 도서관에 가지 않고 역사 속 인물을 조사할 수 있다.

3 다음과 같은 도덕 문제를 가져오게 된 사이버 공간의 특성은?

처음에는 절제하면서 쉬는 시간에 잠깐씩 컴퓨터 게임을 하였는데 지금은 거의 게임 중독 상태에 빠지게 되었다.

① 자율성   ② 익명성   ③ 다양성

④ 개방성   ⑤ 신속성

4 다음 글을 통해 알 수 있는 사이버 공간의 특성은?

텔레비전이나 라디오 같은 매체들과는 달리 사이버 공간에서는 자신이 원하는 정보를 골라서 얻을 수 있고, 또 자신만의 정보와 자료를 남에게 전해 줄 수 있으며, 상호간의 의사소통까지도 가능하다.

① 지위의 높고 낮음을 떠나 누구나 이용할 수 있다.

② 누구나 가치 있는 정보를 새롭게 만들어 낼 수 있다.

③ 주변의 반응에 관계없이 자율적으로 참여할 수 있다.

④ 일방적 전달뿐만 아니라 쌍방향 의사소통도 가능하다.

⑤ 시간적·공간적 제약을 넘어 정보를 신속하게 제공할 수 있다.

★5 **중요** 사이버 공간의 익명성에서 오는 문제점에 해당하는 것은?

① 자기 행동에 대한 반성과 성찰을 할 수 있다.

② 유익하지 않은 사이트에 쉽게 접근할 수 있다.

③ 절제하지 않으면 인터넷 중독에 빠질 수 있다.

④ 정보의 홍수 속에서 자료 선택에 어려움이 있다.

⑤ 자신이 잘 드러나지 않아 무책임하게 행동할 수 있다.

6 '사이버 공간은 긍정적인 면만 있는 것은 아니다.'라는 주장이 타당한 근거는?

① 사이버 공간을 통해 자유로운 의사소통이 가능하다.

② 개인 정보가 유출되어 다양한 문제가 생길 수 있다.

③ 공간적 제약을 넘어 정보를 신속하게 교환할 수 있다.

④ 일방적으로 정보를 전달받는 것이 아니라 쌍방향 의사소통이 가능하다.

⑤ 해당 기관에 가지 않고 인터넷 쇼핑, 원격 진료 등을 할 수 있는 기반이 된다.

정보화 시대에 도덕적 책임이 필요한 이유는 무엇일까?

📖 교과서 16~19쪽

학습의 주안점
• 사이버 공간의 도덕적 책임
• 사이버 공간에서 가져야 할 도덕적 책임의 원칙

1 정보화 시대의 도덕적 책임의 필요성

(1) 사이버 공간의 도덕 문제 [자료1]

① 상대방이 존중받아야 할 인간임을 잊고 활동하기 때문에 사이버 공간에서도 현실 공간처럼 다양한 도덕 문제가 발생함.

② 사이버 범죄: 금융 사기, 지식 재산권❶ 침해, 개인 정보 유출, 해킹❷ 등

(2) 사이버 공간의 도덕적 책임

① 본인의 의지와 상관없이 신속하고 광범위하게 퍼져 나가 큰 피해가 예상됨.

② 사이버 공간에서는 현실 공간보다 더 엄격한 도덕적 책임이 요구됨.

2 정보화 시대의 도덕적 책임

(1) 사이버 공간의 도덕적 책임 준수 [자료2]

① 네 가지 도덕의 원칙

　– 존중: 나와 타인의 인격과 권리 등을 존중한다.

　– 책임: 자신의 책임을 다하고 타인에게 미칠 결과를 생각하여 행동한다.

　– 정의: 공정하고 이타적으로 행동하며 규칙과 법을 지킨다.

　– 해악❸ 금지: 타인에게 피해를 주지 않고 타인의 행복을 증진한다.

② 네 가지 원칙 준수를 위한 태도: 자기 절제, 타인 배려

> **Tip** 남에게 피해를 주지 않도록 스스로 절제하고, 상대방의 입장에서 생각하고 공감해야 해.

(2) 사이버 공간의 예절 준수

① 네티켓: 통신망(network)과 예절(etiquette)의 합성어로 인터넷 사용자들이 인터넷 공간에서 지켜야 할 예의나 규칙을 말함. 예 상대방의 사생활 존중하기 등

② 모티켓: 휴대 전화(mobile)과 예절(etiquette)의 합성어로 휴대 전화를 사용할 때 지켜야 할 예절을 말함. 예 공공장소에서 매너 모드로 전환하기 등

❶ 지식 재산권
지적 활동으로 인하여 발생하는 모든 재산권

❷ 해킹
다른 사람의 컴퓨터 시스템에 무단으로 침입하여 데이터와 프로그램을 없애거나 망치는 일

❸ 해악
해가 되는 나쁜 일

📖 기본 확인 문제

📖 정답 214쪽

1 다음 내용이 옳으면 ○표, 틀리면 ×표를 하시오.

　① 사이버 공간에서는 도덕 문제가 발생하지 않는다. (　　)

　② 사이버 공간에서 표현의 자유는 보장되어야 한다. (　　)

　③ 사이버 공간에서는 스스로 절제할 줄 알아야 한다. (　　)

2 성명, 주민 등록 번호, 가족 관계 등의 살아 있는 개인을 알아볼 수 있는 정보를 무엇이라고 하는가?

3 사이버 공간의 네 가지 원칙 중 '공정하고 이타적으로 행동하며 규칙과 법을 지키는 것'은 무엇인가?

4 다음 빈칸에 들어갈 알맞은 말을 쓰시오.

　① 휴대 전화를 사용할 때 지켜야 할 예절을 □□□이라 한다.

　② 사이버 공간에서는 현실 공간보다 더 엄격한 □□□ □□이 요구된다.

📖⊕ 내신 만점을 위한 탐구 자료

자료1 대표적인 신종 금융 사기 ≫

보이스피싱	전화로 공공 기관이나 금융 회사를 사칭해 자금 이체를 유도하는 수법
파밍	PC를 악성 코드로 감염시킨 후 가짜 사이트로 유인해 금융 거래 정보를 빼내는 수법
메신저피싱	메신저의 ID를 도용, 무작위 접속하여 피해자의 지인인 것처럼 꾸며 금전을 요구하는 수법
스미싱	문자 메세지를 통해 소액 결제를 유도하는 수법

자료2 정보 리터러시(literacy) ≫

정보 리터러시는 정보가 폭발적으로 생산되고 쌓여 가는 지식 정보화 사회를 살아가기 위해 요구되는 능력을 의미한다. 즉 개인이 직면한 문제를 해결하기 위해 정보의 필요성을 인식하고, 다양한 정보를 이용해 필요한 정보에 접근하며, 그것의 진위 여부와 가치를 평가하고, 목적에 맞게 가공하여 활용하거나 새로운 정보로 산출해 내는 등 정보를 더욱 효과적이며 효율적으로 다룰 수 있는 능력이다. 여기에는 정보를 '윤리적'으로 다룰 수 있는 능력도 포함된다.

📖 교과서 활동 과제 풀이

스스로 생각하기 　사이버 공간의 도덕적 책임

📎 교과서 16쪽

활동 목적 　사이버 공간에서 도덕적 책임이 필요한 이유를 생각해 봅시다.

예시 답안

생각1 　없다. 그런데 주위 친구들의 이야기를 들어 보면, 다른 사람을 불쾌하게 만들고 싶거나 괜히 부러워서 악성 댓글을 다는 경우가 있다고 한다.

생각2 　친구들에게 창피스럽기도 하고 인격에 상처를 받아 사이버 공간에 대한 두려움까지 생기게 될 것이다.

생각 Tip 　자신의 경험을 통해 사이버 공간의 악성 댓글의 문제점을 생각해 봐요!

➕📄 생각 더하기 　사이버 범죄의 유형

📎 교과서 17쪽

활동 목적 　사이버 범죄에는 어떤 종류가 있는지 알아봄으로써 사이버 공간에서 남에게 피해를 주는 행동을 하지 않도록 주의를 기울입시다.

예시 답안

사이버 폭력　(개인 정보 유출)

(지식 재산권 침해)

(해킹)

활동 Tip 　사이버 공간에서 일어나는 다양한 범죄 유형을 뉴스나 신문 기사를 통해 알아보세요!

생각 더하기 **사이버 공간의 도덕적 책임** 📎교과서 18쪽

활동 목적 **현실 세계와 마찬가지로 사이버 공간에서도 자신의 행동에 대해 도덕적 책임이 있다는 것을 생각해 봅시다.**

예시 답안

도덕적 책임	사　례
존중	• SNS를 할 때 예의를 갖춘 말과 글을 사용한다. • 상대방의 사생활을 존중한다.
책임	• 타인의 사진을 허락 없이 배포하지 않는다. • 개인 정보를 오용하거나 남용하지 않는다.
정의	• 사이버 범죄를 발견하면 신고한다. • 불건전한 정보는 접하지도 않고 주고받지도 않는다.
해악 금지	• 인터넷 금융 사기에 가담하지 않는다. • 바이러스를 유포하지 않는다.

활동 Tip 사이버 공간의 도덕적 책임에 어긋나는 행동에는 어떤 것이 있는지 스스로 찾아보세요.

 악플을 선플로! 📎교과서 19쪽

활동 목적 **악성 댓글은 상대방에게 정신적 피해를 줄 수 있다는 것을 생각해 봅시다.**

예시 답안 • 누리 아버지께서 무엇인가 도움을 주었기 때문에 주제를 알지 않았을까?

　　　→ 누리 아버지는 글을 잘 쓰는 분이야. 누리도 아버지의 재주를 닮았나 봐.

　　　• 누리 부모님은 그러고도 남을 거야. 누리 부모님은 평소에도 누리 숙제를 많이 도와주신다고 그랬어.

　　　→ 누리는 초등학교 시절에도 글을 쓰는 것을 좋아했어. 그래서 친구들에게 많은 도움을 주었어.

활동 Tip 모둠별로 제시된 악성 댓글을 접했을 때의 느낌을 발표해 보고, 악플 대신 어떤 선플을 달 것인지 생각해 보세요!

스스로 정리하기 **건강한 사이버 공간 만들기** 📎교과서 19쪽

활동 목적 **건강한 사이버 공간을 만들기 위해 가져야 할 자세를 확인해 봅시다.**

예시 답안   현실 공간과 마찬가지로 사이버 공간에서도 예절을 잘 지키고, 상대방을 배려하고 공감할 줄 알아야 한다.

　　　 얼굴을 마주하지는 않지만 사이버 공간에서 교류하는 대상은 바로 나와 같은 사람이고, 나의 행동은 상대방에게 큰 영향을 끼치기 때문이다.

정리 Tip • 이번 주제를 공부하면서 자신의 생각이 어떻게 달라졌는지 확인해 볼까요?

　　　• 정보화 시대의 도덕적 책임의 필요성을 정리해 보고, 학습 목표를 제대로 성취하였는지 스스로 점검해 봐요.

주제별 평가 문제

정답 214쪽

1 사이버 폭력에 대한 설명과 거리가 먼 것은?

① 누구나 사이버 폭력의 피해자가 될 수 있다.

② 누가 폭력을 행사했는지 밝혀내기가 용이하다.

③ 빠른 속도로 확산되어 큰 피해를 끼칠 수 있다.

④ 사이버 공간은 자유롭게 말할 수 있기 때문에 폭력이 자주 발생한다.

⑤ 개인 정보를 철저히 보호하는 것은 사이버 폭력 예방에 도움이 된다.

2 다음 글에서 이야기하고 있는 사이버 공간에서 도덕적 행동의 원칙은? (중요)

> 다른 사람을 해치지 말아야 한다는 소극적 의미와 함께 다른 사람의 행복을 증진해야 한다는 적극적 의미를 모두 포함한다. 인터넷을 통해 해킹(hacking)을 하거나 바이러스나 거짓 소문을 퍼뜨리는 경우가 있다. 이러한 비도덕적 행동은 불특정 다수에게 물질적·정신적으로 많은 피해를 준다.

① 관용　　② 정의　　③ 책임

④ 해악 금지　　⑤ 인간 존중

3 다음 글에서 강조하는 사이버 공간의 도덕적 원칙은?

> 사이버 공간에서는 현실 공간에서와 마찬가지로 자신의 행동이 어떤 결과를 낳을지 신중하게 생각하고 행동해야 한다.

① 존중　　② 정의　　③ 책임

④ 해악 금지　　⑤ 자유 보장

4 사이버 공간의 네 가지 원칙을 실현하는 데 필요한 태도로 가장 적절한 것은?

① 절제와 배려　　② 책임과 정의

③ 용서와 양보　　④ 공감과 관용

⑤ 용기와 예의

5 밝고 건강한 사이버 공간을 만들기 위한 태도로 옳은 것은? (중요)

① 자신이 드러나지 않는 것을 마음껏 누린다.

② 상대방을 배려하고 공감하는 습관을 가진다.

③ 악성 댓글을 단 사람을 비방하는 글을 올린다.

④ 상대방이 보낸 메시지에 감정적으로 반응한다.

⑤ 상대방의 동의를 구하지 않고 SNS에 사진을 올린다.

6 사이버 공간의 '존중의 원칙'에 대한 설명으로 옳은 것은?

① 사이버 공간의 규칙과 법을 준수하는 것이다.

② 정보화의 혜택이 고르게 돌아가게 하는 것이다.

③ 어떤 사건이 일어나기 전에 주의를 하는 것이다.

④ 자신에게 원인이 있는 사건에 대해 책임지는 것이다.

⑤ 다른 사람의 인격권, 재산권 등을 소중히 여기는 것이다.

7 사이버 공간에서 지켜야 할 원칙이 아닌 것은? (중요)

① 존중의 원칙　　② 책임의 원칙

③ 정의의 원칙　　④ 익명성의 원칙

⑤ 해악 금지의 원칙

정보 통신 매체를 올바르게 사용하기 위해 어떠한 태도가 필요할까?

📖 교과서 20~23쪽

학습의 주안점
• 정보 통신 매체 활용상의 유의점
• 정보 통신 매체 활용에 필요한 태도

1 정보 통신 매체를 올바르게 활용해야 하는 이유

(1) 정보 통신 매체의 편리성 자료1

① 편리한 도구: 인터넷은 곧 생활이 되고 있으며, 언제 어디서나 접속 가능함.

② 소통❶의 도구: 인터넷은 단순한 연결의 도구가 아니라 소통과 공감의 매체임.

(2) 정보 통신 매체의 발달로 인한 문제 자료2

① 긍정적인 면: 휴대가 간편하여 편리한 정보 검색과 의사소통을 가능하게 해 줌.

② 부정적인 면: 비난과 욕설, 따돌림과 괴롭힘 등 폭력의 매체가 되기도 함. 개인 정보 유출로 범죄의 표적❷이 되기도 함. 과도한 스마트폰 사용으로 부모와 갈등이 생기고, 공부에 집중을 못하며 디지털 치매❸ 증상 등의 부작용이 발생함.

2 일상생활에서 정보 통신 매체를 이용하는 바람직한 태도

(1) 언어폭력: 언어폭력을 보고 그냥 지나친다거나 맞대응을 하지 말고 신고 기능을 이용하여 신고해야 함.

> **Tip** '현피'는 온라인에서 다투다 실제로 만나서 충돌을 벌이는 것을 말해.

(2) 현피 요구에 대한 대응: 사이버 공간에서 다툰 사람을 현실 공간에서 만나는 것은 위험하므로 삼가야 함.

> **Tip** '사이버 불링'은 사이버 공간에서 휴대폰, SNS 등을 활용해 특정 대상을 반복적으로 괴롭히는 걸 말해.

(3) 사이버 불링: 사이버 불링도 폭력에 해당하므로 동참❹하지 않아야 하는 것은 물론 친구들에게 사이버 불링이 옳지 못한 행동이라고 알려 주어야 함. 자료3

(4) 개인 정보 보호: 자신의 아이디(ID)와 비밀번호와 같은 개인 정보는 어떠한 이유로도 다른 사람에게 알려 주어서는 안 됨.

(5) 불법 다운로드: 창작물은 정당한 대가를 주고 저작자의 허락을 받아 이용해야 함. 저작자의 동의 없이 공유하는 것은 지식 재산권을 침해하는 행위임.

(6) 스마트폰 사용 자제: 스마트폰을 습관적으로 사용하지 않고 절제해야 함. 자료4

> **Tip** 모바일 메신저의 알림 기능을 끄거나, 잠자리에 스마트폰을 가지고 가지 않는 등의 방법이 있어.

❶ 소통
뜻이 서로 통하여 오해가 없음.

❷ 표적
목표로 삼는 물건

❸ 치매
대뇌 신경 세포의 손상 따위로 말미암아 지능, 의지, 기억 따위가 지속적·본질적으로 상실되는 병

❹ 동참
어떤 모임이나 일에 같이 참가함.

📖 기본 확인 문제

📖 정답 214쪽

1 다음 내용이 옳으면 ○표, 틀리면 ×표를 하시오.
  ① 정보 통신 매체를 휴대하기가 어려워졌다. (　　)
  ② 스마트폰은 폭력의 매체가 되기도 한다. (　　)
  ③ 사이버 공간에서 현피 요구를 받으면 응해야 한다. (　　)

2 건강한 사이버 공동체를 가꾸어 나가는 것은 누구의 책임인가?

3 휴대가 간편하여 편리한 정보 검색과 의사소통을 가능하게 해 주는 지능형 단말기를 무엇이라고 하는가?

4 다음 빈칸에 들어갈 알맞은 말을 쓰시오.
  ① 개인 정보가 유출되면 □□의 표적이 되기도 한다.
  ② 최근에는 스마트 모바일 기기의 발달로 □□□은 곧 생활이 되고 있다.

📖➕ 내신 만점을 위한 탐구 자료

자료1 소셜 네트워크 서비스(SNS: Social Network Service) ≫

SNS는 웹을 기반으로 하여 사용자 간의 자유로운 의사소통과 정보 공유, 그리고 인맥 확대 등을 통해 사회적 관계를 형성하고 유지시켜 주는 온라인 서비스를 의미한다. 스마트 기기의 보급이 일반화되면서 SNS 사용이 급증하고 있다. SNS 서비스는 사람들을 일정한 유형으로 분류하는 서비스, 친구들과 연락을 주고받을 수 있는 수단을 제공하는 서비스, 사용자들의 신뢰 관계를 기반으로 무언가를 추천하는 시스템을 갖춘 서비스 등으로 분류된다.

SNS의 가장 큰 장점은 누구나 콘텐츠를 생산할 수 있고, 빠른 속도로 많은 사람에게 콘텐츠를 전달할 수 있다는 점이다. 또한 SNS가 시민의 정치 참여를 유발하여 민주화를 요구하는 기폭제가 되기도 한다. 그러나 이러한 SNS의 장점이 오히려 불확실한 정보를 쉽게 확산시켜 사회적 혼란을 유발할 수 있고, 익명성을 바탕으로 악의적인 비방을 하여 사회 문제를 일으키기도 한다.

자료2 디지털 치매 ≫

스마트폰은 우리의 기억력을 대신해 주는 작은 컴퓨터로 우리에게 많은 편리함을 주고 있다. 이제 우리는 스마트폰 등 디지털 기기로 인해서 주변인들의 전화번호를 기억할 필요가 없으며, 종이에 계산을 할 필요성도 적어졌고, 굳이 도서관에서 책을 빌려 볼 필요 없이 정보나 지식을 터치 한 번으로 쉽게 얻을 수 있다. 그러나 전 세계적으로 스마트폰이 널리 퍼지기 시작한 2007년 이후 디지털 치매가 심각한 문제로 등장하였다. 디지털 치매(digital dementia)는 '디지털 기기에 지나치게 의존해 기억력이나 계산 능력이 크게 떨어진 상태'를 말한다. 특히 디지털 기기의 의존도가 높은 젊은 층에서 많이 나타나고 있으며, 심각한 뇌 기능의 퇴화 증세를 동반한다. 이들은 집이나 가족의 전화번호를 외우는 것에 어려움을 느끼며, 내비게이션 없이는 익숙한 길도 헤매는 경우가 많다.

자료3 사이버 불링(cyber bullying) ≫

SNS, 휴대폰 등 디지털 기기를 사용해 사이버 상에서 욕설, 험담, 허위 사실 유포, 따돌림 등으로 상대방을 괴롭히는 현상을 이르는 말이다. 사이버 불링의 유형은 다양하다.

이미지 불링은 사진·동영상 같은 이미지를 활용해 상대방을 괴롭히고 모욕을 주는 행위를 말한다. 사이버 감금은 모바일 메신저 채팅 방에 초대한 후 인신공격, 욕설 등을 하면서 피해자가 방을 나가지 못하게 하고, 나가더라도 강제로 다시 들어오게 만드는 행위를 반복하는 것으로, 은밀하게 벌어지기 때문에 부모나 교사가 파악하기 어렵다.

피해자가 싫다고 해도 인터넷이나 스마트폰을 통해 말, 글, 사진, 그림 등을 계속 보내 공포심과 불안감을 유발하는 사이버 스토킹, 피해자의 아이디를 이용해 사이버상에서 마치 그 사람인 것처럼 행동하는 아이디 도용, 특정인에게 성적인 메시지를 보내거나 성적인 모욕 등을 하는 사이버 성폭력, 채팅할 때 없는 사람처럼 무시하거나 피해자가 SNS에 입장하면 다른 학생들은 다 퇴장하는 행위 등도 사이버 불링에 해당한다.

자료4 스마트폰의 장단점 >>

이제 스마트폰은 누구에게나 필수품이 되었다. 그만큼 스마트폰은 우리 생활과 매우 밀접한 관계를 맺게 되었고, 많은 사람이 스마트폰을 이용해 전화는 물론 친구와 대화하는 메신저, 눈과 귀를 즐겁게 해 주는 영화 시청과 음악 청취 등 다양한 기능을 사용하게 되었다. 카메라 없이도 사진이나 동영상을 촬영할 수 있을 뿐만 아니라 오늘의 날씨를 확인할 수도 있고, 버스와 지하철 도착 시각도 바로바로 알아볼 수 있으며, 새로운 뉴스를 실시간으로 보고, 게임을 하며 스트레스도 풀 수 있다.

그러나 스마트폰이 우리 생활 깊숙이 들어올수록 그 부작용 또한 점점 커져 사회 문제가 되기도 한다. 그 대표적인 예가 길을 걸으면서 스마트폰을 하는 '스몸비족'이다. 이들은 길을 걸으면서도 스마트폰에 빠져 주변에서 일어나는 위험을 전혀 감지하지 못해 다치거나 때때로 생명을 잃기도 한다. 가족이나 친구들과의 대화 시간도 줄어들었다. 친구와 만나 마주 앉아 있으면서도 각자 스마트폰을 보고 있는 모습을 심심치 않게 볼 수 있다. 노인층에서나 볼 수 있는 눈 질환인 비문증, 어깨와 목의 변형이 생기는 거북목 증후군 등 부작용도 만만치 않다. 잠자기 전 30분 이상 어두운 방에서 스마트폰을 보는 잘못된 습관 때문에 망막 시세포 손상으로 실명이 되는 사람도 있다.

📖 교과서 활동 과제 풀이

스스로 생각하기 | **정보 통신 매체 이용 자세** | ✏️교과서 20쪽

활동 목적 | 정보 통신 매체를 올바르게 이용하기 위한 태도를 탐구해 봅시다.

예시 답안
- (생각1) 휴대가 간편하여 언제 어디서나 정보를 검색하고 의사소통을 할 수 있지만, 과도하게 사용하여 부모님과 갈등을 빚기도 한다.
- (생각2) 자기 기분에 따라 행동하지 않고 스스로 절제하고 남을 배려하는 습관을 가진다.

생각 Tip | 평소에 스마트폰이나 다른 정보 통신 매체를 사용하면서 느꼈던 점을 곰곰이 생각해 볼까요?

스스로 정리하기 | **정보 통신 매체 이용 습관** | ✏️교과서 23쪽

활동 목적 | 일상생활에서 정보 통신 매체를 올바르게 이용하는 태도를 알아봅시다.

예시 답안
- (생각1) 개인 정보를 보호하고 사이버 윤리를 잘 지키며, 시간을 정해 적절하게 이용하도록 한다.
- (생각2) 상대방을 비난하거나 욕설을 하는 등 남을 괴롭히는 일에 사용한다거나, 자기 일을 소홀히 하면서 중독이 된 것처럼 과도하게 사용하는 습관 등

정리 Tip
- 이번 주제를 공부하면서 자신의 생각이 어떻게 달라졌는지 확인해 볼까요?
- 정보 통신 매체의 올바른 사용 태도를 정리해 보고, 학습 목표를 제대로 성취하였는지 스스로 점검해 봐요.

1 정보 통신 매체의 발달이 가져온 결과가 <u>아닌</u> 것은?

① 스마트 모바일 기기의 발달로 '인터넷은 곧 생활'이 되고 있다.

② 언제 어디서나 접속이 가능한 유비쿼터스 환경이 확산되고 있다.

③ 정보화 사회로 변화함에 따라 여러 가지 사회적 문제들이 자취를 감추고 있다.

④ 스마트폰의 경우 휴대가 간편하여 편리한 정보 검색과 의사소통을 가능하게 해 준다.

⑤ 인터넷은 단순한 '연결'의 도구가 아닌 '소통'과 '공감'의 중요한 매체로 자리매김하였다.

2 사이버 불링(cyber bullying)에 대한 설명으로 옳은 것은?

① 사이버 공간에서 특정인을 괴롭히는 행위이다.

② 정신 활동으로 얻은 창작물에 부여된 권리이다.

③ 온라인에서 다투다 실제로 만나서 충돌을 벌이는 행위이다.

④ 사이버 공간에서 다른 사람의 인격을 손상하거나 수치심을 주는 행위이다.

⑤ 다른 사람이나 기관의 정보 시스템에 무단으로 침입하여 파괴하는 행위이다.

3 다음 글에서 유성이의 행위와 관련된 사이버 범죄는?

> 시험이 끝난 날 무엇을 할까 고민 중인데 유성이가 최근 개봉한 영화를 불법으로 내려받았다면서 볼 거냐고 물어보았다. 나는 좋다고 하면서 같이 보자고 하였다.

① 사이버 폭력　　　② 인터넷 사기

③ 개인 정보 유출　　④ 사이버 명예 훼손

⑤ 지식 재산권 침해

4 건강한 인터넷 세상을 만들기 위해 가져야 할 자세를 | 보기 | 에서 모두 고른 것은?

┌─ 보기 ─────────────────────────┐
ㄱ. 유해 정보는 남의 눈에 띄지 않게 조용히 시청한다.

ㄴ. 저작권이 있는 저작물은 저작권자의 허락을 받고 사용한다.

ㄷ. 나의 개인 정보뿐만 아니라 다른 사람의 개인 정보도 보호한다.

ㄹ. 근거 없는 소문을 퍼뜨리거나 다른 사람의 사생활을 침해하지 않는다.

ㅁ. 다른 사람들이 즐거워하는 사진이나 영상 등을 보면 무엇이든 탑재한다.
└────────────────────────────┘

① ㄱ, ㄴ, ㄷ　　　② ㄴ, ㄷ, ㄹ

③ ㄷ, ㄹ, ㅁ　　　④ ㄱ, ㄷ, ㄹ

⑤ ㄴ, ㄷ, ㅁ

5 다음 중 사이버 공간에서 허용되는 행위는?

① 다른 사람의 정보를 조작하거나 훔친다.

② 자녀가 부모의 주민 등록 번호를 몰래 사용한다.

③ 취득한 개인 정보를 대가를 받고 남에게 넘겨준다.

④ 당사자의 허락을 받지 않고 개인 정보에 접근한다.

⑤ 다양한 사이트에 서로 다른 아이디(ID)로 가입한다.

★
6 사이버 공간을 이용하는 자세로 바람직하지 <u>않은</u> 것은?
중요

① 게시판에 댓글을 쓸 때 바르고 고운 말을 사용한다.

② 정품 프로그램을 구입하여 사용하는 습관을 기른다.

③ 스스로 절제하고 책임 있게 행동하는 태도를 기른다.

④ 자신의 해킹 능력이 어느 정도인지 자주 시험해 본다.

⑤ 적은 돈으로 구입할 수 있는 불법 복제물을 멀리한다.

단원 정리 문제

01 [주관식] 컴퓨터 통신망 안에 있는 가상의 공간으로, 우리의 생활을 편리하게 해 주는 공간을 무엇이라 하는지 쓰시오.

02 [서술형] 사이버 공간의 익명성이 가져오는 장점과 문제점을 각각 한 가지씩 서술하시오.

★
03 [중요] '사이버 공간은 긍정적인 면만 있는 것은 아니다.'라는 주장에 대해 타당한 근거는?

① 인터넷 쇼핑이나 원격 진료 등이 가능한 공간이다.
② 사이버 공간을 통해 자유로운 의사소통이 가능하다.
③ 개인 정보가 유출되어 범죄에 자주 이용되기도 한다.
④ 공간적 제약을 넘어 정보를 신속하게 교환할 수 있다.
⑤ 일방적으로 정보를 전달받는 것이 아니라 쌍방향 의사소통이 가능하다.

04 다음과 같은 주장의 근거로 들 수 있는 것은?

> 스마트폰은 우리의 일상생활 속에 깊숙이 스며들어 다른 사람들과의 의사소통이나 정보 검색 등 편리한 기능을 제공하고 있다. 하지만 무분별하고 과다한 스마트폰 사용은 일상생활에 많은 부작용을 낳고 있다.

① 가족 간의 대화가 단절될 수 있다.
② 이동 중에도 의사소통을 할 수 있다.
③ 언제 어디서나 정보를 검색할 수 있다.
④ 위험한 일이 발생했을 때 즉시 대처할 수 있다.
⑤ 인터넷 기능을 이용하여 은행 업무를 볼 수 있다.

05 현대 사회의 특징에 대한 설명으로 옳지 <u>않은</u> 부분을 골라 바르게 고쳐 쓰시오.

> ㉠오늘날 우리는 컴퓨터와 정보 통신 기술이 산업의 중심이 되는 정보화 시대에 살고 있다. ㉡예전과 달리 이제는 물리적 자원보다 최첨단 기술과 정보가 매우 중요하게 되었다. ㉢이러한 변화는 우리의 일상생활 또한 크게 바꾸어 놓았는데, ㉣이러한 변화 중에서도 가장 두드러진 것 중의 하나가 바로 사이버 공간의 출현이다. ㉤사이버 공간은 컴퓨터 통신망 안에 현실적으로 존재하는 공간으로, 우리의 생활을 매우 편리하게 해 주고 있다.

06 다음 글을 통해 알 수 있는 결론과 거리가 <u>먼</u> 것은?

> 우리는 컴퓨터를 통해 각종 정보를 얻고, 게임을 즐기고, 과제를 하고, 채팅이나 전자 우편을 통해 인간관계의 폭을 넓히기도 한다. 도서관에 가지 않고도 원하는 정보를 얻을 수 있고, 병원에 가지 않고도 원격 진료를 받을 수 있다. 나아가 세계 각지에서 일어나고 있는 일들을 같은 시간에 접할 수 있다.

① 사이버 공간은 공간적 제약을 뛰어넘을 수 있다.
② 사이버 공간은 부정적인 영향을 끼치지는 않는다.
③ 사이버 공간은 우리의 생활을 크게 바꾸어 놓았다.
④ 사이버 공간은 다양하고 풍부한 정보가 담겨 있다.
⑤ 사이버 공간은 우리 생활을 편리하게 해 주고 있다.

07 사이버 공간에서 나타나는 문제로 볼 수 <u>없는</u> 것은?

① 한글 파괴　　　　② 명예 훼손
③ 사생활 침해　　　④ 사이버 범죄
⑤ 자율성 침해

08 다음과 같은 행동에 대한 평가로 옳은 것은?

> 개인의 신상 관련 자료를 온라인상에 공개하는 '신상 털기'가 지나친 수준에 이르고 있다. 신상 털기는 일종의 '공개 처형'과도 같다. 일부 누리꾼들은 신상 털기는 잘못을 저지른 사람을 벌하는 방법 중 하나라고 여기며 정의감을 느끼곤 한다.

① 법적으로 처벌받을 수 있는 잘못된 행동이다.
② 잘못을 저지른 사람들을 벌하는 당연한 행동이다.
③ 온라인상에서 잘못을 저지르면 응징을 해야 한다.
④ 신상 털기를 하는 것은 올바른 네티즌의 자세이다.
⑤ 개인의 신상 관련 자료를 공개하는 것은 필요하다.

09 키보드 워리어에 대한 설명으로 옳지 않은 것은?

① 인터넷상에서 근거 없는 소문이나 악성 댓글 등을 올리는 사람을 말한다.
② 실제 생활에서는 전혀 힘을 쓰지 못하는 소심한 성격을 가진 사람인 경우도 많다.
③ 사이버 공간에서 자신이 한 행동에 대해 만족감을 얻고 힘을 과시하는 경우가 많다.
④ 다른 사람이 올린 글에 대해 비방하거나 험담하는 내용의 댓글을 즐겨 올리는 사람을 말한다.
⑤ 인터넷의 게시판에 있는 내용에 대해 쓴 긍정적인 댓글로 아름다운 세상을 만드는 데 도움을 준다.

10 주관식 다음 (가), (나)와 같은 사이버 범죄를 무엇이라 하는지 쓰시오.

(가)

(나)

11 ★ 중요 사이버 공간에서는 현실 공간보다 더 엄격한 도덕적 책임이 요구되는 이유가 무엇인지 서술하시오.

12 다음과 같은 문제를 해결하는 데 필요한 것은?

> 많은 이들이 길거리를 다닐 때도 밥을 먹을 때도 스마트폰을 손에서 놓지 못한다. 청소년들은 그 정도가 더 심하다. 한 조사에 따르면 오늘날 사람들의 SNS 이용이나 문자 메시지 확인 및 회신 등에 대한 중독성이 담배나 술에 대한 중독성보다 더 강하다고 한다. 신경이 온통 SNS에만 쏠려 있으니 집중력이 자꾸 분산되고 공부도 일도 제대로 하지 못한다.

① 기분이 우울할 때에만 스마트폰을 사용한다.
② 기분에 따라 스마트폰 사용 시간을 조절한다.
③ 스마트폰은 잠자리에 들면서 사용하기 시작한다.
④ 스마트폰은 꼭 필요할 때가 아니면 사용하지 않는다.
⑤ 다른 일을 할 때에도 머릿속으로 스마트폰을 생각한다.

13 다음 물음에 대한 대답으로 가장 적절한 것은?

> 제출해야 할 과제로 고민 중인데 친구가 과제를 대신 작성해 올려 준다면서 ID와 비밀번호를 알려 달라고 한다. 내 ID와 비밀번호를 친구에게 알려 줘도 괜찮을까?

① 과제만 주면 올리는 것은 스스로 한다고 말한다.
② 고맙기는 하지만 내 과제는 스스로 한다고 전한다.
③ 개인 정보를 알려 달라는 친구를 관계 기관에 신고한다.
④ 과제를 대신 해 준다는 친구에게 고마움을 전하면서 비밀번호를 알려 준다.
⑤ 다른 사람들에게는 유출하지 말라고 당부하면서 ID와 비밀번호를 알려 준다.

① 갈등은 왜 발생하는가?

📎 교과서 27~30쪽

학습의 주안점
- 갈등의 의미
- 갈등의 유형
- 갈등의 문제점과 원인

1 갈등의 의미와 유형

(1) 갈등의 의미 자료1

① 인간의 삶: 인간은 많은 사람들과 관계를 맺으면서 살아가는 과정에서 자신과의 갈등, 친구와의 갈등, 가족과의 갈등 등 다양한 갈등을 경험하면서 살아감.

② 갈등의 의미: 개인이나 집단이 가지고 있는 목표나 정서❶들이 충돌하고 있는 상태를 말함.

(2) 갈등의 유형

① 내적 갈등: 한 사람의 마음에 다양한 욕구나 가치가 충돌하여 어느 하나를 선택하지 못하고 망설이는 상태(용돈으로 옷을 살까 군것질을 할까 망설이는 경우)

② 외적 갈등: 개인이나 집단 사이에 목표나 사고방식, 또는 이해관계가 달라 서로 적대시하거나 불화가 생기는 상태(**개인 대 개인의 갈등, 개인 대 집단의 갈등, 집단 대 집단의 갈등**)

> **Tip** 갈등을 겪고 있는 당사자가 누구냐에 따라 나누어 볼 수 있어.

2 갈등의 문제점과 원인

(1) 갈등의 문제점 자료2

① 개인 간의 갈등: 다른 사람들과 감정적으로 불편해질 수 있음, 갈등이 더 깊어지면 이로 인해 인간관계가 단절❷되는 경우도 흔히 볼 수 있음.

② 집단 간의 갈등: 사회를 분열❸시키는 요인이 됨. 폭력으로 이어질 수도 있음. 특히 국가와 국가가 이념❹이나 이해관계 때문에 대립하고 갈등할 때 전쟁이라는 극단적인 폭력이 발생할 수 있음. 자료3

> **Tip** 주로 이해관계의 충돌로 인해 갈등이 생겨나.

(2) 갈등의 원인: 세대 차이, 문화 차이, 경쟁으로 인한 대립, 이해관계의 대립, 상대방을 배려하지 않는 태도, 의사소통 부족 등 다양함. 자료4

---

❶ **정서**
사람의 마음에 일어나는 여러 감정. 또는 감정을 불러일으키는 기분이나 분위기

❷ **단절**
유대나 연관 관계를 끊음.

❸ **분열**
집단이나 단체, 사상 따위가 갈라져 나뉨.

❹ **이념**
이상적인 것으로 여겨지는 생각이나 견해

📖 기본 확인 문제

📎 정답 215쪽

1 다음 내용이 옳으면 ○표, 틀리면 ×표를 하시오.
① 삶의 과정에서 갈등을 겪지 않는 사람도 있다. (　)
② 국가 간에도 다양한 이유로 갈등이 생길 수 있다. (　)
③ 갈등이 깊어지면 인간관계가 단절되는 경우도 있다. (　)

2 용돈으로 영화를 볼 것인가 아니면 책을 살 것인가 망설이는 상태는 갈등의 어떤 유형에 해당하는가?

3 부모와 자녀 사이의 생활 방식과 사고방식의 차이를 무엇이라 하는가?

4 다음 빈칸에 들어갈 알맞은 말을 쓰시오.
① 갈등의 가장 큰 문제는 □□으로 이어질 수 있다는 점이다.
② 갈등이 발생하는 원인은 매우 다양하지만 주로 □□□□의 충돌로 인해 생겨난다.

교과서 27~30쪽

내신 만점을 위한 탐구 자료

자료1 갈등의 의의 ≫

갈등에는 개인과 사회를 변화시키는 긍정적인 요소가 전혀 없는 것은 아니다. 갈등은 더 나은 사회로 가기 위하여 이겨 내야만 하는 불가피한 과정이다. 사람들은 갈등에 의해 실패와 좌절을 경험하기도 하지만, 인내와 노력을 통하여 새로운 발전을 이룩할 수도 있다. 물론 모든 갈등이 쉽게 해결될 수 있는 것은 아니지만, 사람들 사이의 일이므로 노력하면 극복할 수 있다는 신념과 인내심을 가지고 최선의 방법을 찾아보면 해결의 실마리를 찾을 수 있을 것이다.

자료2 갈등의 문제점 ≫

한 개인이 내부적으로 가치 갈등을 자주 겪으면 그 사람은 다른 일에도 자신감을 잃게 되고, 경우에 따라서는 심리적 혼란이나 정서적 불안감을 느끼게 된다. 이렇게 되면 자신의 문제를 스스로 해결하지 못하고 다른 사람에게 의존하려는 경향이 생기고, 책임감이 약해지게 된다. 다른 사람과의 관계 속에서 발생하는 가치 갈등은 개인은 물론 사회를 불안하게 한다. 한 가정에서 갈등이 자주 일어나면 화목한 가정을 유지하기 어렵듯이 사회생활에서 겪는 갈등은 사회 구성원 간에 반목과 불화를 일으킬 수 있다. 뿐만 아니라 가치 갈등이 심화되면 사회 구성원들이 공동으로 추구하는 목표를 제대로 실현하기 어렵다. 특히 가치 갈등은 집단 간에 심각하게 나타난다. 집단 간의 갈등은 의식이나 사고방식의 차이보다는 이해관계에서 발생하는 경우가 많기 때문에 집단적 갈등이 잘 해결되지 않으면 사회의 공동 목표는 실현되기 어렵다.

자료3 집단 간의 갈등: 님비 현상 ≫

님비란 'Not In My Back Yard(내 뒷마당에는 안 된다.)'의 줄임말로, 자신들이 살고 있는 지역에 핵폐기물 처리장, 범죄자 수용소, 정신 병원 등 혐오 시설이 유치되는 것을 반대하는 지역 이기주의의 한 유형이다. 이 말은 1987년 3월 미국의 아이 슬립이라는 곳에서 처음 나온 말이다. 아이 슬립에서 배출된 쓰레기를 처리할 방안을 찾지 못하자, 정부는 쓰레기 3천 톤을 배에 싣고 미국 남부 6개 주에서 중남미 연안까지 6개월 동안 9,600㎞를 항해하면서 쓰레기를 다른 지역에 처리하려 그 지역 주민들의 반대로 결국 실패했고, 그때 그 지역 주민들이 'Not In My Back Yard!'라고 외쳤던 데에서 유래하였다. 님비는 혐오 시설의 필요성을 인정하면서도 다른 지역에 설치되기를 바라는 자기중심적인 행동으로, 이러한 현상은 지방 자치제가 시행되면서 더욱 두드러지게 나타나고 있다.

자료4 비언어적 표현의 중요성 ≫

우리가 의사소통을 하는 수단에는 언어만 있는 것은 아니다. 눈 맞춤, 눈썹의 위치, 머리 끄덕임, 손의 위치, 손동작, 그리고 몸 기울이기 등의 비언어적 신호도 모두 생각을 전달하는 수단이 된다. 어떤 사람이 말은 막힘이 없이 하지만 눈을 마주치지 못한다면, 이는 그가 상대의 말을 잘 경청하지 않고 있다는 의미일 수 있다. 어떤 사람이 다른 사람의 관점을 받아들인다고 해도 팔짱을 끼고 있거나 다리를 꼬고, 몸을 뒤로 기울이고 있다면, 이는 그가 상대에게 적대감을 가지고 있거나 말하는 사람을 배려하지 않고 있음을 나타낼 수 있다. 이처럼 언어적 신호와 비언어적 신호가 일치하지 않음으로써 발생하는 혼합된 메시지는 의사소통을 방해한다. 따라서 상대방과 대화할 때 갈등을 줄이려면 언어 표현뿐만 아니라 비언어적 표현에도 주의를 기울여야 한다.

교과서 활동 과제 풀이

스스로 생각하기 **생활 속에서 겪는 갈등** 📎교과서 27쪽

활동 목적 **제시된 사진을 통해 다양한 갈등 유형을 확인하면서 실제로 내가 겪고 있는 다양한 갈등의 형태를 알아봅시다.**

예시 답안

생각1 ① 개인이 목적지에 도달하기 위해 어떤 길을 선택해야 하는지, 혹은 어떤 목표를 이루기 위한 두 가지 방법을 놓고 고민하고 있는 모습이다.

② 남녀가 가치관의 차이로 대립하고 있는 모습이다.

③ 한 사람과 다수의 사람들이 의견 불일치로 대립하고 있는 모습이다

④ A 지역 사람들과 B 지역 사람들이 쓰레기 처리장과 같은 혐오 시설이 자기 동네에 들어서는 것을 서로 반대하며 갈등을 겪고 있는 모습이다.

생각2 ① 학업 성적을 향상시키기 위해 혼자 공부해야 할지, 학원이나 방과 후 수업 등을 통해 도움을 받아야 할지 갈등하고 있다.

② 시험공부를 할지, 컴퓨터 게임을 할지 고민하고 있다.

③ 친구가 매번 급식실에서 새치기를 하여 말다툼을 벌였다.

생각 Tip 우리 주변에서 일어나는 다양한 갈등의 모습을 떠올려 보면서 생각해 봐요.

생각 더하기 **외적 갈등의 다양한 유형** 📎교과서 28쪽

활동 목적 **외적 갈등의 다양한 유형을 구체적인 사례를 통해 알아봅시다.**

예시 답안

갈등의 유형	사례
개인 대 개인 갈등	학급 봉사 활동 장소를 결정하는 문제를 두고 하고 싶은 봉사 활동이 학급 친구들마다 달라서 의견 대립이 있었다.
개인 대 집단 갈등	토요일에 영화를 보자고 하는 A와 수영장에서 물놀이를 하자고 하는 A의 친구들이 갈등을 겪고 있다.
집단 대 집단 갈등	복지 정책 확대에 대하여 A 정당과 B 정당이 서로 다른 의견을 제시하며 갈등하고 있다.

활동 Tip 자신의 경험이나 TV 뉴스, 신문 기사 등에서 쉽게 볼 수 있는 갈등의 모습을 떠올려 봐요!

스스로 정리하기 **갈등의 문제점과 원인** 📎교과서 30쪽

활동 목적 **갈등으로 인해 발생할 수 있는 문제점과 갈등을 일으키는 원인을 탐구해 봅시다.**

예시 답안

정리1 갈등이 심화되면 인간관계가 단절되기도 하고 더 큰 사회 문제를 야기하게 된다. 갈등을 바람직한 방법으로 해결하지 못할 경우 폭력으로 이어질 수도 있다.

정리2 주로 이해관계의 충돌이나 가치관의 차이, 의사소통에 오해가 발생할 경우 갈등이 생길 수 있다.

정리 Tip • 이번 주제를 공부하면서 자신의 생각이 어떻게 달라졌는지 확인해 볼까요?

• 갈등 발생 이유를 정리해 보고 학습 목표를 제대로 성취하였는지 스스로 점검해 봐요.

주제별 평가 문제

정답 215쪽

교과서 27~30쪽

1 갈등에 대한 설명으로 옳은 것은?
중요

① 가치 갈등과 사회 구성원들의 반목은 반비례한다.
② 내적 갈등은 의지력이 강한 사람들이 자주 겪는다.
③ 사회적 갈등이 심화되면 개인의 꿈도 이루기 어렵다.
④ 가치 갈등을 겪지 않으면 정서적 불안을 느끼게 된다.
⑤ 인간관계에서 생기는 갈등은 항상 공동체 의식을 높여 준다.

2 내적 갈등에 대한 설명으로 옳지 **않은** 것은?

① 개인 내부에서 일어나는 심리적 갈등이다.
② 두 가지 이상의 욕구가 충돌할 때 나타난다.
③ 어떤 것을 선택할지 잘 모르는 경우 생긴다.
④ 가치의 우선순위를 따져 해결하려는 노력이 필요하다.
⑤ 의지가 약한 사람이 강한 사람보다 더 잘 해결할 수 있다.

3 다음 중 개인과 집단과의 갈등 유형에 해당하는 것은?

① 영수가 친구들이 많이 신고 다니는 농구화를 사 달라고 하자 어머니는 값이 비싸 사 줄 수 없다고 하였다.
② 박 과장은 비 오는 날에 정화하지 않은 폐수를 하천으로 흘려보내라는 사장의 지시를 받고 고민하고 있다.
③ 혜미는 친구들과 영화를 보기로 했으나 그 영화가 미성년자 관람 불가였기 때문에 약속을 지킬 수 없다고 하였다.
④ 회사 측에서 임금을 10%밖에 올려 줄 수 없다고 하자 노조 측에서는 20%를 올려 주지 않으면 파업을 하겠다고 하면서 회사 측 제안을 거부하였다.
⑤ 민수는 이성 교제를 계속할 것인지, 아니면 공부에 전념하기 위해서 이성 친구와의 교제를 그만둘 것인가의 문제를 놓고 많은 생각을 하고 있다.

4 다음과 같은 갈등 유형에 대한 설명으로 옳은 것은?

> 경부 고속 철도를 건설하려고 할 때, 고속 철도가 경주를 통과하는 문제를 놓고 의견이 엇갈렸다. 문화재와 환경의 보존을 중시하는 쪽과 경주 지역 개발을 주장하는 쪽이 서로 팽팽하게 나뉘어 맞서게 되었다.

① 단순한 의견 충돌로 끝나는 경우가 많다.
② 개인 간의 가치 갈등보다 해결하기가 쉽다.
③ 집단이 가지고 있는 힘을 통해 해결해야 한다.
④ 심각한 사회 문제를 불러일으키는 경우가 많다.
⑤ 각자가 추구하는 가치가 서로 동일할 때 나타난다.

5 가치 갈등에 대한 설명으로 옳지 **않은** 것은?
중요

① 가치 갈등은 시대의 변화에 따라 다르게 나타난다.
② 집단 간의 가치 갈등은 다른 갈등보다 쉽게 해결된다.
③ 가치 갈등은 여러 규범들이 충돌될 때 나타나기 쉽다.
④ 갈등을 지혜롭게 해결할 경우 사회는 발전할 수 있다.
⑤ 가치 갈등은 내적 갈등과 외적 갈등으로 나눌 수 있다.

6 다음과 같은 갈등의 원인에 해당하는 것은?

① 문화 차이
② 세대 차이
③ 지나친 경쟁
④ 이해관계 충돌
⑤ 의사소통 부족

② 갈등 상황을 평화적으로 해결해야 하는 이유는 무엇일까?

1 갈등을 대하는 우리의 자세

(1) 갈등에 대한 다양한 반응 자료1

① 적극 대처하기도 하고 혼자 참고 넘어가거나 화제를 돌려 회피❶하기도 함.

② 직접 상대방을 비난하고 화를 내거나 폭력을 행사하기도 함.

(2) 평화적 갈등 해결의 중요성

① 갈등을 회피하거나 비난이나 폭력을 사용하면 갈등을 근본적으로 해소하기보다는 오히려 더 악화시키기도 함.

② 평화적인 방법을 통해 적극적으로 갈등을 해결할 필요가 있음.

(3) 갈등의 의의: 갈등 자체를 바람직하지 못한 것으로만 보면 안 됨. → 갈등을 평화롭고 합리적으로 해결한다면 갈등은 건강한 사회의 조건이 될 수 있음.

❶ **회피**
일하기를 꺼리어 선뜻 나서지 않음.

2 평화적 갈등 해결의 중요성 자료2

(1) 개인의 인격적 성숙

① 다른 사람의 입장을 이해하고 존중하는 태도를 기를 수 있음.

② 다른 갈등이 생겼을 때 더욱 현명하게 대처할 수 있음.

③ 타협❷하는 자세를 배우고 민주적인 의사소통의 자세를 지닐 수 있음.

(2) 갈등 당사자의 관계 증진

① 대화를 통해 서로의 입장과 생각을 더 깊이 이해하고 신뢰를 쌓을 수 있음.

② 오해를 풀고 타협하는 과정에서 서로의 관계가 더욱 돈독❸해질 수 있음.

(3) 사회의 화합 ─ Tip 평화적인 방법으로 갈등을 해결한다면 공동의 이익을 추구하는 데에도 도움이 될 거야.

① 집단 간의 갈등에서 일어날 수 있는 큰 폭력을 방지할 수 있음.

② 개인이 해결할 수 없는 사회적 문제들을 드러내고 공감대❹를 형성할 수 있음.

❷ **타협**
어떤 일을 서로 양보하여 협의함.

❸ **돈독**
도탑고 성실함.

❹ **공감대**
서로 공감하는 부분

📖 기본 확인 문제

⊘정답 216쪽

1 다음 내용이 옳으면 ○표, 틀리면 ×표를 하시오.

① 갈등 상황을 참거나 회피하려 해서는 안 된다. (　　)

② 갈등은 해결 방법보다 해결 속도가 더 중요하다. (　　)

③ 갈등 상황만큼 갈등에 대처하는 방법도 다양하다. (　　)

2 갈등을 이겨 내고 그것을 통해 다양한 관점과 가치를 서로 인정하고 존중하는 사회를 무엇이라 하는가?

3 갈등의 평화적 해결은 우리 사회에 어떤 도움을 주는가?

4 다음 빈칸에 들어갈 알맞은 말을 쓰시오.

① 평화롭고 ☐☐☐인 방법을 통해 갈등을 해결하려고 노력한다면 갈등은 건강한 사회의 조건이 될 수 있다.

② 평화적으로 갈등을 해결하면 개인은 ☐☐☐으로 성숙할 수 있다.

📖 내신 만점을 위한 탐구 자료

자료1 갈등에 대처하는 유형 ≫

유형	특징	예
경쟁형	상대방의 욕구를 좌절시키고 자신의 욕구는 충족시키려는 적극적 전략으로, 상대방의 원망과 분노를 불러오는 상황이 많이 발생한다.	내가 반드시 이겨야 해.
회피형	갈등 상황을 인정하지만 상대방과의 논쟁을 피하여, 갈등을 외면하거나 정면으로 대응하지 않는다.	난 몰라. 그냥 갈래.
양보형	자기주장을 내세우기보다는 상대와의 관계를 중시하여 상대의 요구나 입장을 수용하는 것이다.	난 항복, 네가 이겼어.
타협형	현실적인 감각이 뛰어나며, 서로 적당히 손해를 보면서 타협점을 찾는다.	너랑 나랑 주고받자.
협력형	여러 상황을 고려하여 모두가 만족할 수 있는 결과를 찾기 위해 협력한다.	우리 같이 일하자. 우린 둘 다 이긴 거야.

자료2 갈등의 평화적 해결의 의미 ≫

평화적 갈등 해결은 특별하고 독특한 새로운 방법이라고 볼 수는 없다. 갈등의 역사만큼, 갈등이 있는 곳에 그것을 평화적으로 해결하려는 노력이 있었다. 그러나 최근 세계적으로 '갈등의 평화적 해결'에 관심을 쏟고 그 방법을 모색하는 것은 지금 이 시간에도 지구촌 곳곳에서 전쟁과 폭력이 끊이지 않고 있기 때문이다.

평화적 갈등 해결은 단순히 해결 방법을 익히고 적용하는 것만을 의미하지는 않는다. 해결 방법이란 상황이나 문화에 따라 주체적 의지에 따라 창의적으로 만들어 갈 수 있는 것이기 때문이다. 진정한 갈등 해결은 드러난 갈등에 대한 대처만이 아니라 드러난 갈등 이면의 원인과 내용에 대한 분석을 기초로 잠재된 갈등의 뿌리를 변화 또는 제거시킬 때 가능하다. 즉 폭력적 행동을 중단하는 것뿐만 아니라 그 행동을 뒷받침하는 신념, 가치관, 태도 등을 평화와 공존의 가치관, 신념, 태도로 변화시키고, 갈등의 원인이 되는 구조를 변화시키는 것을 모두 포함한다.

🔍 교과서 활동 과제 풀이

스스로 생각하기 　**갈등 해결 방법** 　🔗 교과서 31쪽

활동 목적 　**갈등 앞에서 우리가 가져야 할 태도를 생각해 봅시다.**

예시 답안 　 **생각 1** 두 집단은 절벽 끝에서 위험에 처해 있는 상황인데도 불구하고 계속 자기 쪽으로 줄을 잡아당긴다면 어느 한 집단, 또는 두 집단 모두 절벽 아래로 떨어져 생명을 잃을지도 모르는 상황을 맞이하게 될 것이다.

생각 2 서로 계속 줄을 잡아당기기보다는 대화를 통해 다른 해결책을 찾아 현재 상황을 개선시키려 노력할 것이다.

생각 Tip 자신의 의견만을 고집하면 갈등이 해결되지 않고, 더 악화될 수 있다는 점을 생각해 봐요!

생각 더하기 갈등에 대처하는 자세 　　　　　　　　　　　　　　　　　　　　　　　🔗교과서 32쪽

활동 목적　　구체적인 갈등 상황에서 어떻게 대처해야 하는지 생각해 봅시다.

예시 답안　　• 비협조적인 친구에게: 모둠 과제는 우리 모두의 노력 없이는 제대로 수행할 수 없음을 설명하고 친구의 태도
　　　　　　　가 달라질 수 있도록 설득한다.
　　　　　　　• 할아버지께: 다리를 심하게 다쳐 노약자석에 앉을 수밖에 없음을 공손하고 예의 바른 태도로 말씀드린다.

활동 Tip　　자신이 대처하는 방법을 솔직하게 써 보면서 자신의 모습을 성찰해 보세요.

이야기 도미노 쌓기! 갈등으로 인해 폭력이 발생했을 경우 어떤 문제가 생길까?　　🔗교과서 34쪽

활동 목적　　갈등으로 인해 폭력이 발생했을 경우 어떤 문제가 발생할 수 있을지 생각해 봅시다.

예시 답안　　이야기 도미노 만들기

	폭력 상황 (1)	폭력 상황 (2)
	지필 평가 결과가 높지 않아 부모님께 꾸중을 듣자 순간적으로 서운하고 화가 나 부모님께 언성을 높이고 집 밖으로 뛰쳐나옴.	친구가 집에서 동생과 컴퓨터 사용 문제로 다투는 것을 엄마가 보고 심하게 나무라자 집에서 나온 후 등교를 하지 않고 있음.
1	친한 친구에게 전화를 걸어, 나와 같이 밤늦도록 함께 있어 달라 부탁함.	괴로워하는 친구에게 다가가 마음속 이야기를 들어주고 해결책을 찾아봄.
2	부모님의 연락을 무시한 채 시간을 아랑곳하지 않고 밤늦게까지 길거리를 헤매고 다님.	친구의 어려움에 공감하고 집으로 돌아가야 한다고 설득함.
3	부모님과의 갈등이 더욱 악화되고 다음날 학교까지도 무단으로 결석하게 됨.	친구를 비난하기보다는 친구가 다시 학교에 나와 함께 공부할 것을 권함.
4	내신 점수가 깎이는 것은 물론 불량한 학교생활 태도에 친구들이 실망을 함.	친구에게 안부를 물으며 관계를 돈독히 함.

활동 Tip　　일상생활에서 일어날 수 있는 갈등 상황을 설정하여 모둠 구성원들의 생각을 모아 봅시다.

스스로 정리하기 갈등을 평화적으로 해결해야 하는 이유　　　　　　　　　　　　🔗교과서 34쪽

활동 목적　　갈등을 평화적으로 해결해야 하는 이유를 탐구해 봅시다.

예시 답안　　**정리 1**　갈등을 해결하기보다는 갈등을 더 악화시키고 인간관계의 단절을 초래할 수 있다.

　　　　　　정리 2　평화적으로 갈등을 해결하는 과정을 통해서 개인의 인격이 성숙하고, 갈등 당사자와의 관계가 증진되며,
　　　　　　　건강한 사회로 나아갈 수 있는 계기가 되어 사회 화합을 이룰 수 있기 때문이다.

정리 Tip　　• 이번 주제를 공부하면서 자신의 생각이 어떻게 달라졌는지 확인해 볼까요?
　　　　　　• 갈등을 평화적으로 해결해야 하는 이유를 정리해 보고, 학습 목표를 제대로 성취하였는지 스스로 점검해 봐요.

주제별 평가 문제

📌 정답 216쪽

1 갈등 상황에 대처하는 자세로 옳은 것은?

① 상대방에게 화를 내며 비난한다.
② 평화적인 방법으로 적극 해결한다.
③ 갈등의 책임을 상대방에게 돌린다.
④ 화제를 다른 곳으로 돌려 회피한다.
⑤ 운명으로 알고 혼자 참고 넘어간다.

2 다음 글을 통해 알 수 있는 것은?

건강한 사회란 갈등을 이겨 내고, 그것을 통해 다양한 관점과 가치가 어우러지며 서로 인정하고 존중하는 사회를 뜻한다.

① 갈등이 없는 사회를 이루도록 노력해야 한다.
② 사람들이 직면하는 갈등 상황은 각기 다르다.
③ 갈등에 대처하는 방법은 사람마다 서로 다르다.
④ 대부분의 갈등은 사람들 사이를 불편하게 만든다.
⑤ 갈등 자체를 바람직하지 못한 것으로 보면 안 된다.

3 갈등의 평화적 해결이 중요한 이유로 옳지 <u>않은</u> 것은?

① 집단 간의 갈등에서 일어날 수 있는 큰 폭력을 방지할 수 있다.
② 타협하는 자세를 배우고 민주적인 의사소통의 자세를 지닐 수 있다.
③ 오해를 풀고 타협을 하는 과정에서 갈등의 골이 더욱 깊어질 수 있다.
④ 대화를 통해 서로의 입장과 생각을 더 깊이 이해하고 신뢰를 쌓을 수 있다.
⑤ 개인이 해결할 수 없는 사회적 문제들을 드러내고 공감대를 형성할 수 있다.

★
4 다음 글을 통해 알 수 있는 것은?
(중요)

우리 반은 번호 순서대로 돌아가면서 청소를 한다. 그런데 매번 세미가 딴짓을 하는 바람에 청소가 늦게 끝난다. 너무 화가 나서 소리를 지른 적도 있다. 하지만 세미는 언제나 알았다고만 할 뿐 바뀐 것이 없다.

그래서 어느 날 왜 그러는 것인지 이유나 들어 보려고 세미와 조용히 대화를 해 보니 세미는 호흡기가 약해서 청소할 때 나는 먼지를 많이 마시면 재채기를 심하게 하거나 천식에 걸릴 수도 있는 상황에 처해 있었다.

세미는 청소를 안 하려 한 게 아니라, 사실은 하고 싶어도 할 수 없는 상황이었다. 세미의 이런 사정을 알게 된 나는 세미가 교실 청소 대신 걸레 빨기나 쓰레기 버리기를 할 수 있도록 배려해 주었다.

① 대화의 중요성
② 청결의 중요성
③ 건강의 중요성
④ 환경의 중요성
⑤ 친구의 중요성

★
5 폭력을 통해 갈등을 해결할 경우 나타나는 결과는?
(중요)

① 서로 감정이 상하고 모두 피해를 보게 된다.
② 갈등 문제를 빠른 시간 내에 해결할 수 있다.
③ 폭력이 되풀이되는 연결 고리를 끊을 수 있다.
④ 갈등 당사자들의 힘의 서열을 존중할 수 있다.
⑤ 자신의 자유와 권리를 최대한 확보할 수 있다.

6 다른 친구들과 갈등을 겪는 친구에게 해 주어야 할 말로 옳은 것은?

① 노력해도 소용없어. 시간이 지나면 해결될 거야.
② 힘이 들더라도 참아 내면 갈등은 잘 해결될 거야.
③ 친구들과 합세하여 그 친구에게 양보하라고 해 봐.
④ 대화를 통해 방법을 찾다보면 해결될 수 있을 거야.
⑤ 갈등을 일으킨 사람들과는 관계를 단절하는 게 좋아.

③ 평화적 갈등 해결을 위한 구체적인 방법은 무엇일까?

📖 교과서 35~39쪽

학습의 주안점
- 갈등 해결에 필요한 자세
- 평화적 갈등 해결 방법

1 바람직한 갈등 해결 자세 자료1

(1) 이성적 판단: 감정을 앞세우면 문제를 냉철❶하게 바라볼 수 없어 갈등의 골은 더욱 깊어질 수밖에 없음.

(2) 관용: 각자 추구하는 가치가 달라 갈등이 생길 경우 이를 이해하고 열린 마음으로 다른 사람의 생각과 가치도 존중해야 함.

(3) 양보와 타협: 갈등 상황에서 내가 꼭 이겨야 한다는 마음을 버리고 서로에게 이익이 되는 방법을 찾아야 함.

(4) 합의 결과 수용❷: 정당한 절차에 따라 결정된 사항은 받아들이고 따라야 함.

2 평화적 갈등 해결 방법

(1) 협상: 대화를 통해 당사자끼리 만족할 수 있는 합의❸를 이끌어 내는 것임. 협상으로 의견이 좁혀지지 않을 경우 조정과 중재를 통해 갈등을 해결할 수 있음.

(2) 조정: 갈등 당사자의 이야기를 제삼자❹가 각각 들어 보고 당사자들의 의사소통을 도와 스스로 해결 방법을 찾을 수 있도록 하는 것임.

(3) 중재: 조정과 비슷하지만 해결책을 제삼자가 직접 제시한다는 것이 다름. 자료2

(4) 토론: 당사자가 다수이며 다양한 가치와 이해관계가 충돌할 경우 토론의 방법을 사용함. 서로의 입장 차이를 줄이고 더 나은 결론을 이끌어 낼 수 있음.

(5) 다수결의 원칙 —— Tip 소수의 판단보다는 다수의 판단이 더 합리적일 거라는 가정에서 출발해.

① 토론을 해도 모두 동의하는 결론이 나지 않을 경우 다수결의 원칙을 사용함.

② 다수의 의견이 항상 옳은 것은 아니며, 소수의 의견과 이익도 존중해야 함.

③ 성급하게 다수결의 원칙을 통해 결론을 내기보다는 충분한 대화를 통해 모두의 의견을 반영하도록 하는 것이 바람직함. 자료3

---

❶ 냉철
생각이나 판단 따위가 감정에 치우치지 않고 침착하며 사리에 밝음.

❷ 수용
어떠한 것을 받아들임.

❸ 합의
서로 의견이 일치함. 또는 그 의견

❹ 제삼자
어떤 사건이나 사물에 대하여 이해관계가 있는 당사자 이외의 사람

🔍 기본 확인 문제

📖 정답 216쪽

1 다음 내용이 옳으면 ○표, 틀리면 ×표를 하시오.
① 감정을 앞세우면 갈등의 골은 얕아질 수 있다. ( )
② 정당한 절차에 의해 결정된 사항은 따라야 한다. ( )
③ 토론을 하면 모두가 동의하는 결론을 낼 수 있다. ( )

2 각자 추구하는 가치가 달라 갈등이 생길 때 상대방의 생각과 가치를 존중하는 것은 무엇인가?

3 대화를 통해 문제를 확인하고 당사자끼리 만족할 수 있는 합의를 이끌어 내는 것을 무엇이라 하는가?

4 다음 빈칸에 들어갈 알맞은 말을 쓰시오.
① 제삼자가 분쟁에 끼어들어 해결책을 제시해 쌍방을 화해시키는 것을 ☐☐라 한다.
② 성급하게 다수결의 원칙을 통해 결론을 내기보다는 충분한 ☐☐를 통해 모두의 의견을 반영하도록 해야 한다.

📖⊕ 내신 만점을 위한 탐구 자료

자료1 갈등 해결의 기본자세 ≫

• 자기중심적으로 생각하는 태도를 버리고 입장을 바꿔 생각해 보는 역지사지(易地思之)의 마음을 가진다.

• 나와 다른 생각을 가진 사람이라도 그 사람의 생각을 존중해 주고 받아들일 수 있는 관용의 자세를 가진다.

• 서로 양보하고 타협하는 자세로, 상대방의 입장을 고려하고, 공동선(共同善)을 이룰 수 있도록 한다.

• 강요나 강압에 의한 갈등 해결이 아니라 당사자 간의 대화와 설득에 의해 자발적으로 해결한다.

• 사회 규범을 준수하고 사사로운 이익보다 공공의 이익을 우선적으로 생각하는 마음을 가진다.

자료2 좋은 중재자의 특성 ≫

• 당사자들에게 갈등이나 문제에 대한 선입견 없이 신뢰와 자신감을 보일 수 있으며 공평하고 중립적이어야 한다.

• 자신의 의견이나 판단을 말할 때 심판관의 자세가 아니라 도움을 준다는 입장에서 접근해야 한다.

• 언어, 눈짓, 목소리 톤 등을 통해 갈등 당사자들이 가진 감정의 기복을 이해하려고 노력해야 한다.

• 상황에 적합한 대안을 향해 나가도록 유도해야 한다.

• 중재 과정에서 오간 말은 철저하게 비공개로 이루어져야 한다.

자료3 다수결의 원칙 적용 ≫

대화와 타협은 민주적인 결정 방식이지만, 사람들의 의견이 워낙 다양하고 이해관계가 복잡하기 때문에 모든 문제를 대화와 타협만으로 해결할 수는 없다. 경우에 따라서는 몇 가지 의견들이 팽팽히 맞서서, 타협을 통해서도 문제가 해결될 수 없는 때도 있다. 이런 상태가 계속되면 사회의 많은 일들이 추진될 수 없을 것이고, 그렇게 되면 결과적으로 모든 사람들에게 큰 손해를 끼치게 된다. 그래서 이런 경우는 다수결의 원칙을 적용하도록 한다.

물론 모든 문제가 다수결의 원칙에 의해 결정될 수는 없다. 과학적인 진리와 같이 옳고 그름이 객관적인 기준에 의해 결정될 수 있는 문제, 인간의 기본 권리에 관한 문제, 역사적 사실에 관한 문제, 정의의 원칙에 대한 문제 등은 다수결의 원칙에 따라 결정되어서는 안 된다.

또한 다수결의 원칙 그 자체를 인정하고 표결을 했다면, 그 결과에 대해서 승복하는 것이 올바른 태도이다. 그리고 다수가 소수의 의견을 소수의 것이라고 하여 무시해 버리는 것도 잘못이다. 가능한 한 소수의 의견과 이익도 반영될 수 있도록 하여 소수가 지나치게 소외되지 않도록 해야 사회가 조화롭고 평화롭게 유지될 수 있다.

📝 교과서 활동 과제 풀이

스스로 생각하기	갈등 상황에서 취해야 할 태도	∅교과서 35쪽

활동 목적 황희 정승의 갈등 해결 방법을 통해 평화적으로 갈등을 해결하기 위해 필요한 자세를 성찰해 봅시다.

예시 답안
생각1 두 사람의 이야기를 충분히 들어 본 후 맞고 틀림을 결정한다.

생각2 다양한 사람들의 견해를 인정하고 차이를 존중하고 있다.

생각 Tip 그림을 보고 떠오르는 생각을 자유롭게 작성해 봐요.

생각 더하기 **바람직한 갈등 해결 자세**

🔗 교과서 36쪽

활동 목적 일상생활 속의 구체적 사례를 통해 갈등에 대처하는 바람직한 자세를 알아봅시다.

예시 답안

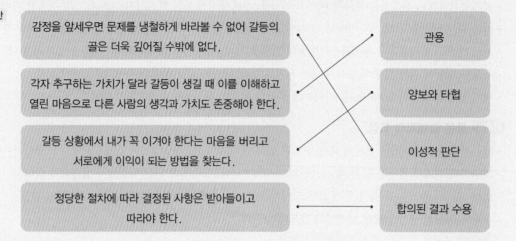

감정을 앞세우면 문제를 냉철하게 바라볼 수 없어 갈등의 골은 더욱 깊어질 수밖에 없다.	관용
각자 추구하는 가치가 달라 갈등이 생길 때 이를 이해하고 열린 마음으로 다른 사람의 생각과 가치도 존중해야 한다.	양보와 타협
갈등 상황에서 내가 꼭 이겨야 한다는 마음을 버리고 서로에게 이익이 되는 방법을 찾는다.	이성적 판단
정당한 절차에 따라 결정된 사항은 받아들이고 따라야 한다.	합의된 결과 수용

활동 Tip 제시한 설명을 읽어 보면서 그것이 어떤 태도에 해당하는지 생각해 보세요.

 모둠 활동 **갈등 해결 우정 쿠폰 만들기**

🔗 교과서 39쪽

활동 목적 다양한 갈등 해결의 덕목 및 자세들을 적용한 우정 쿠폰을 만들고 친구들과 나누어 보면서 친구 간의 관계를 증진시켜 나갑시다.

예시 답안

[소환 쿠폰]	[선물 쿠폰]
이 쿠폰을 사용하면 나와 대화가 통하지 않을 때 네가 원하는 다른 친구를 누구라도 소환해 주리라. 주의: 소환하는 내 모습에 반해 다시 나를 소환해도 됨.	이 쿠폰을 사용하면 네가 원하는 선물을 너에게 주노라. 주의: 적당히 하자. 나도 너에게 소중한 친구이다.

활동 Tip 예시를 참고해서 실제 갈등 상황이 발생했을 때 교환하여 갈등을 효과적으로 해결할 수 있는 쿠폰을 만들어 봐요.

스스로 정리하기 **바람직한 갈등 해결 자세**

🔗 교과서 39쪽

활동 목적 갈등이 발생했을 때 가져야 할 올바른 자세를 생각해 봅시다.

예시 답안

정리 1 갈등을 회피하기보다는 적극적으로 바람직한 방법을 통해 갈등 상황을 해결하려는 자세가 필요하다.

정리 2 충분한 대화와 의사소통을 통해서 상대의 입장을 이해함으로써 갈등을 해결할 수 있다.

정리 Tip
- 이번 주제를 공부하면서 자신의 생각이 어떻게 달라졌는지 확인해 볼까요?
- 갈등의 평화적 해결을 위한 자세와 방법을 정리해 보고, 학습 목표를 제대로 성취하였는지 스스로 점검해 봐요.

주제별 평가 문제

정답 216쪽

교과서 35~39쪽

1 다음 글에서 강조하는 갈등 해결의 자세는?

> 각자 추구하는 가치가 달라 갈등이 생길 때 이를 이해하고 열린 마음으로 다른 사람의 생각과 가치도 존중해야 한다.

① 합의
② 타협
③ 양보
④ 승복
⑤ 관용

2 다음 대화에서 볼 수 있는 갈등 해결 방법은?

중요

> 나래: 이번 학급 봉사 활동으로 홀로 사시는 어르신들을 방문해서 도움을 드리는 것은 어때? 의미도 있고 보람도 느낄 수 있을 거야.
> 두리: 청소년의 신분으로는 정말 필요한 도움을 드리지 못할지도 몰라. 그보다는 우리 동네 하천 주변 청소를 하는 것이 좋을 것 같아.
> 나래: 두리야, 그러면 모둠을 둘로 나누어서 봉사 활동을 진행하는 것이 어떨까?
> 두리: 응, 좋은 생각이야. 내가 친구들의 의견을 모아 볼게.

① 조정
② 양보
③ 중재
④ 협상
⑤ 강압

3 중재에 대한 설명으로 옳은 것은?

① 갈등 해결 방안을 제삼자가 직접 제시한다.
② 중재자가 제시한 중재안은 따를 필요가 없다.
③ 중재를 맡아 이끄는 사람을 조정자라고 한다.
④ 제삼자가 당사자들 스스로 해결하도록 돕는다.
⑤ 대부분 당사자 중 한쪽의 요청만으로 진행된다.

4 협상에 대한 설명으로 옳은 것은?

① 상대방과 얼굴을 맞대고 어떤 주제를 정해 자유롭게 이야기하는 것이다.
② 제삼자가 분쟁 당사자 사이에 끼어들어 해결책을 직접 제시하는 것이다.
③ 어떤 목적에 알맞은 결정을 하기 위하여 당사자들이 서로 의논하는 것이다.
④ 분쟁 당사자가 서로 타협점을 찾아 합의하도록 제삼자가 도와주는 것이다.
⑤ 갈등이 쉽게 해결되지 않을 때 다수결의 원칙을 적용하여 결정하는 것이다.

5 조정과 중재의 차이점을 옳게 제시한 것은?

중요

① 협상이 가능할 때는 조정 방법을 사용하고 불가능할 때는 중재 방법을 사용한다.
② 조정은 제삼자가 당사자들을 도와 해결한다면 중재는 중재자가 해결책을 직접 제시한다.
③ 가치관과 관련될 경우에는 조정 방법을 사용하고 물질적인 것과 관련될 때에는 중재에 맡긴다.
④ 낯선 사람들과의 갈등에는 조정 방법을 사용하고 가족처럼 친밀한 관계의 갈등은 중재에 맡긴다.
⑤ 조정은 두 사람 간의 갈등 해결 방법이고 중재는 세 사람 이상이 갈등을 일으킬 때 사용하는 방법이다.

6 다수결의 원칙에 대한 설명으로 옳지 <u>않은</u> 것은?

중요

① 다수의 의견이 항상 옳다고 생각해야 한다.
② 소수의 의견과 이익을 존중하는 것도 중요하다.
③ 성급하게 다수결로 결정하는 것은 삼가야 한다.
④ 다수결로 결론을 내기 전에 충분한 대화를 해야 한다.
⑤ 토론을 해도 모두가 동의하는 결론이 나지 않을 경우 사용한다.

단원 정리 문제

01 주관식 다음과 같은 갈등의 원인은 무엇인지 쓰시오.

> • 하연: 엄마. 내 하늘색 치마 어디 갔어요? 또 말도 없이 세탁기에 넣어 놓은 것 아니에요?
> • 엄마: 무슨 소리니? 그때 빨겠다고 했더니 네가 알았다고 했잖니!

02 가치 갈등 유형이 나머지 넷과 **다른** 하나는?

① 물 사용 문제를 놓고 갈등하는 이웃 동네 주민
② 노사 간에 임금 협상을 하는 과정의 의견 대립
③ 친구와의 약속을 지킬 것인지 아닌지 고민하는 경우
④ 어느 회사의 골프장 건설에 반대하는 환경 보호 단체
⑤ 핵 폐기장을 건설하려는 정부와 이에 반대하는 주민들 간의 분쟁

03 갈등에 대한 설명으로 옳은 것은?

중요
① 가치 갈등의 원인은 매우 복잡하고 다양하다.
② 가치 갈등이 전혀 없는 사회가 바람직한 사회이다.
③ 가치 갈등은 당사자들에게 심리적 안정을 제공한다.
④ 가치 갈등이 많은 사회의 구성원들은 공동체 의식이 강하다.
⑤ 삶의 방식이 다양한 현대 사회에서는 가치 갈등이 줄어들고 있다.

04 서술형 갈등의 원인 중에서 가장 많은 부분을 차지하는 것이 무엇인지 쓰시오.

05 다음과 같은 갈등을 예방하는 데 필요한 자세는?

① 배려
② 희생
③ 겸손
④ 관용
⑤ 믿음

06 다른 갈등보다 집단 간의 갈등이 더 큰 문제가 되는 이유는?

① 갈등을 해결할 수 있는 방법이 존재하지 않는다.
② 물질적인 측면보다 정신적인 측면의 갈등이 많다.
③ 개인의 생활 방식의 차이에서 발생하는 경우가 많다.
④ 해결해야 할 일이 항상 두 가지 이상 동시에 일어나게 된다.
⑤ 의견 충돌로 인해 쉽게 해소되지 않고 사회 문제로 번지는 경우가 많다.

07 '가치 갈등은 문제점만 있는 것은 아니다.'라는 주장에 대해 타당한 근거는?

① 사람들 사이의 갈등은 많으면 많을수록 좋다.
② 갈등을 지혜롭게 해결하면 사회 발전을 이룰 수 있다.
③ 사람들 사이에 존재하는 갈등은 쉽게 해결될 수 있다.
④ 갈등을 극복하는 과정에서 이기는 사람과 패배한 사람이 나누어진다.
⑤ 시대가 변함에 따라 사람들 사이의 가치 갈등은 점차 줄어들고 있다.

08 다음 대화의 밑줄 친 부분에 들어갈 말로 옳은 것은?

> 진수: 모둠 과제를 하는데 한 친구가 자신이 맡은 부분을 성실히 하지 않아.
> 민영: 그래, 너무 속상하겠구나.
> 진수: 네가 내 맘을 알아 주는구나.
> 민영: 그럼 그 애를 어떻게 할 거야?
> 진수: _____

① 그 친구가 우리 모둠에서 나가도록 할 거야.
② 그 친구의 불성실함을 반 전체에 알릴 거야.
③ 친구의 태도가 달라질 수 있도록 설득할 거야.
④ 모둠 친구들과 뜻을 모아 그 친구를 따돌릴 거야.
⑤ 과제 수행에 아무 도움을 주지 않는다고 선생님께 말씀드릴 거야.

09 평화적 갈등 해결의 중요성 중 다음 내용이 강조하는 것은?

> 또 다른 갈등이 생겼을 때 더욱 현명하게 대처할 수 있으며 다른 사람의 입장을 이해하고 존중하는 태도를 기를 수 있다. 또한 타협하는 자세를 배우고 민주적인 의사소통의 자세를 지닐 수 있다.

① 공정한 경쟁   ② 도덕적 공감
③ 사회의 화합   ④ 정서적 안정
⑤ 인격적 성숙

10 조정에 대한 설명으로 옳은 것은?

① 서로 양보하고 타협하면서 합의를 이루는 것이다.
② 서로의 의견을 조금씩 양보하여 절충하는 것이다.
③ 제삼자가 갈등 방법을 찾아 직접 제시하는 것이다.
④ 제삼자가 당사자들의 의사소통을 도와 스스로 해결 방법을 찾을 수 있도록 하는 것이다.
⑤ 대화를 통해 문제를 확인하고 당사자끼리 자발적으로 만족할 수 있는 결론을 이끌어 내는 것이다.

11 서술형 평화적인 갈등 해결이 중요한 이유를 개인적인 면과 사회적인 면에서 쓰시오.

12 주관식 대화를 통해 문제를 확인하고 당사자끼리 자발적으로 만족할 수 있는 합의를 이끌어 내는 것을 무엇이라 하는지 쓰시오.

13 갈등에 대한 생각으로 옳지 않은 것은?

① 갈등은 평화적인 방법으로 해결하도록 해야 한다.
② 갈등에 적극 대처하기보다 가능한 한 피해야 한다.
③ 갈등은 건강한 사회를 이루는 계기가 될 수도 있다.
④ 갈등 자체를 바람직하지 못한 것으로만 보면 안 된다.
⑤ 다양한 관점과 가치를 존중해야 갈등을 줄일 수 있다.

★
14 다음 대화를 통해 볼 때 태호에게 필요한 자세로 가장 적절한 것은?
중요

> 선영: 지난번 회의에서 우리 연극 동아리는 학교 축제 때 '레미제라블'을 공연하기로 했으니, 배역을 정하도록 하자.
> 태호: 아무리 생각해도 '레미제라블'은 너무 재미없을 거 같아. '로미오와 줄리엣'으로 바꾸자.
> 수진: 정당한 절차에 따라 결정된 거잖아.
> 태호: 아, 몰라! '로미오와 줄리엣'이 아니면 안 할래!

① 자기주장을 유지하는 자세
② 타인의 말을 경청하는 자세
③ 타인의 잘못을 용서하는 자세
④ 합의된 결과를 수용하는 자세
⑤ 타인의 입장을 배려하는 자세

① 폭력은 왜 비도덕적인가?

📖 교과서 43~46쪽

학습의 주안점
• 폭력의 의미
• 폭력의 비도덕성

1 폭력의 의미

(1) 일상생활 속의 폭력

① 대중 매체에서는 하루도 거르지 않고 폭력에 관한 뉴스가 등장함.

② 거리에서 '우리 모두 폭력을 추방❶합시다.' 등의 폭력 관련 현수막을 볼 수 있음.

(2) 폭력의 의미 자료1 자료2

① 좁은 의미의 폭력: 타인에게 신체적 · 물질적 피해를 입히는 부당한 행위

② 넓은 의미의 폭력: 타인에게 피해를 입히는 말이나 따돌리는 행위도 포함함. 의도적이든 아니든 평화로운 삶을 방해하는 모든 것은 폭력이라고 할 수 있음.

└ Tip 물리적 피해를 주는 것만이 폭력은 아니야.

2 폭력의 비도덕성

(1) 타인에게 고통 야기❷: 폭력은 다른 사람에게 신체적인 고통을 줄 뿐만 아니라 심리적 불안과 두려움 등 정신적인 충격까지 주게 됨. 자료3

(2) 생명과 인간의 존엄성 훼손

① 폭력은 다른 사람의 신체에 손상❸을 입힐 뿐만 아니라 인간의 소중한 생명을 앗아 갈 수도 있음.

② 폭력은 피해자들의 자존감❹을 짓밟고 인격을 손상시킴으로써 건강하고 행복하게 살 권리를 빼앗게 됨.

(3) 사회 정의와 질서 훼손

① 폭력이 퍼진 사회에서는 어떤 문제를 판단하고 결정하는 과정에서 합리적 절차보다는 서로가 가진 힘의 세기를 먼저 생각하게 됨.

② 폭력이 존재하는 사회는 결국 힘센 자가 지배하고, 힘이 약한 자는 인간다운 삶을 살 수 없는 약육강식❺의 사회가 됨.

❶ **추방**
일정한 지역이나 조직 밖으로 쫓아냄.

❷ **야기**
일이나 사건 따위를 끌어 일으킴.

❸ **손상**
명예나 체면, 가치 따위가 떨어짐.

❹ **자존감**
스스로 품위를 지키고 자기를 존중하는 마음

❺ **약육강식**
약한 자가 강한 자에게 먹힌다는 뜻

📖 기본 확인 문제

📖 정답 217쪽

1 다음 내용이 옳으면 ○표, 틀리면 ×표를 하시오.
① 폭력은 신체적인 피해를 입히는 것에 국한된다. (　)
② 우리의 일상생활에서 폭력을 쉽게 찾을 수 없다. (　)
③ 친구를 따돌리는 행위도 폭력에 해당한다. (　)

2 폭력이 퍼진 사회에서 가장 중요시되는 것은 무엇인가?

3 폭력이 퍼진 사회를 비유해서 쓰는 말로, '약한 자가 강한 자에게 먹힌다.'라는 뜻의 사자성어는 무엇인가?

4 다음 빈칸에 들어갈 알맞은 말을 쓰시오.
① 폭력은 생명의 소중함과 인간의 □□□을 훼손한다.
② 의도적이든 아니든 우리가 평화롭게 사는 것을 방해하는 모든 것은 □□이라고 할 수 있다.

📖➕ 내신 만점을 위한 탐구 자료

자료1 폭력의 의미 ≫

폭력(暴力)은 신체적인 손상을 가져오고, 정신적·심리적인 압박을 가하는 물리적인 강제력을 말한다. 법에서는 다른 사람에게 상해를 입히거나 협박하거나 하는 등의 행위와 함께 다른 사람을 감금하는 행위, 주거에 침입하는 행위, 기물의 파손 등도 폭력이다.

폭력은 법적으로 두 가지 의미로 해석할 수 있다. 하나는 '자신의 의사에 반하는 상태나 행위를 강요받는 것'과 다른 하나는 '신체적, 정신적, 물질적인 피해가 발생하는 것'이다. 사람들은 일반적으로 몸에 상처가 나고 멍이 들 정도의 구타를 하는 것이 법적으로 폭력일 것이라는 잘못된 생각을 가지고 있다. 그러나 법은 폭력으로부터 신체적 상해를 예방하는 것뿐만 아니라, 자유의 의지가 힘에 의해 박탈당하지 않도록 하는 인권 보장을 더 중요하게 생각한다.

자료2 폭력에 대한 격언 ≫

• 폭력은 언제나 반대되는 폭력을 불러일으킨다. – 사르트르
• 폭력은 상대를 굴복시킬 수는 있지만 순종시킬 수는 없다. – 톨스토이
• 폭력은 짐승의 법칙인 것과 같이 비폭력은 인간의 법칙이다. – 간디
• 폭력은 정의의 적이다. 평화만이 참다운 정의를 가져올 수 있다. – 요한 바오로 2세
• 폭력이 선을 행하는 것처럼 보인다 해도 일시적일 뿐이다. 폭력이 가져오는 악은 영원하다. – 간디

자료3 외상 후 스트레스 장애 ≫

외상 후 스트레스 장애란 생명을 위협할 정도의 극심한 스트레스(정신적 외상)를 경험하고 나서 발생하는 심리적 반응이다. 외상 후 스트레스 장애 환자는 그런 외상이 지나갔음에도 불구하고 계속해서 당시의 충격적인 기억을 떠올리거나 그 외상을 떠오르게 하는 활동이나 장소를 피하게 된다. 또한 신경이 날카로워지거나 집중을 하지 못하고 수면에도 문제가 생기며 앞으로 닥칠 일에 대한 통제력을 상실하거나 상실할 것 같은 공포감을 느낄 수도 있다.

생명에 위협이 되는 사건을 경험한 사람은 누구나 외상 후 스트레스 장애가 나타날 수 있으며, 외상 후 스트레스의 원인이 되는 대표적인 사건은 전쟁, 아동기의 성적·신체적 학대, 폭력, 테러, 성폭력, 교통사고 등의 심각한 사고, 화재, 태풍, 홍수, 지진 해일, 지진 등의 자연재해 등이다.

💬 교과서 활동 과제 풀이

스스로 생각하기	폭력의 문제점	📖 교과서 43쪽

활동 목적 제시된 광고가 주는 메시지를 통해 폭력의 문제점을 살펴봅시다.

예시 답안

 생각 1 중·고등학교 시절에 친구에게 폭력을 행사하던 사람은 성인이 된 후 직장 생활에서도 폭력을 행사할 가능성이 높다는 것을 알려 주고 있다.

생각 2 갈등을 제대로 해결하지 못하면 또 다른 폭력을 낳게 되고, 이는 여러 사람들의 인권을 침해하게 되어 더 큰 사회 문제가 발생할 수 있다.

생각 Tip 폭력이 반복되는 구조를 생각해 보면서 폭력의 문제점을 점검해 봐요!

생각 더하기　폭력에 대한 인식

📎 교과서 44쪽

활동 목적　우리 주변에서 자주 발생하고 있는 폭력의 모습에 도덕적 민감성을 갖고 문제의식을 갖도록 합시다.

예시 답안

상황	O X
1. 체육복을 갈아입는 친구의 모습을 휴대 전화로 촬영하여 SNS에 올린다.	O
2. 축구 경기 중 세게 찬 공이 친구의 얼굴에 맞았다.	X
3. 복도에서 마주친 친구에게 "야! 어딜 쳐다봐! 재수 없어."라는 말을 한다.	O
4. 돈을 갚겠다는 확실한 약속 없이 자꾸 빌려 달라고 하고 갚지 않는다.	O
5. 좋아하는 이성 친구에게 자신의 마음을 메시지로 남겼다.	X
6. 모둠별 과제를 하면서 한 학생을 의도적으로 무시한다.	O
7. 한 친구에게 똑같은 내용의 문자 메시지를 하루에 50번 이상 보낸다.	O
8. 청소를 하지 않고 도망간 친구의 행동을 선생님께 말했다.	X

활동 Tip　일상생활에서 자주 접할 수 있는 상황들이 폭력인지 아닌지 구별해 봐요!

폭력적 행동의 영향-역할극

📎 교과서 46쪽

활동 목적　폭력을 통해 갈등 상황을 해결하고자 했던 사례를 역할극으로 꾸며 봄으로써 폭력의 비도덕성을 이해해 봅시다.

예시 답안　STEP 1

갈등 상황	갈등에 대처한 나의 행동
학급 특색 활동 장소를 결정하는데 친구가 나와 다른 의견을 냈다.	나와 다른 의견을 낸 친구한테 화가 나 쉬는 시간에 신체적으로 괴롭히며 나와 같은 의견을 내도록 강요했다.

STEP 3

① 갑작스러운 폭력에 깜짝 놀랐고 내가 전혀 존중받고 있지 못하다고 느껴 상처를 받았다고 한다.

② 의견이 다르다고 화가 나 친구를 때리는 모습을 보고, 왜 그랬는지 반성하게 되었다.

③ 상대방의 인격과 인간 존엄성을 무시하는 해결 방법이며 갈등을 해결하기보다는 더 큰 문제를 가져오기 때문이다. 이와 같은 상황이 또다시 발생한다면 친구와 대화를 통해 문제를 해결해 보려고 노력하겠다.

활동 Tip　역할극을 통해 폭력으로 인해 발생하는 다양한 문제를 생각해 봐요.

스스로 정리하기　폭력의 의미와 문제점

📎 교과서 46쪽

활동 목적　폭력의 의미와 비도덕성에 대해 학습한 내용을 정리해 봅시다.

예시 답안

정리 1　좁은 의미로는 타인에게 신체적·물질적 피해를 입히는 부당한 행위를 말하지만, 넓게는 타인에게 피해를 입히는 말이나 따돌리는 행위 등과 같이 의도적이든 아니든 평화로운 삶을 방해하는 모든 것을 뜻한다.

정리 2　폭력은 힘의 논리로 문제를 해결하려 하는 것이다. 이는 힘센 자가 지배하고, 힘이 약한 자는 인간다운 삶을 살 수 없는 약육강식의 사회가 되게 한다는 점에서 '짐승의 법칙'이라고 볼 수 있다.

정리 Tip　
• 이번 주제를 공부하면서 자신의 생각이 어떻게 달라졌는지 확인해 볼까요?
• 폭력의 의미와 폭력의 비도덕성을 정리해 보고, 학습 목표를 제대로 성취하였는지 스스로 점검해 봐요.

1 폭력에 대한 설명으로 옳지 <u>않은</u> 것은?

① 넓은 의미의 폭력은 타인에게 피해를 입히는 말이나 따돌리는 행위도 포함한다.

② 좁은 의미의 폭력은 타인에게 신체적 · 물질적 피해를 입히는 부당한 행위를 말한다.

③ 정당하지 못한 방법으로 힘을 행사하여 다른 사람에게 피해를 주는 공격적 행위이다.

④ 우리가 평화롭게 사는 것을 방해하는 행위 중 의도적인 것만 폭력이라고 할 수 있다.

⑤ 갈등 상황에서 자제력이 부족하여 충동적으로 행동하거나 분노나 화를 조절하지 못할 때 발생하기 쉽다.

2 폭력의 문제점에 대한 설명으로 옳지 <u>않은</u> 것은?

① 인간의 존엄성과 인권을 훼손한다.

② 건강하고 행복하게 살 권리를 침해한다.

③ 오랜 시간이 지나도 상처가 아물지 않는다.

④ 갈등을 심화시키고 폭력의 악순환을 가져온다.

⑤ 폭력을 행한 사람은 어떠한 고통도 받지 않는다.

⭐
3 다음 글을 통해 알 수 있는 것은?
중요

> 폭력이 퍼진 사회에서는 어떤 문제를 판단하고 결정하는 과정에서 합리적 절차보다는 서로가 가진 힘의 세기를 먼저 생각하게 된다. 이렇게 되면 결국 힘센 자가 지배하고, 힘이 약한 자는 인간다운 삶을 살 수 없는 약육강식의 사회가 된다.

① 폭력은 사회 정의를 무너뜨린다.

② 폭력은 인간의 생명을 앗아 간다.

③ 폭력은 또 다른 폭력을 불러온다.

④ 폭력은 일상생활에서서 나타난다.

⑤ 폭력은 다른 사람에게 고통을 안겨 준다.

4 다음과 같은 마루의 대답에 대한 평가로 옳은 것은?

> 마루야, 폭력이 무엇인지 알고 있니?
>
> 당연하죠! 남을 때리거나 물건을 막 부수고 하는 거잖아요.
>
> NEWS
> 청소년 폭력 급증, 큰 문제

① 폭력의 의미를 정확하게 이해하고 있다.

② 폭력을 너무 넓은 의미로 해석하고 있다.

③ 폭력의 발생 원인에 대한 이해가 부족하다.

④ 폭력이 가져오는 결과에 대해 모르고 있다.

⑤ 폭력의 의미가 매우 넓다는 것을 모르고 있다.

⭐⭐
5 폭력이 도덕적으로 정당화될 수 없는 이유로 옳은 것은?
중요

① 개인의 행복 지수를 높여 준다.

② 인간의 존엄한 가치를 훼손한다.

③ 갈등을 해결하는 최후의 방법이다.

④ 절박한 상황에서는 다른 방법이 없다.

⑤ 예방하고 대처할 수 있는 방법이 없다.

6 학교 폭력의 결과에 대한 설명으로 가장 적절한 것은?

① 피해 학생은 일정 기간이 지나면 충격에서 벗어난다.

② 청소년기에 겪은 폭력 경험은 시간이 지나면 잊는다.

③ 청소년기에 겪는 학교 폭력 경험은 일생 동안 큰 영향을 끼친다.

④ 가해 학생은 폭력을 통해 스트레스를 해소하여 건강한 정신을 소유하게 된다.

⑤ 무관심 때문에 학교 폭력을 방관한 학생은 도덕적으로 별다른 영향을 받지 않는다.

② 일상생활에서 일어나는 **폭력의 종류**로 어떤 것들이 있을까?

📖 교과서 47~50쪽

학습의 주안점
- 폭력의 유형
- 일상생활 속의 폭력
- 학교 폭력

1 폭력의 유형 자료1

(1) 신체적 폭력: 다른 사람에게 신체적 손상이나 피해를 주는 행위

(2) 언어적 폭력: 야유❶나 욕설 등 인격을 무시하고 모욕❷적인 말을 하는 행위

(3) 정서적 폭력: 한 사람을 집단적으로 따돌려 소외❸시키거나 위협하는 행위

(4) 성폭력: 다른 사람에게 성(性)과 관련해 피해를 입히는 행위

(5) 구조적 폭력: 주위 환경이나 사회 구조 때문에 발생하는 폭력 예 정치·경제적 원인으로 발생하는 실업과 빈곤, 강대국이 약소국을 압박하는 경우

2 일상생활과 폭력

(1) 일상생활 속의 폭력 자료2

① 가족 간의 갈등이 폭력으로 번지기도 하고, 주차나 소음 문제로 인한 이웃 간의 다툼이 폭력으로 번지기도 함.

② 도로에서 난폭 운전이나 보복 운전을 하다가 사고가 나기도 함.

③ 불특정 다수를 대상으로 하는 '묻지 마 폭력'도 심각한 사회 문제가 되고 있음.

④ 배움의 터전인 학교에서도 크고 작은 폭력, 즉 학교 폭력이 끊이지 않고 있음.

(2) 학교 폭력 자료3

Tip 장난으로 했다고 해도, 상대방이 불쾌감이나 위협감을 느끼면 모두 폭력이 될 수 있어.

① 학교 폭력의 의미: 학교 폭력이란 일반적으로 학교나 학교 주변에서 학생을 대상으로 발생하는 신체적, 정서적 가해❹ 행동을 말함.

② 학교 폭력 사례: 직접적 폭력, 고의❺적 괴롭힘이나 따돌림, 금품 빼앗기, 언어적 놀림이나 협박과 욕설, 신체적 폭행이나 집단적 폭행 등

③ 학교 폭력의 변화: 과거에는 주로 신체적 폭력이었다면 최근에는 언어적·심리적 폭력이 증가하고, 인터넷에서 행해지는 사이버 폭력 사례도 증가하고 있음.

Tip 언어·심리적 폭력과 신체·물리적 폭력이 복합적으로 섞여 일어나기도 해.

❶ **야유**
남을 빈정거려 놀림. 또는 그런 말이나 몸짓

❷ **모욕**
깔보고 욕되게 함.

❸ **소외**
어떤 무리에서 기피하여 따돌리거나 멀리함.

❹ **가해**
다른 사람의 생명이나 신체, 재산, 명예 따위에 해를 끼침.

❺ **고의**
일부러 하는 생각이나 태도

💬 기본 확인 문제

📖 정답 217쪽

1 다음 내용이 옳으면 ○표, 틀리면 ×표를 하시오.

① 야유나 욕설 등을 하는 것은 언어적 폭력이다. ( )

② 난폭 운전이나 보복 운전도 폭력에 해당한다. ( )

③ 강대국이 약소국을 압박하는 것은 폭력이 아니다. ( )

2 주위 환경이나 사회 구조 때문에 발생하는 폭력을 무엇이라고 하는가?

3 오늘날 심각한 사회 문제가 되고 있는 '불특정 다수를 대상으로 하는 폭력'을 무엇이라고 하는가?

4 다음 빈칸에 들어갈 알맞은 말을 쓰시오.

① 말로 위협하거나 협박하는 행위는 ☐☐ 폭력이다.

② 과거의 학교 폭력이 주로 물리적인 신체적 폭력이었다면, 최근에는 언어적, ☐☐☐ 폭력이 증가하고 있다.

내신 만점을 위한 탐구 자료

자료1 폭력의 종류 》

신체적 폭력은 신체적 피해, 인명의 손상, 관계의 단절을 가져오는 폭력적 행동을 뜻한다. 신체적 폭력은 구체적인 행위자가 있기 때문에 가해자와 피해자를 명확하게 구별하고 인식할 수 있는 경우가 많아 쉽게 드러난다.

언어적 폭력은 인격을 무시하거나 모욕을 하는 말을 사용하여 듣는 사람에게 정신적·심리적 피해를 주는 언어적 행동을 뜻한다. 언어적 폭력은 외형상 상처를 남기지는 않지만, 피해자의 인격을 훼손하기 때문에 피해자들은 마음속에 깊은 상처를 받으며, 이를 적절히 치유하지 못할 때에는 오랜 기간 동안 고통을 겪기도 한다.

정서적 폭력은 피해자에게 심리적·정서적으로 큰 상처를 주는 행위로, 폭력처럼 보이지 않을 수도 있지만 분명한 폭력이다. 정서적 폭력의 대표적인 예로 '따돌림', '때리려고 위협하는 행위' 등이 있다. 상대를 빈정거리거나 소외시키면서 그의 인격을 무시하고 수치심을 주는 정서적 폭력은 피해자의 자아 존중감을 훼손시키는 결과를 낳는다.

자료2 장난삼아 하는 폭력에 대한 경계 》

학생들 스스로도 폭력이란 어떠한 경우라도 인간의 참다운 행위가 아니라 인간의 존엄성을 파괴하는 파렴치한 행위임을 인식해야 한다. 사소한 폭력이라고 하여 이를 용납하거나 받아들이게 되면 결국 상대방으로 하여금 상습적이고 강력한 폭력 행위를 유발하게 된다는 점을 명심하고, 자신의 생각을 분명하고도 단호하게 표현할 수 있는 자신감과 표현 기술을 익혀야 한다. 장난삼아 툭툭 치는 행위, 머리를 건드리거나 치는 행위, 발로 차거나 무릎 치기 하는 행위, 연필이나 날카로운 물건으로 신체의 특정 부위를 자극하는 행위 등에 대해 자신의 불쾌한 심정을 분명하게 표현할 수 있어야 하며, 가해자도 이를 유의하여 상대를 불필요하게 자극하거나 괴롭히지 말아야 한다.

자료3 학교 폭력의 정의 》

학교 폭력이란 일반적으로 학교나 학교 주변에서 학생 상호간에 발생하는 의도성을 가진 신체적·정서적 가해 행동을 말한다. 고의적 괴롭힘이나 따돌림, 금품 갈취, 언어적 놀림이나 협박과 욕설, 신체적 폭행이나 집단적 폭행 등이 그 범주에 해당된다. 비록 타인의 입장에서 볼 때 하찮은 놀림이나 대수롭지 않은 행동일지라도 그것을 당하는 사람이 그로 인해 심리적 또는 행동적 불편함을 느끼면 그것 역시 엄연한 폭력 행위가 된다. 대개 이러한 폭력 행위는 반복적으로 발생하며, 개인적으로 이에 대해 저항하기가 매우 어렵다.

교과서 활동 과제 풀이

| 스스로 생각하기 | 일상생활과 폭력 | @ 교과서 47쪽 |

활동 목적 일상에서 가볍게 일어나는 사소한 행동도 폭력이 될 수 있음을 생각해 봅시다.

예시 답안

생각1 장난이라고 생각하고 가볍게 해 본 적도 있고 의도적으로 해 본 적도 있다.

생각2 장난으로 한 낙서라고 해도 감정이 상하고 기분이 매우 나쁠 것이다. 어떤 이야기가 적혀 있는지에 따라 큰 상처를 받기도 할 것 같다.

 생각 Tip 장난으로 친구들에게 험담했거나, 내가 당한 경험을 떠올려 보면서 생각해 보세요.

생각 더하기 — 폭력의 유형 알아보기

📎교과서 48쪽

활동 목적 일상생활 속에서 발생하는 다양한 폭력의 유형을 탐구해 봅시다.

예시 답안

(신체적 폭력)

(언어적 폭력)

재랑 놀지 말자.

(정서적 폭력)

실직하게 되면 당장 어떻게 생계를 유지해야 할까?

(구조적 폭력)

활동 Tip 주변에서 자주 볼 수 있는 폭력 유형을 알아보면서 폭력의 심각성도 함께 생각해 봐요!

생각 더하기 — 폭력 유형별 사례 알아보기

📎교과서 50쪽

활동 목적 학교 폭력의 구체적인 사례를 통해 도덕적 민감성을 기르고 폭력에 대한 문제의식을 가져 봅시다.

예시 답안

언어 · 심리적 유형	신체 · 물리적 유형	집단 따돌림
• 말로 위협하거나 협박하는 행위 • 말을 걸어도 무시하고 면박을 주는 행위 • 욕설이나 험담을 하는 행위 • 조롱하거나 비웃는 등 모욕을 주는 행위 • 약점을 들춰서 괴롭히는 행위 • 싫어하는 별명을 부르며 놀리는 행위 • 나쁜 소문을 퍼뜨리는 행위 • <u>수치심을 주는 행위</u> • <u>부당한 일을 강요하는 행위</u>	• 고의로 건드리거나 시비를 거는 행위 • 때리는 행위(남을 시켜 때리는 행위 포함) • 장난을 가장해 때리거나 밀치는 행위 • 신체적인 위협을 가하는 행위 • 신체적 · 성적 접촉을 강요하는 행위 • 물건이나 흉기로 상처를 입히는 행위 • 돈이나 물건을 빼앗는 행위 • <u>신체 부위에 침을 뱉는 행위</u> • <u>다리를 걸어 넘어뜨리는 행위</u>	• 고의로 따돌리는 행위 • 말을 걸어도 대답하지 않고 무시하는 행위 • 다른 친구들과 어울리지 못하게 하는 행위 • 친구의 접근을 막는 등 따돌림을 부추기는 행위 • 주변 친구들의 도움을 방해하는 행위 • 책상이나 의자 또는 소지품 등을 감추거나 버리는 행위 • <u>친구의 말과 행동을 비웃고 수군거리는 행위</u> • <u>친구에 대해 잘못된 소문을 퍼뜨려 많은 학생들로부터 멀어지게 만드는 행위</u>

활동 Tip 학교 폭력은 다양한 모습으로 나타난다는 것을 생각하면서 폭력 유형별 사례를 찾아봐요.

스스로 정리하기 — 폭력을 당할 때의 느낌

📎교과서 50쪽

활동 목적 폭력의 다양한 유형을 확인해 보고, 폭력을 당했을 때 어떤 기분이 들지 생각해 봅시다.

예시 답안

정리 1 신체적 폭력, 언어적 폭력, 정서적 폭력, 성폭력, 구조적 폭력 등이 있다.

정리 2 인간으로서 존중받지 못하고 있다는 느낌은 물론 심신의 상처로 인해 고통받을 것이다.

정리 Tip • 이번 주제를 공부하면서 자신의 생각이 어떻게 달라졌는지 확인해 볼까요?
• 일상생활에서 일어나는 폭력의 유형을 알아보고, 학습 목표를 제대로 성취하였는지 스스로 점검해 봐요.

주제별 평가 문제

정답 217쪽

1 언어적 폭력에 대한 설명으로 옳은 것은?

① 모욕적인 말로 상처를 준다.

② 신체적으로 큰 손상을 입힌다.

③ 친구들과 집단적으로 따돌린다.

④ 성(性)과 관련해 피해를 입힌다.

⑤ 사이버 공간 안에서 이루어진다.

2 다음 중 행동과 폭력 유형의 연결이 옳은 것은?
중요

	행동	폭력 유형
①	마주칠 때마다 "나는 네가 정말 싫어." 라는 말을 한다.	물리적 폭력
②	장난이라고 말하면서 주먹으로 어깨를 반복적으로 때린다.	언어적 폭력
③	모둠별 과제를 하면서 한 학생을 의도적으로 따돌린다.	정서적 폭력
④	한 학생에게 똑같은 내용의 문자 메시지를 하루에 50통 이상 보낸다.	구조적 폭력
⑤	돈을 갚겠다는 확실한 약속 없이 자꾸 빌려 달라고 하고 갚지 않는다.	신체적 폭력

3 다음과 같은 행위의 공통점에 해당하는 것은?

- 주변 친구들의 도움을 방해하는 행위
- 다른 친구들과 어울리지 못하게 하는 행위
- 말을 걸어도 대답하지 않고 무시하는 행위

① 친구 사이의 집단 따돌림 사례이다.

② 사회 구조 때문에 발생하는 폭력이다.

③ 언어적·신체적 유형의 폭력 사례에 해당한다.

④ 신체적·물리적 유형의 폭력 사례에 해당한다.

⑤ 학생들 간에 일어나는 직접적 폭력의 사례이다.

4 과거 일본이 우리나라를 강제 점령했던 과정에서 행한 폭력으로 가장 적절한 것은?

① 언어적 폭력　　② 구조적 폭력

③ 간접적 폭력　　④ 사회적 폭력

⑤ 정서적 폭력

5 다음 글을 통해 알 수 있는 것으로 가장 적절한 것은?

> 한 백화점 의류 판매장에서 40대로 추정되는 한 고객이 옷 교환을 요청했다. 그러나 점원이 옷에 이물질이 묻어 교환이 안 된다고 하자, 이 고객은 고함을 지르며 30여 분 동안 난동을 부렸다. 이 고객은 계산대에 있던 물건과 옷을 바닥으로 던지는가 하면, 옆에 있던 직원의 뺨을 때리기도 했다.

① 백화점 점원들의 서비스 정신이 부족하다.

② 경제적인 여유가 있는 사람들은 참을성이 없다.

③ 간접적인 폭력은 많은 사람들에게 피해를 준다.

④ 백화점 고객들은 자신들의 권리를 지켜야 한다.

⑤ 우리 주변에서 일상적으로 폭력이 일어나고 있다.

6 다음과 같은 행동에 대한 생각으로 옳은 것은?
중요

① 장난을 좋아해야 분위기를 좋게 만들 수 있다.

② 장난을 좋아하는 사람은 사귀는 친구들이 많다.

③ 장난을 좋아하는 사람들끼리 장난을 해야 한다.

④ 장난도 상대방이 불쾌감을 느끼면 폭력이 된다.

⑤ 친구들끼리 하는 장난은 너그럽게 보아야 한다.

③ 폭력에 어떻게 대처할까?

✐교과서 51~55쪽

학습의 주안점

• 폭력의 원인
• 폭력 예방 방법
• 폭력 대처 방법

1 폭력의 원인

(1) 개인적 원인

① 자제력❶이 부족하거나 자기중심적인 사람들이 폭력을 사용하는 경우가 많음.

② 순간적인 충동이나 분노를 참지 못해 폭력을 사용하기도 함.

(2) 사회적 원인: 잘못된 사고방식이 폭력을 방관❷하거나 조장❸할 수 있음. 자료1

(3) 환경적 원인 자료2

① 텔레비전이나 컴퓨터 게임 등에서 폭력 장면이 무분별하게 등장함.

② 드라마나 영화 등에서 폭력을 미화❹하기도 함.

2 폭력 예방 방법

Tip 자아 존중감은 자신이 가치 있고 소중하며 유능하고 긍정적인 존재라고 믿는 마음이야.

(1) 개인적 차원: 자신을 아끼고 사랑하는 자존감 육성, 공감 능력과 분노 조절 능력 함양, 대화를 통한 문제 해결, 바르고 고운 말을 사용하는 습관

(2) 제도적 차원: 청소년을 독립된 인격체❺로 존중, 인권 교육과 인성 교육 강화, 유해 환경 단속, 폭력 상담소 및 폭력 예방 센터 확대 등

3 폭력 대처 방법

(1) 폭력에 적극 대처하기

① 스스로 폭력 해결 방법을 찾아보고, 어렵다면 주위의 도움을 청해야 함.

② 폭력이 지속되면 '누가, 언제, 어디서, 어떻게, 왜' 폭행을 했는지 기록해야 함.

(2) 폭력을 당하는 친구의 어려움에 공감하고 돕기: 친구가 당하는 폭력은 나와 상관 없다고 방관하는 것은 더 큰 피해를 가져올 수 있다는 것을 알아야 함.

(3) 외부 기관 활용: 경찰, 병원, 법률 기관, 상담 센터와 같은 기관의 폭력 상담이나 신고 방법, 도움을 받을 수 있는 전화번호 등을 알아 두어야 함. 자료3

❶ **자제력**
자기의 감정이나 욕망을 스스로 억제하는 힘

❷ **방관**
어떤 일에 직접 나서서 관여하지 않고 곁에서 보기만 함.

❸ **조장**
바람직하지 않은 일을 더 심해지도록 부추김.

❹ **미화**
아름답게 꾸밈.

❺ **인격체**
사람으로서의 품격을 갖춘 개체

🔍 기본 확인 문제

✐정답 218쪽

1 다음 내용이 옳으면 ○표, 틀리면 ×표를 하시오.

① 자기중심적인 사람은 폭력 사용 가능성이 낮다. (　)

② 폭력에는 방관자가 아니라 방어자가 되어야 한다. (　)

③ 폭력 없는 세상을 만들기 위해서는 폭력을 예방하는 것이 가장 좋은 방법이다. (　)

2 폭력을 예방하기 위해 개인적 차원에서 필요한 노력은 무엇인가?

3 다른 사람이 당하는 폭력은 나와 상관없다고 생각하는 사람을 일컬어 무엇이라고 하는가?

4 다음 빈칸에 들어갈 알맞은 말을 쓰시오.

① 폭력 상황에 자주 노출되면 폭력에 □□□해질 수 있다.

② 폭력은 약육강식의 원리가 지배하는 □□ 세계의 생존 방식으로 인간 사회에 적용되어서는 안 된다.

📖➕ 내신 만점을 위한 탐구 자료

자료1 폭력에 대한 잘못된 사고방식 ≫

'자식의 잘못을 가르치는 데는 회초리가 약이다.'라든지, '아이들은 싸우면서 큰다.', '싸우면서 우정이 싹튼다.', '법보다 주먹이 앞선다.', '저런 친구는 맞아도 싸다.' 등의 표현은 우리 사회가 폭력에 대해 얼마나 관대하고 허용적인 입장을 취하고 있는지를 대변해 주고 있다. 회초리나 체벌은 가끔 잘못된 행동을 바로잡는 강력한 수단이 될 수도 있지만, 적절한 관계 형성이 전제되지 않은 상태에서는 더 큰 적개심과 분노, 저항심 등을 자극하게 된다는 사실을 명심할 필요가 있다. 이런 표현 자체가 폭력을 조장하고, 폭력을 묵시적으로 인정해 주고 있다는 것을 알아야 한다.

자료2 폭력성에 노출되기 쉬운 영상 매체와 사회 문화 ≫

아이들은 눈으로 본 것을 모방하기 때문에 잔인하거나 폭력적인 것에 계속 노출되다 보면 그 행동을 무의식적으로 습득하게 되고 공감 인지 능력은 낮아지게 된다. 영상 매체 속 폭력성을 통해 아이들은 다른 사람을 배려하는 방법을 배우기보다, 폭력적인 방법을 사용해서라도 목적을 달성하고자 하는 약육강식 논리에 익숙해진다.

청소년들은 폭력이 어른들의 세계에서는 정상적이고 예사로운 일이라고 생각하게 되고, 이는 도덕적 의식이 약화되어 있는 사람들에게 일종의 방아쇠 효과를 미치게 된다. 또한 사회 문화 속에 섞여 있는 폭력성을 반복적으로 겪다 보면, 평범한 사람도 아무런 비판 없이 폭력을 내면화하고 무감각해질 수 있다. 이렇게 되면 자신이 저지르는 폭력의 심각성을 의식하지 못하거나, 학교 폭력을 목격하고도 어쩔 수 없는 일이라고 생각해 침묵해 버리는 경우가 많다.

자료3 학교 폭력 관련 지원 기관 ≫

• 학교 폭력 SOS지원단(www.jikim.net/sos): 학교 폭력 위기 학생들을 위한 긴급 구조 기관. 학교 폭력 위기 상담 센터와 학교 폭력 위기 지원 센터로 구성되어 있으며, 상담 전화와 전문 지원 팀을 통해 상담뿐 아니라 분쟁 조정, 법률 상담 및 지원, 응급 구호 및 신변 보호 등을 제공한다.

• 안전 Dream 아동 · 여성 · 장애인 경찰 지원 센터(www.safe.182.go.kr): 이 사이트는 크게 실종 아동, 성폭력, 가정 폭력, 학교 폭력에 관하여 다양한 정보를 제공하고 신고, 상담의 서비스도 제공하고 있다.

• 117chat: 24시간 연중무휴로 채팅을 통한 학교 폭력 관련 실시간 상담을 제공한다.

• 사이버 경찰청(www.police.go.kr): 동영상 제보 코너, 학교 폭력 등 일반 범죄 신고 코너를 운영하고 있다.

📖 교과서 활동 과제 풀이

| 스스로 생각하기 | 폭력 대처 방법 | 교과서 51쪽 |

활동 목적 폭력 상황에서 각각 다르게 대처하는 방관자와 방어자의 모습을 통해 올바른 폭력 대처법이 무엇인지 탐구해 봅시다.

예시 답안

생각1 방어자였다. 친구에게 폭력을 사용하는 것은 엄연히 부당한 행동이므로 적극적으로 나서서 막아 주었다.

생각2 폭력은 순간적인 자신의 분노를 조절하지 못해서 충동적으로 일어나는 경우가 많으므로, 주위 사람들의 중재를 통해 분노를 조절할 수 있기 때문이다.

생각 Tip 폭력을 방관하면 안 되는 이유를 생각해 봐요!

 **생각 더하기** 폭력 예방 방법

교과서 53쪽

활동 목적 학교 폭력을 예방하기 위한 과정에 맞는 실천적인 방법을 성찰해 봅시다.

예시 답안

	도덕 원리	도덕 판단
자아 존중감 형성	긍정적인 자아 개념을 형성하기 위해 나는 무엇을 해야 하는가?	• 나의 장점을 발견하려고 노력하고 나의 삶에 긍정적인 태도를 기른다. • 매일 성찰 시간을 통해 오늘의 나를 칭찬해 준다.
타인과 관계 맺기	원만한 관계를 형성하는 의사소통을 하기 위해 나는 무엇을 해야 하는가?	• 친구에게 가까이 다가가 서로를 존중하며 함께하는 시간을 갖는다. • 친구들과 즐겁게 공유할 수 있는 취미를 가져 본다.
폭력 예방 실천 의지 다지기	폭력을 예방하기 위해 나는 무엇을 해야 하는가?	• 폭력이 짐승의 법칙이라는 것을 이해하고 나의 분노나 화를 조절하는 습관을 기른다. • 화를 내기 전 나의 마음을 들여다보며 명상을 해 본다.

활동 Tip 학교 폭력을 예방하기 위한 구체적인 실천 방법을 생각해 봐요!

 모둠 활동

폭력 예방 UCC 구상하기

교과서 55쪽

활동 목적 **일상생활 속 학교 폭력을 예방할 수 있는 방법을 담은 UCC를 제작하고 이를 실천해 봅시다.**

예시 답안
- **타 이 틀:** 학교 폭력 대처 방법
- **배경 음악:** 멈춰! 멈춰! 송
- **기획 의도:** 학교에서 발생하는 폭력을 효과적으로 대처하는 방법을 알게 한다.

#1 인권 침해	[관련 화면은 모둠별로 촬영] 자막: 폭력은 인간 존엄성 침해	#2 폭력 피해 기록	자막: 누가, 언제, 어디서, 무엇을, 어떻게, 왜
#3 방어자	자막: 피해자의 고통에 공감	#4 외부 기관 활용	자막: 폭력 상담과 신고

활동 Tip 교과서에서 배운 다양한 폭력 예방법을 적용하여 재미있게 UCC를 생각해 보세요.

스스로 정리하기 폭력 예방을 위한 노력

교과서 55쪽

활동 목적 **폭력의 원인과 학교 폭력을 예방하는 방법을 탐색해 봅시다.**

예시 답안

정리 1 자제력이 부족하고 자기중심적으로 사고하는 경향이 강하며 분노 조절을 하지 못해서 폭력을 사용한다. 또한 환경적인 영향으로 폭력에 자주 노출되어 폭력을 모방하게 되기도 한다.

정리 2 자존감을 향상하고 내가 소중하듯 타인도 소중하다는 것을 잊지 않는다. 학교 폭력 예방 캠페인에 참여한다.

정리 Tip
- 이번 주제를 공부하면서 자신의 생각이 어떻게 달라졌는지 확인해 볼까요?
- 폭력의 원인과 예방 및 대처 방법을 정리해 보고, 학습 목표를 제대로 성취하였는지 스스로 점검해 봐요.

주제별 평가 문제

1 폭력을 사용할 가능성이 가장 낮은 사람은?

① 충동을 조절하지 못하는 연주
② 사물을 이성적으로 보는 상현
③ 자기 조절 능력이 부족한 미영
④ 자기중심적으로 생각하는 준수
⑤ 일어나는 분노를 참지 못하는 다래

2 다음 글을 통해 알 수 있는 것은?
중요

> 우리 반 민수는 성미가 매우 급하고 변덕스럽다. 기분이 좋다가도 금방 나빠지기 때문에 종잡을 수가 없다. 기분 좋은 날은 아무 일 없이 지나가지만, 기분이 나쁜 날은 자신보다 힘이 약한 친구가 작은 실수를 하여도 심한 욕설을 하면서 바로 주먹을 날린다. 또 자기가 원하는 대로 되지 않으면 제 분에 못 이겨 교실 벽을 발로 마구 차서 불안감을 주기도 한다.

① 주먹이 센 친구에게 잘 보이도록 노력해야 한다.
② 학급에서 힘이 가장 센 사람이 되도록 노력해야 한다.
③ 자신보다 힘이 강한 친구의 기분을 잘 파악해야 한다.
④ 변덕스러운 사람들과는 인간관계를 맺지 말아야 한다.
⑤ 폭력은 순간적인 충동이나 분노를 참지 못한 사람들이 많이 사용한다.

3 폭력으로 문제를 해결할 경우 나타나는 결과와 거리가 먼 것은?

① 사회적으로 더 큰 폭력을 방지할 수 있다.
② 사회에 공포 분위기가 퍼져 불안에 떨게 된다.
③ 옳고 그름과 관계없이 강자만이 살아남게 된다.
④ 폭력이 계속됨으로써 폭력의 악순환이 계속된다.
⑤ 합리적인 절차와 과정이 무시되어 사회 정의가 무너진다.

4 다음 글을 쓴 사람이 강조하고자 하는 것은?
중요

> 텔레비전이나 컴퓨터 게임 등에서 폭력 장면이 너무 무분별하게 등장한다. 심지어 드라마나 영화 등에서 폭력을 사용하는 가해자는 힘 있고 멋지게 그려지는 반면, 피해자는 불쌍하고 초라해 보이도록 설정하기도 한다. 이러한 폭력 상황을 자주 접하게 되면 폭력을 미화하는 마음이 생길 수 있다.

① 컴퓨터 게임 산업에 대한 규제를 완화해야 한다.
② 사회적인 흐름에 벗어나지 않도록 유의해야 한다.
③ 드라마나 영화 등은 예술성을 가장 중시해야 한다.
④ 피해자가 되기보다는 가해자가 되는 것이 더 낫다.
⑤ 폭력 환경에 자주 노출되면 폭력에 무뎌질 수 있다.

5 폭력을 예방하기 위한 실천적 노력과 거리가 먼 것은?
① 폭력을 예방하기 위해 나는 무엇을 해야 하는가?
② 내가 폭력을 당하면 어떤 친구와 힘을 합해야 하는가?
③ 순간적인 분노나 화가 치밀어 오를 때 나는 어떻게 해야 하는가?
④ 긍정적인 자아 개념을 형성하기 위해 나는 무엇을 해야 하는가?
⑤ 원만한 관계를 형성하는 의사소통을 하기 위해 나는 무엇을 해야 하는가?

6 폭력을 뿌리 뽑기 위한 노력으로 볼 수 없는 것은?
① 폭력 예방 센터나 폭력 상담소를 확대 설치한다.
② 폭력은 인간 존엄성을 해치는 행위임을 인식한다.
③ 폭력은 도덕적으로 정당화될 수 없음을 인식한다.
④ 폭력을 당하는 친구가 있으면 폭력으로 도와준다.
⑤ 정의롭지 못한 것에 대해 저항하는 용기를 기른다.

단원 정리 문제

01 [주관식] 타인에게 피해를 입히는 말이나 따돌리는 행위 등 의도적이든 아니든 우리가 평화롭게 사는 것을 방해하는 모든 것을 무엇이라고 하는지 쓰시오.

02 다음의 밑줄 친 부분에 들어갈 말로 옳은 것은?

선생님, 다른 사람이 자는 모습을 찍어 올린 것도 폭력 아닌가요? 저는 복수를 한 것뿐이라고요!

나래야, _____

① 너는 그 친구보다 더 이상한 사진을 촬영해라.
② 참 잘했어. 폭력을 폭력으로 갚는 것은 당연해.
③ 복수를 하는 건 근본적인 문제 해결 방법이 아니야.
④ 그 애는 거친 아이니까 모른 체하고 지나가야 했어.
⑤ 너도 그 친구가 자는 모습을 찍어 인터넷에 올려 봐.

03 [중요] 다음 글을 통해 우리가 알아야 할 것은?

거친 언어나 욕설을 많이 듣는 아이는 그렇지 않은 아이보다 뇌의 회로 발달이 늦어진다고 한다. 우리 뇌에는 기억과 관련된 일을 하는 해마라는 부위가 있는데, 거친 언어를 많이 듣는 아이일수록 해마의 크기가 작다고 한다.

① 다른 폭력에 비해 언어폭력은 가볍다.
② 언어폭력은 언어 이해력을 감소시킨다.
③ 언어폭력은 신체 폭력에 비해 고통이 적다.
④ 언어폭력은 큰 상처를 주는 무서운 폭력이다.
⑤ 언어폭력으로 인한 피해는 쉽게 잊을 수 있다.

04 다음 글을 통해 알 수 있는 것으로 가장 적절한 것은?

그는 학기 초부터 내가 재수 없다며 꺼져 버리라고 했다. 처음 그 말을 들었을 때 너무 화가 나서 똑같이 말해 주려고 했다. 그런데 마음과 달리 내 입술은 딱 붙은 채 움직이지 않았다.
"너나 꺼져!"라는 말은 입 안에서만 빙빙 돌 뿐이었다.
아무 말도 하지 못한 나에게 화가 났다. 나를 도와주지 않은 반 아이들에게도 화가 났다. 나를 낳아 준 엄마, 아빠에게도 화가 났다.

① 폭력은 신체에 손상을 입히게 된다.
② 학기 초가 지나면 폭력은 사라진다.
③ 폭력은 피해자들의 자존감을 짓밟는다.
④ 폭력은 귀중한 생명을 앗아 갈 수 있다.
⑤ 폭력은 부모와의 갈등을 일으키는 일이다.

05 [서술형] 폭력이 비도덕적인 이유 중 다음 내용이 가리키는 것이 무엇인지 서술하시오.

폭력 행위는 다른 사람에게 신체적인 고통을 줄 뿐만 아니라 심리적 불안과 두려움 등 정신적인 충격도 준다.

06 [중요] '폭력을 사용하면 안 된다.'라는 도덕 판단의 원리 근거로 가장 적절한 것은?

① 폭력에는 처벌이 따르기도 한다.
② 폭력은 가해자에게도 고통을 준다.
③ 폭력은 다른 사람에게 피해를 준다.
④ 타인의 신체에 상처를 내면 안 된다.
⑤ 다른 사람에게 피해를 주면 안 된다.

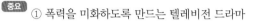

07 (주관식) 야유나 욕설 등 인격을 무시하고 모욕적인 말을 함으로써 상대방에게 상처를 주는 폭력은 무엇인지 쓰시오.

08 구조적 폭력에 대한 설명과 거리가 <u>먼</u> 것은?

① 강대국이 약소국을 압박하는 행위
② 후진국 국민들이 겪는 가난과 빈곤
③ 정치·경제적 원인으로 발생하는 실업
④ 상대방의 인격을 무시하고 모욕하는 행위
⑤ 환경이나 사회 구조 때문에 발생하는 폭력

09 다음 글을 통해 추론할 수 있는 폭력의 특징은?

> 우리 반 현민이는 반 아이들에게 괴롭힘을 당해서 학교에 가기를 꺼린다. 처음에는 아이들이 의자에 몰래 놓은 압정에 엉덩이를 찔렸다. 그렇게 시작된 괴롭힘은 욕설과 폭행으로 이어졌다. 가방에 들어 있던 교과서와 참고서, 그리고 휴대 전화까지 아이들이 모두 가져갔다. 어떤 아이는 일주일에 한 번씩 돈을 빼앗기도 하였다.

① 겉으로 잘 드러나서 문제 해결책을 찾기 쉽다.
② 피해자가 고통을 호소하면 중단되는 경우가 많다.
③ 피해자가 학교를 그만두거나 가출을 하기도 한다.
④ 학교 안의 문제가 사회 문제로 확대되지는 않는다.
⑤ 피해가 심한 경우에도 정신적 피해는 주지 않는다.

10 학교 폭력으로 볼 수 없는 것은?

① 언어적 놀림　　　② 금품 빼앗기
③ 협박과 욕설　　　④ 신체적 폭행
⑤ 언어적 논쟁

11 (서술형) 친구가 폭력을 당할 때 가져야 할 바람직한 자세가 무엇인지 두 가지를 서술하시오.

12 폭력의 개인적 원인에 대한 설명으로 옳은 것은? (중요)

① 폭력을 미화하도록 만드는 텔레비전 드라마
② 순간적인 충동이나 분노를 참지 못하는 태도
③ 컴퓨터 게임 등에서 자주 등장하는 폭력 장면
④ 피해자의 고통에는 관심을 기울이지 않는 풍토
⑤ 수단과 방법에 관계없이 결과를 중시하는 풍조

13 폭력 예방을 위한 노력 중 나머지 넷과 <u>다른</u> 하나는?

① 폭력 상담소 설치 운영
② 대중 매체의 폭력성 규제
③ 폭력 예방 센터 확대 설치
④ 공감 및 분노 조절 능력 향상
⑤ 인권 교육 및 인성 교육 강화

14 다음 글에서 강조하는 것은? (중요)

> 학교 폭력을 당하면서도 그냥 참고 받아들이다 보면 가해자는 습관적으로 폭력을 행사하게 된다. 따라서 폭력이 지속된다면 '누가, 언제, 어디서, 무엇을, 어떻게, 왜' 폭행을 했는지 상세하게 기록해 두는 것도 필요하다.

① 폭력 가해자의 약점을 잡아야 한다.
② 폭력에는 적극적으로 대처해야 한다.
③ 폭력 가해자는 폭행 사항을 기록해야 한다.
④ 학교 폭력은 경찰에 신고하여 해결해야 한다.
⑤ 폭력 피해자보다는 가해자가 되는 것이 낫다.

영역 정리

생각을 다듬는 논술

'폭력을 방관하면 안 되는 까닭은 무엇인가?'

학교 폭력을 근절하기 위해서는 학생들의 적극적인 노력이 필요하다. 폭력에 직접적으로 가담하지 않았더라도 학교 폭력을 적극적으로 말리거나 신고하지 않는 방관자적 태도를 가진 학생들에 관한 글을 읽고, II영역의 핵심 가치인 배려와 관련하여 '폭력을 방관하면 안 되는 까닭은 무엇인가?'를 주제로 논술문을 완성한다.

활동 목표
- 폭력 예방 및 해결의 중요성을 이해할 수 있다.
- 폭력을 방관하면 안 되는 이유를 알 수 있다.
- 학교 폭력을 예방하기 위한 자세를 알 수 있다.

논술 길잡이 및 예시 답안

 1단계 학교 폭력을 방관한 학생에게도 책임을 물어야 한다는 학생들이 내세우는 논리는 무엇일까?

→ 학교 폭력을 방관하였을 때 발생할 수 있는 다양한 결과를 상상해 보고 방관자에게 책임을 물을 수 있는지 생각해 본다.

답 '학교 폭력 예방 및 대책에 관한 법률'에서도 학교 폭력 신고 의무에 따라 학교 폭력 현장을 보거나 그 사실을 알게 된 자는 즉시 신고해야 함을 강조하고 있다. 학교 폭력의 사태가 심각해지는 것을 막고 폭력의 재발 가능성을 방지하기 위해 학교 폭력 방관자에게도 책임을 물어야 한다.

 2단계 학교 폭력의 방관자에게 책임을 물어서는 안 된다는 학생들이 내세우는 논리는 무엇일까?

→ 방관자 또한 학교 폭력의 피해자가 될 수 있음을 이해한다.

답 ・누가 방관자인지 구분하는 기준이 매우 모호하다.
　　・방관자 역시 학교 폭력의 또 다른 피해자이다. 방관자들도 피해자와 마찬가지로 학교 폭력 현장을 보면서 스트레스를 받는 등 심리적 피해를 입는다.

 3단계 '폭력을 방관하면 안 되는 까닭은 무엇인가?'라는 주제로 논술문을 작성해 보자.

→ 폭력을 방관하는 것은 폭력 상황을 더욱 악화시키지만 반대로 방관하지 않는다면 폭력을 예방하고 해결할 수 있다는 것을 서술한다.

답 학교 폭력이 날로 증가하고 있는 요즘, 폭력을 방관할 경우 더 큰 폭력 상황을 초래할 수 있다. 일상생활 속 폭력 상황에 민감하게 반응하고 합리적으로 대처하기 위해서는 폭력이 발생했을 때 주변 친구들의 용기 있는 행동이 학교 폭력을 예방하고 멈출 수 있는 중요한 열쇠가 된다는 것을 알아야 한다.

활동 평가 기준

※ 논술 활동은 다음과 같은 단계를 거쳐 평가된다. 스스로 평가해 보자.

평가 요소	평가 내용	배점				
		5	4	3	2	1
1단계	학교 폭력 방관자에게 책임을 물어야 하는 이유를 제시하였다.					
2단계	학교 폭력 방관자에게 책임을 물을 수 없는 이유를 제시하였다.					
3단계	폭력을 방관하면 안 되는 이유를 설명하였다.					
	폭력을 방관하였을 경우 발생할 수 있는 문제점을 설명하였다.					
	폭력을 방관하지 않는 것이 해결책이 될 수 있음을 제시하였다.					

평화로운 학급 만들기

학생들이 구체적인 실천을 통해 인성을 함양하고, 계획을 세우는 과정에서 창의성을 키울 수 있도록 실천과 계획서 작성을 통합한 인성 활동이다. 영역의 핵심 가치인 배려를 확고하게 내면화하고, 평화적으로 갈등을 해결하기 위한 실천 방법을 모색해 봄으로써 평화로운 학급 만들기를 실천하도록 한다.

교과서 58~59쪽

활동 목표

- 평화로운 학급을 만들기 위한 구체적인 방법을 탐구한다.
- 평화로운 학급을 위해 자신이 노력하고 실천해야 할 일을 탐구한다.
- 평화로운 학급을 위한 규칙을 일상생활 속에서 실천하도록 노력한다.

활동 방법

1단계	평화로운 학급을 만들기 위해 먼저 우리 학급의 모습을 파악해 봄으로써 우리 학급이 보완해야 할 점을 객관적인 시각에서 반성해 보는 단계이다.
2단계	평화로운 학급 규칙을 정하기 전에 규칙을 정하는 방법, 규칙이 갖추어야 할 요건, 규칙의 영역을 분명히 하도록 명료화하는 단계이다.
3단계	평화로운 학급을 만들기 위한 구체적인 학급 규칙에 대해 모둠별로 자유롭게 의견을 나누게 한다. 규칙이 잘 지켜지지 않을 경우도 대비하여 벌칙을 정하게 한다.
4단계	논의된 학급 규칙 중 실효성이 있는 규칙을 구분하여 실천 가능한 영역에서 학급 규칙을 탐색하게 한다.
5단계	평화로운 학급을 만들기 위한 학급 규칙 선서문을 완성하고 선포함으로써 학급 규칙을 스스로 실천할 수 있도록 한다.

활동 평가 기준

※ 성찰 활동은 다음과 같은 단계를 거쳐 평가된다. 스스로 평가해 보자.

평가 요소	평가 내용	배점				
		5	4	3	2	1
1단계	원하는 학급의 모습과 현재 학급의 모습을 구체적으로 파악하였다.					
	원하는 학급을 만들기 위해 노력할 점을 구체적으로 제시하였다.					
2단계	학급 규칙을 정하는 방법과 요건, 영역을 구체적으로 세분화하였다.					
3단계	영역별로 권장 사항과 금지 사항을 그 이유에 맞게 탐색하였다.					
	벌칙을 정함으로써 규칙의 실효성을 높였다.					
4단계	영역별로 구분된 규칙을 제시하며 다수의 동의를 얻도록 논의하였다.					
5단계	학급 규칙 선서문을 완성하여 함께 낭독하며 실천 동기를 고취하였다.					

5 정보화 시대에 우리는 어떻게 소통해야 하는가?

01 사이버 공간의 특징 중 '익명성'에 해당하는 것은?

중요

① 아이디(ID)나 별명을 사용하여 활동할 수 있다.

② 정보 수집에 들이는 시간과 비용을 줄일 수 있다.

③ 자신이 원한다면 자유롭게 활동에 참여할 수 있다.

④ 환경만 갖추어지면 누구나 이용할 수 있는 공간이다.

⑤ 지구의 반대편에 있는 사람들과도 정보를 주고받을 수 있다.

02 다음 글과 관계있는 사이버 공간의 특성은?

> 정보의 바다라고 불릴 만큼 많은 자료가 있어 정보 수집에 들이는 시간과 비용을 절약할 수 있다. 그러나 어떤 정보를 선택해야 할지 어려움을 겪기도 한다.

① 익명성　　　　② 개방성

③ 자율성　　　　④ 신속성

⑤ 다양성

03 사이버 공간의 개방성으로 인해 나타나는 문제점으로 가장 적절한 것은?

① 자신이 원한다면 자율적으로 활동 가능한 공간이다.

② 전자 우편을 열어 보면 스팸 영상 등이 떠서 곤혹스러운 경우가 있다.

③ 처음에는 쉬는 시간에 게임을 하였는데 지금은 게임 중독 상태에 빠지게 되었다.

④ 과제를 검색하였더니 수많은 정보가 있어 어떤 정보가 올바른 정보인지 혼란스러웠다.

⑤ 내 블로그에 친구들과 찍은 사진을 올렸더니 누군가가 악성 댓글을 남겨 기분이 상했다.

04 주관식 현실적으로 존재하는 공간이 아니라, 컴퓨터 통신망 안에 있는 가상 공간을 무엇이라 하는지 쓰시오.

05 다음과 같은 행동이 가져올 결과로 볼 수 없는 것은?

> 사이버 공간에서는 이름, 주소, 주민 등록 번호 등의 정보를 사고파는 사람들이 있다. 예컨대 개인이 언제 어디서 누구를 만나 무엇을 했는지, 어떤 소비 성향을 가지고 있는지, 누구와 금융 거래를 했는지 등에 관한 정보를 사고파는 것이다.

① 개인의 인격에 상처를 입기도 한다.

② 지식 재산권이 침해되는 경우가 많다.

③ 평범한 사람들도 피해자가 될 수 있다.

④ 사생활을 침해당하는 사례가 나타난다.

⑤ 금융 사기 및 각종 범죄에 악용되기도 한다.

06 다음과 관련된 사이버 공간의 도덕 원칙을 순서대로 제시한 것은?

중요

① 존중, 정의　　　　② 책임, 정의

③ 정의, 책임　　　　④ 존중, 해악 금지

⑤ 해악 금지, 책임

07 서술형 개인 정보를 보호해야 하는 이유가 무엇인지 두 가지 이상 서술하시오.

08 주관식 다음 글에서 강조하는 사이버 공간의 도덕적 원칙은 무엇인지 서술하시오.

> 사이버 공간에서는 현실 공간에서와 마찬가지로 자신의 행동이 어떤 결과를 낳을지 신중하게 생각하고 행동해야 한다.

09 주관식 다음 글에서 설명하고 있는 것이 무엇인지 쓰시오.

> 성명, 주민 등록 번호 및 영상 등을 통하여 개인을 알아볼 수 있는 정보나 해당 정보만으로는 특정 개인을 알아볼 수 없더라도 다른 정보와 쉽게 결합하여 알아볼 수 있는 것을 말한다.

10 사이버 공간에서 가져야 할 태도로 옳지 <u>않은</u> 것은?
중요
① 도덕적 책임을 바탕으로 서로의 권리를 존중하고 공감하며 배려한다.
② 인간미 넘치는 사이버 세상을 만들기 위해서 상호간의 개인 정보를 공개한다.
③ 사이버 공간에서는 현실 공간에서보다 더욱 엄격한 도덕적 책임감을 확립한다.
④ 사이버 공간에서 다툰 사람과 현실 공간에서 만나는 것은 위험하다고 생각한다.
⑤ 통신 기기와 대화하는 것이 아니라 그것을 사용하는 사람과 대화한다고 생각한다.

11 다음과 같은 상황에서 취해야 할 태도로 옳은 것은?

> 친구들과 함께 공개 채팅 방에서 즐겁게 대화 중인데, 갑자기 나에게 욕을 하는 사람이 등장한다. 가족들까지 비난하며 입에 담을 수 없는 욕을 계속한다.

① 왜 욕설을 하느냐고 따지면서 같이 욕설을 한다.
② 거친 사람은 귀찮으므로 채팅 방에서 나가 버린다.
③ 상대방이 나에게 한 만큼 나도 상대방에게 갚아 준다.
④ 욕을 하지 말라고 충고하고 계속 욕을 하면 신고한다.
⑤ 욕설을 잘하는 친구들을 초대해 집중적으로 공격한다.

12 서술형 다음과 같은 고민을 하는 친구에게 해 주어야 할 충고가 무엇인지 서술하시오.

> 요새 들어 스마트폰을 많이 이용해서인지 목도 아프고 피곤하다. 오늘도 저녁 식사 후에 공부를 하려고 책상에 앉았더니 목 부분이 뻐근하고, 잠을 자려고 해도 잠이 잘 오지 않았다.

6 평화적 갈등 해결은 어떻게 가능한가?

13 외적 갈등에 대한 설명으로 옳은 것은?
① 한 사람의 마음에 두 가지 이상의 욕구나 가치가 충돌할 때 나타난다.
② 개인이나 집단 사이에 목표나 사고방식, 이해관계가 다를 때 자주 발생한다.
③ 다양한 가치 중에서 어떤 것을 선택해야 할지 결정하기 어려운 경우 발생한다.
④ 대표적인 사례로 이성 친구를 사귈 것인지 말 것인지 고민하는 것을 들 수 있다.
⑤ 양심의 명령에 따를 것인지 따르지 않을 것인지 고민하는 경우가 여기에 해당한다.

14 다음과 같은 갈등 유형에 해당하는 것은?

> 인터넷에서 옷을 구매하였는데 마음에 들지 않아 환불 요청을 하였지만 쇼핑몰에서 환불을 해 줄 수 없다고 하여 갈등을 겪었다.

① 개인 간의 갈등 　　② 집단 간의 갈등
③ 개인 내부의 갈등 　　④ 욕구와 당위의 갈등
⑤ 개인과 집단 간의 갈등

15 다음과 같은 갈등에 대한 설명으로 옳은 것은?

> ○○시에 음식물 쓰레기를 처리하는 음식물류 폐기물 처리 업체 건립이 추진돼 주민들이 반발하고 있다. 시에 따르면 A 업체는 전국에서 발생되는 연 2만 5,920톤의 음식물 폐기물을 반입, 퇴비를 생산하는 시설을 ○○시에 건립하겠다는 내용의 사업 계획서를 5월 시에 접수했다. 하지만 시는 음식물 쓰레기 처리장이 추가로 필요하지 않고, 무엇보다 주민 피해가 우려되는 만큼 허가해 줄 수 없다며 지난달 2일 업체에 적정하지 못하다고 통보를 했다. 이에 업체는 지난달 27일 도에 행정 심판을 청구했다.

① 집단 간의 이해 충돌 때문에 일어나는 갈등이다.
② 공공사업 추진 과정에 나타나서는 안 될 갈등이다.
③ 강한 처벌을 통해 사전에 방지해야 하는 갈등이다.
④ 다양한 갈등 중에서 영향을 끼치는 범위가 가장 좁다.
⑤ 건강한 사회에는 이러한 갈등이 전혀 나타나지 않는다.

16 주관식 다음과 같은 갈등을 해결하기 위해 필요한 태도는 무엇인지 쓰시오.

> 경비원: 아니, 음식물 쓰레기에 일반 쓰레기도 같이 넣으시면 어떡해요!
> 주 민: 저 더러운 걸 어떻게 만져요? 아저씨가 알아서 좀 해 주시면 되잖아요!

17 서술형 외적 갈등이 일어나는 이유를 세 가지 이상 서술하시오.

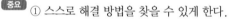

18 '갈등이 전혀 없는 사회야말로 오히려 건강하지 못한 사회이다.'라는 주장에 대해 타당한 근거는?

① 갈등은 많으면 많을수록 좋은 사회이다.
② 다양한 가치가 어우러진 사회가 건강하다.
③ 갈등을 해결하려고 노력하지 않아도 된다.
④ 주변 사람들과 많은 갈등을 일으켜야 한다.
⑤ 갈등이 있더라도 없는 것처럼 숨겨야 한다.

19 조정과 중재의 공통점을 옳게 제시한 것은?

① 스스로 해결 방법을 찾을 수 있게 한다.
② 이해관계가 없는 갈등 문제에 적용된다.
③ 제삼자가 직접적으로 해결책을 제시한다.
④ 당사자끼리 합의를 이끌어 내는 방법이다.
⑤ 갈등을 해결하는 과정에 제삼자가 개입한다.

20 다음 물음에 대한 대답으로 옳은 것은?

> 어떤 갈등을 해결하기 위한 대화에서 많은 사람들이 각자 다른 의견을 제시할 수도 있다. 이처럼 갈등 당사자가 다수이며 다양한 가치와 이해관계가 충돌할 때는 어떤 방법을 사용해야 할까?

① 개인의 의견을 제시하지 않아야 한다.
② 토론 방법을 통해 해결하도록 해야 한다.
③ 말 잘하는 친구들의 의견을 물어야 한다.
④ 학급 반장의 의견을 따르도록 해야 한다.
⑤ 담임 선생님의 결정에 맡기도록 해야 한다.

7 폭력의 문제를 어떻게 대할 것인가?

21 폭력에 대한 설명으로 옳은 것을 | 보기 | 에서 모두 고른 것은?

보기
ㄱ. 폭력은 의도하였든 그렇지 않든 사람들의 평화로운 삶을 방해한다.
ㄴ. 좁은 의미로 폭력은 정신적 · 심리적 피해를 입히는 말과 행위이다.
ㄷ. 넓은 의미의 폭력은 타인에게 피해를 입히는 말이나 따돌리는 행위를 포함한다.
ㄹ. 폭력은 사람들 간의 갈등 문제를 해결하는 방법의 하나로 인식해야 한다.

① ㄱ, ㄴ
② ㄴ, ㄷ
③ ㄷ, ㄹ
④ ㄱ, ㄷ
⑤ ㄴ, ㄷ

22 다음 물음에 대한 대답으로 옳은 것은?

중요

폭력은 인간이 지켜야 할 도리나 바람직한 행동 규범에 어긋난다는 점에서 심각한 문제이다. 폭력이 비도덕적인 이유는 무엇일까?

① 폭력은 인간의 존엄성을 훼손한다.
② 폭력 가해자들은 고통을 받지 않는다.
③ 청소년 폭력은 처벌 수준이 매우 약하다.
④ 폭력은 사회 갈등을 줄여 주는 역할을 한다.
⑤ 폭력은 문제를 신속하게 해결하게 해 준다.

23 서술형 폭력을 사용할 가능성이 높은 사람들의 특성이 무엇인지 두 가지 이상 서술하시오.

24 구조적 폭력에 대한 설명으로 옳은 것은?

① 구조적 폭력은 주로 개인적 차원에서 발생한다.
② 폭력 가해자들이 집단을 이루어 폭력을 가한다.
③ 정치적 · 경제적 원인으로 발생하는 경우가 많다.
④ 구조적 폭력의 결과 신체 손상을 주는 경우가 많다.
⑤ 사회적 약자들은 구조적 폭력 피해를 당하지 않는다.

25 주관식 일반적으로 학교나 학교 주변에서 학생을 대상으로 발생하는 신체적, 정서적 가해 행동을 무엇이라고 하는지 쓰시오.

26 폭력에 대한 설명으로 옳지 않은 것은?

① 폭력은 우리의 일상생활 속에서 많이 나타난다.
② 배움의 터전인 학교에서도 폭력이 끊이지 않고 있다.
③ 폭력 중에는 사회에 긍정적인 영향을 주는 것도 많다.
④ 도로에서 난폭 운전이나 보복 운전을 하는 것도 폭력에 해당한다.
⑤ 불특정 다수를 대상으로 하는 '묻지 마 폭력'도 심각한 사회 문제가 되고 있다.

27 학교 폭력 대처 방법으로 적절하지 않은 것은?

중요

① 스스로 해결하기 어려우면 주위의 도움을 받는다.
② 폭력 해결에 도움을 받을 수 있는 기관을 알아 둔다.
③ 폭력을 당하는 친구의 어려움에 공감하고 도와준다.
④ 폭력의 방어자가 되기보다는 방관자가 되어야 한다고 생각한다.
⑤ 폭력이 지속된다면 '누가, 언제, 어디서, 무엇을, 어떻게, 왜' 폭행을 했는지 상세하게 기록해 둔다.

Ⅲ 사회·공동체와의 관계

우리가 사회·국가·지구 공동체를 건강하고 도덕적인 공동체로 이루어 가기 위해서는 어떤 태도가 필요할까요? 바로 옳은 것을 추구하는 정의로운 태도입니다.

이 영역의 핵심 가치는 정의입니다. 정의는 올바름과 공정함을 토대로 바람직한 공동체 형성을 지향합니다. 우리는 다양한 인권 문제에 대한 해결 방안을 고민하며 정의로운 사회를 이룰 수 있는 토대를 세울 수 있습니다. 또한 정의로운 지구 공동체 형성을 위한 방안도 고민해 보도록 합니다. 그렇다면 정의의 가치를 통해 우리가 만들어야 할 공동체의 모습은 무엇인지 이 영역을 공부하며 알아볼까요?
먼저 나의 학습 계획을 세워 보세요.

스스로 학습 계획						스스로 학습 성취도
계획일	월	일	학습일	월	일	○ ○ ○ ○ ○
	월	일		월	일	○ ○ ○ ○ ○
	월	일		월	일	○ ○ ○ ○ ○
	월	일		월	일	○ ○ ○ ○ ○
	월	일		월	일	○ ○ ○ ○ ○
	월	일		월	일	○ ○ ○ ○ ○
	월	일		월	일	○ ○ ○ ○ ○
	월	일		월	일	○ ○ ○ ○ ○
	월	일		월	일	○ ○ ○ ○ ○
	월	일		월	일	○ ○ ○ ○ ○
	월	일		월	일	○ ○ ○ ○ ○
	월	일		월	일	○ ○ ○ ○ ○
	월	일		월	일	○ ○ ○ ○ ○
	월	일		월	일	○ ○ ○ ○ ○
	월	일		월	일	○ ○ ○ ○ ○
	월	일		월	일	○ ○ ○ ○ ○

① 어떤 국가가 **바람직한 국가**인가?

📖 교과서 63~67쪽

학습의 주안점
- 국가가 소중한 이유
- 국가의 역할
- 바람직한 국가의 모습

1 국가의 소중함

(1) **국가의 의미**: 일정한 영토❶와 국민, 그리고 주권❷을 가지고 있는 집단을 뜻함.

(2) **국가의 발생에 대한 주장**: 자연 발생설, 사회 계약설 [자료1]

(3) **국가의 소중함**: 우리의 삶의 필수적인 기반❸이며, 소중히 여겨야 할 대상임.

[Tip] 인간은 자연스러운 본성에 따라 모여 살며 국가를 이룬다는 관점이야.

[Tip] 자연 상태에서 위험에 처한 사람들이 서로 계약을 맺고 국가를 만들었다는 관점이야.

2 국가의 역할

(1) **국가의 역할**: 국민들의 생명과 재산 보호, 갈등 조절, 인간다운 삶 보장, 인류 공동의 문제에 대응

[Tip] 오늘날 국가의 역할은 과거에 비해 증대되고 있어.

(2) **국가의 역할에 대한 입장** [자료2] [자료3]

	소극적 국가관(야경 국가)	적극적 국가관(복지 국가)
입 장	국가는 국민의 안전을 지키는 최소한의 역할만 해야 한다.	국가는 국민의 삶에 적극적으로 개입해야 한다.
장 점	개인의 자유를 최대한 보장할 수 있음.	다양한 복지 혜택을 줄 수 있음.
문제점	빈부 격차가 심화될 수 있음.	세금 부담이 늘어날 수 있음.

3 바람직한 국가의 모습

(1) **국가가 추구해야 할 보편적 가치**: 자유, 평등, 인권, 정의, 평화, 복지 등

(2) **보편적 가치 실현을 위해 국가가 노력해야 할 점**

① 시민의 안녕❹ 중시: 시민들의 안전한 삶과 기본적 안녕 추구를 위해 노력해야 함.

② 책임감 있는 국가 권력 사용: 정당한 이유 없이 국민의 자유를 간섭하거나 인권을 침해해서는 안 됨. 국가 권력을 특정인을 위해 잘못 사용하거나, 법이나 제도를 차별적으로 적용하는 것도 정의롭지 못함.

❶ **영토**
국가의 통치권이 미치는 구역. 흔히 토지로 이루어진 국가의 영역을 이르나 영해와 영공을 포함하는 경우도 있음.

❷ **주권**
국가의 의사를 최종적으로 결정하는 권력. 대내적으로는 최고의 절대적 힘을 가지고, 대외적으로는 자주적 독립성을 가짐.

❸ **기반**
기초가 되는 바탕. 또는 사물의 토대

❹ **안녕**
아무 탈 없이 편안함.

📣 기본 확인 문제

📖 정답 220쪽

1 다음 내용이 옳으면 ○표, 틀리면 ×표를 하시오.
① 영토는 국민이 살아가야 할 삶의 터전이다. (　)
② 우리는 태어나면서부터 한 국가에 소속된다. (　)
③ 오늘날에는 국가의 역할이 점차 축소되고 있다. (　)

2 아리스토텔레스가 사회적 동물인 인간이 만든 조직의 최종 단계로 본 것은 무엇인가?

3 모든 국민이 인간다운 삶을 살아갈 수 있도록 제도적으로 지원하는 가치는 무엇인가?

4 다음 빈칸에 들어갈 알맞은 말을 쓰시오.
① □□가 없다면 우리 생활은 불안정하고 혼란스럽게 된다.
② 보편적 가치가 실현된 국가에서는 인간의 □□□이 보장되며, 국민 모두가 행복한 삶을 누리게 될 것이다.

📖 내신 만점을 위한 탐구 자료

자료1 국가 발생설의 공통점 ≫

국가 발생에 대한 아리스토텔레스와 사회 계약론자들의 견해는 서로 다르지만, 개인이나 가정과 같은 소집단의 힘만으로 할 수 없는 일을 국가가 수행한다는 점에서는 견해를 같이 하고 있다. 실제로 외적이 침입하였을 때 국민 전체를 지켜 주고, 홍수나 산불처럼 엄청난 자연 재해가 발생하였을 때에 이를 극복하는 역할은 국가만이 할 수 있다. 따라서 우리는 국가의 존재로 인하여 물질적으로나 정신적으로 안정되고 인간다운 삶을 살아갈 수 있는 셈이다.

자료2 야경(夜警)국가 ≫

국방과 외교, 치안 유지 등 개인의 자유와 사유 재산을 보호하기 위한 최소한의 활동으로 국가의 임무를 한정하는 국가관을 야경국가라 부른다. '야경'이란 밤에 순찰을 도는 경찰을 뜻하는데, 국가는 밤에만 순찰을 도는 것처럼 여러 형태의 이해관계가 자유롭게 얽히도록 두는 것이 사회 · 경제 질서 유지에 도움이 된다고 보는 것이다. 즉, 국가의 간섭 없는 자유 경쟁만이 최대 다수의 최대 행복을 보장한다는 국가관이다. 최소주의 국가, 소극적 국가라고도 한다. 야경 국가는 국가의 적극적인 역할을 강조하는 복지 국가와 대조되는 개념으로, 19세기 독일의 혁명가인 라살 (Ferdinand Lassalle, 1825~1864)이 당시의 국가를 '야경국가'라고 표현한 것에서 유래되었다.

자료3 복지 국가 ≫

일반적으로 국방이나 치안에 스스로의 역할을 한정 지은 국가가 아니라, '국민의 생존권을 보장하고 복지의 증진과 확보 및 행복의 추구를 국가의 중요한 임무로 하는 국가'를 말한다. 복지 국가의 대표적인 정책과 제도는 소득 불평등을 완화하고자 하는 누진세, 사회적 약자들을 돕기 위한 제도(기초 생활 수급자, 장애인 지원 정책, 노인 지원 정책 등), 개인들이 처하는 위험을 분산하고 불운을 당한 사람들을 돕기 위한 제도(국민 건강 보험 제도 등 4대 보험), 기회의 평등을 지향하는 교육 지원 및 장학금 제도 등을 들 수 있다.

🔍 교과서 활동 과제 풀이

스스로 생각하기 **바람직한 나라의 모습** @교과서 63쪽

활동 목적 바람직한 우리나라의 모습을 생각해 봅시다.

예시 답안
생각1 경제력이나 군사력이 아니라 정신적인 측면에서 세계를 이끌 수 있는 나라를 의미한 것으로 생각된다.

생각2 도덕적으로 올바름을 추구하고, 정의로운 나라가 되면 좋겠다.

생각 Tip 김구 선생님이 원했던 나라를 알아보면서 내가 원하는 나라는 어떤 나라인지 생각해 봐요.

생각 더하기 **나라의 소중함** @교과서 64쪽

활동 목적 나라의 소중함을 생각해 봅시다.

예시 답안 일본에 나라를 강점당했을 때 우리 조상님들이 겪었던 고난을 생각하면 알 수 있다. 이웃 나라와 영토나 역사 분쟁이 일어날 때 나라의 소중함을 느끼게 된다.

활동 Tip 중학생인 우리가 실천할 수 있는 것을 생각해 봐요.

만약 국가가 없다면? 🔗교과서 65쪽

활동 목적 **국가가 없을 경우를 상상해 보면서 국가의 소중함을 생각해 봅시다.**

예시 답안 우리는 주변국의 침략이나 위협에 그대로 노출될 수밖에 없고, 안전하고 평화롭고 행복한 삶을 살기 어려울 것이다.

활동 Tip 국가가 없다면 우리의 삶은 어떻게 될 것인지 상상해 보세요.

+📄 생각 더하기 **국가가 추구해야 할 보편적 가치** 🔗교과서 66쪽

활동 목적 **국가가 추구해야 할 보편적 가치가 무엇인지 알아봅시다.**

예시 답안

자유		각자의 몫에 맞게 공정하고 올바른 상태
평등		전쟁이나 폭력, 갈등이 없이 평온한 상태
인권		모든 인간이 인간으로서 기본적으로 누려야 할 권리
정의		모든 국민이 인간다운 삶을 살아갈 수 있도록 제도적으로 지원하는 것
평화		성별, 학력, 경제력과 같은 조건에 관계없이 모든 인간을 동등한 존재로 대우하는 것
복지		다른 사람에게 피해를 주지 않는 범위 내에서 자신의 의지대로 살아갈 수 있는 권리

활동 Tip 국가가 추구해야 할 보편적 가치와 그에 알맞은 의미를 찾아 연결해 보세요.

바람직한 국가 🔗교과서 67쪽

활동 목적 **바람직한 국가의 모습을 함께 정리하고, 우리 사회의 모습을 살펴봅시다.**

예시 답안 STEP 1. 바람직한 국가의 역할: 갈등 조절, 인간다운 삶 보장, 정신적 가치를 소중히 생각하는 풍조 형성
STEP 2. 한국 사회의 모습: 빈부 격차, 청년 실업, 물질 만능주의 등
STEP 3. 도덕적으로 바람직한 한국 사회: 다양한 복지 혜택으로 빈부 격차를 줄여야 한다.

활동 Tip '생각의 피자 판'을 활용하여 모둠 내에서 생각을 확장해 보세요.

스스로 정리하기 **바람직한 국가를 이루기 위한 자세** 🔗교과서 67쪽

활동 목적 **국가의 의미와 중요성을 정리하고, 바람직한 국가를 이루기 위해 필요한 노력을 생각해 봅시다.**

예시 답안 정리1 내가 꿈을 실현할 수 있는 토대이자 밑바탕이다.

정리2 다수의 국민들이 행복한 삶을 누릴 수 있도록 보편적 인권에 대한 감수성을 키우고, 복지 제도를 확충한다.

정리 Tip • 이번 주제를 공부하면서 자신의 생각이 어떻게 달라졌는지 확인해 볼까요?
• 국가의 역할과 바람직한 국가의 모습을 정리해 보고, 학습 목표를 제대로 성취하였는지 스스로 점검해 봐요.

주제별 평가 문제

● 정답 220쪽

1 국가에 대한 설명으로 옳지 **않은** 것은?
① 사람은 태어나면서부터 한 국가에 소속된다.
② 일상생활에서 국가의 존재를 느끼지 못할 때가 많다.
③ 오늘날에는 과거에 비해 국가의 중요성이 점점 줄어들고 있다.
④ 국가란 일정한 영토와 그곳에 사는 국민, 그리고 주권을 가지고 있는 집단을 뜻한다.
⑤ 국가는 우리의 삶에 없어서는 안 되는 필수적인 기반이며, 소중히 여겨야 할 대상이다.

2 다음과 같은 주장에 대해 타당한 근거는?

> 국가는 우리의 삶에 없어서는 안 되는 필수적인 기반이며, 소중히 여겨야 할 대상이다.

① 잘 사는 나라 국민은 모두 행복한 삶을 산다.
② 국가는 국민들의 재산과 생명을 보호해 준다.
③ 국가는 국민들과 계약을 통해 형성된 집단이다.
④ 국가는 국민들에게 여러 가지 의무를 요구한다.
⑤ 국가는 국민들의 일상생활에 많은 간섭을 한다.

3 다음 글을 통해 알 수 있는 것은?

> 시리아는 수년째 계속되어 온 내전으로 인해 수백만 명의 난민이 발생하였다. 생존을 위해 조국을 떠난 난민들은 인접 국가나 유럽 등 세계 각지로 이동하고 있으며, 열악한 생활로 고통을 받고 있다.

① 대부분의 국가는 국민들을 돌보지 않는다.
② 태어난 나라를 떠나야만 생존이 가능하다.
③ 국가는 국민들의 행복한 삶에 관심이 없다.
④ 일생 동안 태어난 나라를 떠나지 말아야 한다.
⑤ 국가가 불안하면 국민들도 불안정한 삶을 산다.

4 다음과 같은 역할을 하는 집단으로 가장 적절한 것은?

생명과 재산 보호

갈등 조절

인간다운 삶 보장

인류 공동의 문제 대응

① 국가
② 가정
③ 국제기구
④ 사법 기관
⑤ 재난 기구

5 야경국가에 대한 설명으로 옳은 것은?
① 국가가 국민들의 삶에 적극 개입한다.
② 개인의 자유를 최대한 보장하고자 한다.
③ 다양한 복지 정책을 펼치려고 노력한다.
④ 현대 국가에서 많이 채택하는 국가관이다.
⑤ 국가가 국민들의 안전에 관심을 갖지 않는다.

6 바람직한 국가의 모습을 │보기│에서 모두 고른 것은?

│**보기**│
ㄱ. 전쟁이나 폭력, 갈등이 없는 상태를 유지한다.
ㄴ. 각자의 몫에 맞게 공정하고 올바르게 분배한다.
ㄷ. 각자 타고난 조건에 근거해서 인간을 대우한다.
ㄹ. 자기 의지대로 살아갈 수 있는 권리를 보장한다.
ㅁ. 인간으로서 누려야 할 기본적인 권리만 보장한다.

① ㄱ, ㄴ, ㄷ
② ㄴ, ㄷ, ㄹ
③ ㄷ, ㄹ, ㅁ
④ ㄱ, ㄴ, ㄹ
⑤ ㄴ, ㄷ, ㅁ

② 시민이 갖추어야 할 자질은 무엇인가?

📎 교과서 68~71쪽

학습의 주안점

• 시민의 의미
• 바람직한 시민
• 바람직한 애국심

1 시민의 의미와 중요성 [자료1]

(1) 시민의 의미 ── Tip 시민의 개념은 시대가 변함에 따라 그 의미도 점차 확장되어 가고 있어.

① 과거: 특정 도시에 거주하는 사람

② 오늘날: 민주주의 국가에 살면서 권리와 의무를 갖고 국가의 일에 참여하는 사람(최근 세계 시민❶처럼 시민의 범위를 지구 전체로 확장해서 사용하기도 함.)

(2) 시민의 중요성: 민주주의 국가에서는 제도를 잘 만드는 것도 중요하지만, 그 제도를 이끌어 가는 시민들이 올바른 시민 의식❷을 지닐 때 더욱 발전함.

2 바람직한 시민의 모습 [자료2] [자료3]

(1) 주인 의식: 시민들이 국가의 정책이나 법을 만들어 나가는 과정에 적극적으로 참여해야 함. 사회 규범을 준수하고, 나라를 사랑하는 마음을 가져야 함.

(2) 시민들 간의 공동체 의식: 서로를 단순히 경쟁 대상이 아니라 함께 살아갈 이웃으로 인식하는 태도. 다른 생각에 대한 관용의 자세, 사회적 약자 배려 등

3 바람직한 애국심

(1) 애국심의 의미와 중요성

① 의미: 나라를 사랑하고, 나라의 발전을 위해 헌신하려는 마음 [자료4]

② 중요성: 사회적 결속력❸을 강화하고 국가적 문제를 해결하는 데 필수 조건임.

③ 애국심을 갖추기 위한 노력: 국가에 대한 관심과 애정, 합리적인 감시 [자료5]

(2) 잘못된 애국심

① 맹목적❹ 애국주의: 국가에 맹목적 복종과 충성을 강요하는 것. 독일의 나치즘, 일본의 군국주의 등 ── Tip 국가의 가장 중요한 목적을 군사력에 두고, 전쟁 준비를 위한 정책을 최상위에 두는 정치 체제야.

② 배타적 애국주의: 상대국을 고려하지 않고 자국의 이익만을 우선하는 것

---

❶ 세계 시민
세계를 구성하는 개체로서의 시민. 세계의 모든 인류는 평등하다는 입장에서 나온 말

❷ 시민 의식
도시 및 국가의 구성원이 되는 사람으로서 가지는 공통된 생활 태도 또는 견해나 사상

❸ 결속력
뜻이 같은 사람끼리 서로 단결하는 성질

❹ 맹목적
주관이나 원칙이 없이 덮어놓고 행동하는. 또는 그런 것

💬 기본 확인 문제

📎 정답 220쪽

1 다음 내용이 옳으면 ○표, 틀리면 ×표를 하시오.

① 왕이 통치하던 시대의 백성을 시민이라고 한다. (   )

② 오늘날 시민은 도시에 거주하는 사람을 의미한다. (   )

③ 맹목적인 애국주의는 올바른 나라 사랑이 아니다.(   )

2 서로를 단순히 경쟁의 대상으로 여기는 것이 아니라 더불어 살아야 할 이웃으로 인식하는 태도는 무엇인가?

3 상대국의 권리는 고려하지 않고, 무조건 자국의 이익만 우선하는 사고방식을 무엇이라고 하는가?

4 다음 빈칸에 들어갈 알맞은 말을 쓰시오.

① 국가의 주인인 ☐☐, 즉 시민은 주인 의식을 가져야 한다.

② 시민들 간에 공동체 의식을 갖기 위해서는 서로의 다른 생각에 ☐☐의 자세를 갖고 사회적 약자를 배려해야 한다.

📖➕ 내신 만점을 위한 탐구 자료

자료1 시민 의식의 중요성 »

민주주의 제도가 잘 만들어지면 민주 시민 의식도 빨리 자랄 수 있고, 민주 시민 의식의 약한 부분도 제도적으로 보완할 수 있다. 그러나 모든 제도가 다 그러하겠지만, 민주주의 역시 그 제도가 훌륭하다고 해서 그 기능이 자동적으로 발휘되고 그 목적이 저절로 달성되는 것은 결코 아니다. "준마도 기수가 훌륭해야 한다."라는 말이 있듯이, 민주주의는 제도도 잘 만들어야 하지만, 시민들이 올바른 민주 시민으로서의 자세를 지닐 때 더욱 발전하는 것이다.

자료2 시민의 기본적 자질 »

- 시민은 민주주의의 원리가 무엇인지를 알아야 하고, 그 가치에 헌신해야 한다.
- 시민은 법에 대하여 긍정적인 태도를 가지고 있어야 하며, 공공질서를 잘 지켜야 한다.
- 시민은 민주적 절차를 잘 익히고, 집단적 의사 결정 과정에 적극적으로 참여해야 한다.
- 시민은 개인적 또는 공적 문제의 해결에 있어서 합리적인 의사 결정을 해야 한다.

자료3 시민 공동체의 필요성 »

자유롭고 평등한 개인에서 출발한 시민 사회는 그 전개 과정에서 서로 분리된 개인들이 자신의 이익에 따라 행동하면서 이기주의, 인간 소외, 계층 갈등 등과 같은 심각한 문제점을 초래하였다. 이러한 문제점을 극복하기 위해서는 시민 공동체 의식을 형성해야 한다. 왜냐하면 시민 공동체는 시민 사회의 장점을 살리는 동시에 단점을 보완할 수 있는 더 나은 사회의 모습이기 때문이다. 시민 사회는 극단적인 개인주의나 집단주의를 경계하는 가운데 개인의 자유와 권리, 인격적 존엄성을 최대한 인정하면서도 사회 전체의 공익을 해치는 이기주의를 경계할 수 있도록 시민 공동체를 지향해야 한다.

자료4 올바른 애국심 »

올바른 애국심이란 편협한 국수주의나 자국 이기주의에서 벗어나 다른 나라도 소중하게 여기는 마음이다. 또한 내 조국과 마찬가지로 다른 나라를 배려하고 존중하며, 지구상의 모든 나라가 더불어 행복하기를 바라는 마음이다. 나라 사랑은 환상적이거나 맹목적인 것이어서는 안 되고 이성적인 사고에 바탕을 둔 것이어야 한다. 우리가 우리나라를 사랑한다고 해서, 다른 나라에 대해 이유 없이 적대감을 가지거나, 우리나라만 위대하다고 생각하면 안 된다.

이처럼 애국심은 편협한 국가주의나 자국 이기주의와 구별되어야 한다. 애국심의 바탕에는 자유와 평등, 인권과 같은 인류 공동의 가치를 존중하는 마음이 깔려 있어야 한다. 즉, 인류의 보편적 가치를 추구하는 가운데 자국의 이익을 꾀하는 것이 바람직한 애국심이다.

자료5 중학생으로서의 나라 사랑의 실천 »

배움의 과정에 있는 중학생으로서 실천할 수 있는 국가 사랑의 길은 다음과 같다.

- 자기 능력에 맞는 목표를 세우고, 그 목표를 달성하기 위하여 한 걸음 한 걸음 실천해야 한다.
- 자신의 소질과 적성을 최대한 발휘하도록 해야 한다. 자기 소질을 계발하는 것도 나라를 사랑하는 바탕이 된다.
- 다른 사람의 훌륭한 인격을 본받아 바람직한 가치를 추구하는 삶을 살도록 노력해야 한다.
- 우리 민족의 염원인 통일을 준비해야 한다. 청소년들은 북한에 대한 편견이나 무관심, 또는 단순한 동정심에서 벗어나 북한의 모습을 바르게 보면서 통일을 위한 지혜와 힘을 모으는 데 힘써야 한다.
- 남을 배려하는 마음을 갖는 일, 소외된 이웃들에게 관심을 갖고 보살피는 일을 해야 한다.

교과서 활동 과제 풀이

스스로 생각하기 **시민의 자질** ⌗ 교과서 68쪽

활동 목적　**시민으로서 갖추어야 할 자질을 생각해 봅시다.**

예시 답안　(생각1) 왼쪽 가족은 선거의 중요성을 알고 시민으로서의 권리를 행사하지만, 오른쪽 가족은 선거하는 날을 휴일로

　　　　　　생각하며 주인 의식을 갖지 않고 놀러 간다.

　　　　　　(생각2) 시민이라면 자기 이익이나 욕구에만 관심을 두는 것이 아니라, 국가와 사회 공동체에서 일어나는 여러 가

　　　　　　지 일에 깊은 관심을 가지고 적극 참여해야 한다.

생각 Tip　삽화에 제시된 두 가정의 모습을 비교해 보면서 시민들이 가져야 할 자세에 대해 생각해 봐요.

생각 더하기 **시민의 의미에 알맞은 삶** ⌗ 교과서 69쪽

활동 목적　**시민의 의미를 바로 알고, 그에 걸맞게 살고 있는지 성찰해 봅시다.**

예시 답안　국가 공동체의 일보다는 개인적인 일에만 관심을 많이 쏟고 지내 왔던 것을 볼 때, 아직 시민으로서의 책임과 의

　　　　　　무를 다하고 있지 않다고 볼 수 있다.

활동 Tip　시민과 신민, 시민과 대중의 개념이 어떻게 다른지 차이점을 생각해 봐요!

생각 더하기 **바람직한 시민의 모습** ⌗ 교과서 70쪽

활동 목적　**바람직한 시민이 가져야 할 자세를 생각해 봅시다.**

예시 답안　바람직한 시민은 국가 공동체에 주인 의식을 갖고, 여러 가지 사회적 문제에 자발적으로 참여해야 한다. 또한 시

　　　　　　민들 간에 유대감과 공동체 의식을 지녀야 한다.

활동 Tip　개인 윤리만 갖추면 된다는 생각은 잘못이라는 것을 잊지 마세요.

스스로 정리하기 **바람직한 애국심을 갖추기 위한 자세** ⌗ 교과서 71쪽

활동 목적　**바람직한 시민으로서 올바른 애국심을 지닐 수 있도록 스스로 돌아보고 다짐해 봅시다.**

예시 답안　 국가 공동체에 대해 주인 의식을 가지고, 특히 내가 사는 지역에서 시행하는 정책이나 현안들에 관심을 갖

　　　　　　고 참여해야겠다.

　　　　　　 국가가 추진하는 여러 사회 정책을 건전하게 감시하고 견제하는 등 분별력 있는 애국심을 갖는다.

정리 Tip　• 이번 주제를 공부하면서 자신의 생각이 어떻게 달라졌는지 확인해 볼까요?

　　　　　　• 시민의 모습과 바람직한 애국심을 정리해 보고, 학습 목표를 제대로 성취하였는지 스스로 점검해 봐요.

1 시민에 대한 설명으로 옳은 것은?

① 시민은 국민이라는 말과 상대 개념으로 사용되고 있다.
② 과거에는 대다수의 사회 구성원을 뜻하는 용어로 사용되었다.
③ 오늘날에는 특정 도시에 거주하는 사람을 뜻하는 말로 사용되고 있다.
④ 민주주의 국가에 살면서 권리는 없고 의무만 가지고 국가의 일에 동원되는 사람이다.
⑤ 자신이 속한 공동체에 대해 고민하고, 자발적이고 주체적으로 참여하는 사람을 말한다.

★
2 시민의 의미와 중요성에 대한 설명으로 옳지 <u>않은</u> 것은?
중요

① 민주주의는 시민들이 올바른 시민 의식을 지닐 때 더욱 발전한다.
② 시민들의 나눔의 대상은 자기가 거주하는 도시 공동체에 국한해야 한다.
③ 시민의 개념은 시대가 변함에 따라 그 의미도 점차 확장되어 가고 있다.
④ 민주 사회의 시민들은 자유와 권리에 따르는 책임과 의무를 다해야 한다.
⑤ 최근에는 세계 시민과 같이 시민의 범위를 지구 전체로 넓혀서 사용하기도 한다.

3 대중에 대한 설명으로 옳은 것은?

① 특정 도시에서 거주하며 살아가는 사람이다.
② 불특정 다수의 사람들로 이루어진 집합체이다.
③ 자발성과 보편성을 지닌 민주 사회의 구성원이다.
④ 경제·사회·문화적 수준이 중간 계층인 사람이다.
⑤ 왕이 통치하던 시대에 군주에게 충성하는 백성이다.

4 다음 글에서 강조하고자 한 것은?

> 시민들은 서로를 단순히 경쟁 대상으로 여기는 것이 아니라 더불어 살아갈 이웃으로 인식해야 한다. 나만 잘 살면 된다는 이기적인 생각은 사회의 조화를 깨뜨리게 되기 때문에 바람직한 시민의 모습이 아니다.

① 시민들이 공동체 의식을 확립해야 한다.
② 시민들 간에는 경쟁을 하지 말아야 한다.
③ 시민들은 잘 살기 위해 노력하면 안 된다.
④ 시민들은 개인보다 집단을 우선해야 한다.
⑤ 인간이 가진 이기적 욕구는 잘못된 것이다.

★
5 공동체 의식을 기르기 위해 필요한 것을 |보기|에서
중요 모두 고른 것은?

|보기|
ㄱ. 서로의 다른 생각에 관용의 자세를 가져야 한다.
ㄴ. 사회적 약자를 배려하는 분위기를 조성해야 한다.
ㄷ. 시민들이 서로를 단순한 경쟁의 대상으로 보아야 한다.
ㄹ. 이익을 보는 사람과 손해를 보는 사람이 구분되어야 한다.
ㅁ. 서로를 더불어 사는 이웃으로 나눔과 베풂의 대상으로 여겨야 한다.

① ㄱ, ㄴ, ㄷ   ② ㄴ, ㄷ, ㄹ
③ ㄷ, ㄹ, ㅁ   ④ ㄱ, ㄴ, ㅁ
⑤ ㄴ, ㄷ, ㅁ

6 생각이 서로 다른 사람들끼리 가져야 할 자세로 가장 적절한 것은?

① 용서   ② 봉사
③ 관용   ④ 묵인
⑤ 준법

③ 법을 지키면 공익을 증진할 수 있을까?

교과서 72~75쪽

학습의 주안점
• 법의 의미
• 준법의 필요성
• 시민 불복종 사례

1 준법의 필요성

(1) 법의 의미

① 사회 질서를 유지하기 위해 구성원들이 지켜야 할 강제적 규범

② 법을 지키지 않으면 처벌을 받게 됨.

(2) 준법의 필요성: 개인의 안전한 삶을 위해 시민이 갖추어야 할 기본적인 덕목❶ 일 뿐만 아니라 도덕적인 사회를 이루기 위해 지켜야 할 책임임.

2 시민 불복종의 의미와 사례

(1) 시민 불복종의 의미와 필요성 [자료1]

① 의미: 부당하고 정의롭지 못한 법이나 정책을 의도적❷으로 거부하는 행위

② 필요성: 법이 정의롭지 않다거나 국가 권력이 남용❸될 경우 이를 따를 수 없음.

(2) 시민 불복종의 사례 [자료2]

① 마하트마 간디: 비폭력적인 방법으로 소금법❹에 항의하는 평화 행진을 벌임.

② 로자 파크스: 시내버스 흑인 좌석 분리 규정 철폐를 위한 승차 거부 운동 주도

③ 4·19 혁명: 정·부통령 부정 선거❺를 계기로 일어난 민주주의 운동

(3) 시민 불복종이 정당화되기 위한 조건

① 공공성: 공익을 목적으로 하는 양심적 행동이어야 함.

② 공개성: 정당성과 근거를 알리기 위해 공개적으로 이루어져야 함.

③ 비폭력적 방법: 폭력적으로 대응하거나 이를 선동해서는 안 됨.

④ 최후의 수단: 합법적으로 해결할 수 없을 때 마지막 수단으로 사용해야 함.

⑤ 처벌 감수: 불복종 운동을 전개함으로써 예상되는 처벌을 감수해야 함.

Tip 남을 부추겨 어떤 일에 나서도록 하는 걸 말해.

❶ **덕목**
타고난 천성으로 간주하여 추구하고 실천해야 할 가치 항목

❷ **의도적**
무엇을 하려고 꾀하는. 또는 그런 것

❸ **남용**
권리나 권한 따위를 본래의 목적이나 범위를 벗어나 함부로 행사함.

❹ **소금법**
1930년 영국이 식민지 인도에서 소금의 생산과 판매를 금지한 법

❺ **부정 선거**
정당하지 못한 수단과 방법으로 행해진 선거

📝 기본 확인 문제

정답 221쪽

1 다음 내용이 옳으면 ○표, 틀리면 ×표를 하시오.

① 법은 사회적 합의를 통해 만든 약속이다. ( )

② 법의 목적은 원만한 인간관계를 유지하는 것이다. ( )

③ 시민 불복종 운동에서 폭력을 사용하면 안 된다. ( )

④ 국가에서 제정하는 법은 모두 정의로운 것이다. ( )

⑤ 마하트마 간디는 흑인 좌석 분리 규정에 대항하기 위해 버스 승차 거부 운동을 주도하였다. ( )

2 국가의 권력이 남용될 경우 어떤 결과가 나타나는가?

3 다음 빈칸에 들어갈 알맞은 말을 쓰시오.

① 학교의 교칙처럼 국가 공동체에는 □을 통해 최소한으로 강제되는 규범이 있다.

② 자의적인 기준에 따라 시민 불복종 운동이 □□되면 사회는 혼란에 빠지게 된다.

📖 내신 만점을 위한 탐구 자료

자료1 준법과 시민 불복종 ≫

시민들의 준법정신이 투철한 사회는 치안이 확실하게 보장되고 모든 절차와 관행의 예측 가능성이 높아지는 등의 장점이 있으므로 분명히 살기 편할 것이다. 그러나 시민들이 맹목적으로 모든 법률에 복종만 하는 사회가 도덕적으로 바람직하다고 말할 수는 없다. 사회 질서가 잘 유지되고 국가 공동체가 존속하기 위해서는 법률과 국가 정책에 대한 시민의 복종이 필수적이지만, 시민은 국가의 권위를 인정하면서도 항상 국가의 법이나 명령이 타당한지를 점검해야만 한다. 개인의 양심과 사회 전반의 정의감에 비추어 보아 도저히 승복할 수 없거나 최고의 상위법인 헌법에 비추어 보아 명백하게 잘못된 법률일 경우, 법률에 대한 복종 의무를 철회하고 공개적으로 위법을 저지르면서까지 저항하는 것이 바로 '시민 불복종'이다.

자료2 소로의 시민 불복종 운동 ≫

소로(Thoreau, H.D., 1817~1862)의 일생은 물욕과 인습에 항거해서 자연과 인생의 진실을 파악하기 위한 과감한 실험의 연속이었다. 노예 제도와 멕시코 전쟁에 항의하기 위해 홀로 월든의 숲에서 작은 오두막을 짓고 살기도 했으며, 인두세 납부 거부로 투옥되었고, 후에는 노예 해방 운동에 헌신하였다. 이러한 정신은 "시민 불복종"으로 이어진 마하트마 간디의 인도 독립 운동과 킹 목사의 시민운동 등에 사상적 영향을 주었다. 다음 글은 소로의 주장이다.

"나는 오늘날 미국 정부와의 관계에서 매우 수치감을 느낀다. 나는 노예의 정부를 나의 정부로 인정할 수 없다. …… 불의의 법들이 존재한다. 우리는 그 법을 준수하는 것으로 만족할 것인가, 아니면 그 법을 개정하려고 노력하면서 개정에 성공할 때까지는 그 법을 준수할 것인가, 아니면 당장이라도 그 법을 어길 것인가? …… 노예 제도 폐지론자로 자처하는 사람들은 몸으로든 재산으로든 매사추세츠 주 정부를 지원하는 일을 지금 당장 중지해야 한다. 그리고 정의가 승리하도록 스스로 노력하지 않고, 한 표 앞선 다수가 될 때까지 기다려서는 안 된다."

소로가 살던 당시 미국 정부는 노예제를 묵인하였다. 그는 노예제를 묵인하는 정부를 지지할 수 없었다. 그는 합법적인 절차로 노예제 폐지가 불가능하다고 보고, 미국 정부에 대한 시민 불복종 운동을 전개하였다. 그리고 항의의 표시로 납세 능력의 차이에 상관없이 개인에게 똑같이 매기는 인두세 납부를 거부하여 감옥에 갇히기도 하였다. 그는 '국가가 불의한 일을 시민들에게 강요해서는 안 되며, 시민은 그러한 국가의 강요를 거부할 수 있는 권리를 가진다.'라는 시민 불복종론을 펼쳤다.

💬 교과서 활동 과제 풀이

| 스스로 생각하기 | **법을 위반한 경험** | 교과서 72쪽 |

활동 목적 법을 지키는 것과 공익을 증진하는 것은 어떤 관계가 있는지 탐구해 봅시다.

예시 답안 생각1 왼쪽은 교차로에서 신호를 지키지 않아서, 오른쪽은 급식실에서 줄을 제대로 서지 않아서 혼란에 빠진 경우이다. 둘 다 법을 지키지 않음으로써 주변 사람들에게 피해를 주는 모습을 보여 준다.

생각2 시험 시간에 몰래 친구의 답안지를 본 적이 있다. 비록 점수는 올랐지만, 마음이 떳떳하지 않았다.

생각 Tip 법을 지키지 않아서 혼란이 빚어진 두 상황을 보고 각각의 물음에 답하고, 친구들과 의견을 나누어 봅시다.

생각 더하기 | 법을 지키지 않을 때의 문제

🔗 교과서 73쪽

활동 목적 개인의 이익을 위해 법을 지키지 않았을 때 나타나는 문제점을 생각해 봅시다.

예시 답안 개인의 이익을 위해 법을 지키지 않는다면, 그 순간에는 이익이 되는 것처럼 보일 수 있지만, 장기적으로는 공동체의 질서가 무너지고, 결국 구성원 전체가 피해를 입게 된다.

활동 Tip 각자 자기 이익만을 위해 행동한다면 어떤 결과가 벌어질 것인지 상상해 보세요.

생각 더하기 | 시민 불복종 운동의 배경

🔗 교과서 74쪽

활동 목적 시민 불복종의 사례를 통해 어떤 경우에 시민 불복종이 나타나는지 알아봅시다.

예시 답안
- 마하트마 간디: 영국 정부가 부과한 소금세
- 로자 파크스: 시내버스의 흑인 좌석 분리 규정
- 4·19 혁명: 장기 집권 및 부정부패

활동 Tip 제시된 사례를 분석해 보고 곰곰이 생각해 보면 찾을 수 있을 거예요.

학교 자치 규정 검토하기

🔗 교과서 75쪽

활동 목적 자신이 속한 학교의 자치 규정을 검토함으로써, 공익을 위해 법과 규칙을 만들고 시행하는 과정을 경험해 봅시다.

예시 답안 step. 3

개정이 필요한 규정	더 적절한 규정안
학교에 휴대 전화를 가져오지 못하게 하는 규정	학교에 휴대 전화는 가져 오되 아침 조회 시간에 담임 선생님이 모아 보관하고, 종례 시간에 돌려주는 방식으로 고쳐야 한다.
머리 염색을 못하게 하는 규정	짙은 원색 염색은 허용하지 않더라도 옅은 염색 정도는 허용한다.

활동 Tip 현재 시행되고 있는 학교 자치 규정을 분석해 보면서 개선 방안을 친구들과 함께 고민해 보세요.

스스로 정리하기 | 준법의 중요성

🔗 교과서 75쪽

활동 목적 준법이 사회 공동체에 미치는 영향을 생각해 봅시다.

예시 답안
- **정리1** 법을 준수함으로써 사회의 질서가 유지되고, 개인의 안전과 자유가 보장될 수 있다.
- **정리2** 시민 불복종은 정의롭지 않은 정책에 대해 시민들이 최후의 수단으로 사용하는 것이다. 반면 불법 행위는 자의적인 기준에 따라 이루어지는 것이다.

정리 Tip
- 이번 주제를 공부하면서 자신의 생각이 어떻게 달라졌는지 확인해 볼까요?
- 준법의 필요성과 시민 불복종 운동을 정리해 보고, 학습 목표를 제대로 성취하였는지 스스로 점검해 봐요.

주제별 평가 문제

📎 정답 221쪽

1 다음과 같은 문제를 예방하는 데 필요한 것으로 가장 적절한 것은?

비켜! 내가 먼저 갈 거야!

① 준법정신 　　　　② 고발정신
③ 희생정신 　　　　④ 봉사 정신
⑤ 협동 정신

2 다음과 같은 물음에 대한 대답으로 가장 적절한 것은?

> 학교에는 교칙과 생활 규정이 있어요. 때로는 교칙을 지키는 것이 불편하고, 구속되는 것처럼 느껴질 때가 있을 겁니다. 하지만 교칙이 없다면 학교생활은 어떻게 될까요?

① 학생들이 절제된 자유를 누릴 것이다.
② 갈등을 자율적으로 해결하게 될 것이다.
③ 학생들이 느꼈던 불편함이 해소될 것이다.
④ 학교생활에 혼란스러운 문제가 생길 것이다.
⑤ 학생들의 성숙한 시민 의식이 발휘될 것이다.

3 ★ 준법에 대한 설명으로 옳지 <u>않은</u> 것은?
(중요)

① 도덕적인 사회를 이루기 위해 지켜야 할 도리이다.
② 안전한 삶을 위해 갖추어야 할 기본적인 덕목이다.
③ 다른 규범은 소홀히 해도 법은 반드시 지켜야 한다.
④ 준법 의식이 확립되면 시민들은 더욱 안전한 환경에서 살아갈 수 있다.
⑤ 준법이 가져오는 공익적인 측면을 이해하고, 준법 의식을 길러야 한다.

4 법을 어길 경우 나타나는 결과로 옳은 것을 │보기│에서 모두 고른 것은?

│보기│
ㄱ. 주위로부터 도덕적 비난을 감수해야 한다.
ㄴ. 장기적으로 보면 개인에게 이익이 돌아온다.
ㄷ. 법에 근거한 강제적인 처벌은 피할 수 있다.
ㄹ. 주위 사람들에게 내 존재를 인식시킬 수 있다.
ㅁ. 사회 구성원들에게 다양한 피해를 끼치게 된다.

① ㄱ, ㄴ 　　　　② ㄴ, ㄷ
③ ㄷ, ㄹ 　　　　④ ㄹ, ㅁ
⑤ ㄱ, ㅁ

5 법을 지켜야 하는 이유와 거리가 <u>먼</u> 것은?

① 법은 사회적인 합의를 통해 만든 것이다.
② 법은 개인의 이익을 지키기 위해 제정한 것이다.
③ 법을 지키는 것은 구성원들의 약속이며 의무이다.
④ 최소한 지켜야 할 기준이 생기고, 사회의 질서가 생기게 된다.
⑤ 모든 국민들이 동등한 자유와 권리를 누리게 되며, 생명과 안전을 보장받는다.

6 ★ 시민 불복종 운동이 정당화되는 조건이 <u>아닌</u> 것은?
(중요)

① 공익을 목적으로 하는 양심적 행동이어야 한다.
② 불복종 운동으로 예상되는 처벌을 감수해야 한다.
③ 폭력적으로 대응하거나 이를 선동해서는 안 된다.
④ 정당성과 근거를 알리기 위해 공개적으로 이루어져야 한다.
⑤ 합법적으로 해결할 수 없을 때 최초의 수단으로 사용해야 한다.

단원 정리 문제

01 국가의 기원에 대한 아리스토텔레스의 입장에 해당하는 것은?

① 국가는 사회적 동물인 인간이 만든 가장 기본적인 집단이다.

② 인간이 살아가면서 겪게 되는 어려움을 함께 극복하기 위해 국가를 만들었다.

③ 국가가 없는 상태에서는 인간은 자신의 생명과 재산을 지키기 어렵다고 보았다.

④ 서로 함께 살아가려는 인간의 사회적 본성 때문에 자연스럽게 국가가 발생하였다.

⑤ 갈등과 불안을 해결하고 평화롭고 안전하게 살기 위해 서로 계약을 하여 국가라는 공동체를 세웠다.

02 다음 글에서 이야기하는 국가의 기원에 대한 입장은?

> 자연 상태의 인간은 '만인의 만인에 대한 투쟁'이다. 사람들은 자신의 생존과 이익을 위해 이기적으로 행동하므로 서로가 불안하고 위험한 상태에 처한다. 이를 해결하기 위해 사람들이 서로 약속을 하여 국가를 만들었다.

① 왕권신수설　　　② 자연 발생설
③ 사회 계약설　　　④ 용광로 이론
⑤ 국민 주권론

03 '어떤 국가도 완벽할 수는 없다.'라는 말에서 알아야 하는 것은?

① 국가에 대한 애정을 가질 필요가 없다.

② 국민들과 국가는 서로를 감시해야 한다.

③ 애국심을 필요로 하지 않는 나라도 있다.

④ 국가보다 더 완벽한 조직을 만들어야 한다.

⑤ 시민들이 건전한 감시자 역할을 해야 한다.

04 (주관식) 일정한 영토와 그곳에 사는 국민, 그리고 주권을 가지고 있는 집단을 무엇이라고 하는지 쓰시오.

05 (서술형) 시민들이 자신이 속한 국가 공동체에 애정이 없다면 어떤 결과가 나타나는지 서술하시오.

06 다음 학생들의 대화의 대상이 되는 것은?

① 야경국가　　　② 복지 국가
③ 독재 국가　　　④ 문화 국가
⑤ 부패 국가

07 다음과 같은 국가관에서 나타날 수 있는 문제점은?

> 국가는 국민의 삶에 적극적으로 개입해야 한다. 이 입장에 따르면 국가는 모든 국민에게 행복한 삶의 조건을 마련해 주어야 한다.

① 복지 정책　　　② 세금 부담
③ 인권 보장　　　④ 평등 보장
⑤ 빈부 격차

08 왕이 통치하던 시대에 군주에게 충성하는 백성을 일컫는 말은?

① 신민　　　　　② 관리

③ 시민　　　　　④ 국민

⑤ 대중

09 다음 글을 통해 알 수 있는 것은?

> 과거에는 시민이라는 개념이 특정 도시에 거주하는 사람을 뜻하였지만, 오늘날에는 대다수의 사회 구성원을 뜻하는 용어로 사용되고 있다.
> 최근에는 세계 시민과 같이 시민의 범위를 지구 전체로 확장해서 사용하기도 한다.

① 현대 사회에서 시민의 역할은 매우 중요하다.

② 시민은 도시라는 공동체에서 살아가는 사람을 뜻한다.

③ 시민이라는 말은 민주 시민이라는 말과 같은 의미로 사용된다.

④ 오늘날 시민의 개념은 점차 사라지고 국민이라는 말로 사용되고 있다.

⑤ 시민의 개념은 시대가 변함에 따라 그 의미도 점차 확장되어 가고 있다.

★
10 바람직한 애국심에 대한 설명으로 옳지 <u>않은</u> 것은?

중요

① 진정한 애국심은 단지 자기 나라의 이익만 추구하는 것이 아니다.

② 애국심은 바람직한 세계 시민으로서의 모습까지 발전할 수 있어야 한다.

③ 바람직한 애국심을 바탕으로 올바른 시민 의식을 확장해 나가야 한다.

④ 애국심은 옳고 그름을 가릴 수 있는 분별력보다 맹목적 애국주의가 뒷받침되어야 한다.

⑤ 진정한 애국심을 가진 사람들은 건전한 감시자로서 잘못된 부분들을 비판할 수 있어야 한다.

11 서술형 법을 지키지 않을 경우 나타나는 문제를 개인적인 면과 사회적인 면에서 서술하시오.

12 주관식 부당하고 정의롭지 못한 법이나 정책을 의도적으로 거부하는 행위를 무엇이라고 하는지 쓰시오.

★
13 시민 불복종 운동에 대한 설명으로 옳은 것은?

중요

① 시민 불복종 운동이 남용되면 사회가 혼란해진다.

② 국가의 권력이 남용되는 것은 시민 불복종 운동의 대상이 아니다.

③ 시민 불복종 운동을 하는 사람들은 예상되는 처벌을 피하면서 해야 한다.

④ 시민 불복종 운동은 정의를 위한 것이므로 수단과 방법을 가리지 않고 전개해야 한다.

⑤ 국민은 국가의 법을 지킬 의무가 있기 때문에 어떤 불복종 운동도 허용해서는 안 된다.

14 다음 글을 통해 알 수 있는 것은?

> 이승만 대통령의 장기 집권과 독재, 부정부패로 인해 국민들의 분노가 극에 달하였으며, 특히 정 · 부통령 부정 선거와 마산 상고 김주열 군의 사망으로 1960년 4월 19일 전국적인 시위로 확산되었다. 이러한 노력은 우리나라 민주주의 발전에 토대를 마련하였다.

① 시민 불복종 운동은 수시로 이루어져야 한다.

② 청소년들이 시민 불복종 운동을 앞장서야 한다.

③ 시민들은 국가가 하는 일을 신뢰해서는 안 된다.

④ 국가 권력이 남용되면 시민들이 바로잡아야 한다.

⑤ 민주주의가 발전하려면 더 많은 희생이 필요하다.

① 왜 정의로운 사회를 추구하는가?

📖 교과서 79~84쪽

학습의 주안점
- 사회 정의의 의미와 필요성
- 사회 정의의 유형
- 공정한 사회 제도의 중요성

1 사회 정의의 의미

(1) 정의와 사회 정의 자료1 자료2

① 정의: 올바름과 공정❶함을 뜻함.

② 사회 정의: 올바름을 추구하면서도 공정함에 어긋나지 않는 원칙과 기준을 만들고 이를 적용하는 것을 말함. → 공정한 사회를 이루는 필수 덕목

(2) 사회 정의의 성격 변화

① 과거: 양심, 도덕성 등 개인 윤리를 바탕으로 사회 정의를 실현하고자 하였음.

② 오늘날: 사회적 갈등 요소가 다양해지고, 빈부 격차와 같이 개인 윤리만으로 해결하기 어려운 문제가 등장하면서 정의는 사회 윤리의 성격을 띠게 되었음.

┌─ **Tip** 개인의 도덕성보다 사회 제도의 개선을 통해 문제를 해결해야 한다는 입장이야.

2 사회 정의의 유형

(1) 분배❷적 정의: 이익이나 부담을 어떻게 나누는 것이 공정한가라는 문제와 관련된 정의(능력에 따른 분배, 필요에 따른 분배, 노력에 따른 분배 등) 자료3

(2) 절차적 정의: 어떤 결정을 내릴 때 그 절차가 공정한 것인지를 묻는 정의(이익을 '나누는 방식'이 아니라 그 방식을 결정하는 '절차'가 공정한지가 중요함.)

(3) 사법적 정의: 처벌과 보상❸의 공정성과 관련된 정의 자료4

3 사회 제도와 사회 정의

(1) 사회 제도가 정의롭지 못할 때 나타나는 문제: 인권이 보장되지 않고 요령❹과 편법❺이 통하는 부패한 사회, 공동체 의식을 기대하기 어려운 사회가 될 수 있음.

(2) 사회 제도가 정의롭기 위한 조건: 공정한 절차에 따른 사회 제도 마련, 공정한 사회 제도의 내용, 사회 제도의 공정한 운영

❶ **공정**
공평하고 올바름.

❷ **분배**
생산 과정에 참여한 개개인이 생산물을 사회적 법칙에 따라서 나누는 일

❸ **보상**
어떤 것에 대한 대가로 갚음.

❹ **요령**
적당히 해 넘기는 잔꾀

❺ **편법**
정상적인 절차를 따르지 않은 간편하고 손쉬운 방법

🔍 기본 확인 문제

📖 정답 222쪽

1 다음 내용이 옳으면 ○표, 틀리면 ×표를 하시오.
① 정의는 보통 부드러움과 원만함을 뜻한다. ( )
② 오늘날 정의는 사회 윤리의 성격을 띠게 되었다. ( )
③ 사법적 정의는 처벌과 보상의 공정성과 관련된다. ( )

2 '각자에게 합당한 몫을 주는 것'과 관련된 사회 정의의 유형은 무엇인가?

3 어떤 사회 질서나 제도가 공정한가를 알아보기 위해서 재는 기준은 무엇인가?

4 다음 빈칸에 들어갈 알맞은 말을 쓰시오.
① □□□□는 공정한 사회를 이루는 데 필수적인 덕목이다.
② 사회 제도가 정의롭지 못할 경우 □□ 대우를 받는 사람들이 생겨 자기가 원하는 바를 이룰 수 없다.

📚➕ 내신 만점을 위한 탐구 자료

자료1 정의(正義) »

정의는 개인에게 적용되는 덕목으로 출발하였다. 어떤 사람에 대해 "그는 정의로운 사람이야."라고 할 때, 우리는 개인적 덕목으로서 정의를 말한다고 할 수 있다. 그러나 사회가 점점 복잡해지고 사람들의 이해관계로 갈등이 커지면서 정의는 사회적 성격을 띠게 되었다. 그래서 오늘날 정의라고 하면 대부분 사회 정의를 가리킨다. 정의는 사회 제도의 제1 덕목이다. 제도가 아무리 효율적이고 정연할지라도 그것이 정의롭지 못하면 개선되거나 폐기되어야 한다.

자료2 사회 정의와 공정성 »

사회는 다양한 생각과 이해관계를 지닌 개인으로 구성된다. 사회 구성원 간의 이해관계는 서로 협력하게 하거나 조화를 이루게 하는 측면도 있지만, 제한된 부와 권력, 의무와 권리 등의 분배와 관련해서 사회적 갈등 요소로 작용하기도 한다. 사회적 가치를 서로 더 많이 가지려고 다투는 과정에서 문제가 되는 것이 바로 공정성이며, 사회 정의는 공정함과 관련된 원칙과 기준을 제공한다. 우리는 정의의 원칙을 세움으로써 권리와 의무, 공동체의 이익과 부담을 어떻게 분배하는 것이 적절한지를 제시할 수 있고, 아울러 마땅히 따라야 할 행위 기준을 정해 공정한 사회와 제도가 나아갈 길을 찾을 수 있게 된다.

자료3 롤스가 꿈꾸는 정의로운 사회 »

롤스(Rawls, J., 1921~2002)는 한 사회 제도 안에서 모든 개인이 완전하게 평등할 수는 없다고 보고, 공정한 상황에서 공정하게 합의된 원칙을 따르는 것이 정의롭다고 보았다. 따라서 그는 사회 구성원 간의 이익의 충돌과 갈등을 제도적 원리를 통해 해결하려는 절차를 확립하고자 하였다. 만약 세 사람이 떡 하나를 나눠 먹는다고 가정해 볼 때 어떻게 하면 떡을 공정하게 나눌 수 있을까? 예컨대 떡을 자른 사람에게 가장 마지막에 남은 떡을 가져가게 한다면 공정하다고 할 수 있다. 왜냐하면 자르는 사람이 자신이 나중에 가져간다는 것을 알면 가능한 한 떡을 똑같이 자를 것이기 때문에, 세 사람이 떡을 자르고 선택하는 절차에 합의한다면 모두 다 비슷한 크기의 떡을 먹을 수 있을 것이다. 이처럼 절차의 공정성을 통해 결과의 공정함을 이끌어 내는 것이 바로 '공정으로서의 정의'이다.

자료4 정의의 여신 디케 »

'디케(Dike)'란 그리스 어로 '정의(正義)' 또는 '정도(正道)'를 뜻한다. 신들의 계보를 서술한 헤시오도스의 '신통기'에 따르면, 신들의 아버지인 제우스와 율법의 여신 테미스 사이에서 태어난 세 딸 중 막내이다. 디케는 정의의 여신으로서 고대 그리스에서 모든 사람들에게 숭배되었으며, 처음에는 인간 사회에서 함께 살았으나, 인간의 타락이 극에 달하자 하늘로 올라가 처녀자리가 되었다고 한다. 그런데 정의의 여신상의 모습은 나라마다 조금씩 차이를 보인다. 대부분의 나라에서 정의의 여신상의 눈은 안대로 가려져 있다. 정의를 실현하기 위해서는 어느 한쪽으로 치우치지 않아야 하기 때문에 아무 것도 보지 않겠다는 의미이다. 그러나 우리나라 대법원에 있는 정의의 여신상은 눈을 뜨고 있다. 이는 사회적 약자를 돕고 정의를 제대로 바라보겠다는 의미이다. 또 한 손에는 저울(권리에 대한 다툼을 공평하게 판결하겠다.)을 들고, 다른 한 손에는 칼(법을 어긴 사람에게 엄격하게 처벌하겠다.)을 드는 대신 법전(국가의 법의 권위를 알도록 하겠다.)을 들고 있다. 법전은 법전에 의한 법 적용을 의미한다. 즉 법전을 바탕으로 법을 집행함에 있어서 두 눈으로 보고, 어느 한쪽으로도 치우치지 않는 공정함을 유지하겠다는 의미를 담고 있다.

교과서 활동 과제 풀이

스스로 생각하기 **정의로운 사회의 모습** 📄 교과서 79쪽

활동 목적 **사회가 공정하지 못했을 때 어떠한 결과가 나타나게 되는지 생각해 봅시다.**

예시 답안

(생각1) 공정한 기회가 보장되지 않은 사회에서는 자신의 꿈을 실현할 기회조차 보장받지 못할 것이다. 그러므로 우리는 공정한 기회를 보장하기 위해 노력해야 한다.

(생각2) 취업을 하려 할 때 외모, 성별, 연령 때문에 차별을 받기도 한다.

생각 Tip 정의는 추상적인 개념이 아니라 우리와 밀접한 관련이 있다는 것을 생각해 봐요.

 생각을 나누는 모둠 활동

공정한 것일까, 불공정한 것일까? 📄 교과서 80쪽

활동 목적 **공정과 불공정을 구분하고 그 이유를 상호 토론하는 과정에서 정의와 삶의 관계를 탐구해 봅시다.**

예시 답안

상황	공정/불공정	이유
1. 중간고사에서 부정행위를 한 학생의 성적을 0점 처리한다.	공정	부정행위를 통해 높은 점수를 받는다면 열심히 공부한 학생이 손해를 보기 때문이다.
2. 단순 노동자와 숙련된 기술로 일하는 노동자의 임금을 다르게 지급한다.	공정	숙련된 기술을 지닌 사람은 단순 노동자보다 더 많은 시간과 노력을 투자했기 때문이다.
3. 부모의 사회적 신분이 높다는 이유로 취직 시험에서 우대를 받는다.	불공정	균등한 취업의 기회를 보장하지 못하기 때문이다.
4. 공무원 시험에서 장애를 가진 사람에게는 추가 점수를 준다.	공정	장애인은 보통 사람들보다 불리한 여건에 처해 있는 사람들이기 때문에 추가 점수를 주어 실질적인 기회를 보장한 것이다.
5. 교내 경시대회에 나갈 대표를 담임 선생님이 임의로 정한다.	불공정	담임 선생님이 경시대회 대표를 선발하는 것은 학생들에게 균등한 기회를 보장하지 않은 것이고, 교내 규정을 어기는 것이기도 하다.

활동 Tip 제시된 상황이 공정한 것인지 불공정한 것인지 생각해 보면서 모둠원들과 함께 토론해 봐요!

생각 더하기 분배 기준에 따른 장단점 알아보기 📎교과서 81쪽

활동 목적 다양한 분배의 기준과 그 장단점을 파악해 보는 과정에서 분배의 정의를 생각해 봅시다.

예시 답안

구분	능력에 따라 나누기	필요에 따라 나누기	노력에 따라 나누기
상황	골을 많이 넣은 사람에게 상을 주어야 해.	상을 받으면 진학하는 데 혜택을 보는 사람에게 상을 주어야 해.	연습 때 한 번도 빠지지 않은 성실한 사람에게 상을 주어야 해.
장점	승리에 가장 많이 기여한 사람에게 보상이 이루어질 수 있다.	상이 필요하지 않은 친구도 있으므로 상을 가장 효과적으로 이용할 수 있게 된다.	성실히 농구 연습에 참여한 사람에게 상을 주게 되면 참여 횟수를 고려할 수 있으므로 객관적인 평가가 쉽고, 기회가 균등하게 고려될 것이다.
단점	농구에는 다양한 포지션이 있으므로 골을 넣은 것만으로 승리하는 데 기여한 정도를 평가할 수 없다.	농구에 참여한 모든 학생이 상이 필요할 경우 한정된 상을 모두에게 줄 수 없다.	단순히 연습에 참여하는 횟수만을 가지고 평가하게 되면 개인의 능력을 고려하지 못해 농구 경기에서 승리하기 어려울 것이다.

활동 Tip 나 자신이 분배를 받는 입장이라고 생각하면서 정리해 봐요.

생각 더하기 처벌과 보상의 공정성 📎교과서 82쪽

활동 목적 **사법적 정의에도 다양한 기준들이 존재할 수 있다는 것을 탐구해 봅시다.**

예시 답안
1) 손해를 입힌 만큼 피해를 보상하면 보상에 대한 공정성은 확보되지만, 구체적인 손해에 대한 기준이 명확하지 않고, 손해나 범죄의 예방과 무관하다는 단점이 있다.
2) 범죄 예방을 위해 잔혹한 형벌이 가해질 수 있으므로 인권을 고려하지 못한다.
3) 어린아이를 위한 제품을 만드는 사람과 일반적인 제품을 만드는 사람에게 책임을 다르게 묻는다면 공정성을 저해할 것이다.

활동 Tip 자신이 생각하는 사법적 정의의 기준을 선택하고 친구들과 의견을 나누어 봐요.

스스로 정리하기 사회 정의와 사회 제도 📎교과서 84쪽

활동 목적 **사회 정의의 유형과 사회 정의를 실현하기 위해 사회 제도가 갖추어야 할 조건을 탐구해 봅시다.**

예시 답안

정리1 합당한 몫을 나누어 주는 기준으로서의 사회 정의(분배적 정의), 공정한 기준을 마련하기 위한 절차와 운용하는 과정에서의 사회 정의(절차적 정의), 잘못이나 보상에 대한 공정한 기준으로서의 사회 정의(사법적 정의)가 있다. 분배적 정의와 사법적 정의의 기준은 다양할 수 있으므로 공정한 합의를 위한 절차적 정의가 중요하다.

정리2 사회 제도를 마련할 때 공정한 절차를 보장하고, 그 내용과 운영이 공정하게 되도록 한다.

정리 Tip
• 이번 주제를 공부하면서 자신의 생각이 어떻게 달라졌는지 확인해 볼까요?
• 사회 정의의 의미와 유형을 정리해 보고, 학습 목표를 제대로 성취하였는지 스스로 점검해 봐요.

주제별 평가 문제

1 정의에 대한 설명으로 옳지 않은 것은?

① 정의는 보통 올바름과 공정함을 뜻한다.

② 사람들은 누구나 정의로운 세상에서 살기를 원한다.

③ 사회 정의는 공정한 사회를 이루는 데 필수 덕목이다.

④ 어떤 원칙은 올바르긴 하지만 때로는 공정하지 못할 때도 있다.

⑤ 오늘날에는 개인의 양심이나 도덕성 같은 개인 윤리를 바탕으로 공정한 사회 정의를 실현하고자 한다.

2 정의의 성격이 다음과 같이 변화한 이유는?

> 과거에는 개인 윤리를 바탕으로 공정한 사회 정의를 실현하고자 했다. 오늘날에는 개인 윤리만으로 해결하기 어려운 문제가 등장하면서 정의는 사회 윤리의 성격을 띠게 되었다.

① 오늘날에는 사회적 갈등 요소가 다양해졌다.

② 오늘날에는 양심의 중요성이 사라지고 있다.

③ 개인의 중요성이 과거에 비해 줄어들고 있다.

④ 개인의 이익과 공동체의 이익은 서로 충돌한다.

⑤ 사람은 누구나 정의로운 세상에 살기를 원한다.

3 절차적 정의에 대한 설명으로 옳은 것은?

① 절차가 공정하면 사회 정의는 완벽하게 실현된다.

② 능력이나 노력, 또는 필요에 따라 나누는 방법이 있다.

③ 어떤 결정을 내릴 때 그 과정이 공정한 것인지를 묻는 것이다.

④ 이익을 '나누는 방식'에 대한 관심을 충족시키기 위한 것이다.

⑤ 사회 구성원들 사이에 발생하는 이익을 합리적 기준에 따라 나누는 것이다.

4 모둠원들이 다음과 같은 불만을 드러낸 이유는?

> 사회 정의가 필요한 이유를 조사하는 모둠 과제에 일부 학생들은 제대로 참여하지도 않았다. 그런데 모든 모둠원들이 모두 똑같은 성적을 받았다. 그래서 적극 참여한 학생들은 불만이 많았다.

① 모둠원들에게 공정한 기회를 주지 않았다.

② 점수를 부여하는 기준이 정당하지 않았다.

③ 사회 정의를 보는 관점이 사람마다 다르다.

④ 다른 모둠원들과 비교하는 것은 옳지 않다.

⑤ 모둠원들의 성적이 같으면 부모들이 싫어한다.

5 다음 글에서 이야기하고 있는 것은?

> 새로 대장이 된 늑대는 늑대들이 잡은 고기를 각자 가져가지 말고 모아서 공평하게 나누는 기준을 만들자고 제안하고 토론을 진행하였다.
> 사냥을 많이 해 온 늑대에게 더 줘야 한다는 의견도 있었고, 잡은 양보다 사냥에 빠지지 않고 참여한 늑대에게 더 줘야 한다는 의견도 있었다. 그런가 하면 식구가 많은 늑대에게 많이 줘야 한다는 의견도 있었다.

① 절차적 정의   ② 처벌의 정의

③ 분배적 정의   ④ 사법적 정의

⑤ 보상의 정의

6 사법적 정의에 대한 설명으로 옳은 것은?

① 처벌과 보상의 공정성과 관련된 정의이다.

② 공정하게 나누는 방법을 결정하는 문제이다.

③ 공적 관계에서 사사로움을 인정하는 것이다.

④ 구성원 전체의 의견을 모으는 것이 중요하다.

⑤ 개인의 양심이나 도덕성에 근거해서 판단한다.

7 다음과 같은 문제를 해결하는 데 필요한 것은?

> 어떻게 분배할 것인가에 대한 가장 기본적인 대답은 '각자에게 그에 합당한 몫을 주는 것'이다. 여기서 각자에게 돌아가는 몫을 어떤 기준으로 정해야 하는지에 관한 문제가 생길 수 있다. 능력이나 노력에 따라 나누기를 바라는 사람도 있지만, 필요에 따라 나누자는 사람도 있기 때문이다.

① 힘의 논리
② 정치적 결단
③ 사법적 판단
④ 사회적 합의
⑤ 신체적 능력

8 ★ 중요 다음 글에서 회의에 참석하지 못한 늑대들이 주장하는 것은?

> 대장 늑대는 자기를 잘 따르는 늑대들만 모아 놓고 사냥한 고기 분배 방식에 대한 회의를 열었다. 대장 늑대는 "나를 믿고 나에게 모든 것을 맡겨 달라."라고 하였다. 참석자들은 모두 대장의 의견에 따르기로 하였다. 그러나 회의에 참석하지 못한 늑대들은 "대장에게 맡겨 놓으면 안 된다."라며 목소리를 높였다.

① 공정한 절차가 있어야 한다.
② 회의 방식이 매우 다양하다.
③ 상호 간의 믿음을 회복해야 한다.
④ 구성원들의 관계를 중시해야 한다.
⑤ 구성원들은 지도자를 따라야 한다.

9 사회 제도가 정의롭기 위한 조건과 거리가 먼 것은?

① 모든 사람들에게 공평하게 적용되어야 한다.
② 사람들이 사회 제도를 공정하게 운영해야 한다.
③ 특정인에게 유리하거나 불리하게 작용해야 한다.
④ 정의롭지 않은 사회 제도는 개선하도록 해야 한다.
⑤ 사회 제도는 공정한 절차에 따라 만들어져야 한다.

10 ★ 중요 다음 대화에서 영철이의 주장에 따를 경우 나타날 수 있는 문제점은?

> 우리 반이 교내 농구 경기에서 우승을 하였다. 그런데 우승한 반에서 한 명만 우수 선수상을 받아야 한다. 누구를 추천할 것인가를 두고 토론을 하였다.
> 영철: 골을 많이 넣은 사람에게 상을 주어야 해.
> 수진: 나는 상을 받으면 진학하는 데 혜택을 보는 사람에게 상을 주어야 한다고 생각해.
> 민성: 아니야. 연습 때 한 번도 빠지지 않은 성실한 사람에게 상을 주어야 해.

① 선수들이 공격보다 수비에 더 치중하게 된다.
② 상을 받기 싫어하는 선수가 상을 받을 수 있다.
③ 승리에 기여한 정도를 객관적으로 평가할 수 없다.
④ 상이 필요하지 않는 사람에게 상이 돌아갈 수 있다.
⑤ 농구에는 여러 역할이 있기 때문에 골을 넣는 것만으로 평가하면 안 된다.

11 사회 정의에 대한 설명으로 옳지 않은 것은?

① 사회 정의는 사회 구성원 중 일부를 위해 필요하다.
② 사회 제도가 정의롭지 못하면 인권을 침해받게 된다.
③ 사회 정의는 각자의 몫을 올바로 나누는 기준이 된다.
④ 사회 정의는 처벌과 보상을 조정하는 구체적 내용이다.
⑤ 사회 정의는 사회적 합의의 과정과 절차가 정당한가를 판단하는 기준을 제시한다.

12 ★ 중요 사회 제도가 정의롭지 못할 때 나타나는 결과는?

① 원하는 바를 이루어 행복한 삶을 누릴 수 있다.
② 사회 제도가 구성원들의 삶에 디딤돌이 되어 준다.
③ 분열과 갈등이 다 사라지고 공동체 의식이 확립된다.
④ 원칙보다 편법이 통하는 부정부패한 사회가 되기 쉽다.
⑤ 구성원들이 목적적 존재로 대우받고 인권을 보장받을 수 있다.

5 정의란 무엇인가?

② 공정한 경쟁이 이루어지기 위한 조건은 무엇인가?

📖 교과서 85~89쪽

학습의 주안점

- 경쟁의 의미
- 경쟁의 장단점
- 공정한 경쟁의 조건

1 경쟁의 의미와 장단점

(1) 경쟁의 의미 [자료1]

① 경쟁의 의미: 같은 목적을 놓고 이기려고 서로 겨루는 것

② 경쟁의 불가피성: 사람들의 욕구를 채워 줄 수 있는 기회와 자원은 제한되어 있는데, 그것을 얻고자 하는 사람은 많기 때문임.

Tip 경쟁은 인간뿐 아니라 모든 생명체에서 공통적으로 나타나.

(2) 경쟁의 장점

① 개인이나 집단의 분발심❶을 자극하여 더 많은 업적을 이루도록 해 줌.

② 개인이나 집단의 창의력❷을 북돋워 사회에 활력을 주고 국가 경쟁력을 높여 줌.

(3) 경쟁의 문제점

① 지나친 경쟁은 수단과 방법을 가리지 않고 상대를 이기려는 싸움이 될 수 있음.

② 승자와 패자를 갈라놓아 불평등을 심화시키고, 공동체 의식을 약화시킬 수 있음.

2 공정한 경쟁의 조건

(1) 공정한 경쟁의 의미와 필요성 [자료2]

① 공정한 경쟁의 의미: 출발은 물론 경쟁 과정의 공정성을 보장함으로써 경쟁에 참여한 사람들이 그 결과에 공감하고 이를 받아들일 수 있는 경쟁을 뜻함.

② 공정한 경쟁의 필요성: 경쟁에서 살아남으려는 과정에서 남을 속이거나 짓밟는 등 많은 부작용❸이 드러나기 때문임.

(2) 공정한 경쟁의 조건 [자료3]

① 경쟁 자체의 공정성: 균등❹한 기회 보장, 경쟁 과정의 공정성, 결과에 대한 보상의 공정성

Tip 출발점이 다른 사람들을 배려하는 따뜻한 경쟁이 필요해.

② 경쟁에 참여하는 사람들의 공정성: 정정당당한 경쟁, 사회적 약자 배려

❶ 분발심
마음과 힘을 다하여 떨쳐 일어나려는 마음

❷ 창의력
새로운 것을 생각해 내는 능력

❸ 부작용
어떤 일에 부수적으로 일어나는 바람직하지 못한 일

❹ 균등
고르고 가지런하여 차별이 없음.

📖 기본 확인 문제

📖 정답 222쪽

1 다음 내용이 옳으면 ○표, 틀리면 ×표를 하시오.

① 우리가 살아가면서 피할 수 없는 것이 경쟁이다. (   )

② 경쟁은 모든 생명체에서 공통적으로 나타난다. (   )

③ 공정한 경쟁을 위해 약자를 배려해야 한다. (   )

2 경쟁이 가져오는 부정적인 면을 해결하기 위해 필요한 것은 무엇인가?

3 경쟁이 국가 발전에 미치는 긍정적인 면은 무엇인가?

4 다음 빈칸에 들어갈 알맞은 말을 쓰시오.

① 경쟁은 개인이나 집단의 □□□을 자극하여 더 많은 업적을 이루도록 한다.

② 경쟁은 승자와 패자를 갈라놓음으로써 사회 구성원들 간의 □□□□□을 약화시킬 수 있다.

📖 내신 만점을 위한 탐구 자료

자료1 경쟁 ≫

경쟁(競爭)은 개인이나 집단이 무언가를 놓고 겨루는 것을 말한다. 경쟁은 보통 제한된 자원을 가진 환경에 공존하는 생물 사이에서 자연스럽게 일어난다. 짐승들은 한 군집 내에 살고 있는 다른 종(種) 또는 같은 종 사이에서 먹잇감, 짝짓기 대상 등 자원이 부족할 때, 사람들은 부, 명예 등을 두고 개체들이 자원을 서로 차지하려고 경쟁한다.

미국의 사회학자 알피 콘(Alfie Kohn, 1957~)은 그의 저서 "경쟁을 넘어서"에서 인간의 경쟁을 '구조적 경쟁'과 '의도적 경쟁'으로 구분하였다. '구조적 경쟁'은 상황에 관한 것이고, '의도적 경쟁'은 태도에 관한 것이다. 구조적 경쟁은 승패의 구조와 관계가 있고 외부적인 것이고, 의도적 경쟁은 내부적인 것이며 1등이 되고자 하는 개인의 소망에 관한 것이다. 그는 구조적 경쟁의 핵심은 '내가 성공하기 위해서 상대방이 실패해야 하는 것'이라고 말하였다.

자료2 공동체의 발전과 공정한 경쟁 ≫

경쟁은 누가 이기고 지는 게임만은 아니다. 그리고 승패가 나뉘는 경쟁이라고 하더라도 최소한 출발과 과정, 그리고 결과에서 공정성이 유지되고, 나아가 공동체의 발전에 이바지할 수 있어야 한다. 공동체의 발전을 위한 공정한 경쟁이 되려면 자유로운 경쟁이 보장되어야 하고 경쟁 수단의 공정성이 보장되어야 한다. 또한 절차의 공정성이라는 원칙이 보장되어야 하며, 결과의 정당성도 보장되어 누구나 경쟁의 결과에 승복할 수 있어야 한다. 그리고 연대 의식과 공동체 의식을 바탕으로 한 사회적 협력 속에서 경쟁이 이루어져야 한다. 그래야만 경쟁이 우리 사회에서 긍정적인 역할을 할 수 있고, 정의로운 사회로 나가는 통로가 된다.

자료3 불공정한 경쟁의 문제점 ≫

불공정한 경쟁은 정직하게 경쟁하는 사람들에게 상대적으로 손해를 입히기 때문에 경쟁 결과를 인정하고 존중하기보다 불신과 불만을 품게 한다. 이렇게 되면 결국 경쟁 자체를 무의미하게 여겨 경쟁에 참여하지 않으려 하게 된다.

또한 불공정한 경쟁은 이기기 위해서라면 수단과 방법을 가리지 않아도 된다는 도덕적 타락을 부추기게 되고, 나아가 사회 전체를 침체와 혼란에 빠뜨릴 가능성이 많다. 편법과 비리로 얼룩진 불공정한 경쟁이 이루어지면 원칙과 기준이 무너지게 되고 사회적 혼란이 일어나게 된다. 그리고 혼란과 무질서가 사회를 지배하게 되면 사회 구성원 간의 대립과 갈등이 일어나게 된다.

🔍 교과서 활동 과제 풀이

스스로 생각하기 **공정한 경쟁의 중요성** 📖교과서 85쪽

활동 목적 '토끼와 거북이' 이야기를 통해 경쟁의 공정성에 대해 생각해 봅시다.

예시 답안

생각1 달리기를 잘하는 토끼와 걸음이 느린 거북이(육지에서 잘 달리는 토끼, 바다에서 헤엄을 잘 치는 거북이)의 출발점과 경기 코스를 같게 한 점이 공정하지 못했다.

생각2 토끼와 거북이의 출발점을 다르게 하거나, 토끼가 유리한 육지 코스와 거북이가 유리한 강물 코스를 둘 다 만든다.

생각 Tip 공정한 경쟁이 되려면 기회를 균등하게 보장하는 것 이외에 무엇이 필요한지 생각해 보면 알 수 있을 거예요.

생각 더하기   다양한 경쟁 사례
◎ 교과서 86쪽

활동 목적   다양한 경쟁 사례를 통해 경쟁의 불가피성을 알아봅시다.

예시 답안

자연	학교	사회	국가
동물들이 서열과 영역을 놓고 다툰다.	체육 대회에서 우승을 위해 경쟁한다.	회사에서 취업과 승진을 위해 경쟁한다.	국력을 증강하기 위해 군비 경쟁을 한다.

활동 Tip   일상생활에서 보고 듣고 경험한 것에서 경쟁 사례를 생각해 봐요!

 생각을 나누는 **모둠 활동**

공정한 경쟁의 조건 적용해 보기
◎ 교과서 88쪽

활동 목적   학생들이 실제 경험할 수 있는 사례를 통해 공정한 경쟁의 구체적인 방안을 생각해 봅시다.

예시 답안   ▶ 두 반의 갈등 상황을 어떻게 절충하면 공정한 경쟁이 되도록 만들 수 있을까?
- 경쟁의 결과를 모두 받아들일 수 있도록 축구 예선 경기의 일정과 관련 규칙을 합의한다.
- 경쟁에 참여할 기회를 공정하게 보장하기 위해 독감으로 조퇴를 한 학생들도 축구 예선 경기에 참여할 수 있도록 일정을 조정한다.

활동 Tip   자신의 입장만을 생각하지 말고 상대방의 입장도 고려하면서 공정한 경쟁을 위한 방안을 찾아보세요.

 생각 더하기   새들의 노래자랑이 불공정한 이유
◎ 교과서 89쪽

활동 목적   공정한 경쟁이 되기 위해서 경쟁에 참여하는 사람들이 어떤 태도를 가져야 하는지 탐구해 봅시다.

예시 답안   왜가리가 경쟁에 최선의 노력을 다하지 않고 심사 위원인 황새에게 부탁하여 승리하였기 때문이다.

활동 Tip   예화 속의 왜가리에게서 찾을 수 있는 문제점을 곰곰이 생각해 봐요!

스스로 정리하기   공정한 경쟁의 조건
◎ 교과서 89쪽

활동 목적   경쟁이 나타나는 이유와 공정한 경쟁의 조건을 탐색해 봅시다.

예시 답안   **정리 1** 인간의 욕구에는 제한이 없지만 기회와 자원은 제한되어 있기 때문에 경쟁이 나타난다.

정리 2 경쟁 자체의 공정성으로는 경쟁에 참여할 기회의 균등한 보장, 경쟁 과정에서의 공정한 규칙의 적용과 준수, 경쟁 결과에 대한 공정한 보상이 필요하다. 경쟁에 참여하는 사람들의 태도로는 정정당당하게 경쟁하려는 자세와 약자를 배려하는 것이 필요하다.

정리 Tip
- 이번 주제를 공부하면서 자신의 생각이 어떻게 달라졌는지 확인해 볼까요?
- 경쟁의 필요성과 공정한 경쟁의 조건을 정리해 보고, 학습 목표를 제대로 성취하였는지 스스로 점검해 봐요.

주제별 평가 문제

◎ 정답 222쪽

1 경쟁에 대한 설명으로 옳은 것은?

중요

① 사람들은 대부분 경쟁을 하지 않고 살아간다.
② 사람들은 치열한 경쟁 사회에서 살기를 원한다.
③ 경쟁은 긍정적인 면은 없고 부정적인 면만 있다.
④ 같은 목적을 놓고 협력하려고 노력하는 것을 말한다.
⑤ 경쟁은 인간뿐만 아니라 모든 생명체에서 공통적으로 나타난다.

2 다음 중 경쟁으로 볼 수 <u>없는</u> 것은?

① 가족 구성원들이 집안일을 나누어 한다.
② 서로 더 많은 먹이를 차지하기 위해 싸운다.
③ 자원 확보 문제로 여러 나라 간에 갈등이 일어난다.
④ 탐구 발표 대회에서 상을 받으려고 열심히 노력한다.
⑤ 기업이 서로 다른 회사보다 더 좋은 상품을 생산하기 위해 노력한다.

3 다음 글을 통해 알 수 있는 것은?

> 경쟁이 지나치면 수단과 방법을 가리지 않고 상대를 이기려고 하는 싸움이 될 수 있다. 이렇게 되면 경쟁 상대를 자신의 발전에 자극을 주는 동반자가 아니라, 자신의 성공에 걸림돌일 뿐인 존재라고 생각하여 서로 미워하고 등을 돌리기까지 한다.
> 또한 경쟁은 승자와 패자를 갈라놓음으로써 불평등을 심화시키고, 사회 구성원들 간의 공동체 의식을 약화시킬 수 있다.

① 경쟁이 없는 사회가 바람직한 사회이다.
② 경쟁은 긍정적인 면만 있는 것은 아니다.
③ 경쟁을 하게 되면 부정적인 면만 드러난다.
④ 경쟁을 할 때에는 부작용을 감수해야 한다.
⑤ 공동체 의식을 키우려면 경쟁을 삼가야 한다.

4 다음과 같은 물음에 대한 대답으로 옳지 <u>않은</u> 것은?

> 경쟁은 긍정적인 면과 부정적인 면을 동시에 가지고 있다. 경쟁이 가진 긍정적인 면은 무엇일까?

① 국가 경쟁력을 강화시킬 수 있다.
② 사회에 활력을 불어넣을 수 있다.
③ 구성원 간의 갈등을 해소할 수 있다.
④ 개인이나 집단의 분발심을 자극한다.
⑤ 개인이나 집단의 창의력을 북돋울 수 있다.

5 공정한 경쟁에 대한 설명과 거리가 <u>먼</u> 것은?

① 모든 사람들에게 경쟁에 참여할 기회를 균등하게 보장하는 것이 필요하다.
② 경쟁에 참여한 사람들이 그 결과를 인정하고 이를 받아들일 수 있어야 한다.
③ 공정한 경쟁이 되려면 출발점은 다양하고 경쟁 과정의 공정성은 보장해야 한다.
④ 공정한 경쟁을 위해서는 모든 사람들에게 경쟁에 참여할 기회를 균등하게 보장해야 한다.
⑤ 공정한 경쟁의 조건은 경쟁 자체의 공정성과 경쟁에 참여하는 사람의 공정성으로 나누어 볼 수 있다.

6 다음 글의 밑줄 친 부분에 들어갈 말은?

중요

> 삶의 과정에서 경쟁이 필요한 것은 사실이다. 그러나 경쟁에서 살아남으려는 과정에서 남을 속이거나 짓밟는 등 많은 부작용이 드러나기도 한다. 이와 같은 문제를 해결하기 위해 필요한 것이 _____이다.

① 경쟁의 회피   ② 치열한 경쟁
③ 완전한 경쟁   ④ 공정한 경쟁
⑤ 무제한적 경쟁

③

부패는 왜 발생하며, 그것을 어떻게 예방할 수 있을까?

⊘ 교과서 90~95쪽

학습의 주안점

• 부패 행위의 의미
• 부패 행위의 원인과 문제점
• 부패 행위의 예방과 근절

1 부패❶ 행위의 의미

(1) 부패 행위의 의미 [자료1]

① 자신의 지위나 권한을 사적 이익을 위해 부당하게 사용하는 것

② 불법이나 탈법❷을 통해 이루어지며, 법의 허점을 이용해 공정하지 못한 방법을 이용하거나 처벌을 피하는 경우도 있음.

(2) 부패 행위의 유형: 금품 수수❸, 권력과 지위 남용, 탈세 등

2 부패 행위의 문제점과 원인

(1) 부패 행위의 문제점

① 개인적인 면: 도덕적 타락을 부추김. 개인의 자아실현에 장애 요인으로 작용함.

② 사회적인 면: 정부나 기업의 불신으로 국가 경쟁력이 약화되고, 자신들의 이익만을 내세워 결국 사회 통합을 어렵게 만들어 국가를 위험에 빠트릴 수 있음.

(2) 부패 행위의 원인 ─ **Tip** 부패 행위는 개인의 비도덕성과 이기주의, 불공정한 사회 구조, 불합리한 문화 등에 의해 일어나.

① 정실❹주의와 연고❺주의: 공적 영역에서 지연, 혈연, 학연 등 개인적 친분 강조

② 결과 지상주의: 과정이 잘못되었더라도 결과만 좋으면 된다는 사고방식

③ 제도의 잘못된 운용❻: 부패 행위자 처벌 미약, 내부 신고자 보호 제도 미흡

3 부패 행위의 예방과 근절 방법 [자료2]

(1) 개인적 차원: 부패 행위의 문제점 인식, 공정하고 책임감 있는 삶의 자세 확립

(2) 사회적 차원 [자료3] [자료4]

① 제도 개선: 부패 감시 강화, 처벌 대책 마련, 내부 신고자 보호 제도 정착 등

② 의식 개선: 사회 전반에 청렴❼의 문화 정착, 특히 공무원의 청렴 의식 확립

---

❶ 부패
정치, 사상, 의식 따위가 타락함.

❷ 탈법
법이나 법규를 지키지 않고 그 통제 밖으로 교묘히 빠져나감.

❸ 수수
돈이나 물건을 거두어 받음.

❹ 정실
사사로운 정이나 관계에 이끌리는 일

❺ 연고
혈통, 정분, 법률 따위로 맺어진 관계

❻ 운용
무엇을 움직이게 하거나 부리어 씀.

❼ 청렴
성품과 행실이 높고 맑으며, 탐욕이 없음.

📖 기본 확인 문제

⊘ 정답 222쪽

1 다음 내용이 옳으면 ○표, 틀리면 ×표를 하시오.

① 부패 행위는 건강한 사회를 가로막는 요인이다. ( )

② 공직자들의 업무 태만도 부패 행위로 볼 수 있다. ( )

③ 연고주의를 강조해야 부패 행위를 막을 수 있다. ( )

2 부패 행위의 원인 중 과정이 잘못되었더라도 결과만 좋으면 된다는 사고방식을 무엇이라고 하는가?

3 성품과 행실이 높고 맑으며 탐욕이 없어 사소한 부패 행위도 용납하지 않으려는 자세는 무엇인가?

4 다음 빈칸에 들어갈 알맞은 말을 쓰시오.

① 부패 행위는 개인적으로 ☐☐☐ 타락을 부추긴다.

② 확고한 부패 방지는 시민들의 성숙한 ☐☐☐☐이 발휘될 때 가능한 것이다.

내신 만점을 위한 탐구 자료

자료1 우리나라의 부패 지수 »

세계 반부패 운동을 주도하는 비정부 단체인 국제 투명성 기구(TI)는 '2016년 기준 국가별 부패 지수(CPI:국가 청렴도)'를 발표했다. 한국은 100점 만점에 53점으로 지난해보다 3점이 하락하면서, 국가 순위도 전체 조사 대상국 가운데 52위로 15계단이 추락했다. 이는 1995년 첫 조사 이후 가장 큰 폭의 하락이다. 한국은 국가별 부패 지수 조사 첫해인 1995년에 41개국 중에서 27위(42.9점)를 차지했고, 이후 2000년 48위(40점), 2005년 40위(50점), 2010년 39위(54점), 2015년 37위(56점)로 개선 추세를 보이다가 2016년에 급격히 악화됐다. 부패 지수는 70점을 넘어야 사회가 전반적으로 투명한 상태로 평가받고, 한국이 위치한 50점대는 겨우 절대 부패로부터 벗어난 상태를 의미한다.

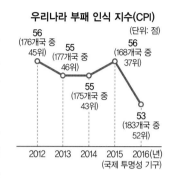

우리나라 부패 인식 지수(CPI)
(단위: 점)

자료2 청백리 »

'청백'이란 청렴결백(淸廉潔白)의 줄임말로, 이상적인 공직자의 미덕을 가리키는 것이다. 청백리 정신은 단순히 청렴한 품성만을 의미하는 것이 아니라 공직 업무에 대한 근면성이 포함되어 있다. 공직자는 깨끗한 품성과 함께 공익에 봉사하는 태도를 지녀야 하며, 실제 행정에서 효과를 높이는 능력까지도 갖추어야 한다고 여겼던 것이다.

조선 시대에 총 219명의 청백리가 배출되었는데, 이황, 이이를 비롯해 손중돈, 이원익, 김장생, 이항복, 김상헌 등이 대표적인 인물로 꼽힌다. "국조인물고"(조선 태조 때부터 숙종 때까지의 주요 인물들을 모아 놓은 전기집)에 실린 조선 시대를 대표하는 인물이 2,000여 명인데 그중 10분의 1이 청백리로 뽑혔던 것이다. 조선조 건국 이후부터 임진왜란이 발발한 선조 25년(1592년)까지 황희, 맹사성 등 162명의 청백리가 천거되었으나, 이후 300년 동안은 57명의 청백리만 배출되었다. 권력의 속성에 따라 시간이 갈수록 관리들의 부패 지수가 높아진 것이라고 볼 수 있다.

자료3 청탁 금지법 »

2015년 '부정 청탁 및 금품 수수 금지에 관한 법률'이 제정되었다. 이 법률을 제정한 목적은 다음과 같다.

첫째, 헌법이 추구하는 부패 없는 투명하고 청렴한 대한민국 사회라는 가치를 실현하기 위해서이다. 둘째, 공직 사회에 대한 국민의 신뢰를 높이기 위해서이다. 셋째, 우리나라에 대한 국제 사회의 반부패 평가와 우리나라의 국가 경쟁력을 더욱 높이기 위해서이다. 넷째, 국민의 눈높이에 맞는 제도적 기반을 갖추기 위해서이다. 다섯째, 새로운 형태로 나타나는 다양한 부패 행위를 감시 처벌하기 위해서이다. 여섯째, 정실주의와 연고주의를 바탕으로 청탁하는 우리 사회의 관행을 개선하기 위해서다.

자료4 내부 고발자 »

내부 고발자란 흔히 양심선언 또는 내부 고발을 하는 사람으로서, 기업이나 정부 기관 내에 근무하는 조직의 구성원이거나 구성원이었던 사람이 조직 내부에서 저질러지는 부정, 부패, 불법, 비리, 예산 낭비 등을 알게 되어 이를 시정하고자 내부 책임자 또는 감사 부서에 보고하거나 폭로하는 사람을 말한다. 조직 내에서는 배신이나 항명으로 간주되기도 하지만, 조직의 불법적 이익보다 사회 공동체의 이익을 더 중시하는 공익적·윤리적 행위이다. 내부 고발은 개인의 윤리 의식과 양심에 따른 행동이다. 내부 고발의 대상은 공무원의 각종 비리, 정경 유착의 현장, 노동자에 대한 부당한 차별, 공공 의료 기관의 부도덕성, 환경·식품의 유통과 제조에 관련된 반사회적 행위 등이다.

스스로 생각하기 ## 이순신의 청렴한 생활 @교과서 90쪽

활동 목적 **이순신의 이야기를 통해 청렴의 중요성을 깨닫고, 청렴을 실천하려는 의지를 다집시다.**

예시 답안

생각 1 청렴

생각 2 내가 이순신이라면 상관의 지시를 어길 경우 받을 수 있는 불이익 때문에 약간 망설였을 것이다. 그러나 상관의 지시가 도덕적으로 옳지 못하므로 거절하고 개선하려고 노력했을 것이다.

생각 Tip 이순신의 청렴 실천 사례를 통해 우리가 본받아야 할 점을 생각해 봐요!

생각 더하기 ## 부패 행위 사례 @교과서 91쪽

활동 목적 **일상생활에서 나타날 수 있는 부패 행위를 알아봅시다.**

예시 답안 부패 행위라고 생각하는 것에 ○로, 부패 행위가 아닌 것에는 ×로 표시해 보자.

내용	○×
반장에 당선되기 위해 친구들에게 햄버거를 사 주었다.	○
몰래 학교 담을 넘는 친구를 보고도 선생님께 말하지 않았다.	○
편하게 야구를 보기 위해 VIP 표를 구매했다.	×
식당에서 직원에게 따뜻한 물을 달라고 요구했다.	×
선생님이 안 계신 틈을 타 청소 도중에 몰래 도망갔다.	○
좋아하는 이성 친구에게 비싼 선물을 사 주었다.	×

활동 Tip 주어진 사례가 부패에 해당하는지 생각해 보고, 친구들과 의견을 나누어 봐요!

생각 더하기 ## 부패 행위의 확대 @교과서 92쪽

활동 목적 **부정한 행동과 부패 행위가 어떠한 과정을 거쳐 구조화되고 어떤 결과가 나타나는지 비교 · 검토해 봅시다.**

예시 답안

지금	30년 후
다음 이야기는 어떻게 될까?	**다음 이야기는 어떻게 될까?**
학생들, 선생님들과의 관계에서 불신이 생긴다. 또한 다른 경시대회, 체육 대회 등에서도 부정한 행위가 만연해진다.	아파트 임원들의 관리비 유용을 주민들이 의심하게 되어, 결국 주민들 사이에 상호 불신이 생길 것이다. 또한 안전 관리의 부실로 이어져 큰 사고가 발생할 수 있다.

활동 Tip 개인의 부정한 행위와 사회적 부패 행위는 연결되어 있다는 것을 생각해 봐요!

생각 더하기 부패 행위의 원인과 사례   *교과서 93쪽*

활동 목적   부패 행위의 원인과 관련된 사례를 탐색해 봄으로써 부패 행위의 원인을 명확하게 알아봅시다.

예시 답안

부패 행위의 원인		사　례
정실주의와 연고주의	지연	• 어렸을 때부터 친한 동네 친구를 능력에 상관없이 반장으로 추천했다.
	학연	• 철수가 학기 초에 "우린 같은 초등학교를 나왔으니 나를 반장으로 뽑아 줘."라고 말했다.
	혈연	• 봉사 활동을 하지 않았음에도 불구하고 사회 복지사인 사촌 형의 도움을 받아 거짓으로 봉사 활동 확인서를 발급받아 봉사 활동 점수를 받았다.
결과 지상주의		• 국어 수행 평가에서 좋은 평가를 받기 위해 인터넷에서 미리 내려받은 다른 사람의 글을 출처도 밝히지 않고 그대로 인용하였다. • 체육 대회 축구 경기에서 심판을 피해 교묘히 반칙을 하는 방법을 협의하고 실행하여 우승하였다.
제도의 잘못된 운용		• 교내 따돌림을 목격하고 화장실에 있는 신고함에 목격한 내용을 적어 넣었는데, 누군가 내가 그 글을 썼다는 사실을 퍼뜨리고 다녔다. • 식재료를 파는 상점을 대상으로 원산지 표시 제도 단속이 제대로 이루어지지 않아, 원산지를 속여 팔아서 부당한 이익을 취하는 사람이 많다.

활동 Tip   부패 행위는 보통 사람들과는 관련이 없을 것이라는 생각을 버려야 해요.

 생각을 키우는 **창의 융합 활동**

청렴한 인물과 부정부패를 막기 위한 제도를 찾아라!   *교과서 95쪽*

활동 목적   청렴한 인물을 통해 도덕적 모범을 배움으로써 삶에서 청렴을 실천하고자 하는 의지를 다집시다.

예시 답안
- **청백리의 예**: 황희, 이황, 이이를 비롯해 손중돈, 이원익, 김장생, 이항복, 김상헌, 황희, 맹사성 등
- **청렴 제도**: 홍콩에는 부패 공직자들을 벌벌 떨게 만드는 '염정공서(廉政公署)'라는 곳이 있다. 염정공서는 홍콩 정부의 장관이 직접 지휘하는 부패 방지 수사 기구로, 부패 행위자를 영장 없이 체포하고 수사할 수 있는 권한을 가진다. 1960년대까지만 해도 홍콩은 부패 행위가 널리 퍼져 있었으나 1974년 염정공서가 활동한 이후, 아시아에서 부패 행위가 가장 적은 곳이 되었다.

활동 Tip   제시된 물음에 따라 모둠 구성원들과 역할을 분담하여 조사하고 발표해 봐요.

스스로 정리하기 ## 부정부패를 방지하기 위한 자세   *교과서 95쪽*

활동 목적   중학생으로서 청렴을 실천할 수 있는 방안을 탐색해 봅시다.

예시 답안

정리 1 친구의 부정한 행동을 목격했을 경우, 친구와의 관계가 어색해지더라도 선생님께 알려 친구가 청렴한 사람이 될 수 있도록 해야 한다. 사회의 부패 행위를 보았을 경우에는 부모님과 선생님께 상의하여 해결해야 한다.

정리 2 사회의 법을 준수한다. 올바르고 공정하게 행동하는 기준이 상황이나 개인적인 사정에 따라 변할 수도 있다는 마음가짐을 버린다.

정리 Tip
- 이번 주제를 공부하면서 자신의 생각이 어떻게 달라졌는지 확인해 볼까요?
- 부패의 의미와 문제점, 부패의 예방과 근절 방법을 정리해 보고, 학습 목표를 제대로 성취하였는지 스스로 점검해 봐요.

주제별 평가 문제

1 부패행위에 대한 설명으로 옳지 <u>않은</u> 것은?
중요

① 부패 행위를 신고할 수 있는 사람은 공직자에 한
한다.
② 부패 행위는 불법이나 탈법을 통해 이루어지는 경우
가 많다.
③ 부패 행위란 자신의 지위나 권한을 사적 이익을 위
해 부당하게 사용하는 것이다.
④ 법의 허점을 이용해 공정하지 못한 방법을 이용하거
나 처벌을 피하려는 사람도 있다.
⑤ 법을 위반하여 공공 기관에 대하여 재산상 손해를
가하는 행위도 부패 행위에 해당한다.

2 다음 중 부패 행위를 하였다고 볼 수 <u>없는</u> 사람은?

① 친구인 공기업 사장에게 딸의 취업을 부탁한 시민
② 자신의 직무와 관련된 회사 기밀을 돈을 받고 경쟁
기업에 넘긴 회사원
③ 거짓으로 세금 계산서를 만들어 소득을 속이고 세금
을 내지 않은 사업가
④ 자신이 아는 납품업자에게 비싼 가격으로 물품을 구
입하고 대금을 지급한 공무원
⑤ 많은 사람들이 선망하는 직장에서 사원을 모집한다
는 사실을 친척에게 알려 주는 공직자

3 다음과 같은 철수의 행동에 대한 평가로 옳은 것은?
중요

> 철수가 학기 초에 "우린 같은 초등학교를 나왔으니
> 나를 반장으로 뽑아 줘."라고 말했다.

① 공과 사를 분명히 구분할 줄 안다.
② 연고주의를 중시하는 경향이 있다.
③ 출신 초등학교에 대한 애정이 깊다.
④ 자기 능력에 대한 자신감을 갖고 있다.
⑤ 어떤 일의 과정보다는 결과를 중시한다.

4 부패 행위에 대한 인식을 가장 잘한 사람은?

다음 질문에 그렇다고 생각하면 ○표, 그렇지 않다고 생각하면 ×표,
잘 모르겠다고 생각하면 △표를 하시오.

번호	질문 내용	A	B	C	D	E
1	돈으로 모든 문제를 해결할 수 있다고 생각한다.	×	○	○	×	○
2	다른 친구의 숙제를 베껴서 낸 적이 없다.	×	○	×	○	×
3	불법 행위를 목격하더라도 보복이 두려워서 고발하지 않는다.	○	×	○	×	○
4	정품보다 싸다고 해도 불법으로 파일을 내려받지 않는다.	○	○	×	×	×
5	학급 회장 선거를 할 때 친한 친구보다 능력 있는 친구를 선택한다.	○	○	×	×	○
6	학급 회장으로 당선된 학생은 한턱을 내야 한다고 생각한다.	×	×	○	×	×

① A   ② B   ③ C
④ D   ⑤ E

5 부패를 저질러 편안하게 사는 사람이 많을 경우 나타나는
현상은?

① 구성원들의 준법 의식이 강화될 것이다.
② 개인의 도덕적 실천 의지가 약화될 것이다.
③ 개인의 양심과 도덕성이 힘을 발휘할 것이다.
④ 부당한 이익을 얻으려는 사람이 줄어들 것이다.
⑤ 지위를 부당하게 사용하는 사람이 사라질 것이다.

6 부패가 생겨나는 원인과 거리가 <u>먼</u> 것은?
중요

① 정실주의   ② 연고주의
③ 합리주의   ④ 개인의 이기심
⑤ 결과 지상주의

7 부패 행위가 끼친 영향에 해당하는 것을 │보기│에서 모두 고른 것은?

│보기│
ㄱ. 개인적으로 도덕적 타락을 부추긴다.
ㄴ. 자기 자신과 집단의 이익만을 내세우게 된다.
ㄷ. 공정한 경쟁을 할 수 있는 분위기가 만들어진다.
ㄹ. 개인의 능력과 노력을 중시하는 사회가 형성된다.
ㅁ. 사회 통합을 어렵게 만들어 사회와 국가를 위험에 빠트릴 수 있다.

① ㄱ, ㄴ, ㄷ
② ㄴ, ㄷ, ㄹ
③ ㄷ, ㄹ, ㅁ
④ ㄱ, ㄴ, ㅁ
⑤ ㄴ, ㄷ, ㅁ

8 다음 글에서 이야기하고자 하는 것은?
중요

나는 사람의 능력과 관계없이 개인의 친분을 기준으로 사람을 뽑는 게 문제라고 생각해. 정(情)을 강조하는 우리의 문화를 공적인 영역에서 이용하면 안 돼. 특히 우리나라 사람들은 자신과 같은 지역, 같은 학교, 일가친척의 사람들을 중요시하는 경향이 심한 편이야.

① 편의주의
② 인도주의
③ 합리주의
④ 자연주의
⑤ 정실주의

9 다음 중 혈연을 중시하는 사람은?

① 우리가 어떤 가문인 줄 아니? ○○의 후손이야.
② 나를 무시하면 안 돼. 난 ○○ 학교 출신이거든.
③ 우리 집은 산 좋고 물 좋은 곳에 자리 잡고 있어.
④ 우리 가족은 헌혈을 많이 한다고 칭찬 받은 가족이야.
⑤ 내가 영어를 얼마나 잘 하는 줄 알아? 미국에서 초등학교를 나왔거든.

10 연고주의의 장점에 해당하는 것은?

① 파벌을 조성하여 끼리끼리 뭉칠 수 있다.
② 인간관계가 좋은 사람이 성공할 수 있다.
③ 따뜻하고 정겨운 인간관계를 맺을 수 있다.
④ 한 사람의 미래가 인맥에 의해 좌우될 수 있다.
⑤ 공평성과 합리성을 저해하는 요인이 될 수 있다.

11 다음 대화를 하는 친구들에게 충고해 주어야 할 말은?

A: 나만 부정행위를 하는 것도 아닌데 오늘 걸렸어.
B: 부정행위를 하지 않는 게 미련한 거야!
C: 부정행위를 하는 친구들이 너무 많아서 학교 입장에서도 쉽게 처벌할 수 없을 걸!

① 나 하나쯤이야 하는 생각은 필요한 거야.
② 나 하나만이라도 옳은 길을 걸어가야 해.
③ 내신 성적을 올리려면 어쩔 수 없지 않겠어?
④ 저 친구들의 용감성에 큰 박수를 치고 싶어.
⑤ 친구들과 다르게 행동하면 따돌림 당하겠지.

12 다음 여학생의 대화에서 엿볼 수 있는 것은?
중요

친구지만 심사 위원으로서 너에게만 좋은 점수를 줄 수는 없어.

① 공과 사를 분별할 줄 아는 친구이다.
② 친구 간의 훈훈한 우정을 나누고 있다.
③ 동아리 활동 지원에 대한 관심이 높다.
④ 심사 위원으로서 역할을 망각하고 있다.
⑤ 부패 행위를 할 가능성이 높은 친구들이다.

단원 정리 문제

01 [주관식] 다음 글에서 이야기하는 것은 무엇인지 쓰시오.

> 많은 구성원으로 이루어진 사회는 각 개인들의 다양한 요구로 어쩔 수 없이 수많은 갈등이 생기기 마련이다. 이러한 사회적 갈등 속에서는 올바름을 추구하면서도 공정함에도 어긋나지 않는 원칙과 기준을 만들고 이를 적용하는 것이 중요하다.

02 다음 중 정의에 대한 이해가 가장 잘 된 사람은?

다음 질문에 정의롭다고 생각하면 ○표, 정의롭지 않다고 생각하면 ×표, 잘 모르겠다고 생각하면 △표를 하시오.

번호	질문 내용	A	B	C	D	E
1	중간고사에서 부정행위를 한 학생의 성적을 0점 처리한다.	○	×	○	×	○
2	단순 노동자와 숙련된 기술로 일하는 노동자의 임금을 다르게 지급한다.	○	○	×	○	×
3	교내 경시대회에 나갈 대표를 담임 선생님이 임의로 정한다.	×	○	○	○	×
4	공무원 시험에서 장애를 가진 사람에게는 추가 점수를 준다.	○	○	×	○	×
5	부모의 사회적 신분이 높다는 이유로 취직 시험에서 우대를 받는다.	×	×	○	×	○

① A   ② B   ③ C
④ D   ⑤ E

03 정의를 실현하기 위한 사회 제도에 해당하는 것은?

① 명예 살인   ② 사티 제도
③ 카스트 제도   ④ 흑백 분리 정책
⑤ 사회 복지 정책

04 [서술형] 다음과 같은 처벌의 문제점을 서술하시오.

> 늑대 B는 도둑질을 여섯 번이나 했는데 대장 늑대의 동생이라는 이유로 두 번 도둑질한 늑대 A와 같은 처벌이 내려졌다.

05 다음 글을 통해 배워야 할 교훈은?
[중요]

> 전국 체전 태권도 고등부 ○○시 대표 선발전에 참가한 ○○○ 선수는 5 대 1로 시합을 이기고 있었다. 그러다가 경기 종료 50초 전부터 심판으로부터 경고를 내리 7번이나 받고 크게 흔들려 결국 7 대 8로 역전패했다. 석연찮은 판정에 비판이 일자, 수사에 착수한 경찰은 그날 경기에서 편파 판정과 조직적인 승부 조작이 있었다는 사실을 확인했다고 밝혔다.

① 사람은 누구나 자기 이익을 중시한다.
② 사회 제도를 공정하게 운영해야 한다.
③ 공정한 분배에 대한 사회적 합의가 중요하다.
④ 어떤 결정을 내릴 때 그 절차가 공정해야 한다.
⑤ 공정한 절차에 따라 사회 제도를 만들어야 한다.

06 '경쟁은 긍정적인 면만 있는 것은 아니다.'라는 주장에 대한 타당한 근거는?
[중요]

① 경쟁이 없는 세상에서 살기를 바라는 사람은 없다.
② 경쟁은 구성원 간의 공동체 의식을 약화시킬 수 있다.
③ 경쟁은 자신이 가진 능력을 최대한 발휘할 수 있게 해 준다.
④ 경쟁 상대를 자신의 발전에 자극을 주는 동반자로 생각한다.
⑤ 경쟁은 인간뿐만 아니라 모든 생명체에서 공통적으로 나타난다.

07 다음 글을 통해 배워야 할 점은?

중요

> 오성과 한음은 같은 시기에 경쟁을 통해 과거에 급제하였으며, 서인과 남인이라는 다른 당파에 속했음에도 무엇이 진정 국가를 위한 것인지 정책으로 경쟁하면서도 꿋꿋하게 진정한 우정을 나누었다. 특히 임진왜란 당시 명나라에 사신으로 다녀와야 할 계기가 있을 때에도 내가 편한 길을 선택하기보다는 친구가 편할 수 있도록 자기가 가겠다고 서로 위하였고, 서로의 역할에 충실해 큰 공을 세웠다.

① 경쟁을 하면서도 다른 경쟁을 계획해야 한다.
② 조선 시대의 당파는 형식적인 것에 불과하다.
③ 경쟁은 우정을 나누는 데 필수적인 요소이다.
④ 경쟁을 하면서도 협력하는 관계가 되어야 한다.
⑤ 출세를 위해서 서로 경쟁하는 것은 피할 수 없다.

08 다음 글에서 강조하는 것은?

중요

> 사회적 약자들에게 보통 사람들과 같은 조건 아래 경쟁하라는 것은 오히려 불공정한 것이 될 수 있다.

① 사회적 약자들은 경쟁에서 제외시켜야 한다.
② 사회적 약자들은 공정한 경쟁에 참여해야 한다.
③ 사람들은 불공정한 경쟁을 선호하는 경향이 있다.
④ 경쟁에 참여하는 사람들은 정당하게 경쟁해야 한다.
⑤ 출발점이 다른 사람들을 배려하는 '따뜻한 경쟁'이 필요하다.

09 결과 지상주의의 문제점으로 옳은 것은?

① 능력이 없는 사람들도 대우를 받을 수 있다.
② 공적인 영역에서 개인적인 감정을 중시한다.
③ 지연, 혈연, 학연 요소를 강조해서 평가한다.
④ 좋은 목적이 있으면 나쁜 수단도 정당화된다.
⑤ 공익보다 개인의 이익을 우선적으로 고려한다.

10 서술형 공정한 경쟁의 조건을 두 가지 이상 서술하시오.

11 주관식 공정한 경쟁의 조건 중 다음 글에서 이야기하는 것은 무엇인지 쓰시오.

> 경쟁에 참여하고자 하는 사람들에게 정당한 이유 없이 성별이나 경제적 능력 등을 이유로 참여를 제한시켜서는 안 된다.

12 다음 글을 쓴 사람이 강조하고자 하는 것은?

중요

> 우리나라는 선진국에 비해 부패 행위를 저지른 사람에 대한 처벌이 약하고 내부 신고자를 제대로 보호해 주지 않아. 그러니 부패 행위를 근절하기 위한 제도가 있으면 뭐해? 있으나 마나 한 걸 말이야.

① 만들어진 제도를 공정하게 운영해야 한다.
② 사회 제도를 보다 완벽하게 만들어야 한다.
③ 부패 행위는 우리가 근절할 수 없는 문제이다.
④ 내부 신고자에 대한 포상금을 올려 주어야 한다.
⑤ 부패 처벌 정도는 선진국을 결정하는 기준이 된다.

13 부패 행위 근절에 대한 대책과 거리가 먼 것은?

① 높은 윤리 의식을 갖고 청렴을 실천하도록 한다.
② 부패 행위 근절을 위한 제도적 장치를 마련한다.
③ 개인의 양심에 대한 호소나 설득에 중점을 둔다.
④ 부패 행위가 공정한 사회를 해치는 길임을 분명히 알게 한다.
⑤ 나 자신부터 공정하고 책임감 있게 삶을 살려는 의지를 다진다.

북한을 어떻게 이해할 것인가?

◎ 교과서 99~102쪽

학습의 주안점
• 분단 과정과 원인
• 북한 체제의 특징
• 북한에 대한 올바른 이해

1 하나에서 둘로 분단된 우리

(1) 분단 과정: 1945년 광복 → 미국과 소련이 북위 38선을 경계로 점령 → 1948년 남북한 단독 정부 수립 → 6·25 전쟁으로 인해 휴전선으로 분단

(2) 분단 요인

① 국제적 요인: 한반도의 지정학❶적 위치, 미국과 소련의 대립

② 민족 내부 요인: 항일 독립 운동 단체의 분열, 신탁 통치❷ 찬반 대립, 6·25 전쟁

2 북한 체제의 특징

(1) 정치 자료1

① 주체사상을 통치 이념으로 한 수령❸ 독재 체제, 노동당에 의한 일당 독재 체제

② 외형적으로는 삼권 분립 제도를 채택하고 있지만, 실질적인 권한은 당에 집중

③ 선군 정치를 강조하면서 군사력 강화를 최우선 목표로 하고 있음. 자료2
└─ Tip 군을 우선하는 통치 방식을 말해.

(2) 경제

① 경제 활동을 당에서 통제하는 중앙 집권적 계획 경제 → 비효율성, 공급 부족

② 경제난 이후 자생적❹으로 생겨난 장마당과 암시장에 의존하여 생활 자료3

(3) 사회: 개인의 이익보다 집단의 이익을 추구하는 집단주의❺ 원칙에 기초, 부모 섬기듯 어버이 수령을 받들어야 하는 것으로 교육 자료4

(4) 예술·언론: 체제 유지를 위한 당의 이념과 정책을 선전하는 수단으로 이용

3 북한 이해의 시각

(1) 북한의 이중성 인식: 북한은 우리에게 경계의 대상이면서 협력의 대상임.

(2) 북한에 대한 객관적 이해: 북한 문제를 객관적 현실에 기초해서 보아야 함.

(3) 보편적 가치를 근거로 판단: 보편적 가치 기준으로 북한 정책을 판단해야 함.

❶ **지정학**
정치 현상과 지리적 조건의 관계를 연구하는 학문

❷ **신탁 통치**
국제 연합으로부터 신탁을 위임 받은 나라가 일정한 지역을 통치하는 일

❸ **수령**
한 당파나 무리의 우두머리

❹ **자생적**
저절로 또는 스스로의 힘으로 생기거나 나는 것

❺ **집단주의**
개인의 이익보다는 집단의 이익을 존중하는 경제 정책의 원리

기본 확인 문제

◎ 정답 224쪽

1 다음 내용이 옳으면 ○표, 틀리면 ×표를 하시오.

① 북한은 주관적 감정에 기초해서 이해해야 한다. (　)

② 북한 체제는 주체사상을 통치 이념으로 삼고 있다. (　)

③ 일제 식민지에서 해방된 우리는 본래 한 나라였다. (　)

2 남북한이 정부를 따로 수립하면서 정치적으로 분단된 시기는 언제인가?

3 개인보다는 집단의 이익을 우선하는 사회 체제를 무엇이라고 하는가?

4 다음 빈칸에 들어갈 알맞은 말을 쓰시오.

① 북한은 □□□□□를 내세우면서 군사력을 강화하고 있다.

② 북한의 예술은 당의 이념과 정책을 □□하는 기능을 담당하고 있다.

내신 만점을 위한 탐구 자료

자료1 주체사상 »

1950년대부터 사용된 주체사상은 북한의 최고 통치 이념으로, 다른 어떤 이념이나 사상보다도 우위에 있으며 사회의 모든 부분을 구속하는 초법적인 힘을 가지고 있다. 즉 주체사상은 북한의 정치, 외교, 사회, 군사, 문화 등의 모든 분야의 유일한 지도 이념이다. 이러한 사실은 북한의 사회주의 헌법 제4조 "조선 민주주의 인민 공화국은 마르크스, 레닌주의를 우리나라의 현실에 창조적으로 적용한 조선 노동당의 주체사상을 자기 활동의 지도적 지침으로 삼는다."라는 규정과 당 규약 전문 "조선 노동당은 오직 위대한 수령 김일성 동지의 주체사상, 혁명 사상에 의해 지도된다."라는 규정에서 공식적으로 확인되고 있다.

자료2 선군 정치 »

선군 정치란 북한에서 군을 우선하는 통치 방식이다. 선군 정치는 1995년 초에 처음 논의되기 시작하였으며, 1998년 김정일의 국방 위원장 취임과 함께 북한의 핵심적 통치 방식으로 정착하였다.

'선군'은 군대를 앞세운다는 뜻으로, 군대를 정치와 경제뿐만 아니라 교육, 문화, 예술 및 사회 개발 · 운영의 전면에 내세워 효율성을 높이겠다는 군대 중시 사상이다. 선군 정치 아래에서 군은 당을 제치고 지도자와 사회주의 체제의 옹호를 위한 중심 기구로서의 역할을 수행하고 있다. 군부의 위상과 역할은 1998년 개정 헌법에서 국방 위원회가 최고 국가 권력 기관으로 부상하였고, 군부의 정치 참여가 헌법 조항을 통해 보장되었다.

자료3 장마당 »

장마당이란 장이 서는 곳으로, 북한에서 시장을 일컫는 말이다. 장마당은 1995년부터 1998년 사이의 '고난의 행군' 시기에 식량 부족 등 경제난으로 인해 생겨났다. 사실상 배급이 중단되고 굶어 죽는 사람들이 속출하는 가운데, 북한 주민들이 생존의 수단으로 서로 필요한 물품들을 거래하기 위해 만들어지기 시작한 것이다.

장마당은 한마디로 자본주의 시장 체제의 한 모습이다. 이 장마당이 북한에 처음 등장했을 때, 공식 명칭은 농민 시장이었다. 농민 스스로 재배한 농산물들을 물물 교환 방식으로 내다 파는 소시장 형태에서 시작된 것이다. 그러나 굶어 죽어 가는 이웃을 보면서 북한 사람들은 스스로 먹고 살기 위해 자연 발생적 시장 형태인 장마당을 이용하기 시작하였고, 1990년대 중반에 가서 현재 형태의 합법적인 상설 시장으로 공식화되었다.

자료4 북한의 집단주의 »

북한은 자기가 속한 조직과 집단, 그리고 인민을 위하여 자기의 모든 것을 바치는 견해 또는 사상을 '집단주의'라고 하는데, 이러한 집단주의는 개인주의와 대립하는 개념으로서 사회주의 사회의 기본 바탕이 되고 있다.

북한은 사회주의가 정착되면서 주민들의 생활도 집단주의적 사고와 생활 방식으로 변화했다. 북한의 유치원에서는 어린 시절부터 일상생활에서 개인주의와 이기주의를 버리고 집단주의 원칙을 실천해야 한다는 것을 도덕적 덕목으로 가르친다. 또 북한은 사회 전체를 하나의 가정으로 보고 수령−당−인민의 관계를 마치, 아버지−어머니−자녀의 관계와 같다고 하는 '사회주의 대가정론'을 강조하기도 한다. 이를 통해 북한의 전반적인 사회 속에서는 "하나는 전체를 위하여, 전체는 하나를 위하여"라는 구호가 생길 정도로 개인보다는 국가와 집단의 이익을 우선하는 집단의식이 자리 잡고 있다.

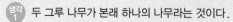 **교과서 활동 과제 풀이**

스스로 생각하기 | **한 뿌리의 남북한**   📎 교과서 99쪽

활동 목적 | **남북한은 휴전선으로 분단되었지만, 원래 한 뿌리였다는 것을 다시 생각해 봅시다.**

예시 답안 | **생각1** 두 그루 나무가 본래 하나의 나무라는 것이다.

생각2 역사와 문화가 같은 한 민족이었던 우리가 국력이 약해지고, 민족 내부의 갈등으로 분열했기 때문에 분단되었다.

생각 Tip | 동근이지(同根異枝)의 의미를 되새겨 보면서 남북 분단의 원인을 생각해 봐요!

생각 더하기 | **분단의 과정**   📎 교과서 100쪽

활동 목적 | **분단 과정을 정리하면서 분단 과정에서 얻을 수 있는 교훈을 생각해 봅시다.**

예시 답안 |

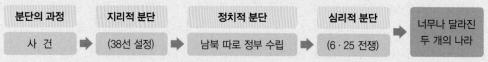

분단의 과정	지리적 분단	정치적 분단	심리적 분단	너무나 달라진 두 개의 나라
사 건	(38선 설정)	남북 따로 정부 수립	(6·25 전쟁)	

활동 Tip | 분단의 역사적 과정과 사건을 연계시켜 생각해 보세요.

생각 더하기 | **북한 이해의 시각**   📎 교과서 102쪽

활동 목적 | **북한은 협력의 대상이자 경계의 대상이라는 것을 생각해 봅시다.**

예시 답안 |

북한은 협력의 대상이다.	**북한은 경계의 대상이다.**
왜냐하면 우리의 형제이자 동포이며 통일의 대상이기 때문이다.	왜냐하면 우리의 평화를 위협하는 도발을 멈추지 않기 때문이다.

활동 Tip | 북한은 우리에게 이중적 존재라는 것을 잊지 마세요.

스스로 정리하기 | **분단 과정과 그 교훈**   📎 교과서 102쪽

활동 목적 | **분단이 주는 역사적 교훈을 깨닫고, 북한에 대한 바람직한 시각과 굳건한 안보 의식을 확립합시다.**

예시 답안 | **정리1** 서로 이해하고 협력하여 국력을 길러 가야 한다.

정리2 평화를 위협하는 북한 정권에 대한 경계를 풀지 않으며 굳건한 안보 의식을 지닌다. 그러면서도 교류와 협력을 통해 함께 발전해 가야 하는 통일의 대상이라는 시각을 갖는다.

정리 Tip | • 이번 주제를 공부하면서 자신의 생각이 어떻게 달라졌는지 확인해 볼까요?
• 분단 과정과 북한 체제의 특징, 북한 이해의 시각을 정리해 보고, 학습 목표를 제대로 성취하였는지 스스로 점검해 봐요.

정답 224쪽

1 다음과 같은 주장의 근거로 옳은 것은?

'비지어목 동근이지(批之於木同根異枝)'라는 고사성어가 있다. 형제를 나무에 비유하자면, 같은 뿌리에서 나온 다른 가지와 같다는 말이다. 남한과 북한도 마치 이와 비슷하다고 볼 수 있다.

① 일제 식민지에서 해방된 우리는 본래 하나였다.
② 우리나라는 여러 나라로 나누어진 적이 없었다.
③ 우리는 세계에서 유일한 단일 민족으로 살아왔다.
④ 우리는 다른 뿌리에서 나온 같은 가지에 해당한다.
⑤ 우리는 지금까지 같은 문화 전통을 유지하고 있다.

2 우리나라가 정치적으로 분단된 배경은?

① 6 · 25 전쟁
② 남북한 단독 정부 수립
③ 일본군 무장 해제선 획정
④ 항일 운동 단체들의 분열
⑤ 신탁 통치에 대한 찬반 논쟁

3 ★ 중요 한반도 분단 요인 중 나머지 넷과 성격이 다른 하나는?

① 일제 강점기에 민족의 독립 역량과 항일 단체들이 한곳으로 결집되지 못하였다.
② 1948년 8월과 9월에 남북한은 정부를 따로 수립하면서 분단의 고착화가 시작되었다.
③ 1950년 민족의 비극인 6 · 25 전쟁이 발발하면서 한 겨레가 서로를 적대하게 되었다.
④ 한반도는 지정학적 요충지로서 강대국들의 이해관계가 얽히면서 세력 대립의 각축장이 되었다.
⑤ 우리의 힘으로 독립을 이루지 못한 상태에서 신탁 통치 찬반 논쟁과 건국 준비 등에서 이념적으로 갈등하였다.

4 ★ 중요 북한의 정치에 대한 설명으로 옳은 것은?

① 국민을 나라의 주인으로 삼고 있는 체제이다.
② 북한 주민을 우선하는 통치 방식을 쓰고 있다.
③ 최고인민회의에 의해 지배되는 독재 체제이다.
④ 노동당 위원장의 1인 통치에 의해 운영되고 있다.
⑤ 외형적으로 삼권 분립 제도를 채택하고 있지 않다.

5 ★ 중요 북한 경제 체제에 대한 설명으로 옳은 것은?

① 경제의 대부분은 무역에 의존하고 있다.
② 생산량이나 가격 등이 시장에서 형성된다.
③ 원칙적으로 사유 재산을 인정하지 않는다.
④ 주민들은 배급에 의존하여 생존을 영위해 간다.
⑤ 생산에서부터 소비에 이르기까지 모든 경제 활동을 기업에서 통제한다.

6 북한의 장마당에 대한 설명으로 옳은 것은?

① 국가에서 공식적으로 운영하는 시장이다.
② 생존을 위해 자생적으로 생겨난 시장이다.
③ 시장 판매원들은 당에서 파견한 사람들이다.
④ 장마당 물건은 해외에서 구입하여 공급한다.
⑤ 장마당의 등장으로 자본주의가 정착되고 있다.

7 북한 언론에서 가장 중요하게 생각하는 것은?

① 체제 홍보
② 권력의 감시
③ 객관적 보도
④ 부조리 고발
⑤ 알 권리 충족

6 북한을 어떻게 이해하고 바라볼 것인가?

② 북한 주민들은 어떻게 살고 있고, 그들은 우리에게 어떤 존재인가?

◎ 교과서 103~107쪽

학습의 주안점
• 북한의 인권 상황
• 북한 주민들의 삶의 모습

---

1 북한의 인권 상황 자료1

(1) 생명권 침해: 공개 처형, 탈북자 불법 처형, 불법 구금❶ 및 체포, 고문, 불공정한 재판 절차 등

(2) 정치적 권리 침해 ┌ Tip 거주 이전의 자유, 종교의 자유, 여행의 자유 등이 허용되지 않고 있어.
① 개인적인 자유는 허용되지 않으며, 정치적 권리도 광범위하게 제한됨.
② 출신 성분과 당성❷에 따라 차별받고 있어 평등권도 보호받지 못하고 있음.

(3) 생존권❸ 위협
① 경제난으로 배급이 중단되면서 주민들은 식량을 구하지 못해 생존을 위협받음.
② 북한 주민들은 몸이 아파도 제대로 치료를 받지 못하는 상황에 있음.

2 북한 주민들의 삶의 모습 자료2 자료3

(1) 의식주 생활
① 의: 1990년대 중반에 배급제가 중단된 후 개인적으로 구입해서 착용함.
② 식: 배급이 중단되면서 일반 주민들은 텃밭이나 장마당에 의존하고 있음.
③ 주: 주택을 국가로부터 배정받아 매달 사용료를 내는 임대❹ 형식으로 살고 있음.

(2) 가정생활: 가정은 혈연의 의미뿐 아니라 사회주의 혁명과 국가를 위해 존재해야 하는 집단으로 규정. 주민들은 가정을 소중히 여기고 가족 간의 정을 중시함.

(3) 교육: 12년제 무상❺ 의무 교육, 농사 지원이나 건설 현장의 노력 봉사에 참여

(4) 조직 생활: 어릴 때부터 노인에 이르기까지 반드시 어느 한 조직에 소속되어 생활, 소속 단체를 통해 정치 학습, 생활 총화❻ 등 각종 사상 학습에 참여

(5) 종교 생활: 종교의 자유를 헌법에서 보장하고 있지만 실제적으로는 제한. 경전이나 종교 상징물을 개인이 소유할 수 없으며, 이를 어겼을 때 처벌을 받음.

❶ 구금
피고인이나 피의자를 교도소나 구치소에 가두어 신체의 자유를 구속하는 강제 처분

❷ 당성
당원이 자신이 속한 당의 이익을 위하여 거의 무조건 가지는 충실한 마음과 행동

❸ 생존권
살아 있을 권리

❹ 임대
돈을 받고 자기의 물건을 남에게 빌려줌.

❺ 무상
아무런 대가나 보상이 없음.

❻ 생활 총화
소속된 조직에서 생활 반성을 하는 시간

🗨 기본 확인 문제

◎ 정답 224쪽

1 다음 내용이 옳으면 ○표, 틀리면 ×표를 하시오.
　① 북한의 인권 상황은 매우 심각한 실정이다. 　（　　）
　② 북한은 12년제 무상 의무 교육을 실시하고 있다. （　　）
　③ 북한 헌법에 신앙의 자유를 보장하지 않고 있다. （　　）

2 북한이 1990년대 심각한 경제난을 겪으면서 배급을 사실상 중단한 시기를 무엇이라 하는가?

3 북한에서 국가 정책에 반대하는 말을 한 사람들이 주로 가게 되는 곳은 어디인가?

4 다음 빈칸에 들어갈 알맞은 말을 쓰시오.
　① 북한의 사찰과 교회는 선전과 □□□ 목적으로 이용된다.
　② 북한은 집단주의 원칙에 따라 어릴 때부터 노인에 이르기까지 반드시 어느 한 □□에 소속되어 생활해야 한다.

📖 내신 만점을 위한 탐구 자료

자료1 정치범 수용소 ≫

현재 북한에는 5개의 정치범 수용소가 있으며 최소 8만 명에서 최대 12만 명의 정치범을 수용하고 있는 것으로 알려지고 있다. 수용자들은 특별 독재 대상 구역에 들어가면 공민증을 압류당하고 수용된 날로부터 모든 기본 권리를 박탈당하며, 가족 · 친지의 면회가 금지되는 것은 물론 연락도 불가능하게 된다. 수용자들은 구역 안에서 매일 12시간 이상 강제 노동을 해야 하며, 밤에는 의무적으로 1시간 이상 자아비판을 하고 사상 개조 학습을 받아야 한다.

이들이 하는 작업은 주로 석탄과 광물 갱도 작업과 벌목 · 개간 등 중노동이며, 철저하게 자급자족 생활을 영위하고 있다. 식량이 배급되지 않기 때문에 수용자들 대다수가 영양실조와 원인을 알 수 없는 각종 질병에 시달리고 있다.

자료2 고난의 행군 ≫

북한에서 1990년대 중반 최악의 식량난으로 많은 주민들이 굶어 죽게 되자, 김일성의 항일 활동 시기 어려웠던 상황을 상기시켜 위기를 극복하려고 채택한 구호가 '고난의 행군'이다. 1938년 12월부터 1939년 3월까지 김일성이 이끄는 빨치산이 만주에서 혹한과 굶주림을 겪으며 일본군의 토벌 작전을 피해 100여 일간 행군한 데서 유래했다. 이는 '자력갱생, 간고분투의 정신, 어떠한 어려운 역경 속에서도 패배주의와 동요를 모르는 낙관주의 정신, 불굴의 혁명 정신'으로 정의된다. 항일 무장 투쟁을 건국 이념으로 삼고 있는 북한에서 '고난의 행군'은 중요한 역사적 기억이었다. 고난의 행군은 1956년 말부터 시작된 천리마운동 시기에 처음으로 강력한 사상 · 교양 학습 수단으로 등장했다.

자료3 북한의 교육 ≫

북한은 무상 의무 교육을 사회주의 체제의 우월성을 드러내는 제도라고 주장하고 있다. 김정은 집권 이후 북한은 2013년부터 4년제 소학교 과정을 1년 연장하여 12년제 의무 교육을 2016년부터 본격 시행하고 있다. 그러나 1990년 국가 배급제 붕괴 등 경제난이 심화되면서 북한의 무상 의무 교육은 수업료만 없을 뿐 교과서, 학용품, 교복 등 학교생활에 필요한 물품 뿐 아니라 학교 건물 관리에서 교육 기자재, 연료 등에 이르기까지 학교 운영에 소요되는 각종 경비가 학부모 부담으로 이루어지고 있다.

🔍 교과서 활동 과제 풀이

스스로 생각하기	북한 주민의 생활	⏵교과서 103쪽

활동 목적 **북한의 아동과 가정생활의 모습을 통해 북한 주민들의 삶을 객관적으로 이해하고 인권 상황을 탐색해 봅시다.**

예시 답안

💬 생각 1 북한 주민들의 삶을 감시하고 통제하는 감시 체제를 말한다.

💬 생각 2 인간의 존엄성이 보장되고 자아를 실현할 수 있는 세상에서 살아가는 것이 진정한 행복이다.

생각 Tip 북한 주민들은 우리와 다른 독재 체제에서 생활한다는 것을 기억하세요.

올림픽에서 하나 된 남북한 *교과서 106쪽*

활동 목적　**북한 주민들은 우리의 형제이자 동포이며 하나 되어야 할 통일의 대상이라는 의식을 확립합시다.**

예시 답안

북한 친구에게 전해 주고 싶은 말	북한 친구에게서 듣고 싶은 말
우리가 힘을 모으면 더 큰 성과를 얻을 수 있겠구나 하고 생각했어. 덕분에 나도 자신감이 생겼어. 오늘 우리의 만남이 통일을 이루는 데 보탬이 되었으면 좋겠어. 그리고 앞으로 이와 같은 국제 대회에 남북한이 하나가 되어 참가했으면 좋겠어.	우리가 함께 만나니 정말 좋아. 우리의 힘으로 되는 것은 아니지만 앞으로는 다른 팀으로 만나지 말고 같은 팀에서 함께 뛰었으면 좋겠어. 그리고 우리의 이러한 노력이 통일을 이루어 나가는 데 작은 디딤돌이 되었으면 해.

활동 Tip　친구들과 함께 실제 영상을 보면서 생각해 보세요.

생각을 나누는 모둠 활동

북한 이해와 통일 한국 게시판 프로젝트　*교과서 107쪽*

활동 목적　**통일을 이루기 위해 우리가 북한을 어떻게 이해해야 하는지 생각해 봅시다.**

예시 답안

예 시	우리 모둠 게시판 제작 계획	

예 시		
	주　제	북쪽의 먹을거리 탐구
	표　어	남북한 음식의 공통점과 차이점은 무엇일까?
	소 주 제	• 남북한 먹을거리의 공통점 • 기후에 따른 남북한 먹을거리의 차이점 • 남한에서 접할 수 있는 북한 음식 종류
	구성 계획	각 소주제를 대표할 수 있는 음식 사진들을 크게 배치하고 그에 대한 설명을 한다. 각 모둠원들의 간단한 소감을 소주제별로 배치한다.

활동 Tip　북한을 이해하는 데 도움이 되는 주제를 설정해 모둠별로 결과물을 만들어 보세요.

스스로 정리하기　**북한 주민들의 생활 모습**　*교과서 107쪽*

활동 목적　**북한 주민들의 삶을 평가해 보고 우리가 북한 주민들을 도울 수 있는 방법을 탐색해 봅시다.**

예시 답안　**정리 1**　계층에 따라서 차별이 크며, 전체적으로 자유, 평등, 인권의 가치가 침해된 삶을 살아가고 있다.

정리 2　북한의 인권 상황에 관심을 가지고 이를 개선하려는 활동에 동참한다.

정리 Tip　• 이번 주제를 공부하면서 자신의 생각이 어떻게 달라졌는지 확인해 볼까요?

• 북한의 인권 상황과 북한 주민들의 생활 모습을 알아보고, 학습 목표를 제대로 성취하였는지 스스로 점검해 봐요.

주제별 평가 문제

● 정답 224쪽

1 북한의 인권 상황에 대한 설명과 거리가 먼 것은?

① 북한이 인권을 소중히 여기도록 국제 사회에서 변화를 유도해야 한다.
② 북한 주민들이 기본적인 생활은 유지할 수 있도록 도움을 주어야 한다.
③ 북한에서는 출신 성분에 관계없이 모든 주민들을 평등하게 대하고 있다.
④ 우리는 국제 사회와 협력하여 북한 인권 문제에 지속적인 관심을 보여야 한다.
⑤ 인류의 보편적인 가치 기준에서 보면 북한의 인권 상황은 매우 심각한 실정이다.

2 ★ 중요 다음 글을 통해 알 수 있는 것은?

> 거주 이전의 자유, 종교의 자유, 여행의 자유 등 개인의 자유는 허용되지 않으며, 정치적 권리도 광범위하게 제한되고 있다. 국가 정책에 반대하는 말을 한 사람은 정치범 수용소로 보내지기도 한다. 이뿐만 아니라 여전히 출신 성분과 당성에 따라 차별받고 있어 평등권도 보호받지 못하고 있다.

① 북한 주민들은 정치에 대한 관심이 없다.
② 북한은 주민들의 정치적 권리를 무시한다.
③ 북한 주민들은 자유를 염원하지 않고 있다.
④ 북한 주민들은 당이 하는 일에 적극 찬성한다.
⑤ 북한 주민들은 자유권보다 평등권을 중시한다.

3 북한의 의생활에 대한 설명으로 옳은 것은?

① 국가에서 의류를 원활하게 공급하고 있다.
② 장마당 등에서 개인적으로 구입해서 입는다.
③ 해방 이후 지금까지 배급제를 실시하고 있다.
④ 옷 모양과 색상은 점점 획일화되어 가고 있다.
⑤ 의류 선택 기준은 실용성이 아니라 디자인이다.

4 북한의 출신 성분에 대한 설명으로 옳은 것은?

① 북한은 출신 성분의 이동이 자유로운 사회이다.
② 북한의 출신 성분은 개인의 노력에 따라 좌우된다.
③ 북한은 직업이나 소득 대우 등에 출신 성분에 따른 차이가 없다.
④ 북한은 어떤 집안에서 태어났느냐에 따라 개인의 운명이 결정된다.
⑤ 북한은 주민들의 복지 혜택 확대를 위해 출신 성분을 구분한다.

5 ★ 중요 다음 글에서 엿볼 수 있는 북한 체제의 특징은?

> 북한은 어릴 때부터 노인에 이르기까지 반드시 어느 한 조직에 소속되어 생활해야 한다. 북한 주민들은 자신이 속한 단체를 통해 정치 학습, 생활 총화 등 각종 사상 학습에 참여한다.

① 합리주의　　　② 자유주의
③ 개인주의　　　④ 편의주의
⑤ 집단주의

6 북한의 문화생활에 대한 설명과 거리가 먼 것은?

① 북한에서는 남한의 대중문화와 접촉하는 것을 적극적으로 권장하고 있다.
② 북한에도 다양한 문화와 예술이 있는데 대부분 체제 선전 수단으로 이용된다.
③ 북한 드라마의 중심은 김일성 가계의 우상화와 항일 혁명 투쟁에 관한 것이다.
④ 북한 사람들은 행사가 있거나 여러 사람이 모였을 때 악기를 연주하면서 춤과 노래를 즐긴다.
⑤ 최근에는 남한 가요나 드라마를 듣고 보는 데 그치지 않고 직접 따라 하는 주민들이 늘고 있다.

③

북한 이탈 주민의 생활을 통해 본 통일의 과제는 무엇인가?

교과서 108~111쪽

학습의 주안점

• 북한 이탈 주민들이 겪는 어려움
• 북한 이탈 주민들에 대한 지원
• 북한 이탈 학생들에 대한 도움

1 북한 이탈 주민들의 고충

(1) 북한 이탈 주민의 의미

① 북한 이탈 주민의 의미: 북한에 주소, 가족, 직장 등을 두고 있는 사람으로서 북한을 벗어난 후 외국 국적을 취득❶하지 않은 사람

② 북한 탈출 배경: 굶주림과 경제적 어려움 해소, 자유로운 삶, 자아실현 등

(2) 북한 이탈 주민들의 고충 [자료1]

① 경제적 어려움: 자본주의 사회의 치열한 경쟁에 적응해야 하는 문제, 특정 자격이나 경험을 인정받지 못해 직장을 구할 때 겪는 어려움

② 심리적 어려움: 북한에 있는 가족에 대한 그리움과 죄책감❷, 새로운 환경에 대한 두려움, 주위의 편견과 차별에 따른 상처

③ 문화적 어려움: 북한과 다른 사고방식과 생활 방식, 외래어 습득❸의 어려움

2 북한 이탈 주민들의 정착 지원 [자료2]

[Tip] 인도적 차원의 문제일 뿐 아니라 통일 준비 차원에서도 의미가 커.

(1) 개인적 차원: 편견을 버리고 배려하고 포용❹하는 자세를 가져야 함.

(2) 정부 차원: 경제적 자립을 위한 직업 훈련, 사회 적응 교육, 취업 알선❺ 등

3 북한 이탈 학생들의 어려움과 우리의 자세

(1) 북한 이탈 학생들이 겪는 어려움: 남한의 교육 제도와 교육 과정에 적응하는 데 따른 어려움, 편견과 차별, 미흡한 지원, 가치관과 정체성의 혼란 등

(2) 북한 이탈 학생들을 돕기 위한 노력

① 개인: 편견을 버리고 이들이 겪는 어려움에 공감하며 진정한 친구가 되어야 함.

② 학교: 학습 부진 보충, 학교를 중도 포기하지 않도록 관심과 격려를 해야 함.

③ 사회: 체계적인 지원 제도 마련, 북한 이탈 청소년 전문가 양성에 관심

❶ 취득
자기 것으로 만들어 가짐.

❷ 죄책감
저지른 잘못에 대하여 책임을 느끼는 마음

❸ 습득
학문이나 기술 따위를 배워서 자기 것으로 함.

❹ 포용
남을 너그럽게 감싸 주거나 받아들임.

❺ 알선
남의 일이 잘되도록 주선하는 일

🗣️ 기본 확인 문제

정답 224쪽

1 다음 내용이 옳으면 ○표, 틀리면 ×표를 하시오.

① 북한 체제에 싫증을 느낀 사람은 누구나 자유롭게 북한을 이탈하고 있다. ( )

② 북한 이탈 주민들 가운데 특히 어려움을 겪는 사람은 학교생활을 하는 청소년들이다. ( )

③ 북한 이탈 학생들은 입국 초기부터 사회 진출까지 체계적으로 지원하는 제도를 만들어야 한다. ( )

2 탈북 과정에서 교육을 제대로 받지 못해서 생긴 학습 부진을 보충하는 데 필요한 교육은 무엇인가?

3 다음 빈칸에 들어갈 알맞은 말을 쓰시오.

① 북한 이탈 주민들에 대한 [ ][ ]을 버리고 포용해야 한다.

② 북한 이탈 주민들은 사회주의 체제에서 살았기 때문에 자본주의 사회의 치열한 [ ][ ]에 적응하지 못한 경우도 있다.

📖➕ 내신 만점을 위한 탐구 자료

자료1 북한 이탈 주민 ≫

1990년대 중반에 접어들면서 식량난 심화와 함께 북한 이탈 주민의 국내 입국이 증가했으며, 입국 경로도 다양화되고 가족을 동반한 집단 탈북 경향을 보이고 있다. 북한 이탈 주민의 입국 규모는 1990년대 초반에는 연 10명 내외로 비교적 적은 인원이었으나 1990년대 중반부터는 연 50명을 넘었고, 1990년대 후반에 들어서는 100명 이상으로 증가했다. 특히 2002년에는 연간 입국 인원이 1,000여 명에 이르렀고, 2006년에는 2,000명을 넘어섰다. 2016년 11월에 북한 이탈 주민은 3만 명을 넘었으며 2016년 12월 말 현재 30,211명에 이르렀다.

북한 이탈 주민 국내 입국 인원 현황

(통일부)

해외에서 은신 중인 탈북자는 적게 잡아도 수십만 명으로 추정되고 있다. 그들은 언제 중국 공안에 붙잡혀 북한으로 끌려갈지 모른다는 공포 속에서 하루하루를 보내고 있다. 북한 내부 문서에 의하면 북한 당국은 탈북하다 잡힌 주민을 현장 사살하고 있으며, 김정은 집권 후 주민들의 탈출을 봉쇄하는 데 총력을 기울이고 있다.

자료2 북한 이탈 주민의 정착 지원의 중요성 ≫

• 통일 후 사회 통합에 기여할 수 있다. 통일은 남북한 주민이 편견을 극복하고 신뢰를 회복하는 사회 통합 과정이라고도 할 수 있다. 통일을 대비하기 위해 남북한 주민은 '마음의 통일'을 달성할 수 있도록 준비를 해야 한다. 이런 점에서 북한 이탈 주민은 통일을 대비하는 상호 교류와 사회 통합의 연습 기회를 제공한다고 볼 수 있다. 우리가 소수의 북한 이탈 주민과 더불어 살아갈 수 없다면, 통일 후 다수의 북한 주민들과 살아갈 수 없을 것이다.

• 통일을 대비하는 소중한 인적 자원이 양성될 수 있다. 북한 이탈 주민은 우리의 삶의 방식을 북한 주민들에게 전달하는 매개자 역할을 할 수 있으며, 통일 후 북한 주민들의 적응을 돕는 조력자로서의 역할도 할 수 있다. 따라서 북한 이탈 주민의 성공적 정착은 인도적 차원의 문제일 뿐 아니라 통일 준비 차원에서도 큰 의미가 있다.

📘 교과서 활동 과제 풀이

| 스스로 생각하기 | 북한 이탈 주민들이 겪는 어려움 | 교과서 108쪽 |

활동 목적 **북한 이탈 주민들이 겪는 다양한 어려움을 탐색하고 공감합시다.**

예시 답안

🔵 생각1 쓰는 말이 다른 경우가 있기 때문에 학교생활이나 직장 생활 속에서 의사소통에 어려움을 겪어 적응하기 어렵다.

🔵 생각2 북한에서 살던 상황과 다른 환경에서 살다 보니 여러 가지 부적응 때문에 좌절감을 느끼거나 사회적 편견 때문에 소외감을 느끼는 경우가 있다.

생각 Tip 북한 이탈 주민들이 출연하는 프로그램이나 수기(手記) 등을 통해 이들이 겪는 어려움을 생각해 봐요!

북한 이탈 주민들의 탈북 경로

🔗교과서 109쪽

활동 목적 **어렵고 험난한 과정을 겪으면서도 북한 주민들이 탈북을 시도하는 이유를 탐구해 봅시다.**

예시 답안 **1. 북한 주민들이 이렇게 먼 길을 돌아서 북한을 탈출하는 까닭은 무엇일까?**

- 북한을 탈출하는 것을 막기 위해 북한 경비대가 삼엄하게 휴전선을 지키고 있기 때문에 먼 길을 돌아 외국을 통해 남한으로 들어올 수밖에 없다.

2. 우리 또래 청소년들이 이렇게 탈출하며 올 때까지 어떤 어려움이 있었을까?

- 남한에 입국하기 전에 다른 나라에서 경찰들에게 붙잡혀 다시 북한으로 잡혀 돌아가게 되는 것은 아닌지 걱정하며 불안과 두려움 속에서 하루하루를 보냈을 것이다.

활동 Tip 북한 이탈 주민들의 경험담을 참고해 봐요.

통일 전망대 가상 여행

🔗교과서 110쪽

활동 목적 **각 지역의 통일 전망대들을 조사하며, 분단의 현실을 깨닫고 평화 통일을 염원하는 자세를 가집시다.**

예시 답안 **우리 모둠이 찾은 통일 전망대**

- 우리 모둠이 찾은 전망대: 오두산 통일 전망대(위치: 경기도 파주시 탄현면 필승로 369번지)
- 전망대 소개: 드넓은 임진강을 바라볼 수 있으며, 안개가 없는 날은 황해도의 북한 주민들이 살고 있는 실제 마을은 물론 농사일을 하고 있는 주민들의 모습도 볼 수 있다.

(우리나라 통일 전망대: 경기도 연천 열쇠 전망대, 경기도 연천 태풍 전망대, 강원도 고성 통일 전망대 등)

활동 Tip 모둠 구성원들과 함께 가고 싶은 통일 전망대를 찾아보세요.

스스로 정리하기 **북한 이탈 주민 지원과 통일 준비**

🔗교과서 111쪽

활동 목적 **북한 이탈 주민들이 남한 사회에서 겪는 어려움에 공감하고, 북한 이탈 주민들이 통일 과정에서 어떤 역할을 할 수 있는지 탐색해 봅시다.**

예시 답안 **정리 1** 자본주의 사회의 치열한 경쟁에 적응하지 못하여 경제적 약자로 사는 경우가 많다. 심리적 죄책감, 외로움, 그리고 편견에 따른 상처와 좌절감을 겪을 수 있다. 의사소통의 어려움과 낯선 문화에 적응하지 못할 수 있다.

정리 2 통일 이후에도 북한 주민과 남한 주민의 통합이 가장 중요하다. 이런 점에서 우리 사회 속에 먼저 온 북한 주민인 북한 이탈 주민들을 지원하는 것은 통일을 준비하는 일과 같다. 북한 이탈 주민 지원 정책을 통해 통일 한국의 사회 통합 과정을 대비하는 것이다.

정리 Tip • 이번 주제를 공부하면서 자신의 생각이 어떻게 달라졌는지 확인해 볼까요?
• 북한 이탈 주민들의 겪는 어려움에 공감하며 이들에 대한 지원 방안을 정리해 보고, 학습 목표를 제대로 성취하였는지 스스로 점검해 봐요.

1 북한 이탈 주민에 대한 설명으로 옳지 <u>않은</u> 것은?

중요

① 굶주림이나 경제적 어려움에서 벗어나고자 북한을 이탈한 사람도 있다.

② 북한 이탈 주민들이 북한을 탈출하여 남한에 정착하는 까닭은 여러 가지이다.

③ 북한 이탈 주민들은 모두 꿈에 그리던 남한에서 자유롭고 행복하게 살고 있다.

④ 북한의 강압적인 독재 체제와 폐쇄적인 사회로부터 자유를 찾고 적극적으로 자아를 실현하고자 탈북한 사람들도 있다.

⑤ 북한 이탈 주민이란 북한에 주소, 가족, 직장 등을 두고 있는 사람으로서 북한을 벗어난 후 외국 국적을 취득하지 않은 사람을 말한다.

2 북한 이탈 주민들이 겪은 경제적 어려움과 거리가 <u>먼</u> 것은?

① 적은 임금으로 어렵게 살아가는 경우가 많다.

② 구직을 위한 교육이나 훈련을 받지 못하고 있다.

③ 안정된 직장을 구하는 데 많은 어려움을 겪는다.

④ 자본주의 사회의 치열한 경쟁에 적응하지 못한다.

⑤ 북한에서 취득한 자격이 남한에서 인정받지 못하는 경우가 많다.

3 북한 이탈 주민들이 겪는 문화적 어려움에 해당하는 것은?

① 가족들과 떨어져 지내야 하는 어려움을 겪는다.

② 주위 사람들의 편견과 차별에 따른 상처를 받는다.

③ 남한의 새로운 교육 환경에 대한 두려움을 갖는다.

④ 외래어가 많은 남한 말을 익히는 데 어려움을 겪는다.

⑤ 유용했던 특정 자격이나 경험이 남한에서 제도적으로 인정받지 못한다.

4 북한 이탈 주민들이 겪는 어려움 중 다음 글에서 이야기하는 것은?

북한 이탈 주민들은 북에 두고 온 가족에 대한 그리움과 죄책감, 새로운 환경에 대한 두려움, 주위의 편견과 차별에 따른 상처 등으로 어려움을 안고 있다.

① 심리적 어려움　　② 정치적 어려움

③ 경제적 어려움　　④ 물질적 어려움

⑤ 문화적 어려움

5 북한 이탈 주민을 돕는 태도로 바람직하지 <u>않은</u> 것은?

중요

① 경제적 자립을 할 수 있도록 다양한 지원을 한다.

② 편견을 버리고 배려하고 포용하는 자세를 가진다.

③ 직업 훈련, 사회 적응 교육, 취업 알선 등의 방안을 마련한다.

④ 남한 사회의 새로운 가치관과 민주주의 체제에 적응할 수 있도록 안내한다.

⑤ 북한 이탈 주민들이 일하지 않고도 행복한 생활을 할 수 있도록 지원한다.

6 다음과 같은 주장에 대해 가장 타당한 근거는?

북한 이탈 주민들은 꿈에 그리던 남한에서 행복하게 살고 있을까? 꼭 그렇지는 않다. 이들은 남한 사회에 정착하는 과정에서 다양한 어려움을 겪고 있다.

① 교육이나 직업 훈련 등에서 차별받는다.

② 출신에 따라 자아실현의 기회가 제한된다.

③ 자본주의 사회의 경쟁에 적응하기 어렵다.

④ 노력하지 않으면 좋은 결과를 얻기 어렵다.

⑤ 북한에 두고 온 가족을 탈출시키기 어렵다.

01 다음 글을 통해 알 수 있는 것은?

> 일제 강점기에 민족의 독립 역량과 항일 단체들이 한 곳으로 결집되지 못하였다. 우리의 힘으로 독립을 이루지 못한 상태에서 신탁 통치 찬반 논쟁과 건국 준비 등에서 이념적으로 갈등하면서 분열되었다. 결국 1948년 8월과 9월에 남북한은 정부를 따로 수립하면서 분단의 고착화가 시작되었다. 2년 후에 민족의 크나큰 비극인 6·25 전쟁이 발발하면서 한 겨레가 서로를 적대하게 되었다.

① 우리 민족이 분단된 것은 북한의 잘못이다.
② 우리 민족은 단합된 역사를 갖지 못하였다.
③ 남북한의 통일을 이룰 수 있는 대상이 아니다.
④ 한반도가 분단된 데는 우리 내부의 문제도 있다.
⑤ 남북한은 역사적으로 서로 적대시할 수밖에 없다.

02 북한의 선군 정치에 대한 설명으로 옳은 것은?

중요
① 군사 장비를 현대화하려는 계획이다.
② 군대를 통해 평화를 정착시키려는 방식이다.
③ 군대를 혁명의 기둥으로 삼는 통치 방식이다.
④ 북한 군대의 복무 기간을 줄이려는 노력이다.
⑤ 군인들에게 선한 마음을 갖게 하려는 운동이다.

03 다음 글에서 설명하고자 하는 것은?

> 북한은 1990년대의 경제난과 거듭된 자연재해를 거치면서 체제를 정상적으로 운영할 수 없게 되었다. 이에 따라 주민들은 자생적으로 생겨난 시장 등에 의존하여 생존을 영위해 나갈 수밖에 없었다.

① 오일장　　　　　② 장마당
③ 홈쇼핑　　　　　④ 면세점
⑤ 국영 상점

04 (주관식) 북한의 국내외 정책의 기본 방침으로, 정치·경제·군사 분야에서 주체성을 강조하는 사상을 무엇이라고 하는지 쓰시오.

05 (주관식) 다음과 같은 경제 체제를 무엇이라 하는지 쓰시오.

> 원칙적으로 사유 재산을 인정하지 않고, 생산에서부터 소비에 이르기까지 모든 경제 활동을 당에서 통제한다. 북한 경제 체제의 이러한 특성은 경제의 비효율성과 공급 부족을 낳았다.

06 북한의 '사회주의 대가정'에 대한 설명으로 옳지 않은 것은?

① 북한에서는 가정의 본래적 역할은 무시하고 있다.
② 수령을 어버이로, 주민들을 수령의 자식으로 규정한다.
③ 가정을 사회주의 대가정 건설에 이바지하는 단위로 규정하고 있다.
④ 국가와 주민 전체를 하나의 수령 밑에 복종하게 하는 가부장적 통치 원리이다.
⑤ 부모는 자녀를 잘 길러 그들을 공산주의적 새 인간으로 키워야 한다는 것을 강조하고 있다.

07 북한의 교육 목표에 해당하는 것은?

중요
① 자율적이고 통합적인 인격을 형성한다.
② 민주 시민으로서 자질과 태도를 갖춘다.
③ 배려와 나눔을 실천하는 인간을 양성한다.
④ 인간의 삶에 필요한 규범을 예절을 익힌다.
⑤ 체제에 복종하고 충성하는 인간을 양성한다.

★
08 '북한 주민들은 정치적 권리를 보장받지 못하고 있다.'라
중요 는 주장의 근거로 가장 옳은 것은?

① 고난의 행군 이후 배급 제도가 점차 붕괴되고 있다.

② 의식주를 해결하지 못하는 사람들이 늘어나고 있다.

③ 불법 처형과 같은 불공정한 재판이 이루어지고 있다.

④ 군중이 모인 자리에서 재판 형식으로 공개 처형을 하기
도 한다.

⑤ 국가 정책에 반대하는 사람은 정치범 수용소로 보내지
기도 한다.

09 북한의 주생활에 대한 설명으로 옳은 것은?

① 주민들은 위한 편리한 주택 건설에 노력하고 있다.

② 주민들이 쾌적한 환경에서 살고자 전원주택 건설 열풍
이 불고 있다.

③ 국가로부터 배정받아 매달 사용료를 내는 임대 형식으
로 살고 있다.

④ 개인 소유가 허용되기 때문에 주민들이 직접 주택을 구
입하여 사용하고 있다.

⑤ 주택 가격이 매년 상승하기 때문에 일반 주민들이 구입
하는 데 많은 어려움을 겪고 있다.

10 주관식 북한에서 진학이나 취업에서 차별의 기준이 되는
것 두 가지는 무엇인지 쓰시오.

11 서술형 다음과 같은 주장을 하는 이유가 무엇인지 두 가
지 서술하시오.

> 북한 이탈 주민들 가운데 특히 어려움을 겪는 사람은 학
> 교생활을 하는 청소년들이다.

12 다음 탈북 이동 경로를 보고 토론을 하였다. 옳은 주장
을 한 사람을 모두 고르면?

탈북자 주요 탈북 이동 경로

① 중국 경유
② 중국~동남아(태국·
라오스·베트남 등)
경유
③ 중국~몽골 경유
상당수 탈북자들, 동
남아를 통해 한국 등
제3국으로 이동

① 민경: 북한은 주민들의 탈북을 방관하고 있다.

② 지석: 북한에서는 해외여행의 자유를 허용하고 있다.

③ 혜영: 남한에서는 북한 이탈 주민들을 쉽게 받아들
이지 않고 있다.

④ 수진: 북한 이탈 주민들은 수많은 위험을 무릅쓰고
남한으로 넘어온다.

⑤ 경호: 남북한 주민들이 자유롭게 왕래하기 위해서는
하루 빨리 통일을 이루어야 한다.

★
13 다음 글을 통해 알 수 있는 것은?
중요

> 고○○ 씨는 평안남도 평성 의대를 졸업하고 의사 생
> 활을 5년 이상 하던 스물아홉 살 때 두만강을 건너 중국
> 으로 탈북에 성공했다. 그리고 중국에서 수출용 컨테이
> 너를 통해 한국으로 탈출하여 하나원에서 한국 사회 적
> 응 교육을 받았다. 많은 어려움을 이겨 내고 열심히 공부
> 하여 지금은 대학 병원에서 외과 의사로 근무하고 있다.

① 젊은 시절이 아니면 북한 탈출에 성공하기 어렵다.

② 북한 이탈 주민들이 남한에 입국하는 방법은 다양하다.

③ 북한 탈출에 성공하기 위해서는 치밀한 계획을 세워야
한다.

④ 남한에 정착하는 북한 이탈 주민들은 모두 성공적으로
정착하고 있다.

⑤ 북한 이탈 주민들 중에는 남한에서 자신의 꿈을 실현한
사람들도 적지 않다.

① 도덕적으로 바라볼 때 통일은 왜 필요한가?

🔗 교과서 115~118쪽

학습의 주안점

• 분단의 문제점
• 통일의 의미
• 통일의 필요성

1 분단으로 인한 문제점

(1) 이산가족❶의 아픔: 가족의 생사도 모른 채 오랫동안 떨어져 살고 있음. 자료1

(2) 전쟁에 대한 두려움: 전쟁에 대한 두려움을 안고 살아간다는 것은 남북한 모두에게 정신적으로 큰 부담이 됨. → 국가 이미지에도 부정적 영향을 줌.

(3) 막대한 국방비: 군사적 대치❷ 상태에 있기 때문에 경제 발전과 복지에 쓸 수 있는 막대한 돈을 국방비로 지출하고 있음.

(4) 자원의 비효율적 이용: 남한의 뛰어난 기술력과 북한의 자원을 효율적으로 활용하지 못하고 있음.

(5) 섬나라와 같은 어려움: 우리나라는 대륙과 연결된 국가이지만 분단으로 인해 섬나라와 다를 바 없음.
┌─Tip─ 여행과 무역에서 제약을 받고 있어.

2 통일의 도덕적 필요성

(1) 통일의 의미 자료2

① 통일의 의미: 남북한이 한마음으로 통합하여 하나의 국가 공동체를 이룬 상태

② 진정한 통일: 지리적으로 한반도가 하나로 이어지고, 정치·경제 제도와 체제가 하나가 되며, 심리적으로는 이질화❸된 문화가 통합되고, 서로 다름을 존중하면서도 우리는 하나라는 의식을 가질 때 진정한 통일을 이루었다고 할 수 있음.

(2) 통일의 도덕적 필요성 자료3

① 실향민❹과 이산가족, 북한 이탈 주민의 심리적 고통을 덜어 주어야 함.

② 북한의 우리 동포❺들에게 인권과 자유가 보장되는 세상에서 살게 해 주어야 함.

③ 우리 민족의 역사와 전통의 동질성을 회복하고, 민족 공동체를 이루어야 함.

④ 전쟁의 공포에서 벗어나 모두가 인간답고 평화로운 삶을 살아가기 위해서임.

---

❶ 이산가족
남북 분단 따위의 사정으로 이리저리 흩어져서 서로 소식을 모르는 가족

❷ 대치
서로 맞서서 버팀.

❸ 이질화
바탕이 달라짐. 또는 바탕이 달라지게 함.

❹ 실향민
고향을 잃고 타향에서 지내는 사람

❺ 동포
같은 나라 또는 같은 민족의 사람을 다정하게 이르는 말

📖 기본 확인 문제

🔗 정답 225쪽

1 다음 내용이 옳으면 ○표, 틀리면 ×표를 하시오.
① 전쟁 없이 살 수 있다면 통일을 하지 않아도 된다.( )
② 분단된 우리는 섬나라와 다를 바 없이 살고 있다. ( )
③ 도덕적인 면에서는 통일의 필요성을 찾기 어렵다.( )

2 분단으로 인해 경제 발전과 복지에 쓸 수 있는 막대한 돈을 소비하고 있는 부분은 어디인가?

3 분단으로 인해 부모 형제와 헤어져 살아야 하는 아픔을 지닌 가족을 일컫는 말은 무엇인가?

4 다음 빈칸에 들어갈 알맞은 말을 쓰시오.
① 통일은 남북한이 하나의 ☐☐ ☐☐☐를 이룬 것을 말한다.
② 우리는 분단으로 인해 언제 일어날지도 모를 ☐☐에 대한 두려움을 안고 살아간다.

📖➕ 내신 만점을 위한 탐구 자료

자료1 이산가족 》

이산가족은 천재지변·전쟁·내란 등과 기타 사회적·정치적 불안정 등으로 발생한다. 한국의 이산가족은 일제 강점기와 6·25전쟁을 거치면서 생겨났다. 일제 강점기에는 극심한 생활고에서 벗어나거나 독립 운동을 위해 만주나 해외로 이주한 사람들, 일제의 징용으로 끌려간 사람들 등으로 인해 이산가족이 생겨났으며 6·25전쟁 때는 북에서 월남한 실향민들, 강제로 납북된 사람들로 인해 이산가족이 발생했다. 6·25전쟁으로 인한 이산가족 문제는 남북 적십자 회담을 통해서 여러 차례 거론된 바 있다. 1983년 '일천만 이산가족 재회 추진 위원회'가 결성되어 일부 이산가족의 재회가 이루어지고 몇 번 더 눈물겨운 재회가 이루어졌으나 아직도 자유로운 상봉은 기대할 수 없는 상황이다.

자료2 통일의 의미 》

통일은 두 개의 남북한 체제가 하나로 통합되는 것을 의미하지만 진정한 의미의 통일은 단순히 분단 이전의 상태로 돌아가는 것만을 의미하지 않고 남북한 주민들이 민족적 일체감을 가지고 하나의 국가 테두리 안에서 소속감을 공유하는 상태를 의미한다. 즉 통일은 분단된 국토가 하나로 통합되는 것은 물론 정치적으로 대립되었던 체제를 하나로 만드는 것이고, 경제적으로는 서로 다른 제도를 하나로 거듭나게 하는 것이며, 인간의 존엄과 가치 존중 등을 기반으로 하는 민족 공동체를 건설하는 것을 의미하며, 남북 주민 사이에 내면화된 이질적인 문화를 하나로 다시 탄생시키는 것이다.

자료3 통일의 필요성 》

개인적 차원	• 분단의 고통 해소(이산가족, 납북자 문제 해결 등) • 평화롭고 풍요로운 삶	• 자유 확산, 취업 및 소득 증대
민족적 차원	• 역사적 정통성 및 동질성 회복 • 민족 문화 융성	• 민족 공동체 구현
국가적 차원	• 전쟁의 위험 제거 • 자원의 상호 보완적 활용	• 자원과 민족적 역량 낭비 제거 • 활동 영역 확대(유라시아 대륙과 태평양 연결)
국제적 차원	• 북한 문제 해결(한반도 전쟁 위협 제거) • 동북아시아 및 세계 평화에 기여	

📖 교과서 활동 과제 풀이

스스로 생각하기	통일의 당위성	교과서 115쪽

활동 목적 **지금은 분단되었지만 본래 한반도는 하나라는 것을 인식합시다.**

예시 답안

 가능한 한 빨리 풀어 버리고 싶은 허리띠 같다.

생각2 우리는 오랫동안 같은 역사와 전통을 지닌 하나의 민족이다. 분단은 우리에게 많은 고통을 가져다주고 있다. 그 고통에서 벗어나고 진정한 평화를 이루기 위해 하나가 되어야 한다.

생각 Tip 비무장 지대 관련 영상 자료를 보면서 생각해 봐요!

생각 더하기 **분단의 문제점**

🔗교과서 116쪽

활동 목적 **분단으로 인한 문제점에는 어떤 것이 있는지 탐구해 봅시다.**

예시 답안 이산가족의 실향민의 고통, 남북한 대치 상황으로 인해 위협받고 있는 평화로운 삶, 남북한 경제 발전의 제약, 여행과 무역의 제약 등

활동 Tip 자신의 눈높이에서 분단의 문제점을 생각해 보세요. 주변 어른들에게 이산가족과 실향민의 아픔 등을 들어 보는 것도 좋은 방법이에요.

생각 더하기 **왜 통일이 되어야 할까?**

🔗교과서 117쪽

활동 목적 **실향민의 고통을 드러내는 노래 '라구요'를 통해 통일이 되어야 하는 이유를 생각해 봅시다.**

예시 답안 이산가족과 실향민, 북한 이탈 주민의 심리적 고통을 덜어 주기 위해서이다.

활동 Tip 노래를 듣고 따라 부르면서 실향민의 고통을 상상해 봐요!

모둠 활동 **통일에 관한 생각**

🔗교과서 118쪽

활동 목적 **친구들과 함께 생각을 나누며 통일의 필요성을 정리하고 통일의 의미를 되새겨 봅시다.**

예시 답안

1. **'통일'에 연상되는 단어들을 서너 개 정도 바깥 동그라미 안에 적어 보자.**
   – 휴전선, 분단 등
2. **주위에 앉은 친구들의 생각들을 한두 개씩 더 적어 보자.**
   – 하나, 코리아, 평화 등
3. **마지막으로 "통일은 _____이다."라는 문장을 완성해 보자.**
   – 통일은 재회이다.
4. **문장에 어울리는 '통일의 의미와 통일의 필요성'을 예시와 같이 친구들과 함께 글과 그림으로 표현해 보자.**

활동 Tip 모둠 구성원들과 함께 그림을 그리고 생각을 나누면서 정리해 봐요!

스스로 정리하기 **통일의 의미**

🔗교과서 118쪽

활동 목적 **통일이 나에게 어떤 의미가 있을 것인지 상상해 봅시다.**

예시 답안

정리 1 분단의 고통은 크다. 분단 상태에서 전쟁 없는 평화란 불완전한 평화이다. 더욱 인간다운 삶이 실현되는 평화를 위하여 통일을 바라는 것이다.

정리 2 민족의 역사와 전통을 다시 하나로 이어 주며, 인간답고 평화로운 삶을 살아가게 해 주는 것이다.

정리 Tip
• 이번 주제를 공부하면서 자신의 생각이 어떻게 달라졌는지 확인해 볼까요?
• 분단의 문제점과 통일의 필요성을 정리해 보고, 학습 목표를 제대로 성취하였는지 스스로 점검해 봐요.

정답 225쪽

1 분단으로 인한 문제점과 거리가 먼 것은?

① 북한을 지원하는 데 많은 비용이 들어가고 있다.
② 전쟁이 일어날지 모르는 두려움을 안고 살아간다.
③ 가족들과 생사도 모른 채 오랫동안 떨어져 살고 있다.
④ 경제 발전과 복지에 쓸 수 있는 막대한 돈을 국방비로 지출하고 있다.
⑤ 남한의 뛰어난 기술력과 북한의 자원을 효율적으로 활용하지 못하고 있다.

2 다음과 같은 문제를 해결하는 데 필요한 것은?

중요

> • 우리는 경제 발전과 복지에 쓸 수 있는 많은 돈을 국방비로 쓰고 있습니다. 남한의 앞선 기술력과 북한의 자원을 효율적으로 활용하지 못하고 있습니다.
> • 언제 일어날지도 모를 전쟁에 대한 두려움을 안고 살아간다는 것은 남북한 모두에게 정신적으로 큰 부담이 되고 국가 이미지에도 부정적 영향을 줍니다.

① 남북통일
② 무기 도입
③ 국방 강화
④ 기술 개발
⑤ 치안 유지

3 소극적 평화에 대한 설명으로 옳은 것은?

① 적극적 노력 없이 평화가 유지되는 상태를 말한다.
② 전쟁의 부재를 넘어 착취가 없는 사회적 조건을 이루는 것이다.
③ 갈등을 비폭력적이고 창조적인 방식으로 해결해 나가는 것이다.
④ 다툼이 없이 서로 이해하고, 우호적이며, 조화를 이루는 상태를 의미한다.
⑤ 힘의 지배를 통해 강자가 약자를 억누름으로써 유지되는 평화를 의미한다.

4 '도덕적 차원에서 통일을 이루어야 한다.'라는 주장의 근거로 옳은 것은?

① 남북한을 하나의 정치 공동체로 만들어야 한다.
② 두 동강이 난 국토를 하나로 이어지게 해야 한다.
③ 이산가족과 실향민이 겪는 고통을 해소해야 한다.
④ 우리 모두에게 이익이 되는 공동체를 건설해야 한다.
⑤ 서로 대립되었던 제도와 체제가 하나가 되어야 한다.

5 우리가 통일이 되어야 하는 이유를 | 보기 |에서 모두 고른 것은?

| 보기 |

ㄱ. 민족의 역사와 전통의 동질성을 회복해야 한다.
ㄴ. 한반도에서 일어나는 모든 문제를 한꺼번에 해결해야 한다.
ㄷ. 군사적으로 대치하는 남북한이 전쟁의 공포에서 벗어나야 한다.
ㄹ. 실향민과 이산가족, 북한 이탈 주민의 심리적 고통을 덜어 주어야 한다.
ㅁ. 북한 동포들에게 제한 없는 자유가 보장되는 세상을 만들어 주어야 한다.

① ㄱ, ㄴ, ㄷ
② ㄴ, ㄷ, ㄹ
③ ㄷ, ㄹ, ㅁ
④ ㄱ, ㄷ, ㄹ
⑤ ㄴ, ㄷ, ㅁ

6 통일의 필요성에 대한 설명과 거리가 먼 것은?

중요

① 통일은 인도주의를 실현하는 길이다.
② 통일은 보편적 가치를 실현하는 일이다.
③ 통일은 공동체의 발전을 위해서 필요하다.
④ 통일은 단일 민족으로 살기 위한 첫걸음이다.
⑤ 통일은 북한 주민들의 인권을 보장하는 일이다.

① 도덕적으로 바라볼 때 통일은 왜 필요한가? **109**

② # 통일 한국을 어떤 모습으로 가꾸어 가야 할까?

📖 교과서 119~122쪽

학습의 주안점
• 통일의 어려움
• 통일의 필요성
• 통일 한국의 미래상

1 생생하게 상상하는 통일 한국의 미래

(1) 통일에 따르는 어려움

① 통일 비용 문제: 남북 간 경제적 격차를 해소하고, 북한에 사회 간접 시설과 생산 시설을 확충하는 데 많은 비용이 필요할 것임. **자료1**

② 이질감❶ 극복 문제: 남북한의 심화된 이질감을 극복하는 데 어려움이 따를 것임. 남북한 주민들은 언어와 생활 습관 등의 차이로 어려움을 겪을 수 있음.

(2) 통일이 가져오는 이점

① 인구가 늘어나면서 노동과 소비 시장이 확대되고 사회에 활력을 줄 것임.

② 줄어드는 국방 예산을 복지 분야에 사용하여 복지 국가를 실현할 수 있음.

③ 우리가 북한의 풍부한 자원을 활용함으로써 우리의 잠재력❷을 발휘하는 기반을 마련할 수 있음. 전쟁의 불안이 사라짐으로써 국가 신용❸ 등급도 향상될 수 있음.
Tip 한 나라가 빌린 돈을 잘 갚는지에 대해 등급을 매겨 평가하는 것을 말해.

④ 우리가 동북아시아 관광 중심지가 되고, 우리도 육로로 대륙 여행이 가능할 것임.

2 바람직한 통일 한국의 미래상

(1) 독일 통일의 교훈: 1990년 동독이 서독에 편입❹되는 방식으로 통일됨. **자료2**

① 통일 후 사회 통합 과정에서 동독인과 서독인 사이에 경제적 격차로 많은 문제가 발생. 서로 다른 가치관과 생활 방식 때문에 심리적 갈등을 겪기도 하였음.

② 가치관과 생활 방식의 차이를 인정하면서 동질성❺을 회복하는 작업을 해야 함.

(2) 바람직한 통일 한국의 모습 **자료3**
Tip 다양성 속에서 동질성을 추구하며 성숙되고 선진적인 민주·복지 국가가 되어야 해.

① 구성원 모두가 주체가 되는 나라

② 구성원 모두에게 자유와 평등이 실현되는 나라

③ 인간의 존엄성이 보장되는 나라

---

❶ **이질감**
성질이 서로 달라 낯설거나 잘 맞지 않는 느낌

❷ **잠재력**
겉으로 드러나지 않고 속에 숨어 있는 힘

❸ **신용**
사람이나 사물이 틀림없다고 믿어 의심하지 아니함. 또는 그런 믿음성의 정도

❹ **편입**
이미 짜인 한 동아리나 대열 따위에 끼어 들어감.

❺ **동질성**
사람이나 사물의 바탕이 같은 성질이나 특성

📖 기본 확인 문제

📖 정답 226쪽

1 다음 내용이 옳으면 ○표, 틀리면 ×표를 하시오.

① 우리가 통일을 하려면 해결해야 할 문제가 많다. ( )

② 통일이 되면 우리의 소비 시장이 축소될 것이다. ( )

③ 통일이 되면 민족 동질성 회복 작업이 필요하다. ( )

2 과거 우리나라처럼 분단되었다가 1990년에 통일을 이룬 나라는 어디인가?

3 통일 한국의 주권은 누구에게 있어야 하는가?

4 다음 빈칸에 들어갈 알맞은 말을 쓰시오.

① 우리는 독일보다 분단된 역사가더 길고 문화의 □□□가 더 심하다.

② 통일 한국은 구성원 모두가 □□를 균등히 보장받고, 각자의 능력을 발휘하여 자아를 실현할 수 있어야 한다.

자료1 분단 비용, 통일 비용, 통일 편익 ≫

구분	분단 비용	통일 비용	통일 편익
개념	분단 상태가 지속됨으로써 발생하는 비용	통일에 필요한 비용 전체	통일로 얻게 되는 보상과 혜택
내용	• 경제적 비용: 국방비 지출, 외교 비용, 이념 교육 비용 등 • 경제 외적 비용: 전쟁 가능성에 대한 공포, 이산가족의 고통, 이념적 갈등과 대립, 국토 발전의 불균형 등	• 제도 통합 비용: 정치·행정 제도, 금융·화폐 통합 비용 등 • 위기관리 비용: 치안·인도적 차원의 긴급 구호, 실업 등 초기 사회 문제 처리 비용 • 경제 투자 비용: 인프라 생산 시설 구축 비용 등	• 비경제적 편익: 북한 주민의 인간다운 삶 보장, 이산가족 문제 해결, 안보 불안 해소, 민족 문화 회복 • 경제적 편익: 새로운 성장 동력 제공, 경제 발전, 국민 생활 공간 확대

자료2 독일의 통일 ≫

독일은 동독 국민의 자율적 결정에 따라 서독 체제로의 편입을 희망하고 서독이 이를 받아들임으로써 평화적으로 통일을 이룩한 사례에 속한다. 소련의 마지막 지도자였던 고르바초프의 개혁·개방 정책의 결과 동서 냉전 체제가 무너짐에 따라 동유럽권 국가들이 변화를 모색하면서 동독 주민들도 개혁을 요구했다. 동독 정권은 지도층 교체로 대처했지만, 개혁과 통일을 염원하는 동독 주민들의 꾸준한 요구가 이어지면서 1989년 11월 9일 동서 분단의 상징이었던 베를린 장벽이 붕괴되었다. 이어 1990년 3월 동독에서 역사적인 자유 총선거가 이뤄지면서 드메이어 수상을 수반으로 하는 연립 정부는 서독의 콜 정부와 신속하고 집중적인 협상을 전개했다. 이로써 동·서독은 1990년 10월 3일 공식적으로 통일을 이루게 됐다.

독일이 통일을 이룰 수 있었던 결정적 계기는 제2차 세계 대전 후 독일을 분할 점령했던 미국, 소련, 영국, 프랑스의 동의를 이끌어 낼 수 있었기 때문이다. 서독은 독일 통일에 찬성하고 있던 미국과의 협력을 강화하면서, 점차 다른 국가들을 설득하는 데 성공했다. 1990년 9월 개최된 '2+4 회담'에서 동서독과 승전 4개국 외상은 '독일 문제의 최종 해결에 관한 조약'에 합의했으며, 이로써 독일 통일에 대한 국제적 장애를 제거하였다.

자료3 통일의 미래상 ≫

통일 한국이 지향하는 기본 이념은 민주주의이다. 우리가 건설할 통일 국가는 인류 역사에서 보편적으로 추구해 온 기본 가치들을 구현하는 것이어야 한다. 모든 인류가 근대 국가의 발전과 함께 추구해 온 '자유', '평등', '복지'라는 보편적이고 핵심적인 가치들을 구현해 나가는 가장 효과적인 이념은 민주주의이다. 민주주의는 개개인의 존엄성을 최고의 가치로 존중하는 정치 이념이며, 정치적으로 투표권, 참정권, 정부 선택권 등 정치적 권리를 보장하고 경제적으로 자유로운 경제 활동을 보장하는 시장 경제 원리에 바탕을 두고 있는 이념이다.

통일 한국이 지향해 나갈 또 다른 기본 이념은 민족주의이다. 여기서 말하는 민족주의는 다른 민족과의 공존공영을 추구하는 '열린 민족주의'를 의미한다. 남북통일의 정당성은 무엇보다 분단되어 있는 한민족의 정치적·문화적 공간을 통합시키는 통일된 민족 국가의 형성에 근거하고 있다. 또한 통일 한국의 민족주의는 우리 사회 내 다양한 소수 인종과 문화를 인정하고 공존하는 열린 민족주의를 지향한다.

스스로 생각하기 **남북 협력의 필요성**　　　　　　　　　　　　　　　　　　　　　　　🔗교과서 119쪽

활동 목적　**남북한의 협력이 필요한 이유를 탐구해 봅시다.**

예시 답안
- **생각1** 배 이름: 같이호,　까닭: 같은 방향으로 힘을 더하기 때문이다.
- **생각2** 남과 북이 오랫동안 떨어져 살아오다 보니, 통일이 된 후에도 서로를 이해 못하고 원망할 수 있다. 그러나 서로를 이해하고 협력하여 같은 방향으로 나아갈 때 밝은 통일 한국의 미래가 보장될 것이다.

생각 Tip　실제로 배를 타고 노를 젓는다는 상상을 하면서 생각해 봐요.

통일 한국 시대의 직업 탐구　　　　　　　　　　　　　　　　　　　　　　🔗교과서 122쪽

활동 목적　**통일 한국을 상상하며, 통일 한국 시대의 직업 세계를 탐구해 봅시다.**

예시 답안

기본 활동지 모양	학생이 실제 제작한 모양
통일 이후 유망 직업 • 관광 사업가 • 남북 문화 통합 전문가 • 광물 자원 전문가 • 환경 컨설턴트 • 물류 사업가 • 감정 평가사	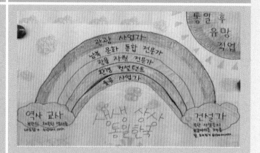

활동 Tip　각자 생각해 본 후에 모둠 구성원들이 모여 서로 의견을 나누어 보세요!

스스로 정리하기 **진정한 통일**　　　　　　　　　　　　　　　　　　　　　　　　🔗교과서 122쪽

활동 목적　**통일 한국의 미래를 그려 보면서 진정한 통일이 무엇인지 알아봅시다.**

예시 답안
- **정리1** 갑작스런 통일은 통일 이후에도 갈등과 원망을 초래할 수 있다. 통일 전부터 교류와 협력을 통하여 상호 이해의 폭을 넓혀 나가야 한다.
- **정리2** 구성원 모두가 주체가 되고, 인간답고 평화로운 삶이 실현되는 통일의 상태를 말한다

정리 Tip　• 이번 주제를 공부하면서 자신의 생각이 어떻게 달라졌는지 확인해 볼까요?
　　　　　• 통일 한국의 미래의 모습을 정리해 보고, 학습 목표를 제대로 성취하였는지 스스로 점검해 봐요.

◎ 정답 226쪽

1 남북한의 이질화가 심화된 주된 이유는?

중요
① 남한은 전통문화를 잘 보존하고 있다.
② 남북한은 문화적 배경 자체가 다르다.
③ 서로 다른 체제에서 오랫동안 살아왔다.
④ 해방 이후 외래 문물을 받아들이지 않았다.
⑤ 남북한은 서로 다른 전통을 가지고 있었다.

2 통일했을 때 예상되는 문제점으로 볼 수 없는 것은?

① 우리나라의 인구가 증가하여 내수 시장에 변화가 올 것이다.
② 남북한 주민들은 언어와 생활 습관 등의 차이로 어려움을 겪을 수 있다.
③ 북한에 사회 간접 시설과 생산 시설을 확충하는 데 많은 비용이 필요할 것이다.
④ 교육 내용이나 교육 과정의 차이 등 학생들이 겪게 될 혼란을 무시할 수 없을 것이다.
⑤ 서로 다른 체제에서 오랫동안 살아왔기 때문에 이질감을 극복하는 데도 어려움이 따를 것이다.

3 독일의 통일 과정에 대한 설명으로 옳지 않은 것은?

① 독일은 1990년 서독이 동독에 편입되는 방식으로 통일되었다.
② 통일 후에 서로 다른 가치관과 생활 방식 때문에 심리적 갈등을 겪기도 했다.
③ 통일 후 사회 통합 과정에서 동독인과 서독인 사이에는 경제적 격차로 많은 문제가 발생하였다.
④ 동 · 서독은 통일 이전부터, 분단 체제에서 비롯되는 긴장을 해소하기 위해 많은 노력을 기울였다.
⑤ 통일 독일 주민들은, 지금 당장은 어렵지만 많은 시간이 지나면서 차차 해결할 수 있으리라는 생각으로 통일의 후유증을 풀어 나갔다.

4 다음 글에서 예상하는 어려움에 해당하는 것은?

> 통일이 되면 북한에 사회 간접 시설과 생산 시설을 확충하는 데 많은 어려움이 따를 것이다.

① 문화 갈등
② 언어 차이
③ 분단 비용
④ 통일 비용
⑤ 이념 대립

5 다음과 같은 주장의 근거가 되는 것은?

> 통일이 되면 많은 예산을 사회 복지 분야에 사용하여 복지 국가를 실현할 수 있다. 이렇게 되면 사회적 약자들이 인간다운 행복한 삶을 사는 데 많은 도움이 될 것이다.

① 전쟁의 불안이 사라지게 된다.
② 막대한 국방비를 줄일 수 있다.
③ 북한의 기술을 활용할 수 있다.
④ 남한에는 풍부한 노동력이 있다.
⑤ 남한에는 많은 지하자원이 있다.

6 다음 글을 통해 강조하고자 하는 것은?

중요
> 통일 한국의 구성원 모두가 기회를 균등히 보장받고, 각자의 능력을 최고로 발휘하여 자아를 실현할 수 있는 나라가 되어야 한다.

① 통일 한국은 구성원들이 주체가 되어야 한다.
② 통일 한국은 결과의 평등이 보장되어야 한다.
③ 통일 한국은 인간의 존엄성이 보장되어야 한다.
④ 통일 한국은 무제한의 자유가 허용되어야 한다.
⑤ 통일 한국은 능력에 따른 차별을 금지해야 한다.

③ 통일 국가를 형성하고 세계 평화에 기여하려면 어떤 자세를 지녀야 할까?

🖉 교과서 123~127쪽

학습의 주안점
• 통일을 위한 자세
• 세계 평화에 기여하기 위해 필요한 자세

1 통일 한국을 이루기 위한 자세

(1) 통일에 대한 긍정적 사고: 우리 스스로 통일 문제에 관심을 가지고 내가 바로 통일의 주역❶이라는 사명감을 가져야 함. 자료1

(2) 호혜적❷ 교류와 협력: 교류와 협력은 북한에 대한 일방적 지원이 아니라, 믿음과 민족 동질성을 회복하여 함께 번영할 수 있는 방향으로 이루어져야 함.

(3) 굳건한 안보 의식 확립
① 북한은 통일의 대상이기도 하지만 우리를 위협하는 존재이기도 함.
② 남북한은 군사적 대치 상태에 있기 때문에 안보를 소홀히 해서는 안 됨.

(4) 국제 협력 강화 자료2 자료3
① 통일은 우리 민족 내부의 문제이면서 국제적 문제이기도 함.
② 우리의 통일 과정에 주변 국가의 협력을 얻을 수 있는 외교적 노력을 해야 함.

(5) 기타: 통일 비용 마련, 북한 이탈 주민의 정착❸ 지원, 통일에 필요한 제도 정비 등

2 세계 평화에 기여하는 자세

(1) 일반적인 자세: 자연 사랑과 평화 애호❹의 정신 계승, 자유 민주주의에 대한 확고한 신념 확립, 지구 공동체를 위한 나눔과 배려의 실천, 인간에 대한 존엄성과 보편적 인류애❺의 실천, 서로 다름을 인정하는 열린 민족주의 의식 함양

Tip 다른 나라나 문화의 장점도 적극적으로 받아들여 공존을 추구하는 자세를 말해.

(2) 학생으로서의 자세
① 생활 속의 작은 일에서부터 실천으로 옮기는 자세를 가져야 함.
② 사태를 다양한 관점으로 보고, 상대에게 편견이나 선입견을 갖지 않아야 함.
③ 상대를 이해하고 자신의 마음을 솔직하게 전달하여 서로 오해가 없도록 해야 함.
④ 긍정의 자세로 갈등을 해소하고 상대를 존중하여 친절한 대화 습관을 길러야 함.

❶ **주역**
주된 역할. 또는 주된 역할을 하는 사람

❷ **호혜적**
서로 특별한 혜택을 주고받는. 또는 그런 것

❸ **정착**
일정한 곳에 자리를 잡아 붙박이로 있거나 머물러 삶.

❹ **애호**
사랑하고 소중히 보호함.

❺ **인류애**
인류 전체에 대한 사랑

📖 기본 확인 문제

🖉 정답 226쪽

1 다음 내용이 옳으면 ○표, 틀리면 ×표를 하시오.
① 통일에 대한 긍정적인 생각을 가져야 한다. ( )
② 통일은 우리 내부의 문제이면서 국제적 문제이다. ( )
③ 통일을 이루려면 남북한이 이념을 버려야 한다. ( )

2 통일 이후 남한이 북한 경제가 자립할 수 있을 때까지 지원해야 하는 비용을 무엇이라고 하는가?

3 오랜 역사를 통하여 우리 민족이 활동 무대로 삼아 온 지역은 어디인가?

4 다음 빈칸에 들어갈 알맞은 말을 쓰시오.
① 통일을 이루려면 통일에 대한 ☐☐☐ 시각을 가져야 한다.
② 북한은 통일의 대상이기도 하지만 우리를 ☐☐하는 존재이기도 하다.

내신 만점을 위한 탐구 자료

자료1 청소년들의 통일 의식 »

2017년 초, 한 언론사가 국내 중·고등학생 1,500명을 대상으로 실시한 설문 조사에 따르면 우리 청소년들의 통일·안보 의식이 낮은 것으로 나타났다. 통일의 당위성에 대해서는 73.7%가 '통일되는 것이 좋다.'라고 답해 통일에 대한 긍정적 생각을 갖고 있는 반면, 17.6%는 '통일이 안 되는 것이 좋다.'라는 응답이 나와 우리 청소년들 통일 의식에 문제가 있는 것으로 드러났다. 같은 언론사가 2007년 실시한 설문 조사에서 '통일이 되어야 한다.'라는 응답이 89%였던 것에 비하면 10년 만에 15%이상 감소 추세를 보이고 있어 심각성을 더해 주고 있다.

안보 문제에 관해서는 82.3%는 '6·25 전쟁을 알고 있다.'라고 하였고, 14.1%는 '6·25 전쟁을 모른다.'라고 답해 안보에 대한 역사 인식이 취약한 것으로 드러났다. 또 16.3%는 '6·25는 북침 전쟁으로 알고 있다.'라고 답했다. '전쟁이 나면 나가 싸우겠다.'라는 응답은 92.1%로 10년 전의 91.8%와 비슷한 수준을 보이고 있어 청소년들의 안보 의식에 대해 알 수 있다.

자료2 통일을 위한 국제 협력 강화 »

21세기 국제 질서 속에서 동북아 지역의 질서도 관련국의 이해관계에 따라 복잡하게 변화하고 있으며, 이에 따라 한반도 통일 환경도 변화하고 있다. 한반도는 미국, 중국, 일본, 러시아 같은 주변 강대국의 이해가 날카롭게 대치하고 있는 지역이므로 한반도 통일에 대한 주변국들의 지지와 협력을 이끌어 내는 일이 매우 중요하다.

따라서 우리의 대외 관계는 물론 통일 정책과 남북 관계를 구상하고 실행함에 있어서도 반드시 한반도와 동북아 국제 체제의 성격과 특성을 잘 이해하고 고려해야 한다. 국제 체제의 특성을 잘 이해해야만 각국을 설득하고 유리한 통일 여건을 조성할 수 있기 때문이다. 동북아 지역에서 미·중 관계의 구도, 영토 분쟁과 과거사 문제, 북한 핵 문제 등의 이슈는 이 지역의 평화와 안정에 중요한 요인으로 작용하고 있다.

자료3 DMZ »

DMZ(demilitarized zone)는 1953년에 체결된 정전 협정 제1조의 규정에 의해 248km의 휴전선을 따라 남과 북으로 각각 2km씩 설치한 무기 없는 완충 지대로, 전체 넓이는 한반도 육지 면적 22만 km²의 250분의 1인 907㎢(2억 7,000만 평)이다. 이곳에 대한 관심은 한반도의 긴장이 고조될수록, 남북한의 대화가 확대될수록 높아진다.

교과서 활동 과제 풀이

스스로 생각하기	한반도 평화 정착의 가치	교과서 123쪽

활동 목적 그림 속 이야기를 통해 통일 한국에 대해 긍정적 희망을 갖고 평화의 가치를 알아봅시다.

예시 답안

생각1 "철조망이 걷히고 나면 우린 자유롭게 오갈 수 있겠다.", "이제 우리 서로를 겨누던 총을 버릴 수 있겠다. 어서 와."

생각2 적대시하는 마음을 버리고 서로를 위하며 협력하면 통일 한국을 앞당길 수 있다.

생각 Tip 내가 통일 후 휴전선 철조망을 걷는 사람이라면 어떤 말을 할 것인지 상상해 봐요.

생각 더하기 ## 두 친구의 갈등 이야기 ⊘교과서 124쪽

활동 목적 이야기 속의 두 친구가 갈등을 풀어 나가는 모습을 통해 바람직한 통일의 과정을 생각해 봅시다.

예시 답안 북한의 어려움, 인도적 지원과 교류, 통일 국가

활동 Tip 브리지 맵을 통해 남북한 갈등과 통일 이야기를 유추해 봐요!

생각 더하기 ## 평화 문자(PEACE)로 그림 그리기 ⊘교과서 125쪽

활동 목적 '평화' 문자 그림을 그려 봄으로써 통일을 염원하는 마음을 다집시다.

예시 답안 알파벳 'PEACE'의 글자 특성을 살려 문자도를 그리고, '평화'의 의미가 담기도록 한다.

활동 Tip 예시 그림 문자를 참고하여 평화 그림 문자를 구상해 보세요.

DMZ의 평화적 활용을 위한 토론과 정리 ⊘교과서 126~127쪽

활동 목적 DMZ의 평화적 활용 방안을 탐구하면서 통일 한국의 밝은 미래상을 설계해 봅시다.

예시 답안 STEP 2.

① DMZ DMZ에서 연상되는 단어를 각자 두 개 이상 적어 보자. 분단, 전쟁, 휴전, 생태 공원, 판문점, 자연, 연결, 통일, 갈등, 냉전, 지뢰, 적막, 철조망 등	② DMZ 평화적 활용 방안 통일 과정이나 통일된 이후를 평화적으로 활용할 수 있는 방안을 적어 보자. 생태 공원, 평화 공원, 이산가족 상시 상봉, 자유 무역 지대, 신도시, 교육 · 문화 시설 등

STEP 3. DMZ 평화 활용 가상 이야기

DMZ의 생태 환경, 역사, 문화, 인문, 사회 등의 전 분야를 조사 · 연구하여, 이를 기록하여 보존하고, 세계 유산으로 등록하는 한편, DMZ를 '브랜드화'하여 세계적 수준의 다양한 관광 · 문화 상품을 개발하여 활용한다.

활동 Tip 모둠 구성원들끼리 난상 토론을 통해 DMZ의 평화적 활용 방안을 구상해 봐요.

스스로 정리하기 ## 통일 한국을 이루기 위한 다짐 ⊘교과서 127쪽

활동 목적 통일을 이루기 위해 가져야 할 자세를 확인해 봅시다.

예시 답안 정리1 우리 내부의 갈등을 일으키고, 감상적 통일관을 지닐 수 있으며, 국가 혼란과 불안이 가중될 것이다.

정리2 우리나라의 안보와 평화를 지키기 위해 앞장서며, 우리의 동포인 북한 주민을 돕는 일에도 관심을 갖고 참여한다.

정리 Tip • 이번 주제를 공부하면서 자신의 생각이 어떻게 달라졌는지 확인해 볼까요?
• 통일 한국을 이루기 위한 자세를 정리해 보고, 학습 목표를 제대로 성취하였는지 스스로 점검해 봐요.

정답 226쪽

1 통일을 위해 노력해야 할 점으로 보기 어려운 것은?

① 지속적인 교류와 협력을 통해 북한에 대한 경계심을 버려야 한다.

② 상대방을 이해하고 존중하면서 대화의 상대로 인정하고 민족 문제에 접근해야 한다.

③ 북한을 적대적인 상대로 인식하거나 북한의 부정적인 측면만 노출시켜 강조하는 태도를 바꾸어야 한다.

④ 남북한 주민들은 머지않아 한 사회에서 서로 이웃하며 함께 살아가게 될 것이라는 생각을 가져야 한다.

⑤ 서로의 차이와 처지를 이해하고 인정하며, 가지고 있는 생각을 솔직히 나누면서 공동의 문제를 함께 해결하려는 대화의 자세를 가져야 한다.

2 우리가 국가 안보를 강조해야 하는 이유는?

① 북한은 우리가 무찔러야 할 대상이다.

② 남북한은 군사적 대치 상태에 놓여 있다.

③ 남북한이 협력하여 한반도를 지켜야 한다.

④ 우리는 무력을 통해 통일을 이루어야 한다.

⑤ 주변 국가들에게 우리의 힘을 과시해야 한다.

★
3 다음 글을 통해 강조하고자 하는 것은?
중요

> 통일은 우리 민족 내부의 문제이면서 국제적 문제이기도 하다. 따라서 한반도의 통일은 주변 국가에도 도움이 된다는 점을 설득하여 협력을 이끌어 낼 수 있는 외교적 노력을 해야 한다.

① 새로운 무기 연구 개발에 힘을 기울인다.

② 주변 국가를 위협할 만한 국력을 기른다.

③ 민족 동질성을 회복하는 노력을 기울인다.

④ 주변 국가들에게 의존해서 통일을 이룬다.

⑤ 주변 국가들과의 국제적 협력을 강화한다.

4 세계 평화를 위해 가져야 할 자세가 아닌 것은?

① 자연 사랑과 평화 애호의 정신 계승

② 자유 민주주의에 대한 확고한 신념 확립

③ 지구 공동체를 위한 나눔과 배려의 실천

④ 서로 다름을 인정하는 단일 민족 의식 함양

⑤ 인간에 대한 존엄성과 보편적 인류애의 실천

5 다음 글을 쓴 사람이 강조하는 것은?

> 한반도의 DMZ 일원의 생태계는 전쟁으로 파괴되었다. 그 후 오랫동안 군사적 대치가 지속되면서 산불, 제초제, 외래종 유입과 같은 생태적 위협을 받아 왔으나 현재 나름대로 적응하고 회복하여 이 지역만의 독특한 생태계를 형성하고 있다. 많은 멸종 위기 종을 비롯하여 다양한 생물들이 살아가는 생태계의 보고로 알려져 있다.

① 비무장 지대를 더욱 확대해야 한다.

② 남북한이 분단 상태를 유지해야 한다.

③ DMZ를 생물권 보전 지역으로 보존해야 한다.

④ 군사적 대치가 계속되어야 생태계가 보존된다.

⑤ 분단은 부정적인 면보다 긍정적인 면이 더 많다.

★
6 세계 평화에 기여하기 위한 중학생의 자세와 거리가 먼
중요 것은?

① 상대방에 대한 편견이나 선입견을 갖지 않는다.

② 하나의 사태는 오로지 하나의 관점에서 바라본다.

③ 생활 속의 작은 일에서부터 실천하는 자세를 가진다.

④ 긍정의 자세로 갈등을 풀어 가며 나를 존중하듯이 상대를 존중한다.

⑤ 자신의 속마음을 친절하고 솔직하게 전달하여 서로 오해가 없도록 한다.

01 다음 글을 통해 알 수 있는 것은?

> "사랑하는 어머니, 기뻐하세요. 제가 모스크바에서 진행된 국제 수학자 대회에서 새롭게 유도한 공식을 발표했답니다."
> "함께 살자고 떨어질 줄 모르던 어머니, 통일을 그토록 빌던 어머니의 모습이 사라지지 않아요. 지금 어디에 계십니까? 불쌍한 나의 어머니."

① 실향민의 아픔
② 수학자의 외로움
③ 불효자의 후회
④ 이산가족의 고통
⑤ 여행의 즐거움

02 우리가 통일이 되어야 하는 이유와 거리가 먼 것은?

（중요）

① 실향민과 이산가족, 북한 이탈 주민의 심리적 고통을 덜어 줄 수 있다.
② 북한의 우리 동포들에게 인권과 자유가 보장되는 세상을 만들어 줄 수 있다.
③ 동북아시아는 물론 세계 여러 나라들이 강해진 우리의 국력을 두려워할 수 있다.
④ 휴전선을 사이에 두고 군사적으로 대치하는 남북한이 전쟁의 공포에서 벗어날 수 있다.
⑤ 본래 하나였던 민족의 역사와 전통의 동질성을 회복하고, 다시 민족 공동체를 이루어 상생할 수 있다.

03 남북한이 지리적 통일을 이루는 데 우선적으로 해야 할 일은?

（중요）

① 남북한 언어의 동질성을 유지하는 일
② 남북한 정치 체제의 통합을 이루는 일
③ 이산가족이 서로 자유롭게 왕래하는 일
④ 남북한이 스포츠 교류를 활성화하는 일
⑤ 동서로 가로놓인 휴전선을 걷어 내는 일

04 （서술형） 다음 진술 중 옳지 않은 부분을 골라 바르게 고쳐 쓰시오.

> ㉠ 통일은 남북한이 한마음으로 통합하여 하나의 국가 공동체를 이룬 상태를 말한다. ㉡ 지리적으로 한반도가 하나로 이어지고, ㉢ 정치·경제적으로 대립되었던 제도를 서로 존중하며, ㉣ 심리적으로는 이질화된 문화가 통합되고, ㉤ 서로 다름을 존중하면서도 우리는 하나라는 의식을 가질 때 통일을 이루었다고 할 수 있다.

05 （주관식） 다음과 같은 문제를 해결하기 위해 필요한 것은 무엇인지 쓰시오.

> 언제 일어날지도 모를 전쟁에 대한 두려움을 안고 살아간다는 것은 남북한 모두에게 정신적으로 큰 부담이 되고 국가 이미지에도 부정적 영향을 줘요.

06 통일 이후 예상되는 결과와 거리가 먼 것은?

① 인구가 늘어나면서 노동과 소비 시장이 확대되고 사회에 활력을 줄 수 있다.
② 줄어드는 사회 복지 분야의 예산을 국방비에 사용하여 강대국 실현을 앞당길 수 있다.
③ 한반도가 온전히 대륙과 연결됨으로써 우리나라가 동북아시아 관광 중심지가 될 수 있다.
④ 우리나라는 더 잘사는 나라가 되고 전쟁의 불안이 사라짐으로써 국가 신용 등급도 향상될 수 있다.
⑤ 우리가 북한의 풍부한 자원을 활용함으로써 우리 민족의 잠재력을 발휘하는 기반을 마련할 수 있다.

07 서술형 **다음 물음에 대한 답을 두 가지 이상 서술하시오.**

> 우리나라가 통일이 되면 좋은 점도 많지만 극복해야 할 문제들도 많을 것이다. 통일했을 때 예상되는 문제에는 어떤 것이 있을까?

08 주관식 **통일을 위해 노력해야 할 점 중에서 다음 글이 강조하는 것은 무엇인지 쓰시오.**

> 통일은 우리 민족 내부의 문제이면서 국제적 문제이기도 하다. 따라서 한반도의 통일은 주변 국가에도 도움이 된다는 점을 설득하여 협력을 이끌어 낼 수 있는 외교적 노력을 해야 한다.

★
09 **다음 글에서 강조하는 통일 한국의 핵심적 가치는?**
중요

> 통일 한국은 타인의 자유와 권리를 침해하지 않는 범위에서 신체의 자유를 비롯한 기본적인 자유가 보장되고, 법 앞에서 모든 국민이 동등하며 다름으로 인하여 차별을 받지 않는 나라가 되어야 한다.

① 자유, 권리 ② 자유, 평등
③ 책임, 평등 ④ 권리, 준법
⑤ 책임, 의무

10 **과거 분단 국가였던 독일과 우리나라가 같은 점은?**

① 분단 기간 ② 분단 배경
③ 문화 교류 ④ 협력 수준
⑤ 이념 갈등

11 **다음 물음에 대한 대답으로 적절하지 않은 것은?**

> 통일은 저절로 이루어지는 것이 아니라 우리 민족 구성원 모두가 함께 노력해야 이루어질 수 있다. 우리가 어려움을 극복하고 통일을 이루려면 어떤 자세를 가져야 할까?

① 통일에 대한 긍정적 생각을 가져야 한다.
② 통일 문제에 지속적 관심을 가져야 한다.
③ 믿음을 쌓고 민족 동질성을 회복해야 한다.
④ 북한에 대한 일방적 지원을 지속해야 한다.
⑤ 내가 통일의 주역이라는 사명감을 가져야 한다.

12 **다음 지도를 통해 알 수 없는 것은?**

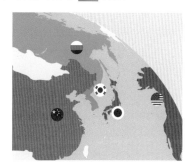

① 우리나라는 강대국들에 둘러싸여 있다.
② 한반도는 대륙과 해양의 징검다리이다.
③ 우리나라는 남북 이질화가 심화되어 있다.
④ 우리나라는 강대국들의 이해관계가 얽힌 곳이다.
⑤ 한반도는 지정학적으로 매우 중요한 위치에 있다.

★
13 **통일을 이루기 위해 필요한 노력과 거리가 먼 것은?**
중요

① 남북한 군인들의 무장 해제
② 북한 이탈 주민의 정착 지원
③ 통일 과정에 필요한 법률 정비
④ 통일 이후를 대비한 제도 정비
⑤ 북한 지원을 위한 통일 비용 마련

논술 **'온전한 국가'**

제시문은 Ⅲ영역의 핵심 가치인 정의와 관련하여, 통일 한국의 이상과 희망적인 모습을 제시하면서 통일에 대한 긍정적인 생각을 형성하게 한다. 3단계의 서술 과정으로 통일 한국을 준비하기 위해 지녀야 할 바람직한 태도에 대한 논술문을 완성하도록 한다.

활동 목표
- 정의의 의미와 통일의 이익을 말할 수 있다.
- 통일 한국의 이상적인 모습을 설명할 수 있다.
- 통일 한국을 준비하기 위해 지녀야 할 바람직한 태도를 제시할 수 있다.

논술 길잡이 및 예시 답안

 1단계 **윗글에 적합한 다른 제목을 붙여 보자.**

→ 제시문의 내용을 충분히 이해하고 통일에 대한 희망과 긍정적인 생각을 표현한다.

답 '희망과 평화의 통일 한국' 또는 '브라보 통일 한국!'

 2단계 **윗글의 밑줄 친 '온전한 국가'는 어떠한 모습을 뜻하는가?**

→ 자유, 평등, 인권, 정의, 평화, 복지는 국가 공동체의 기반이 되어야 할 뿐만 아니라, 통일한국이 추구해야 할 이상이며 인류의 보편적인 가치라는 생각을 가진다.

답 통일로 인하여 전쟁의 공포가 사라진 것은 물론, 국가 구성원 모두의 자유와 평등과 인간의 존엄성이 실현되는 국가이다. 나아가 정의가 실현되고 지구 공동체를 위하여 나눔과 보편적 인류애를 실천하며 세계 평화에 기여하는 국가이다.

 3단계 **통일 한국을 준비하기 위해 지녀야 할 바람직한 태도를 주제로 논술문을 작성해 보자.**

→ 통일에 대해 긍정적으로 생각하며 내가 곧 통일의 주역이라는 희망과 사명감을 가지고, 북한은 통일의 대상이자 안보의 대상이라는 균형 잡힌 시각에서 쓰도록 한다.

답 통일에 대한 긍정적인 생각과 내가 곧 통일의 주역이라는 사명감을 가져야 하며, 굳건한 국가 안보 의식을 지녀야 한다. 우리 안보를 위협하는 북한 정권과 통일의 대상인 북한 주민을 구분하여 인식하고, 어려움에 처해 있는 북한의 동포를 돕는 일에 적극 동참해야 한다.

활동 평가 기준

※ 논술 활동은 다음과 같은 단계를 거쳐 평가된다. 스스로 평가해 보자.

평가 요소	평가 내용	배점				
		5	4	3	2	1
1단계	통일 한국의 긍정과 희망을 담아내었다.					
2단계	인류의 보편적 가치가 실현되는 국가의 모습을 제시하였다.					
3단계	통일에 대한 긍정과 희망과 사명감을 제시하였다.					
	북한을 통일과 안보의 대상으로 바라보는 균형 잡힌 시각을 표현하였다.					
	전체적인 글의 주장이 논리적이며 설득력이 높다.					

대륙과 하나로 연결된 통일 한국 여행 수기

통일에 대한 희망과 긍정의 자세를 함양하도록 하는 활동이다. 가상의 여행 이야기를 만들어 봄으로써 도덕적 상상력과 창의성을 길러 나갈 수 있도록 지도한다. 영역의 핵심 가치인 정의를 확고하게 내면화하면서 통일 한국이 지녀야 할 이상적인 가치를 삶 속에서 실천하도록 한다.

교과서 130~131쪽

활동 목표
- 통일에 대하여 희망과 긍정의 자세를 지닐 수 있다.
- 도덕적 상상력과 창의성을 구체적으로 표현할 수 있다.

활동 방법

활동 안내	이야기를 형성하는 세 가지 구성 요소인 등장인물, 배경, 사건을 설명한다.
내용 기획	세 가지 요소를 선정하고, 아래의 표와 같이 좀 더 세부적인 육하원칙으로 나누어 제시하도록 한다. 이때 상상력을 발휘하여 사건을 구체적으로 전개한다.
제작 및 발표	인물, 배경, 사건과 육하원칙으로 구체화된 요소를 바탕으로 이야기를 구성한다. 이야기에 몰입하도록 흥미를 더하고 도덕적 의미와 교훈을 담아내도록 한다. 구술로 이야기하는 것보다 짧은 이야기를 서술하거나 만화, UCC, 역할극 등 다양한 형태로 표현하여 발표한다.

인물	누가?	서울 방송국에 근무하는 나와 평양 방송국에 근무하는 나의 친구
배경	언제?	2035년, 통일 한국 건국 5주년이 되는 해
	어디서?	몽골 통과 철도와 시베리아 횡단 철도 그리고 시베리아와 유럽
사건	무엇을?	통일 후의 삶과 사람과 사랑의 이야기 다큐멘터리 촬영
	어떻게?	대륙 횡단 철도에서 만나는 우리 겨레의 인터뷰와 삶의 현장 촬영
	왜?	통일 한국 건국 5주년 기념, 두 방송국 합작 다큐멘터리 촬영을 위한 출장

활동 평가 기준

※ 성찰 활동은 다음과 같은 단계를 거쳐 평가된다. 스스로 평가해 보자.

평가 요소	평가 내용	배점				
		5	4	3	2	1
내용 기획	인물, 배경, 사건을 육하원칙으로 구체화하여 제시하였다.					
	구체화된 구성 요소가 유기적인 관계를 형성하며 흥미와 상상력을 일으킨다.					
제작 및 발표	이야기의 전개 과정이 전체적으로 완성되어 표현되었다.					
	이야기가 흥미롭고 통일에 대한 긍정과 희망의 의미를 담아내었다.					

4 국가 구성원으로서 바람직한 자세는 무엇인가?

01 주관식 **다음과 같이 주장한 사람을 쓰시오.**

> 인간은 자연적인 본성에 따라 모여 살며 가족, 부족을 이루고, 나아가 국가로까지 확장되어 간다.

02 서술형 **다음 물음에 대한 답을 서술하시오.**

> 국가 대항 스포츠 경기에서 우리나라 선수와 맞붙는 타국 선수를 무작정 비방하는 사람들을 볼 수 있다. 이러한 사람들의 태도가 진정한 애국일까?

03 다음 글을 통해 알 수 있는 것은?

> 일본에게 나라를 빼앗겨 암울했던 1936년 8월 9일 베를린 올림픽 스타디움. 마라톤 결승선에 1위로 골인한 손기정은 고개를 푹 숙인 채 신발을 벗어 들고 트랙을 걸어 나갔다. 시상대에서도 그의 시선은 땅만 바라보고 있었다. 그는 훗날 "올림픽에서 우승 선수 나라의 국기가 올라가고 국가가 연주되는 것을 알았더라면 난 결코 베를린 올림픽에 나가지 않았을 것"이라고 말했다.

① 후회하는 삶을 살지 않도록 노력해야 한다.
② 여러 민족이 한 나라를 이루는 경우도 있다.
③ 경쟁 상대를 정정당당하게 이겨야 떳떳하다.
④ 목표를 설정할 때는 신중하게 생각해야 한다.
⑤ 국가가 처한 상황은 개인의 삶에 큰 영향을 끼친다.

04 적극적 국가관에 대한 설명으로 옳은 것은?

① 근대 초기의 국가들이 지향하는 국가 역할관이라고 할 수 있다.
② 개인의 자유와 권리를 최대한 보장하기 위해 국가가 역할을 최소화한다.
③ 국가가 빈부 격차를 해결하거나 공동선을 실현하기 어렵다는 한계가 있다.
④ 국가의 역할은 국민의 생명과 안전을 보장하는 정도와 최소한의 공공사업에 그쳐야 한다.
⑤ 어려운 사람에게 다양한 복지 혜택을 주는 등의 방법으로 국민이 인간답게 살 권리를 보장해야 한다.

05 다음과 같은 프로그램을 확대시킨 목적으로 가장 적절한 것은?

> 2006년에 5개교에서 처음으로 시행된 학생 자치 법정 프로그램이 2012년에 660개교, 2015년에는 1,720여 개교로 대폭 확대되었다. 학생 자치 법정은 학교 내에 가벼운 교칙 위반 사례가 발생했을 때 생활 기록부 징계나 교사의 처벌을 대신하여 학생들이 직접 법정을 꾸리고 판사, 검사, 배심원의 역할을 맡아서 해당 학생에 대한 교육적 지도 방안을 협의하는 제도이다.

① 직업 체험　　　　　② 성적 향상
③ 인성 교육　　　　　④ 교칙 개정
⑤ 스트레스 해소

06 다음 중 바람직한 애국이라고 할 수 있는 것은?

① 이성적 애국주의　　② 맹목적 애국주의
③ 배타적 국수주의　　④ 환상적 군국주의
⑤ 자민족 중심주의

5 정의란 무엇인가?

07 서술형 정의의 성격이 다음과 같이 변화한 이유를 두 가지 서술하시오.

> 과거에는 개인의 양심이나 도덕성 같은 개인 윤리를 바탕으로 공정한 사회 정의를 실현하고자 했다. 그러나 오늘날에는 정의는 사회 윤리의 성격을 띠게 되었다.

08 다음 글을 통해 알 수 있는 것은?

> 모둠 과제를 할 때 모둠 구성원들이 모두 열심히 활동하고, 나중에 그 기여도에 따라 점수를 받는 원칙은 올바르다고 할 수 있다. 그런데 만약 몸이 아파서 과제 활동에 제대로 참여하지 못한 친구가 아예 점수를 받지 못한다면 이를 공정하다고 할 수 있을까?

① 과제 활동 기여도를 재는 기준이 명확하지 않다.
② 학교에서 모둠 과제를 부여하는 것은 삼가야 한다.
③ 어떤 원칙은 올바르지만 공정하지 못할 때도 있다.
④ 몸이 허약한 학생들은 모둠 활동에서 제외시켜야 한다.
⑤ 과제 활동에 참여하지 못하면 이유와 관계없이 점수를 부여하면 안 된다.

★
09 부패 방지를 위한 노력으로 옳은 것은?
중요
① 부패 행위는 전적으로 개인의 잘못으로 인식한다.
② 복잡한 절차를 만들어 담당자에 자율권을 부여한다.
③ 법률적 원칙보다는 개인 간의 따뜻한 정을 강조한다.
④ 부패 행위가 발생하는 이유는 사회 제도의 문제라고 생각한다.
⑤ 부패 행위로 얻게 된 이익보다 훨씬 더 큰 불이익을 주도록 한다.

10 다음 뉴스에 반응을 보인 학생이 이야기하는 것은?

① 사법적 정의
② 경제적 정의
③ 분배적 정의
④ 사전적 정의
⑤ 절차적 정의

11 주관식 다음 글에서 설명하는 사회 정의의 유형은 무엇인지 쓰시오.

> 이 유형의 정의는 이익을 '나누는 방식'과는 별개로, 그 방식을 결정하는 '절차'가 공정한지를 묻는다.

12 다음과 같은 현상이 확산될 때 예상되는 문제점으로 적절하지 <u>않은</u> 것은?

> 신도시 조성 공사를 담당하는 ○○개발 공사의 A 팀장은 해당 공사에 고향 후배가 운영하는 업체의 포장재가 최종 납품될 수 있도록 청탁을 받고 계약을 해 준 대가로 모두 5회에 걸쳐 5,000만 원 상당의 금품을 건네받은 혐의로 경찰에 입건되었다.

① 사회적 비용이 발생하여 경제적 손실이 따른다.
② 사회 구성원 간 신뢰와 공동체 의식이 무너진다.
③ 정부나 기업에 대한 불신의 골이 깊어지고 국가 경쟁력이 약화된다.
④ 학연, 지연, 혈연 등의 사적인 연고를 중심으로 하는 인간관계가 축소된다.
⑤ 청탁을 통해 부당한 이득을 보는 사람이 생겨 공정한 경쟁의 틀이 무너진다.

6 북한을 어떻게 이해하고 바라볼 것인가?

13 서술형 6·25 전쟁이 일어난 배경이 무엇인지 서술하시오.

14 서술형 북한 이탈 주민들이 남한에 정착하는 과정에서 겪는 문화적 어려움을 두 가지 쓰시오.

15 다음 글의 밑줄 친 부분에 들어갈 말로 적절한 것은?

> 준호: 얘들아. 어제 북한 관련 특집 다큐멘터리 봤어?
> 동현: 응. 북한의 인권 실태를 보고 가슴이 아팠어. 기회가 된다면 꼭 도와주고 싶어.
> 민지: 뭐라고? 북한을 도와주고 싶다고? 북한이 몇 번이나 우리나라를 공격했는지 몰라서 그래?
> 주희: _____

① 우리는 북한과 모든 관계를 단절해야 해.
② 앞으로는 우리가 북한을 먼저 공격해야 해.
③ 북한 주민들은 더 많은 고생을 하게 두어야 해.
④ 무슨 일이 있어도 북한을 일방적으로 도와야 해.
⑤ 북한은 우리의 적이기도 하지만 통일을 이루어 함께 살아야 할 대상이야.

16 북한의 예술의 목적에 해당하는 것은?

① 당의 이념과 정책을 선전하는 도구이다.
② 보고 느낀 아름다움을 표현하는 수단이다.
③ 많은 사람들의 마음을 치유하는 도구이다.
④ 각 개인이 지닌 개성을 창조하는 수단이다.
⑤ 타인과 감정을 소통하게 해 주는 도구이다.

17 다음 글을 통해 알 수 있는 북한의 현실은?

> 북한에서는 공개 처형, 탈북자 불법 처형, 불법 구금 및 체포, 고문, 불공정한 재판 절차 등이 이루어지고 있다. 공개 처형의 경우 군중이 모인 자리에서 재판 형식으로 경력과 죄명을 공개하여 진행하며 판결 즉시 처형한다.

① 개인주의적 사고가 확산되고 있다.
② 의식주 생활 자체를 위협받고 있다.
③ 경제 활동의 자유가 억압되고 있다.
④ 주민들의 생명권을 침해당하고 있다.
⑤ 정치적 권리를 보장받지 못하고 있다.

18 북한의 가정생활에 대한 설명으로 옳은 것은?

① 부모 자녀 관계에서 전통적인 가부장적 요소가 모두 사라지게 되었다.
② 가정은 공산주의 혁명에 방해가 된다면서 가족 해체 작업을 벌이고 있다.
③ 가정은 사회주의 혁명과 국가를 위해 존재해야 하는 집단으로 규정하고 있다.
④ 가장의 역할은 주부가 수행하고 집안일은 가족들이 공평하게 나누어 처리하고 있다.
⑤ 주민들은 가정을 소홀히 여기며 가정은 잠을 자기 위해 잠시 들르는 장소로 사용된다.

19 '고난의 행군 시기'에 대한 설명에 대한 설명으로 옳은 것은?

① 출신 성분에 따라 겪게 되는 고난의 기간이다.
② 북한의 일상생활에서 겪게 되는 어려운 상황이다.
③ 북한 주민 누구나 한 번 겪게 되는 어려운 시기이다.
④ 북한에서 1990년대 중·후반 국제적 고립과 자연 재해 등으로 어려움을 겪은 시기이다.
⑤ 북한 주민들이 북한을 탈출하여 우리나라에 입국하기까지 겪게 되는 어려운 시기이다.

7 우리에게 통일의 의미는 무엇인가?

20 (주관식) 다음 빈칸에 들어갈 말을 각각 순서대로 쓰시오.

> [   ]으로 한반도가 하나로 이어지고, 정치 · 경제적으로 서로 대립되었던 제도와 체제가 하나가 되며, [   ]으로는 이질화된 문화가 통합되고, 서로 다름을 존중하면서도 우리는 하나라는 의식을 가질 때 통일을 이루었다고 할 수 있다.

21 (서술형) 분단으로 인한 고통을 두 가지 이상 쓰시오.

★
22 (중요) 남북한이 '심리적 통일을 이루었다.'라고 할 수 있는 단계는?

① 남북한이 서로 다름을 존중하게 되었다.
② 남북한 주민이 공동체 의식을 갖게 되었다.
③ 남북한이 하나의 제도와 체제로 통합되었다.
④ 이질화된 문화가 동질성을 유지하게 되었다.
⑤ 분단되어 있던 한반도가 하나로 이어져 있다.

23 우리가 지향해야 할 통일로 볼 수 없는 것은?

① 다양성을 인정하면서도 동질성을 추구해야 한다.
② 남북한 주민들이 상생하는 기반을 마련해야 한다.
③ 성숙되고 선진적인 민주 · 복지 국가가 되어야 한다.
④ 부정적인 면을 해소할 수 있는 방안을 마련해야 한다.
⑤ 구성원 전체가 단순히 하나였던 과거의 통일 상태로 돌아가야 한다.

24 다음과 같은 문제가 나타나는 이유로 옳은 것은?

> 우리나라는 분명 대륙과 연결된 국가이지만 섬나라와 다를 바 없는 실정입니다. 외국으로 여행을 가거나 무역을 할 때에도 자동차나 열차를 이용하지 못하고 비행기나 배로만 가능합니다.

① 교통수단이 발달되어 있지 않다.
② 한반도가 남북으로 분단되어 있다.
③ 남북한의 경제 여건이 낙후되어 있다.
④ 도로망이 충분히 건설되어 있지 않다.
⑤ 해외여행을 희망하는 사람이 많지 않다.

25 바람직한 통일 한국의 모습과 거리가 먼 것은?

① 모든 권력은 통일 국민으로부터 나오는 민주 공화국이어야 한다.
② 국민이 주도하는 통일이 아니라 국가가 원하는 통일 한국이 되어야 한다.
③ 법 앞에서 모든 국민이 평등하며 다름으로 인하여 차별을 받지 않는 나라가 되어야 한다.
④ 타인의 자유와 권리를 침해하지 않는 범위에서 신체의 자유를 비롯한 기본적인 자유가 보장되어야 한다.
⑤ 구성원 모두가 기회를 균등히 보장받고, 각자의 능력을 발휘하여 자아를 실현할 수 있는 나라가 되어야 한다.

★
26 (중요) 다음과 같은 이유 때문에 요구되는 것은?

> 북한은 통일의 대상이기도 하지만 우리를 위협하는 존재이기도 하다.

① 굳건한 국가 안보 의식을 확립해야 한다.
② 대화와 협력을 지속적으로 추진해야 한다.
③ 인도적 차원에서 북한을 도와주어야 한다.
④ 통일에 대한 긍정적인 자세를 가져야 한다.
⑤ 통일 비용을 마련하기 위한 대책을 세워야 한다.

Ⅳ 자연·초월과의 관계

우리가 자연·초월과 바람직한 관계를 맺기 위해서는 어떤 태도가 필요할까요? 바로 인간으로서 도덕적 책임을 다하는 책임감 있는 태도입니다.

이 영역의 핵심 가치는 책임입니다. 책임은 자신의 행위에 대한 인과적 책임과 삶의 의미 물음에 대한 존재적 책임을 포용하는 포괄적 의미의 책임을 지향합니다. 우리는 환경 친화적 삶과 과학 기술의 윤리적 사용을 통해 지속 가능한 미래를 지향하고, 윤리적 성찰을 통해 삶과 죽음의 의미와 마음의 평화를 추구할 수 있습니다. 그렇다면 책임의 가치를 통해 구체적으로 어떠한 삶을 살아가야 할지 이 영역을 공부하며 알아볼까요? 먼저 나의 학습 계획을 세워 보세요.

스스로 학습 계획						스스로 학습 성취도
계획일	월	일	학습일	월	일	○ ○ ○ ○ ○
	월	일		월	일	○ ○ ○ ○ ○
	월	일		월	일	○ ○ ○ ○ ○
	월	일		월	일	○ ○ ○ ○ ○
	월	일		월	일	○ ○ ○ ○ ○
	월	일		월	일	○ ○ ○ ○ ○
	월	일		월	일	○ ○ ○ ○ ○
	월	일		월	일	○ ○ ○ ○ ○
	월	일		월	일	○ ○ ○ ○ ○
	월	일		월	일	○ ○ ○ ○ ○
	월	일		월	일	○ ○ ○ ○ ○
	월	일		월	일	○ ○ ○ ○ ○
	월	일		월	일	○ ○ ○ ○ ○
	월	일		월	일	○ ○ ○ ○ ○
	월	일		월	일	○ ○ ○ ○ ○
	월	일		월	일	○ ○ ○ ○ ○

◆교과서 135~138쪽

① 인간은 **자연의 주인**일까?

학습의 주안점

• 환경의 종류
• 인간 중심주의
• 생태 중심주의

1 인간의 삶과 환경의 관계

(1) 환경의 의미

① 우리를 둘러싸고 있는 모든 것들

② 인간 생활에 직접 · 간접적으로 영향을 주는 자연적 조건이나 사회적 상태

(2) 환경의 종류
[Tip] 인간이 만든 것이 아닌 원래의 자연적인 것을 말해.

① 자연 환경: 인간 생활을 둘러싸고 있는 자연계의 모든 요소가 이루는 환경
  – 생물적 요소(인간과 동식물)와 무생물적 요소(햇빛, 공기, 물 등)로 분류됨.

② 인공❶ 환경: 생활의 편리함이나 경제적 이익 등을 위해 인위적❷으로 만든 환경
  – 가시적❸인 것(도로, 건물 등)과 비가시적인 것(법률, 제도 등)으로 분류됨.

(3) 환경의 소중함

① 인간의 생존과 편안한 삶을 위해서는 자연환경과 인공 환경이 모두 필요함.

② 인간과 자연은 서로 영향을 주고받으며, 오염된 환경은 인간의 삶을 위협함.

2 자연에 대한 인간의 태도

(1) 자연에 대한 인간의 태도가 중요한 이유: 환경 문제 발생에 큰 영향을 끼침.

(2) 자연에 대한 인간의 태도 이해 [자료1]

① 인간 중심주의: 자연은 도구적 가치를 지닌다는 관점
  – 인간을 자연의 주인으로 여기며, 인간을 위해 자연을 개발할 수 있다고 봄.

② 생태 중심주의: 자연은 본래적 가치를 지닌다는 관점
  – 인간도 생태계의 일부분이라 여기며, 자연과 조화롭게 살아갈 것을 강조함.

(3) 자연에 대한 바람직한 태도: 인간과 자연의 조화를 위해 노력함.

① 지나친 인간 중심주의의 문제: 환경 문제의 원인이 됨.

② 극단적❹ 생태 중심주의의 문제: 모든 편익❺을 포기하라고 요구함.

❶ 인공
사람의 힘으로 자연에 대하여 가공하거나 작용을 하는 일

❷ 인위적
자연의 힘이 아닌 사람의 힘으로 이루어지는

❸ 가시적
눈에 보이는

❹ 극단적
한쪽으로 크게 치우치는

❺ 편익
편리하고 유익함.

📖 기본 확인 문제

◆정답 228쪽

1 다음 내용이 옳으면 ○표, 틀리면 ×표를 하시오.
  ① 과학 기술이 발전하면서 자연환경이 더 많이 늘었다. ( )
  ② 환경은 자연환경과 인공 환경으로 나눌 수 있다. ( )
  ③ 자원의 이용 문제에 있어 인간 중심주의는 대체로 현 상태의 자연 보존을 주장한다. ( )

2 우리를 둘러싸고 있는 모든 것을 무엇이라고 하는가?

3 자연에 대한 인간의 태도 중 하나로 자연의 본래적 가치를 강조하는 입장을 무엇이라고 하는가?

4 다음 빈칸에 들어갈 알맞은 말을 쓰시오.
  ① ☐☐의 도움 없이 인간은 생존 자체가 불가능하다.
  ② 환경 문제를 일으킨 것은 자연에 대한 ☐☐ 중심주의적 태도이다.

내신 만점을 위한 탐구 자료

자료1 아메리칸 인디언의 십계명과 자연을 대하는 태도 》

1. 대지는 우리의 어머니, 그 어머니를 잘 보살펴라.

2. 나무와 동물과 새들, 당신의 모든 친척을 존중하라.

3. 위대한 신비를 향해 당신의 가슴과 영혼을 열라.

4. 모든 생명은 신성한 것, 모든 존재를 존경하는 마음으로 대하라.

5. 대지로부터 오직 필요한 것만을 취하고, 그 이상은 그냥 놓아두어라.

6. 모두에게 선한 일을 행하라.

7. 모든 위대한 신비에 감사하라.

8. 진실을 말하라. 하지만 사람들 속에서 오직 선한 것만을 보라.

9. 자연의 리듬을 따르라. 태양과 함께 일어나고 태양과 함께 잠들라.

10. 삶의 여행을 즐기라. 하지만 발자취를 남기지 말라.

교과서 활동 과제 풀이

스스로 생각하기   **인간이 자연에 미친 영향은 무엇인가?**   교과서 135쪽

활동 목적   제시된 포스터를 살펴보고 인간이 자연에 미친 영향이 무엇인지 파악하여, 우리가 어떤 태도를 가져야 하는지 진지하게 생각해 봅시다.

예시 답안   **생각1** 자연은 인간의 생존에 필요한 공기와 음식은 물론, 의복과 집을 지을 재료 등을 제공해 주었다. 그런데 인간은 개발을 무분별하게 해 온 나머지 땅과 숲, 바다를 오염시키고 훼손하였다.

생각2 인간은 생태계의 균형을 깨트리고 동물들의 생존을 위협하는 위험한 존재로 비춰질 수 있다. 인간의 욕망 때문에 이미 멸종되었거나 멸종 위기에 내몰린 동물들이 많기 때문이다.

생각 Tip   포스터에 나타난 환경 문제를 파악한 후, 동물들의 입장에서 생각해 보세요.

생각을 나누는 **모둠활동**

환경 백일장   교과서 136쪽

활동 목적   우리를 둘러싼 자연환경과 인공 환경에 대한 지식을 바탕으로 나와 친구들이 경험하고 생각하는 환경에 대해 알

예시 답안   아봅시다.

- **내가 선택한 단어들**: 공기-미세 먼지-마스크
- **내가 만든 문장**: 공기의 질이 점점 나빠져 미세 먼지를 피하기 위해 마스크를 쓰는 일이 일상이 되고 있다.

- **친구가 선택한 단어들**: 공원-산책로-자전거
- **친구가 만든 문장**: 어제 아빠와 함께 공원의 산책로를 걸었다. 자전거 타는 사람들의 모습이 즐거워 보였다.

활동 Tip   환경에 대한 연관 단어를 파악한 후 의미가 전달되도록 종합하여 문장을 만드세요.

생각 더하기 **자연에 대한 인간의 두 가지 태도** 　　　　　　　　　　　　　　　　　　　⌾교과서 137쪽

활동 목적 **자연을 대하는 인간의 태도에서 대표적으로 비교되는 인간 중심주의와 생태 중심주의의 차이점에 대해 알아봅시다.**

예시 답안

자연에 대한 인간의 태도	특징
인간 중심주의	① 인간은 자연의 주인이다. ④ 자연은 인간을 위해 존재하는 것이다. ⑤ 인간의 삶에 도움을 주지 않는 자연은 아무 의미가 없다.
생태 중심주의	② 인간은 자연의 일부분이다. ③ 생태계의 조화를 유지하도록 노력해야 한다. ⑥ 자연을 중심으로 인간과 자연환경의 관계를 바라본다.

활동 Tip 먼저 인간 중심주의와 생태 중심주의에 대한 교과서의 설명을 정확하게 확인해 보세요.

 생각 더하기 **국립 공원의 케이블카 설치에 대한 찬반 토론** 　　　　　　　　　　　　　⌾교과서 138쪽

활동 목적 **자연에 대한 서로 다른 입장이 어떻게 우리의 생각과 판단에 영향을 끼치는지 알아봅시다.**

예시 답안 • 찬성: 찬성한다. 우리 할머니께서는 다리가 아프셔서 산을 오르지 못하시는데 케이블카가 설치되면 함께 산 정상까지 가서 경치를 감상할 수 있기 때문이다. 케이블카 이용 요금으로 친환경 사업을 지원하면 오히려 환경 보존에도 도움이 될 수 있다고 본다.

　　　　　　 • 반대: 반대한다. 케이블카를 설치하면 산림이 훼손되고 동물들의 삶의 터전이 방해받을 것이기 때문이다. 국립 공원은 그 자체가 보존되어야 할 가치가 있는 곳인데 지역 자치 단체의 경제적 이익을 위해 무분별하게 개발되는 것을 막아야 한다.

활동 Tip 자연에 대한 우리의 입장과 현실 생활에서의 의사 결정이 서로 연관되어 있다는 것을 생각하세요.

스스로 정리하기 **자연에 대한 바람직한 태도** 　　　　　　　　　　　　　　　　　⌾교과서 138쪽

활동 목적 **자연에 대해 어떤 생각과 태도를 가져야 할지, 왜 그래야 하는지를 정리하면서 자신의 태도가 자연에 미치는 영향을 확인해 봅시다.**

예시 답안 **정리 1** 자연과 인간은 서로 영향을 미치며 살아간다. 지금까지 인간은 자연을 단순히 도구적 관점에서 개발과 이용의 대상으로 여긴 나머지 환경 파괴와 자원의 고갈 등 심각한 환경 문제를 야기하였다. 따라서 인간과 자연은 조화로운 관계를 회복할 필요가 있다. 자연이 인간에게 베풀어 준 것들을 고맙게 여기며 인간도 자연의 질서 속에서 균형과 조화를 깨트리지 않도록 노력해야 할 것이다. 이는 인간의 생존을 위해서도 절실하게 요구된다.

정리 2 생태 중심주의는 존중과 배려의 대상을 인간뿐만 아니라 동식물과 같은 생명 유기체는 물론 모든 지구 생태계의 각종 자원과 요소들에게까지 확대하였으며, 이들과의 공존을 추구하고 협력을 실천한다는 점에서 도덕적 가치를 지닌다.

정리 Tip 자연에 대한 올바른 태도는 인간의 삶을 위협하고 있는 심각한 환경 문제를 해결하기 위해서도 꼭 필요하다는 것을 기억합니다.

주제별 평가 문제

⊘ 정답 228쪽

1 자연환경에 대한 설명으로 옳지 **않은** 것은?

① 인간이 만든 것이 아니라 원래 있었던 것이다.
② 자연환경은 인간의 생존을 위해 반드시 필요하다.
③ 우리 생활을 편리하고 안락하게 만들어 주는 것이다.
④ 과학 기술이 발달하면서 더 오염되고 파괴되었다.
⑤ 과거와 비교하여 오늘날 중요성이 더 강조되고 있다.

2 다음 빈칸에 들어갈 핵심 문장으로 옳은 것은?

> ＿＿＿＿＿＿＿＿＿＿＿. 하늘과 땅과 바다와 이 속의 온갖 것들이 우리 모두의 삶의 자원이다. 자연은 인간을 비롯한 모든 생명체의 원천으로서 오묘한 법칙에 따라 끊임없이 변화하면서 질서와 조화를 이루고 있다. – 자연 보호 헌장 중에서

① 인간은 자연에서 태어나 자연의 혜택 속에서 살고 자연으로 돌아간다.
② 지구는 하나의 살아있는 기계로서 스스로 생성, 변화, 발전을 거듭한다.
③ 인간은 과학 기술을 발달시켜 자신의 한계를 극복하며 현대 문명을 이룩했다.
④ 사람들마다 자연을 대하는 태도가 다른 것은 각자가 추구하는 가치가 서로 다르기 때문이다.
⑤ 사람들이 자연의 위대함을 깨달아 자연물을 신앙의 대상으로 삼은 것은 비교적 최근의 일이다.

3 다음 글의 내용을 바르게 이해한 것은?

> 인공 환경은 주택, 공장, 도로, 차량과 같이 생활의 편리함이나 경제적 이익 등을 위해 만든 인위적인 환경을 말한다. 도시와 산업이 발달하고 과학 기술이 발전하면서 사람들은 점점 더 많은 인공 환경을 만들어 왔다. 그 결과 자연 환경이 파괴되고 오염되는 문제가 생겨났다.

① 자연환경보다 인공 환경이 더 중요하다.
② 인공 환경에 비해 자연환경은 만들기 어렵다.
③ 환경의 소중함에 대한 인식이 점차 약해졌다.
④ 자연환경의 증가로 인한 환경 문제는 전혀 없다.
⑤ 인공 환경의 발달과 함께 환경 문제가 나타났다.

4 다음 중 인공 환경에 해당하지 **않는** 것은?

① 친구 　　② 학교 　　③ 교실
④ 예절 　　⑤ 시험

★
5 다음 학생들의 생각에서 찾을 수 있는 공통점은?
중요

> 마루: 인간은 자연의 주인이야.
> 하나: 인간의 행복을 위해 자연은 얼마든지 이용할 수 있어.
> 나래: 자연의 가치는 인간에게 얼마나 유용한가에 따라 매겨지지.
> 두리: 자연은 그 자체로는 의미가 없어.

① 자연에 대한 생태 중심주의의 입장이다.
② 환경 문제에 나쁜 영향을 미치지 않는다.
③ 자연과 인간의 공존을 추구하는 모습이다.
④ 자연 환경에 대한 인간 중심주의적 태도이다.
⑤ 자연을 보호하고 환경을 보존하는 기초가 된다.

★
6 다음 주장에 대한 반론으로 옳은 것은?
중요

> 자연을 지키기 위해 지정한 국립 공원에 케이블카를 설치하는 것은 멸종 위기의 동식물을 벼랑 끝으로 내모는 일이야.

① 케이블카를 설치하면 등산이 어려운 노약자들이 산의 경치를 감상할 수 있어.
② 케이블카를 설치하면 삼림이 훼손되고 동식물들의 삶의 터전이 파괴될 수밖에 없어.
③ 케이블카를 설치하고 등산로를 폐쇄하면 오히려 동식물들의 서식지가 보호받을 수 있어.
④ 케이블카 설치는 더 많은 관광객을 유치하여 지역 경제를 활성화하는데 큰 도움이 될 수 있어.
⑤ 케이블카의 운행에 따른 소음 발생과 사람들의 간섭 때문에 동식물들의 습생에 나쁜 영향을 미칠 거야.

① 인간은 자연의 주인일까? **131**

② 환경에 대한 가치관과 소비 생활은 어떤 관계가 있을까?

📖 교과서 139~142쪽

학습의 주안점
- 지속 가능한 발전
- 합리적 소비
- 윤리적 소비

1 환경 변화에 대한 이해와 지속 가능한 발전

(1) 자정 능력의 한계 자료1

① 자연환경은 시간의 흐름에 따라 스스로 오염을 정화❶하는 자정 능력이 있음.

② 인간의 무분별한 개발로 자연의 자정 능력을 뛰어넘을 정도로 환경이 오염됨.

(2) 환경 문제의 해결책 모색 Tip 인류는 생존을 위해 자연을 개발해 왔어.

① 근본적 해결의 어려움: 자연을 개발하고 자원을 활용할 수밖에 없음.

② 인류가 지금의 삶의 방식을 유지한다면 환경 문제는 계속 발생할 것임.

(3) 지속 가능한 발전의 의미와 필요성

① 의미: 다음 세대의 삶의 여건을 해치지 않고 지금 세대의 필요를 충족하는 개발

② 필요성: 미래 세대의 권리를 보장하고, 생태계의 공존을 추구하기 위함.

2 소비 생활과 환경의 관계

(1) 합리적 소비: 가격과 품질 등 종합적인 면에서 만족을 얻을 수 있는 소비

(2) 환경을 해치는 잘못된 소비 생활의 모습 자료2 Tip 물건을 많이 가질수록 더

① 물질 중심주의: 돈을 가장 중요한 가치로 여김. 행복하다고 믿는 잘못된 태도야.

② 편의❷주의: 어떤 일을 자기 이익과 편리함을 위해 대충 처리함.

③ 종 차별주의: 인간이 다른 어떤 종보다 우월하다고 생각함.

(3) 윤리적 소비: 인류의 행복과 자연이 조화를 이루는 소비 자료3

(4) 윤리적 소비자의 제품 구입 기준

① 환경: 기후 변화, 오염, 환경 보전 등 소비가 환경에 미치는 영향을 고려함.

② 동물: 동물 실험, 공장형 사육❸, 동물의 권리를 고려하는 소비를 함.

③ 사람: 인권, 노동자 권리, 아동 학대와 착취 등을 고려하여 제품을 구입함.

④ 지속 가능성: 유기농❹ 제품, 공정 무역, 에너지 효율 등을 중요하게 여김.

---

❶ **정화**
불순하거나 더러운 것을 깨끗하게 함.

❷ **편의**
형편이나 조건이 편하고 좋음.

❸ **공장형 사육**
대량으로 어린 가축이나 짐승이 자라도록 먹이어 기름.

❹ **유기농**
화학 비료나 농약을 쓰지 않고 유기물을 이용하는 농업 방식

📌 기본 확인 문제

📖 정답 228쪽

1 다음 내용이 옳으면 ○표, 틀리면 ×표를 하시오.

① 자연은 자정 능력이 없어서 환경 문제가 심각하다. ( )

② 생존을 위해 자연을 이용하는 것은 불가피하다. ( )

③ 환경 문제 해결을 위해 지속 가능한 발전이 등장했다. ( )

2 다음 세대가 필요로 하는 삶의 여건을 해치지 않으면서 지금 세대가 필요한 것을 충족하는 개발을 무엇이라 하는가?

3 환경, 동물, 사람 등을 고려하는 소비를 무엇이라 하는가?

4 다음 빈칸에 들어갈 알맞은 말을 쓰시오.

① 환경 문제를 위해서는 가격, 품질, 만족도를 종합적으로 고려하는 □□□ 소비만으로는 충분하지 않다.

② □□□□□는 자기 이익과 편리함을 위해 일을 대충 처리하는 태도로 환경에 나쁜 영향을 미친다.

📖➕ 내신 만점을 위한 탐구 자료

자료1 햄버거 커넥션 ≫

멕시코의 환경 운동가 가브리엘 과드리는 '육식 확대→많은 쇠고기 필요→방목장 확장→열대 우림 파괴→지구 온난화'로 이어지는 연결 고리를 '햄버거 커넥션'이라 하였다. 햄버거에 들어가는 고기 한 조각을 생산하기 위해서는 5㎡의 목초지를 조성하여 소를 방목해야 한다. 그리고 목초지 조성을 위해서 많은 숲들이 파괴된다. 또한 매년 우리나라 땅 크기의 목초지가 방목으로 인하여 사막화된다. 문제는 여기서 그치지 않는다. 소들은 목초지의 풀뿐만 아니라 지구에서 생산되는 곡식의 3분의 1을 먹어 치운다. 우리가 1인분의 고기와 우유 한 잔을 얻으려면 소에게 22인분의 곡식을 먹여야 한다. 이 곡식을 기아로 사망하는 사람들에게 제공한다면 매년 4천만 명에서 6천만 명을 살릴 수 있다.

자료2 패스트 패션 ≫

최신 유행을 즉각 반영한 디자인, 비교적 저렴한 가격, 빠른 상품 회전율로 승부하는 패션 또는 패션 사업을 뜻하는 말이다. 주문을 하면 바로 먹을 수 있는 음식인 패스트푸드(fast food)처럼, 빠르게 제작되어 빠르게 유통된다는 의미에서 패스트 패션(fast fashion)이라는 이름이 붙었다. 일반 패션 업체들은 대부분 1년에 4~5회씩 계절별로 신상품을 내놓지만 패스트 패션 업체들은 보통 1~2주일 단위로 신상품을 선보인다. 패스트 패션의 또 다른 특징은 다품종 소량 생산을 기본으로 생산 제품을 빨리빨리 바꾸어 내놓는다는 점이다. 소비자는 최신 유행의 옷을 값싸게 살 수 있고, 업체는 빠른 상품 회전으로 재고 부담을 줄이면서 고객을 확보할 수 있다는 이점이 있다. 하지만 값싼 합성 섬유의 대량 생산이 결국 폐기물로 쉽게 배출된다는 점에서 환경 문제에 부정적으로 작용한다는 비판을 받고 있다.

자료3 로컬 푸드 운동 ≫

반경 50킬로 이내에서 생산된 믿을 수 있는 친환경 농산물을 해당 지역에서 소비하는 것을 말한다. 미국이나 영국, 캐나다, 이탈리아, 일본 등의 나라에서는 수십 년 전부터 활발하게 전개되고 있다. 이탈리아의 슬로푸드(Slow Food), 네덜란드의 그린 케어팜(Green Care Farm), 미국의 100마일 다이어트 운동, 일본의 지산지소 운동이 그 예이다. 지역

경제 활성화와, 장거리 이동이 필요치 않아 이산화 탄소 발생량이 적다는 점도 장점으로 꼽을 수 있다. 로컬 푸드 운동은 환경 보호와 생산자의 안정적인 소득 구조 창출, 소비자의 안전한 먹거리 확보로 생산자와 소비자의 신뢰성을 형성하고 지역 경제 발전 등에 기여하는 사회적 움직임이다. 최근 우리나라에서도 소비자의 건강과 환경에 대한 관심이 증가하고 식품 안전에 대한 인식이 높아지면서 로컬 푸드 운동을 추진하는 사례가 확산되고 있다.

🔍 교과서 활동 과제 풀이

스스로 생각하기	우리가 먹는 음식과 환경의 관계	📎교과서 139쪽

활동 목적 일상생활에서 우리가 무심코 선택하는 소비가 환경에 어떤 영향을 미치는지에 대해 음식 소비를 통해 알아봅시다.

예시 답안
- 생각1 환경을 고려한다면 밥과 수박을 선택해야 한다.
- 생각2 패스트 패션을 즐겨 입는 나의 습관은 환경에 나쁜 영향을 미친다. 이는 더 많은 쓰레기를 배출하게 만든다.

생각Tip 소비가 환경에 미치는 영향을 바르게 이해한다면 올바른 소비 생활의 방향을 찾을 수 있겠지요.

지속 가능한 발전

🖉 교과서 140쪽

활동 목적 지속 가능한 발전의 도덕적 의미를 확인하고, 자연을 위해 생활 속에서 나부터 실천할 수 있는 노력에 대해 생각하고 정리해 봅시다.

예시 답안

활동 1	• 선진국의 사례를 보면 댐을 건설할 때에도 회귀성 어류들이 본래 태어났던 하천이나 바다로 돌아갈 수 있도록 어로(魚路)를 만들어 준다고 해요. 그러니 도로를 만들 때에 터널 위로 동물들이 다닐 수 있는 생태 통로를 만들어 준다면 길 위에서 죽음을 맞는 동물이 줄어들 수 있을 것 같아요. • 도시를 개발하고 도로를 확장할 때 실시하는 환경 영향 평가에서 사람 중심의 결과 분석을 하는 데 그치지 말고 동식물의 생존과 생태계의 질서 유지가 더더욱 엄격한 기준으로 고려될 수 있도록 해야 해요. 사람의 편리함을 위해 생존의 위협이나 종의 단절을 겪는 동식물이 없어야 하니까요.
활동 2	• 아름다운 숲을 물려주기 위해: 일회용 종이컵의 사용을 줄이고 이면지를 활용하여 삼림 자원의 무차별한 훼손을 줄이도록 한다. 소와 가축의 방목을 위해 사라지는 숲이 늘어나지 않도록 육식을 줄이고 채식을 늘려서 내 몸의 건강과 아름다운 자연을 지켜 내도록 할 것이다. • 깨끗한 바다를 물려주기 위해: 샴푸와 합성 세제 등을 적정량만 사용하고, 음식물 쓰레기가 발생하지 않도록 필요한 만큼만 덜어서 먹고, 폐식용유는 모아서 재활용 비누를 만드는 등 하천과 해양을 오염시키는 화학 물질과 각종 폐수의 배출을 줄이도록 할 것이다. • 맑은 공기를 물려주기 위해: 미세 먼지, 배기가스, 이산화 탄소의 발생량이 늘어날수록 우리가 숨 쉬는 공기의 질은 나빠질 수밖에 없다. 따라서 대중교통을 이용하고 냉난방기의 적정 온도를 지켜서 사용하며 건강하고 안전한 우리 지역의 농산물을 소비하도록 노력할 것이다.

활동 Tip 인간과 자연이 더불어 살아가는 생태계의 공존을 생각해 봐요.

스스로 정리하기 ## 환경을 생각하는 소비 생활

🖉 교과서 142쪽

활동 목적 환경에 대한 올바른 가치관을 기반으로 바람직한 소비 생활의 자세를 기를 수 있습니다.

예시 답안

 정리 1 우선 자연을 바라보는 인간 중심주의적 태도가 오늘날 심각한 환경 문제의 원인이 되었음을 분명하게 알아야 합니다. 또한 자연이 인간의 필요를 무한정 충족시켜 줄 수 없다는 것을 바르게 인식하는 것이 중요합니다. 자원과 자연의 유한성을 생각할 때, 우리는 비로소 자연과 인간이 공존하는 '지속 가능한 발전'을 위해 노력해야 한다는 것을 알게 될 것이기 때문입니다.

정리 2 자연환경을 생각하는 소비 생활을 실천하기 위해서는 환경을 해치는 잘못된 소비 생활의 모습들에 대해 아는 것이 무엇보다 필요합니다. 그리고 자신의 소비 생활을 반성적으로 살펴서 물질 중심주의, 편의주의, 그리고 종 차별주의적 사고와 행동이 없는지를 확인하는 것이 중요합니다. 이를 통해 스스로 환경을 생각하는 착한 소비자가 되기 위해 노력하고 가족과 친구들에게 환경 친화적 소비 생활에 대해 적극 호소하는 참여를 이끄는 환경 파수꾼의 역할 또한 하여야 합니다.

정리 Tip 우리의 소비 생활은 단순히 경제 활동의 한 부분으로 끝나지 않습니다. 이번 주제를 공부하면서 자신의 생각이 어떻게 달라졌는지 확인해 봐요!

주제별 평가 문제

⊘정답 228쪽

1 **다음 글을 통해 배워야 할 자연에 대한 바른 이해는?**

중요

> 자연은 자정 능력이 있어 스스로를 복구·유지하면서 생명 활동을 가능하게 한다. 하지만 인간이 무분별하게 자연을 개발하고 활용하는 과정에서 만들어 낸 각종 오염 물질들은 자정 능력을 뛰어넘을 정도로 환경을 오염시켰다.

① 자연은 인간의 도움 없이는 유지되기 어렵다.
② 자연을 생존에 활용하지 않는 것이 필요하다.
③ 자연의 한계와 생태계의 유한성을 인식해야 한다.
④ 지금과 같은 방식의 자연 개발은 계속 되어야 한다.
⑤ 자연을 원래의 모습으로 되돌려 놓는 것이 가능하다.

2 **다음과 같은 잘못된 소비 생활의 모습이 나타나는 원인으로 가장 적절한 것은?**

물컵이 있는데 종이컵을?

이걸 쓰면 편리해요.

① 인간이 다른 어떤 종보다 우월하다고 생각하여 인간 중심으로 일을 결정한다.
② 어떤 일을 제대로 처리하지 않고 자기 이익과 편리함을 위해 대충 처리한다.
③ 돈을 가장 중요한 가치로 여기고 물질을 많이 가질수록 더 행복하다고 여긴다.
④ 오직 아름다움을 최고의 가치로 여겨 내용보다 형식을 중요하게 생각하고 있다.
⑤ 외모를 가장 중요하게 여기고 외모를 가꾸는 데 시간과 노력을 지나치게 사용한다.

3 **다음 빈칸에 공통으로 들어갈 말은?**

> 우리는 일상생활에서 많은 물건들을 소비하며 살아 간다. 대부분의 소비자는 가격과 품질 등 종합적인 면에서 가장 큰 만족도를 얻을 수 있는 방향에서 결정하는 (   )을(를) 추구한다. 하지만 환경 문제의 심각성과 그 해결을 생각한다면 (   )만을 강조하는 것만으로는 충분치 못할 수 있다.

① 합리적 소비   ② 충동적 소비   ③ 윤리적 소비
④ 계획적 소비   ⑤ 경제적 소비

4 **윤리적 소비자가 제품을 구입하는 기준이 아닌 것은?**

① 자연환경   ② 공정 무역   ③ 아동의 권리
④ 동물의 권리   ⑤ 유행과 가격

5 **다음은 윤리적 소비자가 제품을 구입할 때 고려하는 것들이다. 그 기준으로 가장 적절한 것은?**

> 기후 변화, 오염과 독성, 식품 첨가물

① 사람   ② 동물   ③ 환경
④ 가격   ⑤ 경제적 효과

6 **환경 문제의 해결을 위해 윤리적 소비가 중요한 이유로 옳은 것은?**

① 윤리적 소비 생활을 하면 도덕적 자부심을 심어 주기 때문이다.
② 개인의 윤리적 소비를 통해 환경 문제의 완전한 해결이 가능하기 때문이다.
③ 우리의 소비 생활은 기업 활동이나 환경에도 많은 영향을 미치기 때문이다.
④ 국제 사회에서 각 나라가 차지하는 위상을 결정하는데 윤리적 소비가 기준이 되기 때문이다.
⑤ 인류의 미래 세대가 지금과 같은 소비 수준을 유지하기 위해서는 윤리적 소비가 이루어져야 하기 때문이다.

③ 환경친화적 삶을 위한 구체적인 실천 방안은?

교과서 143~147쪽

학습의 주안점
- 환경 친화적 삶
- 환경 보전을 위한 국제 협약

1 환경친화적 삶의 의미와 필요성

(1) 다양한 환경 문제와 그 심각성 자료1 자료2

① 환경 문제의 종류들: 환경 오염(대기, 수질, 토양), 늘어나는 쓰레기 문제, 자원의 고갈❶, 멸종 위기의 동물물, 지구 온난화, 환경 파괴 등

② 환경 문제의 심각성: 자연이 오염되어 인간의 생존 자체가 위협 받게 됨.

(2) 환경 친화적 삶

① 뜻: 자신의 행동이 주변 환경에 미치는 영향을 생각하여 행동하며, 환경을 오염시키지 않고 환경과 어울려 살아가는 것

② 필요성: 심각한 환경 문제로 인류의 생존 위기를 경험하고 있으며, 지금의 무분별한 개발과 소비를 계속한다면 미래 세대의 생존까지 위협 받음.

③ 도덕적 의미: 다른 생명체와의 공존❷과 미래 인류까지 생각하는 도덕적 삶의 방식

2 환경친화적 삶의 실천

(1) 환경친화적 삶의 실천

① 일상생활에서 가깝고 쉬운 것부터 실천함. **Tip** 쓰레기 분리수거 하기, 장바구니 사용하기 등이 있어.

② 개인, 기업, 사회와 국가, 국제 사회의 노력이 필요함.

(2) 환경친화적 삶을 위한 노력 자료3

① 개인: 환경을 생각하며 3R(재사용, 재활용, 감소)❸을 실천함.

② 기업: 생산, 유통, 판매의 전 과정에서 환경을 고려함.

③ 사회와 국가: 친환경 기술 개발을 장려하고 관련 산업을 육성하며 국민들이 올바른 환경 의식을 형성하도록 체계적으로 교육함. **Tip** 기후 변화 협약, 생물 다양성 협약 등이 있지.

④ 국제 사회의 협력: 인류와 생태계의 건강을 증진❹하는 국제 협약을 체결하여, 각 나라가 이를 지속적으로 이행하고 환경 문제에 도덕적 책임을 짐.

---

❶ 고갈
어떤 일의 바탕이 되는 돈이나 물자, 소재, 인력 따위가 다하여 없어짐.

❷ 공존
서로 도와서 함께 존재함.

❸ 3R
– 재사용(reuse): 원래 형태를 유지하며 용도를 바꿈.
– 재활용(recycle): 모양이 바뀌어서 새롭게 이용됨.
– 감소(reduce): 폐기물의 감량

❹ 증진
기운이나 세력이 점점 더 늘어 감.

📖 기본 확인 문제

정답 245쪽

1 자신의 행동이 주변 환경에 미치는 영향을 생각하고 환경과 어울려 살아가는 삶의 방식은?

2 다음 내용이 옳으면 ○표, 틀리면 ×표를 하시오.
① 환경 문제는 단순히 자연의 훼손 문제일 뿐이다. ( )
② 환경 친화적 삶은 개인이 실천하기 어렵다. ( )
③ 기업 이윤과 환경 보호는 서로 충돌하기만 한다. ( )

3 환경친화적 삶을 위해 필요한 3R은 무엇을 말하는가?

4 다음 빈칸에 들어갈 알맞은 말을 쓰시오.
① 국제 사회는 환경에 관한 국제 ☐☐을 체결하여 생태계의 보전과 환경에 대한 지속적 책임을 질 것이 요구된다.
② 환경친화적 삶의 방식은 다른 생명체와 미래 ☐☐까지 생각하는 도덕적 삶의 방식이다.

📖 내신 만점을 위한 탐구 자료

자료1 레이첼 카슨의 저서 "침묵의 봄" ≫

미국의 해양 생물학자인 레이첼 카슨(Rachel Carson, 1907~1964), 그녀가 쓴 "침묵의 봄(Silent Spring)"은 인류의 환경 역사를 바꾼 책으로 꼽힌다. "침묵의 봄"은 과학에 기초한 기술이 초래한 환경 오염의 가공할 결과를 대중에게 처음으로 강렬히 인식시킨 책이다. "침묵의 봄"의 1장은 자연의 조화가 절묘한 아름다운 마을이 마치 저주의 마술에 걸린 듯 점차 생명을 잃어 가다가 봄의 소리, 새들의 소리가 사라진 죽음의 공간으로 바뀌는 짤막한 우화로 시작된다. 이어 2장에서 17장까지 디디티(DDT)와 같은 살충제와 농약이 새, 물고기, 야생 동물, 인간에게 미치는 파괴적 결과를 4년간의 직접 조사를 바탕으로 고발한 것이 책의 내용이다. 레이첼 카슨이 이 책을 펴냈을 때 농약 제조업체 등의 비난과 모략은 극에 달했지만, 결국 이 책이 촉발한 논쟁은 미국에서 1969년 국가 환경 정책법을 제정하도록 만드는 계기가 되었고, 이후 전 세계적인 환경 운동의 확산으로 마침내 1992년 리우 회담까지 이어지는 성과를 낳았다.

자료2 환경 위기 시계 ≫

환경 재단과 일본 환경 단체인 아사히 그라스 재단이 1992년부터 매년 공동으로 발표한다. 전 세계 90여 개국의 정부, 지방 자치 단체, NGO, 학계, 기업 등의 환경 전문가를 대상으로 매년 한 차례 설문 조사를 실시해 전문가들이 느끼는 인류 생존 위기감을 시간으로 표시하는 것으로, 지구 환경의 악화 정도를 나타내는 것이다. 환경 위기 시계는 '00:01~03:00 → 불안하지 않음, 03:01~06:00 → 조금 불안함, 06:01~09:00 → 꽤 불안함, 09:01~12:00 → 매우 불안함.'으로 구분해 표시한다. 환경 위기 시계가 나타내는 12시는 '인류 생존이 불가능한 마지막 시간', 즉 '인류의 멸망 시각'을 의미한다. 조사를 처음 시작한 1992년 7시 49분으로 시작하여 매년 위기 시계가 급속히 진행되어 2008년 환경 위기 시계는 9시 33분, 2011년 9시 59분, 2012년 9시 23분, 2013년 9시 31분을 나타냈다.

자료3 환경을 생각하는 3R 운동 ≫

절약(reduce), 재사용(reuse), 재활용(recycle)의 머리글자를 딴 조어로, 환경을 위한 장기 계획의 일환으로 벌이는 운동이다. 3R 운동의 첫 번째 R에 해당하는 절약(reduce)은 자원을 아끼고 환경 오염 물질을 가능한 한 적게 배출하자는 의미이다. 과소비를 하지 않는 것은 물론 1회용 제품과 이중 포장을 거부하고, 리필 가능한 제품을 사용하는 등의 방법이 있다. 두 번째 R인 재사용(reuse)은 물품들을 오래 사용하고 돌려 사용하자는 의미로, 이면지를 사용하고, 자선 단체에 옷 · 책 · 가구 등을 기증하는 방법이 있다. 마지막 R인 재활용(recycle)은 사용한 물건을 다시 자원화하자는 의미로, 재활용품 분리에 신경 쓰고, 재활용이 가능한 제품을 구입하고, 비닐 쇼핑백 대신 종이 쇼핑백을 쓰는 방법 등이 있다.

🔍 교과서 활동 과제 풀이

스스로 생각하기	환경친화적인 생활 방식	📎 교과서 143쪽

활동 목적 우리가 할 수 있는 환경친화적 삶의 실천 방식들에 대해 알아봅시다.

예시 답안

생각1 에너지를 절약하는 것은 지구의 깨끗한 환경을 유지하는 것은 물론 현재의 인류가 건강한 삶을 살도록 도우며 미래 인류의 권리를 보장하는 길이 된다.

생각2 재생 용지로 만든 노트를 구입하고 양치질할 때 컵에 물을 받아서 사용하며, 절전형 콘센트를 사용하고 일회용 종이컵의 사용을 자제한다.

생각 Tip 환경을 위하는 것이 곧 사람을 위하는 것이 됨을 알 수 있지요.

생각 더하기 | 자연과 생태계에 대한 올바른 가치관 세우기 　　　　　　　　　　　　◎교과서 144쪽

활동 목적　환경 문제를 해결하기 위해서는 환경친화적인 삶의 실천이 필요한데, 이를 위해서는 먼저 자연환경에 대한 지식을 가지고 인간과 자연이 공존할 수 있도록 올바른 가치관을 세우는 것이 매우 중요합니다.

예시 답안

인간은 자연과 더불어 조화를 이루어야 한다.	지구 생태계에도 한계가 있다.
1. 꿀벌이 사라진다면 우리의 삶은 어떻게 변할까?	**1. 석유가 사라진다면 우리의 삶은 어떻게 변할까?**
• 우리가 좋아하는 꿀을 먹을 수 없게 될 것이다.	• 석유를 직접 사용하는 자동차, 비행기 등의 교통수단이 사라지게 된다.
• 꿀벌을 매개로 번식하는 꽃과 각종 식물들이 급격하게 줄고 그 결과 동물들도 감소하여 인류는 생존 위기를 겪게 될 것이다.	• 석유를 원료로 하는 합성 섬유와 각종 플라스틱 및 석유 화학 제품을 더 이상 생산할 수 없다.
2. 멸종 위기에 내몰린 동식물들을 조사해 보자.	**2. 고갈 위기에 처한 자원들을 조사해 보자.**
• 멸종 위기 동물: 검은 코뿔소, 아무르 표범, 아시아 코끼리, 자이언트 판다, 북극곰, 여우, 스라소니, 바다사자 등	• 화석 연료와 지하자원: 석유와 석탄은 대표적 고갈 위기 자원으로 일단 태워 버리면 원래의 상태로 돌아오지 않고, 지하자원의 절대량도 점점 감소하고 있다.
• 멸종 위기 식물: 물부추, 솔잎란, 가시연, 삼백초, 백운란, 히어리, 조름나물, 홍월귤, 단양쑥부쟁이 등	• 자원의 질 저하: 물이나 공기 자체는 순환되는 자원이지만 인구 증가와 공업화에 따른 오염이 심해져 우리가 제대로 사용하지 못하는 경우가 발생할 수 있다.

활동 Tip　곰곰이 생각해 보면 인간과 자연이 서로 연관되어 있음을 알 수 있을 거예요.

생각 더하기 | 환경을 생각하는 3R 실천하기 　　　　　　　　　　　　◎교과서 145쪽

활동 목적　환경을 생각하는 환경친화적 삶을 위해 3R 운동의 내용을 이해하고 생활 속에서 이를 실천하는 구체적 방법들을 찾아봅시다.

예시 답안

3R	구체적 실천 방법
재사용(Reuse)	• 선물 받은 데 쓰인 포장지를 잘 접어 두었다가 다음에 다시 사용한다. • 나무로 된 포장용 상자를 이용하여 채소를 기르는 화분을 만들어 쓴다.
재활용(Recycle)	• 페트병을 여러 개 자르고 붙여서 다목적 수납함을 만든다. • 폐식용유를 활용하여 재생비누를 만든다. • 폐품을 활용하는 예술 작품인 정크 아트 창작을 한다.
감소(Reduce)	• 장바구니를 준비하여 비닐봉지 사용을 줄인다. • 실내 냉난방 온도를 적정하게 유지하여 에너지 사용을 감소시킨다. • 급식 시간에 음식을 먹을 만큼만 담아서 쓰레기 배출량을 줄인다.

활동 Tip　곰곰이 생각해 보면 일상 속에서도 많은 사례를 찾을 수 있을 거예요.

생각 더하기 **분배 기준에 따른 장단점 알아보기** 교과서 146쪽

활동 목적 환경 문제의 특성을 고려할 때, 지금의 환경 문제를 해결하기 위해서는 개인과 사회는 물론 국제 사회가 서로 돕고 협력하는 것이 필요함을 깨달아 봅시다.

예시 답안

협약의 명칭	친환경 자동차 협약	플라스틱 사용 감소 협약
필요한 이유	경유 사용으로 인한 디젤 엔진 자동차의 배기가스로 대기 오염이 심각해짐.	플라스틱 사용에 따른 폐기물의 증가로 인해 지구 환경이 오염되고 처리 과정에서 발생하는 환경 호르몬의 문제가 증가함.
가입 국가가 지켜야 할 점	경유를 사용하는 디젤 자동차의 생산을 연차적으로 줄이고 친환경 자동차의 보급을 늘리는 정책과 제도를 이행함.	비닐봉지의 무상 제공을 없애고 폐플라스틱의 수거와 처리를 친환경적으로 하는 공정을 제도화하고 국가가 지원함.

활동 Tip 인류와 생태계의 건강을 증진하기 위해 국가 간에 협력해야 할 일을 찾아보도록 해요.

  생각을 나누는 모둠 활동

환경 관련 기념일 홍보 그림 만들기
교과서 147쪽

활동 목적 각종 환경 관련 기념일에 대한 제정 이유와 환경 관련 정보를 탐색하고, 이를 효과적으로 홍보하여 공감과 실천을 끌어낼 수 있도록 모둠 친구들과 함께 교과 통합적 표현 활동을 해 봅니다.

예시 답안 **세계 오존층 보호의 날**
- 오존층에 대한 조사 내용 정리하기: 오존층의 위치, 기능, 특징 등 과학 책 참고하기
- 오존층 파괴와 지구 온난화의 관계에 대해 조사하기
- 오존층 보호를 위해서 필요한 노력들 정리하기
- 세계 오존층 보호의 날을 알리는 문구 정하기 예 지구의 외투, 오존층을 지켜요.
- 그림과 디자인 요소를 생각하고 기념일 홍보 그림 내용 구성하기

활동 Tip 환경에 대한 관심과 실천을 이끌어 낼 수 있도록 관련 내용을 구성하여야 해요.

스스로 정리하기 **환경친화적 삶의 실천** 교과서 147쪽

활동 목적 환경 문제를 해결하기 위해서는 환경친화적 삶의 실천이 필요하며, 이를 위해서는 환경에 대한 가치관의 변화와 자연에 대한 올바른 이해를 바탕으로 한 생활 속의 실천이 필요함을 확인합니다.

예시 답안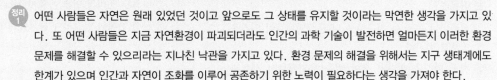
정리 1 어떤 사람들은 자연은 원래 있었던 것이고 앞으로도 그 상태를 유지할 것이라는 막연한 생각을 가지고 있다. 또 어떤 사람들은 지금 자연환경이 파괴되더라도 인간의 과학 기술이 발전하면 얼마든지 이러한 환경 문제를 해결할 수 있으리라는 지나친 낙관을 가지고 있다. 환경 문제의 해결을 위해서는 지구 생태계에도 한계가 있으며 인간과 자연이 조화를 이루어 공존하기 위한 노력이 필요하다는 생각을 가져야 한다.

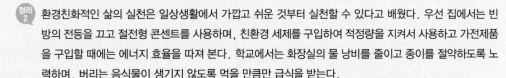
정리 2 환경친화적인 삶의 실천은 일상생활에서 가깝고 쉬운 것부터 실천할 수 있다고 배웠다. 우선 집에서는 빈 방의 전등을 끄고 절전형 콘센트를 사용하며, 친환경 세제를 구입하여 적정량을 지켜서 사용하고 가전제품을 구입할 때에는 에너지 효율을 따져 본다. 학교에서는 화장실의 물 낭비를 줄이고 종이를 절약하도록 노력하며, 버리는 음식물이 생기지 않도록 먹을 만큼만 급식을 받는다.

정리 Tip 환경 문제의 근본적인 해결을 위해서는 자연에 대한 인간의 태도가 변화되어야 함을 기억하세요.

1 환경친화적 삶에 대해 바르게 설명한 것은?

① 환경 문제의 원인과 발생에 대해 바르게 아는 것
② 멸종 위기의 동식물에 대해 많은 지식을 가지는 것
③ 자원의 고갈이 우리 삶에 미치는 영향을 이해하는 것
④ 인간 중심의 자연관을 바탕으로 환경 문제 해결에 대한 의지를 기르는 것
⑤ 자신의 행동이 주변 환경에 미치는 영향을 생각하면서 환경과 어울려 사는 것

★
2 다음의 그림들이 나타내는 것을 모두 포함할 수 있는 제목을 붙인다면?
중요

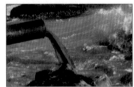 

죽어 가는 하천   늘어나는 쓰레기

오염된 대기   멸종 위기의 동물

① 인구 증가   ② 자원 고갈   ③ 수질 오염
④ 환경 문제   ⑤ 생태계 혼란

3 환경친화적인 삶을 도덕적 삶의 방식이라고 부를 수 있는 이유는?

① 식물이나 동물 등 지구상의 다른 생명체들이 인간을 적으로 여긴다.
② 지구 환경은 하나의 살아 있는 유기체로서 생장과 성장을 이어간다.
③ 오늘날 지구 환경은 각종 범죄와 사회 문제로 인해 어려움을 겪고 있다.
④ 인류는 인간 중심의 개발과 소비를 계속해 편리하고 안락한 환경을 형성하였다.
⑤ 우리 자신을 위한 것이기도 하지만 다른 생명체와 함께 살아가기 위한 것이다.

4 다음 중 자연과 생태계에 대해 바른 가치관을 가졌다고 평가할 수 있는 사람은?

① 인간은 자연과 더불어 조화를 이루어야 한다고 생각하는 사람
② 꿀벌이 사라지는 것은 약육강식의 자연법칙일 뿐이라고 생각하는 사람
③ 고갈 위기의 자연 자원을 불법으로 채굴하여 자신의 이익을 얻으려는 사람
④ 멸종 위기의 동물을 밀수입하여 자신의 애완동물로 기르고 싶어 하는 사람
⑤ 지하자원의 고갈 문제는 우리 세대가 사는 동안에 일어나지 않는 미래의 일이라고 안심하는 사람

5 다음 글을 통해 알 수 있는 것은?

> 오늘날 지구는 각종 환경 오염 및 자원 고갈, 환경 파괴 등으로 몸살을 앓고 있다. 현세대의 편리한 삶을 위해 무분별한 개발과 소비를 계속한다면, 이는 우리 자신뿐만 아니라 식물이나 동물 등 지구상의 다른 생명체, 더 나아가 우리 후손의 생존까지 위협하게 될 것이다.

① 환경 문제는 아직 생겨나지 않은 미래의 일이다.
② 오늘날 환경 문제가 매우 심각한 수준에 이르렀다.
③ 인류는 새로운 환경을 찾아서 우주로 떠나야 한다.
④ 인류는 소비를 멈추고 원시 시대로 돌아가야 한다.
⑤ 환경 문제는 인간보다 동식물에게 더 영향을 미친다.

6 환경친화적 삶의 실천 방법이 <u>아닌</u> 것은?

① 장바구니를 준비해서 장을 본다.
② 물건을 고쳐 가며 오래오래 사용한다.
③ 새 물건을 살 때는 최신 유행 상품을 고른다.
④ 가까운 거리는 걸어 가거나 대중교통을 이용한다.
⑤ 음식물을 필요한 만큼 덜어서 먹고 남기지 않는다.

7 다음 사례가 강조하고자 한 것은?

중요

> 세계적인 화장품 회사의 창업자인 ○○○은 창업 초창기부터 동물 실험으로 수많은 동물들이 고통스럽게 죽어 가는 것을 막아야 한다고 주장하였다. 당시에는 화장품의 안전성 검증을 위해 반드시 동물 실험을 거쳐야 했기에 이런 그의 주장은 허무맹랑하게 여겨졌다.
>
> 하지만 그는 멸종 위기의 향유고래 남획을 막고 향유고래기름을 대체할 천연 재료들을 화장품에 사용하였으며 인류가 오랜 세월에 걸쳐 전통적으로 사용한 이들 재료는 동물 실험이 없이도 그 안전성을 담보할 수 있었다. 결국 이러한 그의 노력은 많은 사람들의 공감과 지지를 받았으며 그의 회사도 크게 번창하였다.
>
> 45개국에 걸쳐 1000여 개의 점포를 가지고 있는 그는 다른 성공한 사업가와는 좀 다르다. 세상은 그들의 세계와 그들의 가족을 존중하는 사업을 원한다는 것이다. 그는 "사업이 긍정적인 사회를 만들기 위해 노력해야 하며, 나쁜 일을 하지 않는 것만이 아니라 좋은 일을 해야 한다."라고 말하였다.

① 자연을 보호하면서 기업의 이윤을 얻기는 어렵다.
② 사람들은 전통적인 재료의 가능성을 알지 못한다.
③ 환경을 보호하면서도 기업을 성공적으로 경영할 수 있다.
④ 여성이라는 한계를 극복하고 꿈을 이루는 일은 쉽지 않다.
⑤ 향유고래기름은 인간의 아름다움을 위해 사용되는 대체 불가의 원료이다.

8 환경친화적 삶을 위한 기업의 노력으로 적합한 것은?

① 경제적으로 이익이 되는 것을 최우선 가치로 둔다.
② 포장을 최대한 많이 한 상품을 소비자에게 공급한다.
③ 환경 마크나 탄소 라벨 등을 표시하여 제품을 인증한다.
④ 친환경 기술의 개발을 장려하고 재활용 관련 산업을 육성한다.
⑤ 국민들이 환경에 대한 올바른 의식을 형성하도록 체계적으로 교육한다.

9 환경을 생각하는 3R 중 감소에 해당하는 것은?

① 동물의 권리를 지켜 준다.
② 할아버지께서 만드신 책상을 계속 쓴다.
③ 음식을 넉넉하게 준비하여 손님을 대접한다.
④ 냉난방 제품을 사용할 때 적정 온도를 유지한다.
⑤ 제품 생산 과정에서 인권 침해가 없었는지 따진다.

10 다음과 관련 깊은 환경친화적 삶의 실천 방법은?

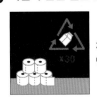

30개의 우유팩을 모으면 5개의 두루마리 휴지를 만들 수 있습니다.

① 감소　　② 재활용　　③ 재사용
④ 아껴 쓰기　　⑤ 나눠 쓰기

11 다음 글의 제목으로 가장 적합한 것은?

> 정크(Junk)는 폐품 · 쓰레기 · 잡동사니를 의미하는 것으로, 이를 활용한 미술 작품을 정크 아트라고 한다. 현대 도시의 파괴되고 버려진 폐품을 작품에 차용함으로써 자본주의 사회를 비판하고, 한편으로는 이미 유용하게 사용했던 사물들을 활용함으로써 '녹색' 환경의 개념을 강조하는 의미를 띠기도 한다.

① 재활용으로 쓰레기가 예술이 되다.
② 예술계의 전통 이어가기 운동 확산
③ 재료의 한계가 낳은 값싼 예술 풍조
④ 인간의 상상력이 점점 고갈되어 간다.
⑤ 도시의 미관을 해치는 예술품의 실태

12 환경 보전을 위한 국제 협약이 지닌 중요성은?

① 개인의 이기심과 게으름을 극복하기 위해서
② 기업과 사회의 환경 보전을 강조하기 위해서
③ 국가의 지속적인 경제 성장을 유지하기 위해서
④ 개인과 국가 간의 가치관 충돌을 방지하기 위해서
⑤ 지구 생태계의 보호와 미래 세대의 권리를 위해서

③ 환경친화적 삶을 위한 구체적인 실천 방안은?　**141**

01 다음 글을 바탕으로 인간과 자연의 관계에 대해 바르게 **(중요)** 이해한 것은?

> 인간은 자연에서 태어나 자연의 혜택 속에서 살고 자연으로 돌아간다. 하늘과 땅과 바다와 이 속의 온갖 것들이 우리 모두의 삶의 자원이다. 자연은 인간을 비롯한 모든 생명체의 원천으로서 오묘한 법칙에 따라 끊임없이 변화하면서 질서와 조화를 이루고 있다.

① 삶의 터전이 되는 자연의 도움이 없다면 인간의 생존이 불가능하다.
② 인간도 하나의 자원으로 자연과 모든 생명체의 삶을 위해 사용되어야 한다.
③ 자연의 변화와 질서는 인간의 역사 발전 방향과 달라서 조화를 이루기 어렵다.
④ 인간은 자연의 주인이므로 모든 자원을 개발하여 물질적으로 풍요로운 삶을 살 권리가 있다.
⑤ 자연은 계속 변화하기 때문에 그 질서를 알아내기 어려우며 인간에게 큰 영향을 미치지 않는다.

※[02~03] 다음 글을 읽고 물음에 답하시오.

> 과학 기술이 발전하면서 사람들은 점점 더 많은 (가)인공 환경을 만들어 왔다. 그 결과로 우리의 생활은 편리하고 풍요로워졌지만, (나)자연환경이 파괴되고 오염되는 문제가 생겨났다.

02 밑줄 친 (가)에 해당하는 것은?

① 강　　　　　　　② 숲
③ 하늘　　　　　　④ 바다
⑤ 동물원

03 밑줄 친 (나)와 관련이 먼 것은?

① 물 부족　　　　　② 실업 증가
③ 미세 먼지 문제　　④ 지구 온난화 현상
⑤ 멸종 위기의 동식물

※[04~06] 다음 글을 읽고 물음에 답하시오.

> 환경은 그 자체로서 소중하고 충분한 가치를 지닌다. 인간 역시 자연의 한 부분으로서 자연과 인간은 (　) 관계에 있으므로 함부로 자연을 훼손해서는 안 된다. 또한 인간은 자연의 질서에 어긋나는 일을 해서는 안 되며, 항상 조화를 이루며 살아가야 한다.

04 **(주관식)** 위와 같은 환경에 대한 입장을 무엇이라고 하는지 쓰시오.

05 위 빈칸에 들어갈 말로 알맞은 것은?

① 주종　　　　② 상하　　　　③ 공존
④ 기생　　　　⑤ 지배

06 위의 입장을 가진 사람이 국립 공원의 케이블카 설치에 대해 보여 줄 반응으로 가장 적합한 것은?

① 우수한 관광 자원으로서 지역을 알리는 데 도움이 되므로 설치해야 한다.
② 노약자나 몸이 불편한 사람들이 공원을 즐기는 데 도움이 되므로 설치해야 한다.
③ 케이블카 설치로 인해서 동식물들의 서식지가 파괴되므로 설치하지 말아야 한다.
④ 사람들이 직접 산을 오르면서 느낄 수 있는 성취감과 행복감을 빼앗으므로 설치하지 말아야 한다.
⑤ 케이블카 요금이 너무 비싸서 사람들이 외면하게 되면 적자가 쌓이는 손해가 생기므로 설치하지 말아야 한다.

07 자연에 대한 여러 입장들 중에서 환경 문제를 일으킨 원인에 해당하는 것은?

① 자연은 그 자체로 소중한 가치를 지닌다.
② 자연도 인간과 다르지 않게 존중해야 한다.
③ 인간은 자연의 일부분이며 생태계의 구성원이다.
④ 자연을 중심으로 인간과 자연환경의 관계를 바라본다.
⑤ 인간은 자연의 주인이므로 자연을 잘 이용해야 한다.

08 주관식 다음에서 공통으로 설명하는 이것이 무엇인지 쓰시오.

> • 이것은 자연환경이 시간의 흐름에 따라 대기와 해양의 순환 과정을 통해 스스로 오염을 정화시키는 능력을 말한다.
> • 인간이 무분별하게 자연을 개발하는 과정에서 만들어 낸 오염물질들은 이것을 뛰어넘을 정도로 환경을 오염시켰다.

※[09~10] 다음 글을 읽고 물음에 답하시오.

> 어제 과제물 인쇄를 하다가 망친 종이들을 쓰레기통에 버렸어. 재활용품인 줄은 알지만 분리 배출은 너무 귀찮아.

09 위와 같은 잘못된 소비 생활의 원인이 되는 것은?

① 애국심　　　　　　② 편의주의
③ 종 차별주의　　　　④ 지역 이기주의
⑤ 물질 중심주의

10 위와 같은 문제를 해결하고 환경 친화적인 소비 생활을 하기 위해 필요한 자세는?

① 가격 비교 사이트에서 비교하여 가장 저렴한 곳에서 구매를 결정한다.
② 구매 목록을 준비하여 계획성 있게 구입하고 충동적인 소비를 하지 않는다.
③ 환경이나 동물 복지, 노동 조건, 인권 등을 고려하는 윤리적 소비를 한다.
④ 이웃들과 함께 공동 구매를 함으로써 혼자서 구입할 때보다 물건을 더 싸게 산다.
⑤ 구입할 때의 가격만 비교하기보다 사후의 서비스 처리나 사용 만족도에 대해서도 꼼꼼히 따져 본다.

11 서술형 '지속 가능한 발전'이 지닌 도덕적 의미를 2가지 설명하시오.

12 다음 이야기 속 주인공이 실천했던 태도가 아닌 것은?

> 영화 '노 임팩트 맨'은 작가이자 환경 운동가인 주인공의 실화를 바탕으로 한다. 그는 1년간 가족과 함께 지구 환경을 고려하며 생활해 보기로 한다. 환경 문제의 심각성을 깨닫고 자신부터 환경친화적 소비 생활을 실천하여 자신은 물론 아이와 지구의 건강을 지키고자 한 것이다.

① 물건 구매 줄이기　　② 대중교통 이용하기
③ 쓰지 않는 전원 끄기　④ 아이들과 자전거 타기
⑤ 텔레비전 시청 자주 하기

13 환경친화적 삶을 위한 사회와 국가의 노력에 해당하지 않는 것은?

① 쓰레기 종량제　　　② 환경 마크 제도
③ 일회용품 사용 규제　④ 친환경 자동차 구매
⑤ 공공 자전거 대여 제도

14 다음과 관련 깊은 국제 사회의 노력은?

> 1971년 이란의 한 도시에서는 세계 각국의 사람들이 모여 습지를 지키기 위한 협약을 맺었습니다. 오늘날 세계 곳곳에서 습지인 늪과 갯벌을 간척하여 땅으로 바꾸는 일이 많아지고, 이에 따라 환경이 오염되고 새들의 서식지가 없어지고 있습니다.
> 이 협약의 회원국은 중요한 습지를 한 곳 이상 보호지로 지정해야 합니다. 우리나라는 1997년에 람사르 회원국이 되어 대암산 용늪, 창녕 우포늪, 보성 벌교 갯벌 등을 보호지로 지정하여 보호하고 있습니다.

① 바젤 협약　　　　　② 람사르 협약
③ 기후 변화 협약　　　④ 사막화 방지 협약
⑤ 생물 다양성 협약

15 서술형 중요 물질 중심주의적 소비 생활이 일으키는 환경 문제를 2가지 서술하시오.

① 과학 기술은 인간의 삶을 어떻게 바꾸었나?

◎ 교과서 151~154쪽

학습의 주안점
- 과학 기술의 이해
- 과학 기술의 혜택
- 과학 기술의 문제점

1 과학 기술의 의의

(1) 과학 기술의 의미

① 과학: 인간과 자연의 원리와 법칙을 찾아내어 이치에 맞게 설명하는 지식 체계

② 기술: 인간의 욕구에 적합하도록 무엇인가를 만들어 내거나 성취하는 행위

③ 과학 기술: 과학 지식을 바탕으로 기술을 이용하여 인간 생활에 유용한 것들을 만들어 내는 수단

> **Tip** 과학과 기술은 불가분의 성질을 가지고 있어.

(2) 과학 기술의 발전이 인류에게 미친 영향 자료1

① 외형적인 면: 인간의 지식을 확대하고 자연에 대한 활용 능력을 키워 줌. 의식주를 비롯한 물질생활❶을 더욱 풍요롭고 편리하게 하는 데 기여함.

② 내면적인 면: 신화적 세계관과 종교적 인간관이 위축되는 결과를 가져옴. 과학적으로 증명할 수 없으면 비합리적이고 신뢰하기 어렵다는 인식을 심어 줌.

2 과학 기술의 특징과 영향

(1) 현대 과학 기술의 특징 자료2

① 연구 범위와 비용의 확대: 많은 비용이 필요한 첨단❷ 과학 기술들 ⓔ 우주 탐사

② 복잡하고 미세한 분야 도전: 극도로 작은 단위의 새로운 물질들과 기계 개발

③ 매우 빠른 속도로 발전: 인류 역사상 지난 100년 간 가장 많은 기술이 등장

④ 다른 분야와의 공동 연구: 학문 간 협력을 통해 새로운 분야 개척 ⓔ 생명 공학❸

(2) 과학 기술의 혜택과 문제점

① 혜택: 건강 증진과 수명 연장, 식량 증산❹, 정보 통신 기술의 발달

② 문제점: 과학 기술에 지나치게 의존하는 문제 ⓔ 디지털 치매❺, 인간 소외와 비인간화, 환경 문제와 생태계 파괴, 인류의 평화와 안전 위협 ⓔ 대량 살상 무기

---

❶ 물질생활
물건을 소비하고 향유하는 인간의 생활

❷ 첨단
시대의 흐름, 학문, 유행 따위의 맨 앞장

❸ 생명 공학
생명 현상, 생물 기능 자체를 인위적으로 조작하는 기술

❹ 증산
생산을 늘림.

❺ 디지털 치매
디지털 기기에 의존한 나머지 기억력이나 계산 능력이 크게 떨어진 상태

🔍 기본 확인 문제

◎ 정답 230쪽

1 다음 내용이 옳으면 ○표, 틀리면 ×표를 하시오.

① 과학과 기술은 서로 영향을 주고받지 않는다. (　)

② 현대의 과학 기술은 우리 삶에서 중요한 부분을 차지하며, 삶을 편리하고 윤택하게 만들어 준다. (　)

③ 과학 기술이 발달할수록 인간이 누리는 혜택은 늘어날 뿐 문제점이 생겨나지는 않는다. (　)

2 과학 기술의 발전이 우리의 물질생활에 미친 영향은?

3 신화적 세계관과 종교적 인간관이 상대적으로 위축된 것은 어떤 사고방식의 확산 때문인가?

4 다음 빈칸에 들어갈 알맞은 말을 쓰시오.

① □□과 정보 통신 기술의 발달은 사람들의 교류를 확대해 주었다.

② 인간이 원래의 자기 모습을 잃어 가는 것을 □□□□ 현상이라고 한다.

📖⊕ 내신 만점을 위한 탐구 자료

자료1 그림 속에 담긴 과학 이야기 »

'이성의 시대'라고 불렸던 18세기에는 유럽의 왕족과 귀족들이 앞을 다투어 과학자들을 초대했고, 새로 발견된 사실을 직접 눈으로 확인하며 관련 지식에 대해 활발히 토의하는 것이 유행이었다. 과학에 대한 지식은 지성인의 필수 항목이었던 것이다.

영국의 화가 조지프 라이트는 당시 사회의 이러한 모습을 묘사한 '공기 펌프 안의 새에 대한 실험'이라는 제목의 그림을 그렸다. 이 그림은 아직 산소의 정체가 대중에게 완전히 알려지기 전, 한 화학자가 사람들을 모아 놓고 산소의 정체를 실험하는 장면을 그리고 있다. 유리병 안에 새를 넣고 에어 펌프로 공기를 빼면 새는 죽는다. 산소가 생명의 원소라는 사실은 당시에는 상당히 신기하고 새로운 것이었다. 그림을 좀 더 자세히 보면 가운데 붉은 가운을 입은 화학자가 있고 오른편에는 새가 죽을까 무서워하는 두 자매가 있다. 구석의 철학자는 이 결과가 앞으로 사회에 미칠 영향에 대해 고뇌하고 있는 모습이다.

자료2 나노 기술(nano-technology) »

나노는 난쟁이를 뜻하는 그리스어 나노스(nanos)에서 유래하였다. 1나노초(ns)는 10억 분의 1초를 뜻한다. 1나노미터(nm)는 10억 분의 1m로서 사람 머리카락 굵기의 10만 분의 1, 대략 원자 3~4개의 크기에 해당한다. 나노 기술은 100만 분의 1을 뜻하는 마이크로를 넘어서는 미세한 기술로서 1981년 스위스의 한 연구소에서 원자와 원자의 결합 상태를 볼 수 있는 주사형 터널링 현미경(STM)을 개발하면서부터 본격적으로 등장하였다. 미국 · 일본 등의 선진국에서는 1990년대부터 국가적 연구 과제로 삼아 연구해 오고 있다.

지금까지 알 수 없었던 극미세 세계에 대한 탐구를 가능하게 하고, DNA 구조를 이용한 동식물의 복제나 강철 섬유 등 새로운 물질 제조를 가능하게 한다. 전자 공학 분야에서는 나노미터의 정밀도가 요망되며, 이것이 실현된다면 대규모 집적 회로(LSI) 등의 제조 기술은 비약적으로 향상될 것이다.

🔍 교과서 활동 과제 풀이

스스로 생각하기 | 과학 기술과 우리 삶의 관련성
📎교과서 151쪽

활동 목적 **제시된 사례를 살펴보고 과학 기술이 우리의 삶과 어떤 관련성이 있는지를 파악하여, 과학 기술의 영향과 미래의 발전 모습에 대하여 상상력을 발휘해 봅시다.**

예시 답안

생각 1 우리가 늘 이용하는 자동차나 휴대폰이 없다면 어떨까? 그것은 몹시도 불편한 삶이 될 것이다. 또한 과학 기술이 제공하는 풍부한 물질과 의약품이 없다면 우리는 건강과 생명을 유지하기 어려울 것이다. 이처럼 과학 기술이 없었다면 물질적으로 궁핍하고 신체적으로 불편한 삶을 살았을 것이다.

생각 2 미래의 인류는 지금 공상 과학 영화에서 등장하는 것들을 일상적으로 접하게 될 것이다. 예를 들면 하늘을 나는 자동차, 1인용 비행복, 물에서도 호흡할 수 있는 특수 물질, 난치병과 불치병 극복, 인간과 기계의 결합체인 휴머노이드 등이 우리 삶의 일부가 될 것이다.

생각 Tip 에디슨과 김순권 박사가 인류의 삶에 어떠한 영향을 미쳤는지 생각해 보세요.

생각 더하기   과학적 사고와 비과학적 사고   🔗교과서 152쪽

활동 목적   **현상과 대상을 해석하고 판단하는 데 있어 과학적 사고와 비과학적 사고는 어떤 차이점을 가지는지 알아봅시다.**

예시 답안

사례	비과학적 사고방식	과학적 사고방식
파도가 거세어 배 운항이 어렵다.	제물을 바쳐 용왕의 자비를 얻어야 한다.	• 강한 바람과 조류의 관계이다 • 해저 지형의 영향 때문이다.
어떤 사람이 벼락을 맞았다.	나쁜 짓을 하여 하늘이 벌을 내렸다.	• 전기가 흐르기 쉬운 물질을 직접 몸에 지니고 있었다. • 주변에 전기를 끌어당기는 물체가 있었다. 예 나무, 우산
설거지를 하는데 접시가 깨졌다.	불행한 일이 생길 것을 암시한다.	• 심한 온도 차이나 충격 때문에 일어난 일이다.

활동 Tip   자신은 과학적 사고방식을 가지고 있는지 혹은 비과학적 사고방식을 하고 있는지 점검해 보세요.

- -

 생각 더하기   나의 일상생활 속 과학 기술   🔗교과서 153쪽

활동 목적   **나의 일상생활과 과학 기술에 대해 알아봄으로써 인간의 삶과 과학 기술의 밀접한 관련성에 대해 알아봅시다.**

예시 답안   **1.**

- **아침 시간**: 휴대폰의 알람 소리에 맞춰 일어나고, 욕실에서 온수 밸브에서 나오는 따뜻한 물로 머리를 감고 드라이기를 이용해 머리를 말린다. 아침 식탁에 앉아 토스터에 구운 빵과 전자레인지에 데운 우유를 마신다. 냉장고에서 꺼낸 과일을 곁들이기도 한다.
- **등교 시간**: 휴대폰 어플을 활용하여 학교 가는 버스의 도착 예정 시간을 확인하고 유비쿼터스 기술로 정류소에 표시되는 전광판을 통해 버스의 현재 위치를 확인한다.
- **학교 수업 시간**: 전자 칠판과 프로젝터 스크린을 활용하여 모둠 과제를 발표하고, 각종 어플을 활용하여 인터넷 설문지를 작성하고 친구들에게 전송한 후 그 결과를 실시간으로 확인한다. 4D 프린팅에 대한 다음 체험 학습이 기대된다.
- **저녁 시간**: IT TV를 통해 방송을 보면서 댓글을 달고 무인 자동차에 대한 주말 프로그램을 예약해 둔다. 부모님을 기쁘게 해 드리려고 세탁기를 돌리고 로봇 청소기로 집안 청소도 한다. 인공 지능을 갖춘 스마트 스피커가 들려 주는 음악을 들으며 하루를 마무리 한다.

2.

만일 휴대폰이 없다면? 전화를 걸기 위해 밖에서는 공중전화를 찾아야 하고 집에서도 유선 전화기에 매달려서 불편하게 통화를 해야 한다. 학급 친구들이나 취미가 같은 사람들 간에 SNS를 할 수 없어서 소통에 어려움이 있다. 학교의 과제 수행을 위해 자료 수집을 컴퓨터로 해야 하므로 공간의 제약을 받는다. 영화, 연극 등 공연 관람 예매와 결제가 불편하다.

활동 Tip   우리는 크게 의식하지 못하지만 과학 기술과 많은 연관을 맺으며 살아가고 있음을 찾아보세요.

현대 과학 기술이 가져온 문제점

🔗 교과서 154쪽

활동 목적 현대 과학 기술이 가져온 문제점들을 확인하고 제시된 물음에 대해 스스로 탐구하는 과정을 통해 과학 기술의 영향과 도덕적 과제에 대해 생각할 수 있습니다.

예시 답안

스스로 탐구하기	자신의 경험과 생각
1. 과학 기술에 지나치게 의존하는 문제	• 아빠: 편리한 내비게이션에 익숙해져서 여러 번 갔던 곳도 내비게이션 없이는 못 찾아가신다. • 엄마: 인터넷에서 조리법을 찾아 맛있는 요리를 해 주셨는데, 이 조리법을 보고 따라하지 않으면 요리를 못한다고 하신다. • 나: 국어 수업 시간에 소개된 작품을 인터넷 검색으로 대충 이해하고 직접 책을 읽으려고 하지 않는다.
2. 과학 기술의 문제점에 대한 뉴스나 기사 내용	폐암을 유발하는 가습기 살균제 성분이 일부 치약에서 검출되어 전량 회수된 사건의 기사를 보면서 과학 기술의 안전성 문제를 생각하게 되었다.
3. 우리가 회복해야 할 인간성	비인간화의 극복은 인간이 원래 가졌던 자기의 모습을 회복하는 것이다. 인간성을 회복한다는 것이 어떤 상태로 돌아가는 것일까에 대해 크게 두 가지를 꼽을 수 있다. 바로 나에게 직접 영향을 미치는 주변 환경을 스스로 조절하는 자율성과 자유를 가지는 것이다. 반대로 말하면, 외부 권력의 관리의 대상이 되는 타율이나, 서비스와 상품에 의존하게 되는 예속을 거부해야 한다. 자율성을 회복하고 자유를 확장해 갈 때 우리의 삶은 진정한 인간의 모습으로서 행복을 누리게 될 것이기 때문이다.

활동 Tip 현대 과학 기술이 가져온 문제점을 파악하는 것은 인류의 더 나은 미래를 위해 꼭 필요한 과정이에요.

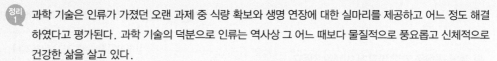

스스로 정리하기 **과학 기술의 혜택과 영향**

🔗 교과서 154쪽

활동 목적 과학 기술의 의미와 특징, 그리고 우리의 삶에 미친 영향에 대해 공부한 것을 되돌아보고, 자신의 생각이 어떻게 달라졌는지 확인해 봅시다.

예시 답안

정리1 과학 기술은 인류가 가졌던 오랜 과제 중 식량 확보와 생명 연장에 대한 실마리를 제공하고 어느 정도 해결하였다고 평가된다. 과학 기술의 덕분으로 인류는 역사상 그 어느 때보다 물질적으로 풍요롭고 신체적으로 건강한 삶을 살고 있다.

정리2 과학 기술의 발전은 인간이 종(種)으로서 가졌던 신체적 한계를 극복하도록 해 주었다. 예를 들면 카메라나 안경은 시력의 한계를, 녹음 기술은 기억의 문제를 해결해 주었다. 교통, 통신, 정보와 관련한 과학 기술은 전 지구적인 교류와 소통을 가능하게 해 주었다. 의학과 약학을 기반으로 한 응용 기술이 발달하면서 건강과 장수를 누리게 되었으며, 광범위한 연구 영역과 초미세 분야에 대한 연구는 지식의 영역을 더욱 넓혀 준다.

정리 Tip 과학 기술은 빠른 속도로 발전하며 우리 생활에 영향을 미치는데, 혜택과 문제점 또한 동시에 갖고 있어요.

1 다음 글에서 설명하는 '그'는 누구인가?

> • 그는 백열전구, 축음기, 알칼리 축전지, 영화 장비 등 훌륭한 발명을 이룩한 과학 기술자이다.
> • 그가 이룩한 공업 발전 덕분에 우리 인류의 삶은 더욱 편리해졌다.

① 노벨　　　　　　　② 에디슨
③ 파스퇴르　　　　　④ 아인슈타인
⑤ 코페르니쿠스

※[02~03] 다음 글을 읽고 물음에 답하시오.

> 김순권 박사는 비료나 농약 없이 재배가 가능한 슈퍼 옥수수를 개발하였다. 그는 자신의 과학 기술을 인종이나 국가의 차별 없이 전 세계의 굶주리는 사람들을 살리는 데 나누어 주고 있다.

2 위 내용과 관련 깊은 과학 기술은?

① 반도체 기술　　　　② 신소재 기술
③ 유전 공학 기술　　　④ 인공 지능 기술
⑤ 자기 부상 기술

3 위 글의 내용을 가장 바르게 이해한 것은?
(중요)
① 과학 기술은 늘 개인의 문제를 해결하고자 하는 데서 출발한다.
② 과학 기술은 비료나 농약으로 인한 환경 파괴 문제를 일으킨다.
③ 과학 기술은 인류의 오래된 문제를 해결하는 데 도움을 주고 있다.
④ 과학 기술자는 언제나 개인의 이익보다는 전 세계의 행복과 복지에 앞장선다.
⑤ 과학 기술은 미래의 인류가 당면하게 될 문제에 대해서도 관심을 가져야 한다.

4 빈칸에 들어갈 말을 순서대로 바르게 연결한 것은?

> 인간과 자연 현상에 대한 원리와 법칙을 찾아내어 이치에 맞게 설명하는 지식 체계를 (　　)이라고 한다. 또 (　　)이란 인간의 욕구나 욕망에 적합하도록 무엇인가를 만들어 내거나 성취하는 모든 행위를 말한다.

① 수학-과학　　　　② 과학-예술
③ 예술-수학　　　　④ 과학-기술
⑤ 기술-과학

5 과학 기술의 발전이 인류의 내면에 미친 영향은?
(중요)
① 신화적 세계관으로부터 멀어지게 하였다.
② 물질생활이 더욱 풍요롭고 편리하게 하였다.
③ 종교적 인간관에 대한 확고한 믿음이 생겼다.
④ 자연 환경에 대한 소중함을 인식하게 하였다.
⑤ 자연을 이용하는 지식과 활용 능력이 커졌다.

6 다음의 경우와 관련하여 과학적 사고방식을 가진 사람은?

> 설거지를 하는데 접시가 깨졌다.

① 마루 - 엄마가 아끼시는 접시인데 어쩌지? 새로 사 드려야겠어.
② 힘찬 - 뜨거운 접시에 갑자기 찬물이 닿아서 이렇게 되었나 보다.
③ 나래 - 속담이 안 맞네. 여자 셋이 모인 것도 아닌데 접시가 깨졌으니까.
④ 두리 - 왜 하필 내가 설거지를 할 때 접시가 깨졌을까? 정말이지 재수가 없어.
⑤ 하나 - 내가 설거지를 안 했으면 이런 일도 없었을 거야. 괜히 오늘 설거지를 한다고 했나 봐.

7 현대 과학 기술의 특징으로 옳지 <u>않은</u> 것은?

① 엄청난 비용을 투자하는 첨단 과학 기술 분야의 사업이 추진되고 있다.

② 분자보다 작은 입자들을 다루는 복잡하고 미세한 분야에 대한 도전이 시도되고 있다.

③ 최근 100여 년 사이에 과학 기술의 발전은 역사상 그 어느 때보다 빠르게 이루어졌다.

④ 정보 통신, 생명 공학, 신소재 기술 등 다양한 영역으로 확장되어 우리 삶에 영향을 끼친다.

⑤ 과학 지식이 좁고 깊은 특징을 가지고 있어서 다른 분야 학자들과의 공동 연구는 진행하지 않는다.

8 과학 기술이 가져온 문제점으로 다음 사례와 관련 깊은 것은?

> • 아주 친한 사람의 전화번호도 잘 기억하지 못한다.
> • 노래방 화면의 자막 없이는 부를 줄 아는 곡이 없다.

① 인간 소외 ② 공황 장애 ③ 대인 기피증
④ 기억 상실증 ⑤ 디지털 치매

9 다음 글에 나타난 현대 과학 기술의 문제가 <u>아닌</u> 것은?

> 과학 기술의 진보가 생산성을 향상시키고 대량 생산을 가능케 하는 생산 기술 면의 급속한 발전을 가져온 결과로 경제 성장과 산업 발전이 일어나 공업화 사회가 형성되고, 이 과정을 통해 국민 생활이 향상되었다. 하지만 과학 기술은 환경 파괴, 정신세계와의 단절, 인간 소외 등 여러 가지 문제를 일으킬 수도 있다. 따라서 과학 기술의 평화적 이용, 인간 주체성의 확립, 부작용을 일으키지 않는 과학 기술의 연구 개발, 그리고 선진국과의 기술 격차를 해소해 가면서 복지 세계 건설에 공헌할 수 있도록 하는 과학 기술의 개발 등이 현대적 과제이다.

① 환경 파괴 문제
② 평화적 이용에 관한 문제
③ 인간 소외와 주체성 상실 문제
④ 생산 기술의 급속한 발전 문제
⑤ 선진국과 후진국 간의 기술 격차 문제

10 다음과 같이 말하는 이유로 가장 옳은 것은?

> 현대 과학 기술은 환경 문제와 생태계 파괴를 가져왔어요. 자연환경의 오염과 훼손은 인간이 누리는 풍요와 편리함의 대가예요.

① 인간의 욕구를 채우기 위해 자연을 무분별하게 개발하였기 때문이다.

② 과학 기술의 발달은 인간에게 물질적 풍요를 가져다주었기 때문이다.

③ 인간의 지적 능력과 기술력이 다른 동물들보다 매우 뛰어나기 때문이다.

④ 인간은 자신의 실수와 잘못을 통해서 학습할 수 있는 존재이기 때문이다.

⑤ 과학 기술은 인류의 건강과 장수를 가능하게 하였으나 평화와 안전을 위협하기 때문이다.

11 다음의 영화 장면과 소개 글이 말하는 문제는?

> 1936년에 찰리 채플린이 연출하고 직접 주연을 맡았던 무성 영화 '모던 타임즈'의 한 장면이다.
> 찰리 채플린은 공장에서 나사 조이는 일을 반복하는 공장 노동자로 등장해 기계의 부품이 되어 버린 인간의 모습을 그려 냈다.

① 평화 ② 인간 소외
③ 안전 문제 ④ 환경 문제
⑤ 기술 격차의 문제

12 과학 기술에 빼앗긴 인간의 원래 모습에 해당하는 것은?

① 자율적인 모습 ② 종속적인 습성
③ 타율적인 태도 ④ 복종하는 모습
⑤ 이기적인 태도

① 환경친화적 삶을 위한 구체적인 실천 방안은? 149

② 과학 기술은 모든 문제를 해결해 줄 수 있는가?

교과서 155~158쪽

학습의 주안점
- 낙관론과 비관론
- 과학 기술에 대한 관점

1 과학 기술에 대한 서로 다른 관점 [자료1]

(1) 과학 기술에 대한 낙관론❶

① 과학 기술은 행복한 인류의 미래를 완전하게 보장한다고 보는 관점

② 과학 기술이 인류의 어떤 문제든지 해결해 줄 수 있다고 신뢰하는 관점

(2) 과학 기술에 대한 비관론❷

① 과학 기술은 자연과 인간을 모두 파멸시키게 될 것이라는 관점

② 과학 기술로 인해 국가 간의 빈부 격차가 더 심해질 것이라는 관점

(3) 과학 기술의 양면성❸ : 인류에게 축복이 될 수도 재앙이 될 수도 있음.

2 과학 기술에 대한 관점 세우기 [자료2]

(1) 과학 기술에 대한 잘못된 태도

① 과학 기술을 지나치게 신뢰하거나 낙관하는 것

  – 과학 기술의 문제점을 제대로 파악하기 어려움.

② 과학 기술을 무조건 혐오하거나 거부하는 것

  – 과학 기술의 혜택에 대해 부정하는 것이 됨.

(2) 과학 기술에 대한 균형 잡힌 자세

① 과학 기술이 가져올 장단점을 제대로 파악함.

  – 장단점을 파악함으로써 올바른 발전 방향을 제시할 수 있음.

② 과학 기술의 발전이 가져올 사회적·윤리적 문제들을 예측함.

  – 인류의 더 나은 삶을 위해 대책을 마련할 수 있음.

③ 과학 기술의 문제점에 대해 사회 구성원들의 합의를 이끌어 내려는 노력

  – 민주적인 의사 결정 과정을 통해 공정하고 정의로운 사회를 이룩❹함.

Tip 낙관과 비관, 맹신과 혐오 등 한쪽에 치우치지 말고 균형 잡힌 시각을 유지해야 해.

❶ **낙관론**
사물을 밝고 희망적으로 생각하는 견해

❷ **비관론**
부정적인 면을 부각시키고 아무런 것에도 희망을 갖지 않는 견해

❸ **양면성**
한 가지 사물에 속하여 있는 서로 맞서는 두 가지의 성질

❹ **이룩**
어떤 큰 현상이나 사업을 이룸.

📖 기본 확인 문제

정답 231쪽

1 다음 내용이 옳으면 ○표, 틀리면 ×표를 하시오.

① 과학 기술을 바라보는 사람들의 시선은 똑같다. ( )

② 인공 지능 기술은 미래의 핵심 기술이 될 것이다. ( )

③ 과학 기술이 인류의 모든 문제를 해결할 수 있다고 믿는 입장을 과학 기술에 대한 낙관론이라고 부른다. ( )

2 과학 기술이 인간을 지배하는 암울한 미래 사회를 그린 영국 작가 헉슬리의 소설 제목은 무엇인가?

3 대상이나 현상에 대하여 부정적인 면을 부각하여 바라보는 관점을 무엇이라고 하는가?

4 다음 빈칸에 들어갈 알맞은 말을 쓰시오.

① 과학 기술은 물질적 풍요를 가져다주었으나 이로 인해 사람들에게는 물질 ☐☐☐☐ 에 빠지는 문제가 생겨났다.

② 과학 기술에 대한 ☐☐ 잡힌 관점을 가지려면 우선 과학 기술이 가져올 장단점을 바르게 파악해야 한다.

📘 내신 만점을 위한 탐구 자료

자료1 인간 수명을 결정하는 텔로미어 ≫

사람 세포는 분열하면서 유전자를 복제해 염색체를 분열된 세포에 물려준다. 세포가 더 이상 분열되지 못하면 바로 '노화'가 진행된다. 이 같은 세포 분열 과정에서 유전자를 대신해 점점 짧아지고 유전 정보가 온전히 보존되도록 돕는 역할을 하는 게 염색체 양쪽 끝 부분에 붙어 있는 DNA 염기 서열인 '텔로미어(telomere)'다.

1982년 엘리자베스 블랙번 교수는 텔로미어 길이가 일정 수준으로 짧아지면 염색체가 제대로 복제되지 못하고 세포도 분열을 멈춘다는 것을 밝혀냈다. 텔로미어와 노화·수명 간 직접적인 연관성을 찾아낸 것이다. 모근 세포의 텔로미어가 짧아지면 탈모가 빨라지고, 피부 세포의 텔로미어가 짧아지면 주름이 자글자글해진다. 마치 나무에 나이테가 새겨지듯 사람이 늙어 가는 흔적이 텔로미어에 남는 것이다. 텔로미어가 '노화 시계' 또는 '세포 타이머'로 불리는 이유다.

자료2 강한 인공 지능과 약한 인공 지능 ≫

인간처럼 생각할 수 있는 기계에 대한 아이디어는 1930년대 후반에서 1950년대 초반 신경학의 연구 결과에서 시작됐다. 인간의 뇌가 뉴런(neuron, 신경 세포)으로 이루어졌다는 데서 착안해 인공 지능학이 나왔다. 인공 지능이란 말은 존 맥카시가 처음으로 썼다고 한다.

인공 지능은 강한 인공 지능과 약한 인공 지능으로 나눌 수 있다. 강한 인공 지능은 인간이 영역을 특정해 주지 않아도 어떤 문제든 해결할 수 있는 기술 수준을, 약한 인공 지능은 인간이 제시한 특정 영역의 문제를 푸는 기술을 말한다.

강한 인공 지능은 단순한 컴퓨터가 아니라 프로그래밍이 된 컴퓨터 정신이라는 것이 깃든 인공 지능이다. 이는 인간의 지능에 육박할 만한 폭넓은 지식과 자의식을 가지게 된 것을 의미하며, 세계적인 이론 물리학자 스티븐 호킹이 걱정했던 것이 바로 이 강한 인공 지능이다. 반면 약한 인공 지능은 인간의 전체적인 인지 능력을 필요로 하지 않는 정도의 문제 해결과 추론을 할 소프트웨어의 구현 및 연구를 가리킨다. 자의식이나 인간처럼 광범위한 인지 능력이 없다. 그저 특정 문제를 해결하기 위해 최적화된 장치일 뿐이다. 널리 알려진 알파고도 여기에 속하며 지금 모든 개발이 강한 인공 지능보다는 약한 인공 지능 쪽으로 기울어져 있다고 한다.

🔍 교과서 활동 과제 풀이

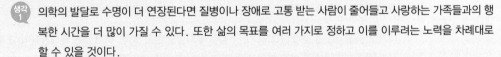

| 스스로 생각하기 | 인간의 수명 연장이 가져오는 장단점 | 📖 교과서 155쪽 |

활동 목적 현대 과학 기술이 인간의 수명을 얼마나 연장시켜 주었는가를 제시된 자료를 통해 살펴보고, 장수와 수명 연장이 개인과 사회에 어떤 영향을 미치는지 분석함으로써 과학 기술의 양면성에 대해 생각해 봅시다.

예시 답안

생각1 의학의 발달로 수명이 더 연장된다면 질병이나 장애로 고통 받는 사람이 줄어들고 사랑하는 가족들과의 행복한 시간을 더 많이 가질 수 있다. 또한 삶의 목표를 여러 가지로 정하고 이를 이루려는 노력을 차례대로 할 수 있을 것이다.

생각2 인구의 증가로 인해 자원의 고갈이 더 빨라질 것이며, 세대 간의 갈등이 심해지고 노인 부양에 따른 가정과 사회의 부담이 늘어날 수 있다.

생각Tip 수명 연장은 어떤 장단점이 있는지 생각해 보세요.

생각 더하기 　**인공 지능을 둘러싼 논쟁**　　　　　　　　　　　　　　⊘ 교과서 156쪽

활동 목적　인간의 학습 능력과 추론 능력, 지각 능력, 자연 언어의 이해 능력 등을 컴퓨터 프로그램으로 실현한 기술인 인
공 지능에 대해 생각하고 정리해 봅시다.

예시 답안

낙관적 입장	• 인공 지능은 컴퓨터 과학의 다른 분야와 직간접적으로 많은 관련을 맺고 있다. 특히 현대에는 정보 기술의 여러 분야에서 인공 지능의 요소를 도입하여 그 분야의 문제 풀이에 활용하려는 시도가 매우 활발하게 이루어지고 있어 그 활용은 무궁무진할 것이다. • 언어 처리 분야에서는 이미 자동 번역과 같은 시스템을 실용화하고 있으며, 특히 연구가 더 진행되면 사람이 컴퓨터와 대화하며 정보를 교환할 수 있게 되므로 컴퓨터 사용에 혁신적인 변화가 오게 될 것이다.
비관적 입장	• 사람들은 인간을 능가하는 인공 지능의 지적 능력 앞에서 과거 산업 혁명 초기에 사람들이 기계에 대해 가졌던 불안감을 가질 수밖에 없다. • 인공 지능 무기의 위험성을 간과할 수 없다. 인공 지능 무기는 스스로 표적을 설정하고 제거한다. 무장된 드론이 스스로 표적을 찾아 사살하는 식이다. 핵무기와 달리 비용이 비싸지도 않고 대량 생산이 가능하기에 더 위험하다. 인공 지능 무기가 암시장에서 테러리스트들에게 거래될 수 있고, 독재자나 군부가 인종 학살에 이용할 수도 있다.

활동 Tip　각 입장을 이해한 뒤, 인공 지능에 대한 자신의 입장을 적어 보세요.

과학 기술의 명암 찾아보기　　　　　　　　　　　　　　⊘ 교과서 157쪽

활동 목적　제시된 시를 통해 시인이 전달하고자 하는 주장을 이해하고, 우리가 누리고 있는 과학 기술이 지닌 긍정적인 면
과 부정적인 면에 대해 토의하고 자신의 생각을 정리할 수 있습니다.

예시 답안　**1. 젊은 손수 운전자가 얻게 될 것들:** 교통경찰과 신호등을 살피느라 바빠진 눈과 마음, 기름값 상승과 매연에
도 불구하고 차를 가지고 다니는 생활

2. 젊은 손수 운전자가 잃게 될 것들: 철따라 달라지는 가로수(에서 느끼는 계절의 감상), 길가의 과일 장수나
생선 장수(가 전하는 삶의 애환), 아픈 아기를 업고 뛰어가는 여인(에 대한 안타까움)

3. 우리가 누리고 있는 과학 기술이 지닌 긍정적인 면과 부정적인 면

긍정적인 면	과학 기술	부정적인 면
위치 파악, 안전, 해외에서도 연락 가능	휴대 전화	중독, 직접적인 대화 단절
애착 대상이 되어 정서적 안정을 가져옴.	로봇 애완동물	쉽게 쓰고 버릴 수 있는 기계의 특성에 익숙해지면 생명을 대할 때도 그런 모습이 나타날 수 있음.
범죄 예방 및 범인 검거에 도움이 됨,	CCTV	사생활 침해 문제, 경제적 불평등이 반영됨.
고층 건물이나 외딴섬에 택배 배송 용이	드론	개인 정보 및 사생활 노출 위험, 조망권 침해

**4. 네가 벌써 휴대폰을 갖게 되었으니 친구들이 부러워할 만도 하다. 이제 너는 휴대폰을 들고 등교를 하는구나.
봄을 맞아 피어난 꽃을 보지 못하고 코앞을 스쳐 지나가는 친구를 보지 못하고 휴대폰만 보고 걸어가는구나.**

활동 Tip　빛과 그림자가 서로 뗄 수 없는 관계인 것처럼 우리가 사용하는 과학 기술에도 좋은 점과 나쁜 점이 같이 있음을 떠올려
보세요.

생각 더하기 | 과학 기술에 대한 입장 검토하기

교과서 158쪽

활동 목적 현대 과학 기술은 인류에게 축복인가, 재앙인가에 대한 네 가지의 서로 다른 학생들의 입장이 제시되어 있으며, 이들을 각각 검토하는 과정을 통해 과학 기술과 인류의 미래에 대한 자신의 입장을 세워 봅시다.

예시 답안 과학 기술은 어떤 문제든 해결할 수 있다는 주장에 대한 입장

긍정적 입장	• 과학 기술은 인류의 오랜 숙제였던 노화의 비밀을 밝혀내고 생명 연장의 성과를 이미 어느 정도 이루었으며 미래에 인간 수명은 더 늘어날 것으로 기대된다. • 생물학과 의학을 기반으로 의료 기술의 발달로 난치병과 불치병을 극복해 가고 있다. • 동식물에 대한 유전자 변형과 새로운 종의 탄생을 통해 식량 부족 문제도 해소될 수 있다. • 신재생 에너지 및 바이오 에너지 등과 같은 친환경 기술이 발전하고 있어 환경 문제 해결도 될 것이다.
부정적 입장	• 연명 장치에 의한 수명 연장은 무의미한 의료 행위이며 오히려 인간으로서의 존엄한 죽음을 선택할 권리를 제한할 수 있다. • 생명 공학은 배아 복제 및 줄기세포의 연구에서 제기된 인간 존엄성과 개인의 신체권 침해 문제가 제기된다. • 생명 탄생의 기술은 인간이 함부로 사용해서는 안 되며 자연 생태계를 위험에 빠뜨릴 수 있다. • 과학 기술의 발달은 한정된 자연 자원을 급속도로 소비하는데 앞장서 왔으며, 핵무기와 대량 살상 무기의 사례처럼 인류의 생존을 위협한다.

활동 Tip 과거와 현대의 인류 생활을 비교하면 과학 기술이 어떤 문제든 해결할 수 있는지 입장을 정하는 데 도움이 될 거예요.

스스로 정리하기 | 과학 기술의 양면성과 균형 잡힌 관점

교과서 158쪽

활동 목적 과학 기술이 우리에게 가져다준 장점과 단점, 혜택과 문제점을 모두 배운 지금은 이 단원을 시작할 때와 비교하여 과학 기술에 대한 자신의 관점이 어떻게 달라졌는지 확인해 봅시다.

예시 답안

 정리 1 과학 기술이 우리의 모든 문제를 해결해 줄 수 있는 것은 아니다. 예를 들어 공동 주택 층간 소음 문제 해결을 위해서 소음 저감 기술 개발을 추진했지만, 소음 방지용 바닥재나 기술만으로 획기적 성과를 거두기는 어려웠다. 이웃 간의 관계 회복과 공동체 의식의 형성이 필요하기 때문이다. 따라서 과학 만능주의는 인간 및 사회 현상에 대한 올바른 이해와 근본적 문제 해결에는 역부족이며 오히려 경계할 필요가 있다.

정리 2 과학 기술의 목적은 인간 존엄성을 구현하고 인류가 행복한 삶을 영위하도록 하는 데 있다. 일찍이 1995년 노벨 평화상을 받은 조지프 로트블랫은 과학 기술자들한테서 "과학과 기술이 사회적으로 책임 있는 방식으로 쓰이는 더 나은 세계를 위해 일할 것을 약속한다."라는 내용의 선서를 받자고 제안한 바 있다. 과학 기술은 인간을 위한 수단이어야 하며, 어떤 이유 때문이건 인간 위에 군림하고 억압하는 권력이 되어서는 안 된다.

정리 Tip 이번 주제를 공부하면서 과학 기술에 대한 균형 잡힌 관점이 생겨났는지 확인해 봐요!

1 다음 표에서 직접적으로 알 수 있는 것은?

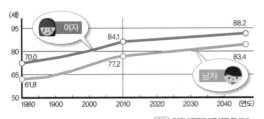

① 수명의 비밀에 대한 도전은 계속되었다.
② 산업 혁명기의 기대 수명은 30세 안팎이었다.
③ 한국 여성의 기대 수명은 2015년 81.4세였다.
④ 2010년 한국 남성의 기대 수명은 77.2세이다.
⑤ 기대 수명은 점점 늘어나고 있으며 2100년에는 100세 시대가 현실이 될 것이다.

※[2~3] 과학 기술에 대한 서로 다른 입장을 정리한 표이다. 물음에 맞는 답을 고르시오.

(가)	비관론
과학 기술은 행복한 인류의 미래를 보장한다는 관점	(나)

2 빈칸 (가)에 들어갈 말은?

① 진화론　　　② 낙관론　　　③ 창조론
④ 찬반론　　　⑤ 판단 정지

3 빈칸 (나)에 들어갈 설명으로 옳은 것은?

① 역사상 세계의 문명을 이끈 것은 과학 기술이었다는 관점
② 과학 기술은 인류에게 혜택과 함께 문제를 발생시킨다는 관점
③ 과학 기술은 자연과 인간을 모두 파괴시키게 될 것이라는 관점
④ 과학 기술이 인간의 한계를 극복하는 데 중요한 역할을 했다는 관점
⑤ 과학 기술이 인간에게는 유익하지만 생태계에는 피해를 주었다는 관점

4 다음의 논쟁을 불러일으킨 과학 기술은?

찬성하는 입장	사람을 대신해 쇼핑도 해 주고 아이를 돌보는 일이나 무거운 짐을 들어 주는 등 우리의 생활을 더 편리하고 풍요롭게 해 줄 것이다.
반대하는 입장	인간이 하던 일을 빠르게 처리하면서도, 쉴 필요가 없으니 점차 인간의 일자리를 빼앗아서 이와 관련된 사람만 풍요롭게 될 것이다.

① 인공 지능　　　② 빅 데이터
③ 컴퓨터 통신　　　④ 디지털 기계
⑤ 배아 복제 기술

5 다음과 같은 서로 다른 전망의 원인이 되는 과학 기술의 특징은?
★ 중요

　영화나 소설 속에서는 미래 사회에 대한 부정적 상상이 우세하다. 기계가 인간을 위협하고 지배한다는 것이다. 하지만 많은 전문가들은 과학 기술이 미래 사회의 의료, 교통, 환경, 예술 등의 발달에 핵심적 역할을 할 것으로 전망한다.

① 특수성　　　② 보편성
③ 양면성　　　④ 경제성
⑤ 사회성

6 휴대전화에 대한 입장들 중 관점이 다른 하나는?

① 과학 기술의 놀라운 성과들이 집합된 발명품이다.
② 소통의 범위와 대상을 넓히고 교류를 증진시킨다.
③ 중독을 일으키고 직접적 대화의 단절을 일으킨다.
④ 각종 기능이 첨가된 휴대 전화는 컴퓨터 못지않다.
⑤ 서로의 소재를 파악하고 급히 연락할 때 편리하다.

7 다음 글에서 설명하는 소설의 작가와 제목은?

> 이 소설은 태평양을 표류하던 주인공 일행이 '평평하게 보이는 뭍'을 발견하면서 이야기가 시작된다. 이 소설은 과학 기술을 적절히 활용하여 번영과 풍요를 구가하는 낙원을 그리고 있다. 여기에는 인공적으로 날씨를 조절하는 거대한 건물들과 비행기, 잠수함도 존재한다. 이미 400년 전에 과학 기술이 가져올 오늘날의 놀라운 번영을 예견한 것이다.

① 헉슬리– 멋진 신세계
② 스위프트– 걸리버 여행기
③ 플라톤– 소크라테스의 변명
④ 베이컨– 새로운 아틀란티스
⑤ 톨스토이– 인간은 무엇으로 사는가?

8 다음 소설 속 사람들이 회복해야 할 인간성은?

> 런던의 부화와 조건 반사 센터에서는 시험관 태아들이 행복하게 만들어진 삶으로 태어날 준비가 이루어진다. 태아 때부터 알파, 베타, 감마, 델타, 입실론 등의 계급으로 분류된 이들에게는 자아가 존재하지 않으며, 소마라는 약을 복용하여 행복을 느낀다.

① 사회성 　　　　② 자율성
③ 책임성 　　　　④ 타율성
⑤ 성실성

⭐
9 과학 기술에 대한 입장이 다른 하나를 고르면?
중요

① 인간에게 물질적인 풍요를 가져다주었다.
② 필요한 자원을 더 많이 활용할 수 있게 했다.
③ 생활 속의 편리함과 여가 시간을 제공해 주었다.
④ 사람들이 가졌던 시간 · 장소의 제약을 극복하게 해 주었다.
⑤ 항생제가 듣지 않는 슈퍼 박테리아의 문제를 불러일으켰다.

10 '젊은 손수 운전자에게'라는 시의 일부이다. 이 시에서 자동차를 통해 잃게 될 것이라고 말하는 것은?

> 이제 너는 차를 몰고 달려가는구나.
> 철따라 달라지는 가로수를 보지 못하고
> 길가의 과일 장수나 생선 장수를 보지 못하고
> 아픈 애기를 업고 뛰어가는 여인을 보지 못하고
> 교통순경과 신호등을 살피면서
> 앞만 보고 달려가는구나.

① 획일성 　　② 인간미 　　③ 경제성
④ 속도감 　　⑤ 접근성

11 다음에서 말하는 내용과 관련 깊은 시의 구절은?

> 과학 기술이 물질적 풍요를 가져다준 것은 사실이지만, 인간을 물질 만능주의에 빠지게 만들었어.

① 어디든지 달려갈 수 있을 네가 대견했다.
② 너는 시속 60km 이상으로 지나가고 있구나.
③ 너의 눈은 빨라지고 너의 마음은 더욱 바빠졌다.
④ 너무 가볍게 멀어져 가는 것 같아 나의 마음이 무거워진다.
⑤ 네가 벌써 자동차를 갖게 되었으니 친구들이 부러워할 만도 하다.

12 과학 기술에 대한 균형 잡힌 관점을 가지기 위한 노력으로 옳지 않은 것은?

① 과학 기술로 인한 윤리적 문제에 대한 비판적 검토
② 과학 기술의 장점과 단점을 제대로 파악하려는 노력
③ 과학 기술의 발전이 가져올 사회적 문제에 대한 예측
④ 과학 기술의 각종 혜택을 중심으로 좋은 점만 부각시키는 긍정적인 태도
⑤ 과학 기술로 인한 각종 문제에 대한 사회 구성원들의 합의를 이끌어 내려는 노력

③ 과학 기술에 책임이 필요한 이유는 무엇인가?

📖교과서 159~163쪽

학습의 주안점
- 가치 중립성
- 사회적 책임
- 윤리 의식

1 과학 기술의 가치 중립성에 대한 논란

(1) 가치 중립성의 의미: 어떤 가치관이나 태도에도 치우치지 않는 성질, 연구자의 주관❶이나 가치를 개입시키지 않는 학문적 태도

(2) 과학 기술의 가치 중립성에 대한 논란

① 과학 기술의 가치 중립성을 인정하는 입장: 과학 기술은 그 자체로 철저히 가치 중립적이므로 그것을 이용하는 사람들에 의해 의미나 가치가 결정됨.

② 과학 기술의 가치 중립성을 부정하는 입장: 과학자 또한 인간이므로 자신의 사회적, 종교적, 정치적 배경에 따라 연구 방향에 가치를 개입시킬 수밖에 없음.

❶ **주관**
자기만의 견해나 관점

2 과학 기술자의 책임이 강조되는 이유

(1) 과학 기술의 변화 [자료1]

① 세밀하고 복잡해진 과학 기술: 일반 사용자들이 그 원리와 결과를 알기 어려움.

② 과학 기술의 영향력이 점차 확대되고 있음.
- 과학 기술의 발달로 인한 인권과 사생활 침해, 생명 경시❷의 위험성 제기
- 과학 기술의 사회적 기능과 도덕적 책임에 대한 요구가 강해짐.

(2) 과학 기술자의 사회적 책임과 윤리 의식 문제: 과학 기술의 목적이 인간의 존엄성과 행복 실현에 있음을 항상 기억할 것

[Tip] 기업의 이익이나 국가의 필요 때문에 인간 존엄성과 행복을 해쳐서는 안 돼.

❷ **경시**
대수롭지 않게 보거나 업신여김.

3 과학 기술의 바람직한 발전을 위한 노력

(1) 과학 기술자의 노력: 탐구심과 창의력으로 삶의 질을 향상시키고 인류의 행복 실현에 대한 긍지❸와 사명감❹을 지닐 것 [자료2]

(2) 우리들의 노력: 과학 기술의 올바른 발전에 대한 비판적 사고를 바탕으로 감시자 역할을 할 것

❸ **긍지**
자신의 능력을 믿음으로써 가지는 당당함

❹ **사명감**
주어진 임무를 잘 수행하려는 마음가짐

🔍 기본 확인 문제

📖정답 231쪽

1 어떤 가치관에도 치우치지 않는 성질을 무엇이라 하는가?

2 다음 내용이 옳으면 ○표, 틀리면 ×표를 하시오.
  ① 과학의 본질은 양심과 주관에 입각하여 자연 현상의 원리와 법칙을 밝히는 것이다. ( )
  ② 오늘날 과학의 도덕적 책임에 대한 요구가 커졌다. ( )
  ③ 기업의 이익이나 국가의 필요 때문에 인간의 존엄성을 해치는 연구는 결코 없었다. ( )

3 과학 기술자에게 요구되는 사회적 책임은 무엇인가?

4 다음 빈칸에 들어갈 알맞은 말을 쓰시오.
  ① 과학 기술의 영향력이 점차 확대되면서 과학 기술자들에게 그 기술의 영향과 문제에 대한 □□을 요구하게 되었다.
  ② 과학 기술의 궁극적 목적이 인간의 삶을 풍요롭고 □□하게 만드는 데 있음을 잊어서는 안 된다.

내신 만점을 위한 탐구 자료

자료1 **인간의 유전자 정보 해독, 게놈 프로젝트** ≫

인간 유전체의 DNA 염기 서열을 해독하는 작업은 '인간 게놈 프로젝트'를 통해 190년부터 13년간 진행되어 2003년 공식적으로 완성되었다. 이 작업에는 총 30억 달러(약 3조원)의 막대한 예산이 투입되었다. 그렇다면 인류는 왜 이토록 많은 인적·물적 자원을 투입하여 인간 유전체의 정보를 해독하고자 한 것일까?

인간 게놈 프로젝트를 통해 우리는 이제 우리 몸을 구성하는 부품 리스트 전체를 얻어 낸 것이다. 이 부품 리스트를 이용하여 앞으로 어떻게 이들이 조립되어 복잡한 생명체를 만들고 유지하는지 알아 갈 수 있을 것이다. 또 어떤 부품이 잘못되었을 때 어떤 질병이 발생하는지도 알게 될 것이다. 이런 이유로 선진국들은 막대한 연구비를 지원하여 그 비밀을 풀고자 하였다. 또한 인간 게놈 프로젝트는 인류 공동의 유산이라는 믿음 속에 진행되었고 우리 모두에게 공개되었다. 여러분도 궁금하다면 미국 국립 생물 정보 센터 누리집에 가서 원하는 유전자의 정보를 확인할 수 있다.

자료2 **과학 기술인 헌장** ≫

과학 기술은 인류 공동의 소중한 문화유산이며 합리성과 보편성을 바탕으로 인간의 삶에 큰 영향을 미치는 지식 체계이다.

이에 우리 과학 기술인은 무한한 탐구심과 창의력으로 삶의 질을 향상시키고 밝은 미래 사회를 여는 주체로서의 긍지와 사명감을 지닌다.

- 우리는 과학 지식을 증진시키고 기술 혁신을 추구하여 인류의 행복과 평화를 위해 노력한다.
- 우리는 지속 가능한 과학 기술 발전을 통하여 깨끗하고 안전한 자연환경을 만든다.
- 우리는 탐구의 자율성을 소중히 여기며 과학 기술에 대한 사회적 책임과 윤리 의식을 갖는다.
- 우리는 과학 기술의 발전을 위해 미래 세대를 육성하는 데 힘을 기울인다.
- 우리는 과학 기술에 대한 국민의 관심과 이해를 높이는 데 앞장선다.
- 우리는 과학 기술을 통해 자랑스러운 전통문화의 발전과 민족 화합에 이바지한다.

– 한국 과학 기술 단체 총연합회 누리집

교과서 활동 과제 풀이

스스로 생각하기 **원자력 발전과 과학 기술의 안정성 문제** ⊘교과서 159쪽

활동 목적 **원자력 발전소의 방사능 유출 사고 사례를 통해 과학 기술 및 과학 기술자의 책임에 대해 생각해 봅시다.**

예시 답안 원자력 발전에 관한 기술을 개발한 사람에게 사고의 책임을 물을 수는 없다고 생각한다. 기술 자체에 문제가 있었다면 원자력 발전소가 있는 곳마다 사고가 생길 수 있지만, 이 사건의 경우 인간의 부주의와 방만한 관리로 사고가 발생한 것이다.

생각2 원자력 에너지의 위험성은 인간의 완벽한 통제가 불가능하다는 데 있다. 대량 살상 무기와 생명 복제 기술 역시 인류에게 재앙을 불러올 수 있다. 따라서 과학 기술의 개발과 활용에 있어서는 신중한 검토와 판단, 그리고 문제 해결 방안이 필요하다.

생각Tip 원자력 발전소 폭발 사고의 교훈을 통해 과학 기술의 책임에 대한 고민이 필요해요.

과학 기술자의 가치 중립성 추구를 인정할 수 있을까?

🔗교과서 160쪽

활동 목적 과학 기술자의 가치 중립성 허용과 공익의 추구가 서로 충돌하는 경우에 대한 친구들의 입장을 들어보고 자신의 생각을 정리해 봅시다.

예시 답안 1. • 결과 발표를 허용하겠다는 입장: 과학적 연구 결과는 인류의 지적 재산이다. 따라서 연구의 성과는 과학 기술자의 양심과 자유에 의해 학계에 공표되고 학문적 진보에 기여할 수 있도록 해야 한다.
• 결과 발표를 허용하지 않겠다는 입장: 과학 기술이 연구자의 손을 떠나는 순간부터 악용의 가능성이 있는 줄 알면서 이를 공표하는 것은 사람들을 위험에 빠뜨리는 무책임한 일이다. 따라서 학계에도 공개되지 않아야 한다.

2. 제시된 사례에서는 변종 바이러스로부터 인간의 생명을 지키기 위해 연구가 진행되었다고 하였다. 따라서 변종 바이러스 생산 기술을 개발했다는 것에 대해 직접적 책임을 요구하기는 어렵다고 본다. 다만 과학 기술자는 연구의 시작 단계와 과정은 물론 그 결과의 공표에 있어 사회적 책임과 윤리 의식을 갖추어야 한다고 생각한다. 즉 자신이 연구하고 개발하는 과학 기술이 인류의 행복과 평화에 기여하며, 생태계에 피해를 주지 말아야 할 것이다.

활동 Tip 연구의 자유와 공익의 가치 중에서 무엇이 더 중요한지 생각해 보세요.

생각 더하기 과학 기술과 윤리 의식

🔗교과서 162쪽

활동 목적 현대의 과학 기술이 고려해야 할 도덕적이고 윤리적인 원칙은 어떤 것이어야 할지 생각해 보고, 이들 원칙들이 담고 있는 의미와 필요성을 찾아봅시다.

예시 답안

윤리 의식	생명 존중	미래 세대 권리 존중	생태 공동체 보호
의미	• 모든 생명체의 생명을 소중히 여기고 존중함.	• 인류의 미래 세대가 누려야 할 안전과 권리를 보장함.	• 다른 생명체와 지구 생태계에 피해를 주어서는 안 됨.
필요성	• 생명은 그 누구도 함부로 대해서는 안 되는 귀중한 것이기 때문이다.	• 현재의 인류가 필요한 것을 충족시키는 일이 미래 세대의 삶을 위협하는 이기적인 것이 되어서는 안 되기 때문이다.	• 인간은 생태계의 일원으로서 자연과의 공존을 추구해야 하기 때문이다.

활동 Tip 과학 기술의 궁극적 목적을 생각해 보면 과학 기술이 지켜야 할 몇 가지 원칙들에 대해 찾을 수 있을 거예요.

생각 더하기 과학 기술의 올바른 발전을 위한 노력

🔗교과서 162쪽

활동 목적 과학 기술의 바람직한 발전을 위해 필요한 노력들과 그 주체를 바르게 연결하며, 과학 기술의 문제를 해결하기 위해서는 개인, 사회, 국가의 통합적 노력이 필요함을 이해합니다.

예시 답안

과학 기술을 개인이나 일부 집단의 이기적 욕구를 충족하는 데 사용해서는 안 된다.	핵이나 환경 오염 같은 전 지구적 문제에 대해 공동으로 대응하고 함께 도와야 한다.	과학 기술이 가져올 문제들에 대해 구성원들 간의 사회적 합의를 이끌어 내야 한다.
• 과학 기술자와 기업	• 국제 사회	• 사회와 국가

활동 Tip 곰곰이 생각해 보면, 과학 발전의 바람직한 발전을 위해 과학 기술자와 기업, 사회와 국가, 국제 사회가 노력해야 할 점을 구분할 수 있을 거예요.

적정 기술? 착한 기술이 된 과학 기술!

교과서 163쪽

활동 목적 착한 기술, 일명 따뜻한 기술로 불리는 적정 기술에 대해 관련 동영상을 시청하고 직접 다른 사례를 찾아 그 필요성을 느껴 본다. 또한 가난하고 소외된 사람들과 다른 동식물 같은 생명체에게 보급하고 싶은 과학 기술에 대해 생각하는 과정을 통해 착한 기술을 개발하고 확산하려는 의지를 기른다.

예시 답안
1. **놀면서 에너지를 만드는 소켓 볼(Soccket ball)**: 소켓 볼은 축구를 할 때 발생하는 운동 에너지를 전기 에너지로 바꾸어 주는 축구공이다. 미국의 한 비영리 업체가 개발한 소켓 볼은 2009년 하버드 대학교 학생들이 생각해 낸 발명품으로, 저개발 국가 사람들이 쉽게 전기를 생산할 수 있는 방법을 고민하던 학생들이 축구에서 아이디어를 얻어 만들었다. 소켓 볼은 겉에서 보았을 때 일반 축구공과 모양이나 재질이 같지만 내부에는 전기 에너지를 생산할 수 있는 시스템이 들어있어 약 30분 동안 소켓 볼로 축구를 하면 3시간 정도 불을 밝힐 전기 에너지가 만들어진다. 전기가 들어오지 않아 아직도 등유나 촛불을 밝혀 생활하는 저개발 국가 사람들에게 유용하게 쓰일 수 있는 적정 기술이다.

2. **장애견들을 위한 의족 보조기를 만드는 ○○씨 이야기**: 사고를 당해서 신체 일부를 잃은 반려동물들을 안타깝게 여겨 3D 프린팅 기술을 이용한 동물 맞춤형 의족을 생산하게 되었다고 한다. 의족을 착용한 후 뛰어다니는 개와 고양이들을 보면서 착하고 좋은 기술이라 느꼈다.

3.

누구를 위한 것인가? 그들의 어려움은 무엇인가?	어떤 도움을 주고 싶은가?	이 기술을 실현하기 위해 무엇이 필요한가?	어떤 모양으로 제 품을 만들 것인가?
치매 환자 또는 중증 장애를 가진 가족을 돌보는 사람들은 그들을 목욕시킬 때에 어려움이 많다.	목욕 슈트를 만들어서 편하게 목욕을 시켜 드릴 수 있으면 좋겠다.	전신용 방수복이 안착된 안마 의자 형태의 본체, 온수 연결관 및 배수관, 목욕 세제 분사 장치, 자동 건조 기능 등	

활동 Tip 사회적 약자와 동식물에게도 눈길을 돌려 그들이 겪는 어려움 중에서 기술적으로 해결 가능한 것을 찾아보아요.

스스로 정리하기 ## 과학 기술에 책임이 필요한 이유

교과서 163쪽

활동 목적 과학 기술의 책임과 과학 기술자의 윤리 의식에 대해 공부하면서 자신의 생각이 어떻게 바뀌었는지 정리해 봅시다.

예시 답안

정리 1 과학 기술은 가치 중립적일 수 없다고 생각한다. 과학 기술은 인간의 욕구나 욕망에 적합하도록 만들어 내거나 성취하는 것이기 때문이다. 어떤 욕구와 욕망에 우선적 가치를 두느냐에 따라 과학 기술이 개발된다고 볼 수 있다. 따라서 과학 기술자 자신의 가치나 외부의 요청에 따른 것일지라도 과학 기술은 가치 지향적이라 할 것이다.

정리 2 슈바이처 박사는 우리 인간이 어떤 생명체에도 해가 되는 행동을 하지 않을 때 비로소 진정한 의미에서 도덕적이라고 하였다. 과학 기술을 개발하는 사람 역시 이 말을 따라, 모든 인간은 물론 생태계의 안전과 지속에 위협이 될 수 있는 행동을 하지 말라고 충고하고 싶다.

정리 Tip 과학 기술에 도덕이 뒷받침되지 않는다면 어떤 모습이 나타날 것인지 생각해 보세요.

※[1~2] 다음 글을 읽고 물음에 답하시오.

> 1986년 체르노빌 원자력 발전소에서 방사능이 대규모로 누출되는 사고가 발생했다. 사고의 원인은 원자로 안전성 검사를 실시하던 운전원이 안전 수칙을 지키지 않았기 때문인 것으로 밝혀졌다.
> 이 사고로 원자로 주변 30km 이내에 사는 주민 9만 2,000여 명이 모두 강제 이주하였으며, 체르노빌 지역은 영구적으로 폐쇄되었다. 이후 6년간 원전 해체 작업에 동원됐던 노동자 5,000여 명과 민간인 2,500여 명 등 총 7,500여 명이 방사선 상해로 사망했다.

1 위 글에서 확인할 수 있는 사실은?

① 원자력 발전은 원료비가 저렴하고 에너지 효율이 높다.

② 원자력 에너지는 화석 연료와는 달리 대기 오염을 일으키지 않는다.

③ 원자력 발전은 사고를 예방하기 위한 원자로의 안전성 검사가 중요하다.

④ 원자력 발전소 폭발로 인한 피해는 비교적 짧은 시간에 회복할 수 있는 것이다.

⑤ 체르노빌 원자력 발전소의 폭발 사고는 지진에 동반된 바닷물의 유입 때문이었다.

2 위 사건과 관련하여 다음과 같은 돌연변이가 생기는 원인으로 가장 적절한 것은?

> 수십 년이 지난 지금까지 기형적인 모습의 '체르노빌 돌연변이'가 출현하고 있으며, 43만여 명이 암과 기형아 출산 등 후유증을 앓고 있는 것으로 알려져 있다.

① 방사능 유출　② 지형적 변화　③ 생태계 파괴
④ 온난화 현상　⑤ 개체 수 증가

3 다음 중 어떠한 가치관이나 태도에도 치우치지 않는 성질을 말하는 것은?

① 가치의 서열　② 가치 중립성　③ 가치 상대주의
④ 가치의 보편성 ⑤ 가치 전도 현상

4 다음 사례와 관련하여 과학 기술의 책임에 대해 바르게 설명한 것은?

> 베트남 전쟁이 한창일 때, 순수 과학자 47명으로 구성된 미국의 제이슨 연구단은 '이글루 화이트 프로젝트'에 착수했다. 이 사업의 주요 내용은 고속의 비행기를 이용하여 고성능 음향 탐지기와 지진 탐지기를 배치하는 것이었다. 이 정교한 탐지기는 미세한 진동과 소리를 탐지하여 정찰기로 송신하고, 이것은 다시 태국에 있는 컴퓨터 센터에 전송되어 폭격기의 출격으로 연결된다. 이 계획은 매우 성공적이었다. 미국은 지상에 단 한 명의 군인도 출동시키지 않고서도 대략 1만 2천 대의 트럭과 헤아릴 수 없이 많은 북베트남군을 섬멸할 수 있었다.

① 과학 기술의 책임을 요구하는 것은 먼 미래의 일이다.

② 과학 기술의 영향력이 점차 확대되면서 책임에 대한 요구도 함께 커졌다.

③ 과학 기술에 대한 책임은 과학 기술자가 아닌 사용자에게만 요구해야 한다.

④ 국가는 막대한 자금을 들여서라도 필요한 과학 기술을 육성하는 책임을 져야 한다.

⑤ 좋은 의도로 개발된 과학 기술이라면 비록 결과가 나쁘더라도 책임을 물어서는 안 된다.

5 과학 기술이 가치 중립성을 띤다는 주장의 근거로 옳은 것은?

① 오늘날에는 기술의 발달로 많은 정보가 공개된다.

② 생명 복제는 과학의 위험성을 제기하게 만들었다.

③ 과학 기술이 우리 삶에 미치는 영향력이 더 높아졌다.

④ 과학적 사실이나 기술 그 자체에는 다른 의미나 가치가 개입하지 않는다.

⑤ 과학 기술자는 자신의 연구에 주관이나 가치를 최대한 많이 개입시키게 된다.

6 다음 사례에서 배울 수 있는 교훈은?

> 독일의 화학자 프리츠 하버는 제1차 세계 대전 동안에 살인용 독성 가스를 개발하고 무기화하는 데 선구적인 역할을 하였다.
> 하버는 독가스 개발에 성공하였을 뿐만 아니라, 1915년 4월에는 자신이 직접 전장에서 독가스를 살포하여 15,000여 명의 연합군을 질식시켜 죽거나 다치게 하였다. 그는 애국심을 내세워 사람을 죽이는 과학 기술 연구를 기꺼이 수행했던 것이다.

① 전쟁은 사람들의 성향을 폭력적으로 만든다.
② 정치 권력을 유지하기 위해서는 과학 기술을 이용해야 한다.
③ 과학 기술 연구는 애국심을 바탕으로 할 때에 더 크게 발전한다.
④ 과학 기술자는 윤리 의식을 가지고 사회적 책임을 다해야 한다.
⑤ 사람들은 서로의 정치적 입장을 인정하고 존중할 수 있어야 한다.

※[7~8] 다음 글을 읽고 물음에 답하시오.

> 1945년 일본 히로시마와 ((가))에 처음 원자 폭탄이 떨어졌을 때 이를 개발한 과학자들조차 경악했다. 열지 말아야 할 판도라의 상자를 열었음을 깨달았던 것이다. 그 대표적인 인물이 아인슈타인과 오펜하이머이다. 이 두 사람은 핵무기가 출현하는 데 결정적인 역할을 한 인물이었다. 그뿐 아니라 일본에 원폭 투하를 결정하는 과정에도 개입했다. 이 일로 아인슈타인과 오펜하이머는 평생토록 마음의 부담을 안고 살았고, 핵무기가 제대로 통제되길 바라며 여러 활동들을 펼쳤다.

7 빈칸 (가)에 들어갈 도시 이름은?

① 후쿠시마　② 오키나와　③ 미나마타
④ 나가사키　⑤ 시모노세키

8 위 글에서 아인슈타인과 오펜하이머가 보여 준 과학자의 책임으로 가장 적절한 것은?

① 핵무기 개발의 이론적 토대를 제공하였다.
② 핵무기 개발 프로젝트에 직접 참여하였다.
③ 핵무기 투하 장소를 정하는 데 참여하였다.
④ 핵무기가 사용되었을 때 심한 충격을 겪었다.
⑤ 핵무기를 통제하기 위해서 여러 활동을 펼쳤다.

9 밑줄 친 부분에 들어갈 결론으로 가장 적합한 것은?

> 과거에는 과학 기술의 혜택이나 피해가 그 기술의 사용자에 의해 결정된다는 생각이 퍼져 있었다. 그러나 과학 기술이 세밀하고 복잡해지면서 일반 사용자들은 그 원리와 결과를 알기 어렵게 되었다. 이런 상황에서 과학 기술의 영향력이 점차 확대되면서 그 책임에 대한 요구도 함께 커졌다. 따라서 _____.

① 이전까지 종교와 신화가 주었던 정서적 위안을 과학 기술에게 기대하는 것은 어렵게 되었다.
② 과학 기술의 역할과 방향에 대해 비판적으로만 생각하기 보다는 긍정과 낙관이 더욱 필요한 것이다.
③ 과학 기술을 가장 잘 아는 과학 기술자들에게 기술의 영향과 문제에 대한 책임을 요구하게 되었다.
④ 과학 기술과 과학 기술자에게는 가치 중립성을 인정해 주어야 한다는 여론이 크게 일어나게 되었다.
⑤ 과학 기술자 또한 인간으로서 자신의 가치와 욕구가 연구 과제에 개입하게 된다는 사실을 인정하게 되었다.

10 과학 기술의 바람직한 발전을 위해 국제 사회가 노력할 점은?

① 욕구 충족에 과학 기술을 사용해서는 안 된다.
② 과학의 혜택이 어떤 사람들에게 집중되도록 한다.
③ 자원의 소비를 제한하지 말고 무한히 촉진시켜 준다.
④ 보편적 원리보다는 사회 공동체의 특수성을 강조한다.
⑤ 핵이나 환경 같은 지구적 문제 해결에 공동 대응한다.

※[01~02] 다음 글을 읽고 물음에 답하시오.

> 과학 기술은 우리가 한 단어처럼 사용하지만, 과학과 기술 두 단어가 합해진 것이다. 과학 기술은 과학 지식을 (가)으로 기술을 이용하여 인간 생활에 유용한 것들을 만들어 내는 (나)이라고 할 수 있다. <u>또한 과학은 기술의 진보를 촉진하고, 기술이 제공하는 문제들을 해결하는 과정에서 과학의 발전이 이루어진다.</u>

01 빈칸 (가), (나)에 들어갈 가장 알맞은 말을 고르면?

① 기본-이론
② 수단-실험
③ 바탕-수단
④ 실험-산업
⑤ 기능-역할

02 밑줄 친 내용과 같은 과학과 기술의 관계를 표현하는 말은?

① 갈등 관계
② 종속적 관계
③ 독립적 관계
④ 불가분의 관계
⑤ 이해타산적 관계

03 과학 기술과 우리의 삶의 관계를 설명한 것으로 옳지 <u>않은</u> 것은?

① 우리는 과학 기술이 가져다주는 편익과 혜택을 누리면서 살아가고 있다.
② 현대 사회를 '과학 기술의 시대'라고 부를 만큼 과학 기술의 중요성과 위치는 높다.
③ 산업 혁명 시대를 거치면서 과학 기술은 눈부신 발전을 통해 우리 삶을 변화시켰다.
④ 과학 기술이 우리의 삶을 풍요롭게 해 주었지만 여러 가지 문제점도 일으키고 있다.
⑤ 정보, 교통, 의료 등 몇몇 분야에서는 과학 기술 관련이 늘었지만 일상생활은 크게 영향을 받지 않는다.

04 현대 과학 기술의 특징과 거리가 <u>먼</u> 것은?

① 연구 범위나 비용의 규모가 더욱 커지고 있다.
② 과거에 비해 매우 빠른 속도로 발전하고 있다.
③ 더욱 복잡하고 미세한 분야의 개발에 도전하고 있다.
④ 개인이 주도하는 최첨단 과학 기술 분야가 늘고 있다.
⑤ 다른 분야와 공동 연구를 통해 새로운 결과를 얻는다.

05 다음 글에 이어질 주장으로 가장 옳은 것은?

> 현대 과학 기술은 급속도로 성장하고 발전하여 우리들에게 많은 혜택을 주고 있다. 그러나 한편으로는 과학 기술의 발전에 따른 여러 가지 문제점들도 해결해야 할 과제로 안겨 주었다.

① 과학 기술에 대해 무엇이건 받아들여야 한다.
② 인간의 삶을 과학 기술의 발전에 맞추어야 한다.
③ 과학 기술에 대해서 전부 신뢰하고 이용해야 한다.
④ 과학 기술의 한계를 인식하고 비판적으로 수용한다.
⑤ 과학 기술을 거부하고 원시적 삶으로 돌아가야 한다.

06 다음 사례가 보여주는 과학 기술의 문제점은?

> 친구의 생일잔치에서 놀다가 늦게 집으로 돌아왔다. 도덕 숙제를 하려고 컴퓨터를 켰지만 인터넷의 연결 문제로 작동이 되지 않았다. 숙제와 관련된 도서와 자료 수집을 전혀 해 두지 않았는데 갑자기 컴퓨터로 검색을 할 수 없게 되자 나는 어떻게 해야 할 지가 막막할 뿐이다. 몇 개의 핵심 단어 검색으로 손쉽게 자료를 얻어서 숙제를 하려던 나는 몹시 난처하다.

① 과도한 에너지 사용으로 인한 환경 파괴 문제
② 인간 본래의 품성을 잃어버리는 비인간화 현상
③ 정보화 통신 기술에 따른 사생활 침해와 사이버 범죄
④ 과학 기술의 무분별한 사용으로 인한 인간 생존 위협
⑤ 편리함에 익숙해져 과학 기술에 심하게 의존하는 경향

07 (주관식) 인간의 학습 능력과 추론 능력, 지각 능력, 자연 언어의 이해 능력 등을 컴퓨터 프로그램으로 실현한 기술로 미래 사회를 이끌 핵심 기술로 전망되는 것은 무엇인지 쓰시오.

08 (서술형) 과학 기술에 대한 낙관론이 가진 기본 입장 두 가지를 쓰시오.

※[09~10] 다음 대화를 읽고 물음에 답하시오.

> 하나: ①통증이 매우 심한 말기암 환자가 있다고 가정해 보자. 너라면 ②다음 두 가지 방법 중 어느 것을 선택할 것 같니? 하나는 통증을 덜 느끼며 죽음을 맞이할 수 있는 것이고, 다른 하나는 통증은 심하지만 생명을 연장하는 방법이야.
> 두리: ③선택하기 쉽지 않은 걸. 진통제를 개발한 과학 기술자라면 이 문제에 대한 답을 알 것 같은데.
> 하나: 그렇지 않아. 과학 기술자는 진통제의 효능에 대해 말해 줄 수 있을 뿐이고, ④가치 판단이나 결정을 내리는 일은 과학 기술자의 역할이 아니라고 봐.
> 두리: 내 생각은 달라. 과학 기술자는 진통제의 개발과 생산뿐만 아니라 ⑤사용 결과까지도 미리 생각하면서 개발해야 한다고 생각해.

09 위 글에서 과학 기술자의 가치 중립성을 인정하는 부분은?

　①　　　　②　　　　③　　　　④　　　　⑤

10 위 글의 밑줄 친 ⑤와 같은 주장이 나오는 이유로 옳은 것은?

① 과학 기술의 혜택이 경제적 형편에 따라서 불평등하게 작용하기 때문이다.
② 과학 기술이 복잡해져서 일반 사용자들이 그 원리를 알기 어렵기 때문이다.
③ 과학 기술이 우리의 삶에 미치는 영향력이 점점 축소되고 있기 때문이다.
④ 과학 기술의 영향과 문제에 대한 책임 요구는 연구 의욕을 약화시키기 때문이다.
⑤ 기업의 이익이나 국가의 필요 때문에 과학의 궁극적 목적에 어긋나는 연구를 하지는 않기 때문이다.

★11 과학 기술자가 사회적 책임을 다하는 연구를 하기 위해
중요 꼭 갖추어야 할 능력은?

① 문학적 상상력　② 도덕적 상상력　③ 과학적 창의력
④ 언어적 창의력　⑤ 예술적 창의력

12 다음 글에서 설명하는 이 사람은?

> 1945년 일본에 원자 폭탄이 떨어졌을 때 인류는 큰 충격을 받았다. 특히 원자 폭탄의 개발에 이론을 제공한 이 사람이 받은 충격은 다른 사람보다 클 수밖에 없었다고 한다. 그는 동료 과학자들의 권유로 폭탄 개발을 촉구하는 편지를 대통령에게 썼던 자신의 행동이 핵무기의 출현에 결정적 역할을 한 것에 대해 후회하고 깊은 책임을 느꼈다. 이후에 그는 자신이 죽기 전까지 평화 운동을 펼쳤으며 핵무기가 제대로 통제되기를 바랐다.

① 노벨　　　② 멘델　　　③ 퀴리
④ 에디슨　　⑤ 아인슈타인

13 다음 이야기 속 주인공에 대한 도덕적 평가로 옳은 것은?

> 독일인 화학자 프리츠 하버는 제1차 세계 대전 동안에 살인용 독성 가스를 개발하고 무기화하는 데 선구적인 역할을 하였다. 그의 아내가 독가스 개발을 반대하자 그런 아내에 대해 조국에 대한 반역이라고 말하면서 공개적으로 비난하였다.
> 하버는 독가스 개발에 성공하였을 뿐만 아니라, 자신이 직접 전쟁터에 나가 독가스를 살포하는 실험으로 15,000여 명의 연합군을 질식시켜 죽거나 다치게 하였다. 그는 애국심을 내세워 사람을 죽이는 과학 기술 연구를 기꺼이 수행하였던 것이다.

① 올바른 나라 사랑의 모범을 실천한 애국자이다.
② 뛰어난 과학자로서 연구에 대한 사명감이 본받을 만하다.
③ 개인적 성취와 국가의 필요 때문에 인류의 행복 실현에 반하는 연구를 하였다.
④ 연구실에서 이론적 탐구에만 치중하던 과학계의 잘못된 관행을 깨뜨린 선구자이다.
⑤ 학문적 연구를 위해서는 비록 아내라 할지라도 냉정하게 비판하는 이성적 모습을 지녔다.

① 무엇이 **나의 삶**을 소중하게 만드는가?

📎교과서 167~170쪽

학습의 주안점

- 삶에 대한 성찰
- 삶의 소중함
- 가치 있는 삶

1 삶의 의미에 대한 성찰

(1) 청소년기와 삶의 의미 성찰

① 대나무와 인생의 닮은 점: 여러 마디가 있는 삶을 보낸다.

② 청소년기는 삶의 중요한 시기로 자신의 인생에 대해 진지하게 생각해 보는 시기

(2) 삶의 의미에 대한 성찰의 중요성

① 삶의 소중함을 느끼게 해 준다.

② 어떻게 살아야 할 것인지 가르쳐 준다.

③ 주체적❶인 삶을 살게 한다.

(3) 의미 있는 삶을 위한 자세: 성찰을 통해 삶의 의미를 찾고 올바른 목표를 세워 노력한다. ──── **Tip** 다른 사람의 말을 그대로 따르기보다는 스스로 올바른 길을 찾아 그것을 실천에 옮겨야 해.

2 삶의 소중함과 실천

(1) 삶이 소중한 이유 [자료1]

① 일회성❷: 우리는 한 번밖에 살 수 없음.

② 유한성❸: 누구나 언젠가는 죽을 수밖에 없음.

③ 절대적 가치: 다른 무엇과도 비교하거나 바꿀 수 없는 소중한 것임.

④ 사회적 관계: 나의 삶은 가족이나 친구 등 나와 관계를 맺고 있는 모든 사람들에게도 큰 의미를 가짐.

(2) 삶을 가치 있게 살기 위한 노력 [자료2]

① 삶의 소중함 인식: 하루하루를 보람 있게 살아가는 원동력❹이 됨.

② 자기 관리: 자신의 건강, 시간, 인간관계 등을 잘 보살핌.

③ 삶의 목표 설정 및 실현: 할 일을 깨닫고 부끄럽지 않은 삶을 살도록 이끌어 줌.

---

❶ **주체적**

어떤 일을 실천하는 데 자유롭고 자주적인 성질이 있는

❷ **일회성**

단 한 번만 일어나는 성질

❸ **유한성**

수(數), 양(量), 공간, 시간 따위에 일정한 한도나 한계가 있는 성질

❹ **원동력**

어떤 움직임의 근본이 되는 힘

📖 기본 확인 문제

📎정답 232쪽

1 다음 내용이 옳으면 ○표, 틀리면 ×표를 하시오.

① 청소년기는 삶의 중요한 시기이다. ( )

② 삶은 세월이 흐름에 따라 저절로 이루어지는 것으로 남들이 하는 대로 따라가면 된다. ( )

③ 우리의 삶은 영원할 수 없고, 되풀이되지 않기 때문에 현재의 삶이 더없이 소중한 것이다. ( )

2 '삶은 절대적 가치를 가진다.'라는 말의 뜻은 무엇인가?

3 삶이 소중한 이유를 사회적 관계로 설명하시오.

4 다음 빈칸에 들어갈 알맞은 말을 쓰시오.

① 자신의 건강을 보살피고 시간을 귀하게 사용하는 것은 자신을 잘 ☐☐하는 모습이다.

② 삶의 ☐☐는 현재의 위치에서 자신의 해야 할 일을 깨닫게 하는 삶의 길잡이 역할을 한다.

📖 내신 만점을 위한 탐구 자료

자료1 여섯 살 엘레나가 가르쳐 준 삶의 소중함 ≫

키스와 브룩 데저리크 부부는 큰 딸 엘레나의 소아 뇌종양 선고 이후의 경험과 추억을 기록하기 시작했다. 둘째 딸 그레이에게 훗날 언니 이야기를 전해 주기 위해 기록한 일기에는 135일 밖에 살지 못한다는 의료진의 시한부 판정을 넘기고 256일을 더 살다 간 엘레나의 마지막 일상과 가족의 사랑이 담겨 있다.

방사선과 약물 치료 말고 부모가 해 줄 수 있는 건 '사랑의 처방'뿐. 부부는 칠리 음식 전문점 가기, 에펠탑 가기, 발레 '호두까기 인형' 보기 등 엘레나가 소망하는 것을 목록으로 만들어 이것들을 해 주려고 최선을 다했다. 엘레나도 신체적 고통이 심한 가운데에서도 죽음을 받아들이며 삶을 마무리했다. 엘레나는 생애 마지막 9개월 동안 가방, 서랍장, 책장, 찻장, 앨범 속 등 집안 곳곳에 '사랑의 쪽지'를 써서 숨겨 두었다. 동생 그레이에게 남긴 쪽지에는 유치원생이 되는 법이 "미소를 지어. 선생님 말씀을 잘 들어. 유치원은 참 즐거워."라고 쓰여 있었다.

자료2 삶에 대한 명언들 ≫

• 나의 삶은 물론 타인의 삶을 삶답게 만들기 위해 끊임없이 정성을 다하는 것처럼 아름다운 것은 없다. – 톨스토이
• 내가 아직 살아 있는 동안에는 나로 하여금 헛되이 살지 않게 하라. – 에머슨
• 당신은 수많은 별들과 마찬가지로 거대한 우주의 당당한 구성원이다. 그 사실 하나만으로도 당신은 자신의 삶을 충실히 살아가야 할 권리와 의무가 있다. – 맥스 에흐만
• 만약 한 마디로 삶의 정의를 내려야 한다면, "삶은 창조이다."라고 말할 것이다. – 클로드 베르나르
• 물질적이고 동물적인 것만 추구하는 삶처럼 나쁜 것은 없으며, 영혼을 살찌우려는 행위보다 본인 자신과 타인에게 유익한 일은 없다. – 톨스토이
• 보람 있게 보낸 하루가 편안한 잠을 가져다주듯이 값지게 산 인생은 편안한 죽음을 가져다준다. – 레오나르도 다빈치
• 산다는 것은 호흡하는 것이 아니라 행동하는 일이다. – 루소
• 얼마나 오래 살았느냐가 아니라 얼마나 잘 살았느냐가 문제이다. – 세네카

📝 교과서 활동 과제 풀이

스스로 생각하기 소중한 나의 삶 📄교과서 167쪽

활동 목적 제시된 사례를 통해 나의 삶이 소중하게 느껴졌던 순간이 언제였는지를 떠올려 보고, 앞으로 자신의 삶을 더 소중히 가꾸려면 어떻게 해야 할 것인지 방안을 찾아봅니다.

예시 답안   내가 많이 아팠을 때에 부모님과 가족들이 걱정하며 빨리 나으라고 응원하고 관심과 사랑을 보여 주는 것을 보면서 감사함을 느꼈고, 마음 속 깊이 "나는 참 소중한 사람이구나."라는 생각이 들었다.

생각2 내 삶의 소중함을 위한 노력에는 앞으로 다가올 미래를 준비하는 것도 필요하지만 현재의 하루하루를 열심히 사는 것이 더 중요하다고 생각한다. 선물을 뜻하는 영어 단어인 프레전트(present)는 현재라는 뜻도 가지고 있다. 오늘 내가 누리고 있는 시간 그 자체는 나에게 소중한 선물인 것이다. 이런 생각을 하다 보면 선물처럼 받은 오늘을 감사하고 기뻐하면서 학교 공부, 친구 관계, 봉사 활동 등을 열심히 하고 행복과 보람을 느끼는 하루하루를 만드는 것이 내 삶을 소중히 가꾸는 일이라 본다.

생각Tip 너무 거창한 것을 생각하려고 고민하지 말고, 살아 있어서 다행이고 기쁘다고 느꼈던 때를 떠올려 보세요.

삶의 소중함과 관련된 이미지를 찾아 모둠의 생각을 표현하라!

교과서 169쪽

활동 목적 삶의 소중함과 관련된 이미지를 찾고 그 이유를 작성해 봄으로써, 삶의 소중함을 깨닫고 삶을 능동적이고 주체적으로 살아가기 위한 마음을 지닐 수 있으며 친구들과 활동을 통해 다양한 사고와 의견을 배울 수 있습니다.

예시 답안

모래시계	• 모래시계의 모래알들처럼 우리들은 비슷하지만 남들과 다른 속도와 모양으로 자신의 삶을 열심히 살아간다. • 모래시계를 만든 사람은 남에게 혜택을 주는 일을 하였으니 모래시계는 그 사람의 삶의 소중함을 담고 있다.
노인과 아기의 손	• 사람은 아기로 태어나지만 늙어서 노인이 되고 결국 죽음을 맞이하므로 자신의 젊음을 헛되게 보내지 말고 소중히 살아야 한다. • 노인은 아기(젊은 세대)에게 자신이 인생에서 배운 경험과 지혜를 나누어 줄 수 있으므로 노인의 삶 역시 소중하게 대하여야 한다.

활동 Tip 같은 그림이나 사진을 보더라도 사람마다 다른 의미를 찾아내며 삶에 대한 생각이 다양할 수 있어요.

생각 더하기 · 내 삶의 목표와 실천 노력

교과서 170쪽

활동 목적 소중한 삶을 가치 있게 살기 위해서는 자신의 꿈과 소망을 현실로 이루기 위한 목표와 실천이 필요함을 알고, 꿈을 이룬 자신의 기분을 상상하면서 적극적인 삶의 태도를 기릅니다.

예시 답안

삶의 목표 정하기	사람들이 예술적 감동과 행복을 느끼게 해 주는 촬영 기술자가 될 것이다.
나를 믿고 실천하기	방송반에 가입하여 방송 기기의 활용을 배우고, 영상 편집 기술을 향상시키기 위해 1년에 2번 이상 UCC 대회에 작품을 출품한다.
꿈을 이룬 나 상상하기	2040년 8월 25일, 내가 촬영한 영화가 드디어 천만 관객을 넘어섰다. 열악한 현장 여건과 힘든 일정 속에서 좋은 장면을 위해 애썼던 덕분에 카메라 연출과 화면 편집의 완성도가 높았다는 좋은 평가를 들었다.
꿈을 이룬 나의 기분	중학교 때 처음 이 길을 생각하고서 열심히 살아온 결과라고 생각하니 스스로 칭찬하고 싶다. 특히 중학생 딸이 나를 자랑스럽다고 말하니 '내가 잘 살았구나.' 싶다.

활동 Tip 먼저 올바른 삶의 목표를 세우는 것이 중요해요. 그리고 할 일을 생각한 후 성공한 자신을 상상하며 즐겨 보세요.

스스로 정리하기 · 삶의 의미와 소중함

교과서 170쪽

활동 목적 삶이 어떤 의미를 지니는지와 삶을 소중하게 만드는 것이 무엇인지를 정리하면서 삶의 소중함을 실천하려는 자세를 키웁니다.

예시 답안

정리 1 돈을 주고도 살 수 없는 것인데 돈 한 푼 없이 그냥 얻은 것이 나의 삶이다. 진짜 소중한 것은 돈으로 못 사는 것들이라 생각한다. 사랑, 행복, 우정도 마찬가지다. 그래서 나에게 삶이란 돈보다 중요한 것들을 찾는 여행과 같다.

정리 2 우주의 긴 시간 속에서 보더라도 지금의 내가 존재하는 이 공간 속에 살아가는 나의 인생, 나의 삶은 이전에도 없었고 앞으로도 없다. 금이나 다이아몬드가 비싼 것이 귀해서라고 한다. 그렇게 보면 나의 삶은 하나밖에 없으니 금보다 더 소중한 것이다.

정리 Tip 삶의 의미와 소중함에 대해 배운 내용을 떠올리며 무엇이 나의 삶을 소중하게 만드는지에 대해 생각을 정리해 보세요.

1 다음 글에 등장하는 인물의 삶을 소중하고 가치 있다고 말하는 이유로 가장 적합한 것은?

> 아프리카에서도 가장 오지로 불리는 수단의 남부 톤즈는 오랫동안 수단의 내전으로 폐허가 된 지역이며 주민들은 살길을 찾아 흩어져 황폐화된 지역이었다. 이태석 신부는 이곳에서 가톨릭 선교 활동을 펼쳤으며 말라리아와 콜레라로 죽어가는 주민들과 나병 환자들을 치료하기 위해 흙담과 짚으로 지붕을 엮어 병원을 세웠다. 또한 병원까지 찾아오지 못하는 주민들을 위해 척박한 오지 마을을 순회하며 진료를 하였다.

① 종교를 가졌기 때문
② 직업이 의사였기 때문
③ 아프리카에 살았기 때문
④ 어려운 사람을 도왔기 때문
⑤ 방송에 나온 유명인이기 때문

★ **2** 삶에 대한 성찰이 필요한 이유로 옳은 것은?
중요

① 삶이 허무하다는 생각을 하게 한다.
② 어떻게 살아야 할지를 깨닫게 해 준다.
③ 어떤 직업이 유망한지를 알게 해 준다.
④ 남보다 성공하는 인생을 살게 해 준다.
⑤ 실수를 하지 않는 완전한 삶을 살 수 있다.

3 삶의 소중함에 대해 잘못 이해한 사람은?

① 마루 – 삶은 누구에게나 단 한 번밖에 없는 소중한 것이야.
② 힘찬 – 삶은 영원할 수 없고, 되풀이되지 않기 때문에 더없이 소중한 것이야.
③ 나래 – 내가 웃고 떠들 수 있는 것도 삶이 있어 가능하다고 생각하니 내 삶이 소중해.
④ 두리 – 만약 실패만 계속되는 삶을 산다면 그런 삶은 소중하다고 말하기 어려울 것 같아.
⑤ 하나 – 나의 삶이 소중하다고 생각한다면 다른 사람의 삶에 대해서도 존중할 수 있어야 해.

4 다음 중 사회적 관계 속에서 삶의 소중함을 찾는 태도는?

① 사람들은 영원한 삶을 꿈꾸기도 한다.
② 인간의 수명은 길어야 백 년이고 언젠가는 죽는다.
③ 삶은 그 무엇과도 비교할 수 없는 절대성을 지닌다.
④ 사람의 삶은 다른 생명체의 그것보다 더 가치가 높다.
⑤ 가족이나 친구들에게도 나의 삶은 소중한 의미가 있다.

★ **5** 다음 사진들 속에서 삶의 소중함을 바르게 찾은 사람은?
중요

① 모래시계: 죽으면 다 끝이니 남을 생각할 필요 없이 나만 잘 살면 된다.
② 모래시계: 언제 끝날지 모르는 게 인생이므로 계획을 세워도 소용이 없다.
③ 모래시계: 모래시계마다 값이 다른 것처럼 나의 삶도 이미 값이 매겨져 있다.
④ 노인과 아기: 삶이 얼마 남지 않은 노인에게나 이제 막 삶을 시작한 아기에게나 삶은 다 소중한 것이다.
⑤ 노인과 아기: 사람은 모두 죽기 위해 사는 게 아닐까? 죽음을 앞둔 노인의 손에서 삶의 허무함만 느껴진다.

6 소중한 삶을 가치 있게 살기 위한 노력으로 가장 우선되어야 할 것은?

① 삶의 소중함을 안다.
② 삶의 목표를 정한다.
③ 자신의 능력을 계발한다.
④ 잘못을 남 탓으로 돌린다.
⑤ 시간 관리를 철저히 한다.

② 죽음을 어떻게 생각해야 할까?

1 죽음의 의미

(1) 죽음이란?

① 생명체의 목숨이 끊어지는 것. 삶의 끝으로, 삶의 유한성을 잘 보여줌.

② 모든 생명체가 겪는 삶의 과정: 탄생–성장–죽음

(2) 죽음에 대한 서로 다른 입장들 자료1

① 공자: 삶에 대해 아는 것과 바르게 사는 것이 중요할 뿐, 죽음은 알 수 없음.

② 에피쿠로스: 사는 동안 죽음을 경험할 수 없으니 현실에서 행복을 추구해야 함.

③ 플라톤: 죽음은 참다운 진리의 세계로 가는 길

④ 그리스도교: 종교적 가르침(믿음, 소망, 사랑)의 실천으로 영원한 행복을 얻음.

2 죽음의 도덕적 가치

(1) 죽음의 특성: 보편성❶, 불가피성❷(필연성❸)

(2) 죽음을 통해 배울 수 있는 것 자료2

> **Tip** 죽음이 있기 때문에 삶이 소중한 거라고 생각할 수 있어.

① 삶의 기쁨과 생명의 소중함: 일상의 소중함을 일깨워 줌.

② 도덕적이고 가치 있는 삶에 대한 인식: 착하고 바른 삶, 의미 있고 보람 있는 삶을 살아야 할 이유가 됨.

3 죽음을 대하는 올바른 태도

(1) 자연의 섭리❹로 이해: 살아 있는 것은 언젠가 모두 죽는다는 사실을 받아들임.

(2) 자신의 삶에 대한 성찰: 삶을 되돌아보고 정리하는 시간을 가짐.

① 감사와 사랑: 고마운 사람들에게 감사를 표함.

② 화해와 용서: 갈등과 미움이 있었던 사람들에게 용서를 구하고 화해를 청함.

③ 위로와 축복: 자신이 떠나고 남을 사람들에게 위로와 축복을 전함.

❶ **보편성**
모든 것에 두루 미치거나 통하는 성질

❷ **불가피성**
피할 수 없는 성질

❸ **필연성**
사물의 관련이나 일의 결과가 반드시 그렇게 될 수밖에 없는 요소나 성질

❹ **섭리**
자연계를 지배하고 있는 원리와 법칙

🔍 기본 확인 문제

🔖정답 233쪽

1 다음 내용이 옳으면 ○표, 틀리면 ×표를 하시오.

① 죽음에 대해 모든 사람들은 불안과 두려움을 느낀다. (　　)

② 죽음은 일상의 소중함을 일깨워 주며, 삶을 가치 있게 살아야 할 이유가 된다는 점에서 도덕적 가치를 가진다. (　　)

③ 생명은 반드시 죽으므로 죽음은 우연성을 지닌다. (　　)

2 죽기 전에 꼭 해야 할 일이나 하고 싶은 일을 적은 목록을 무엇이라고 하는가?

3 '삶도 모르는데 어찌 죽음을 알겠느냐?'라고 하며 현실에서의 도덕적 삶을 강조했던 동양의 사상가는?

4 다음 빈칸에 들어갈 알맞은 말을 쓰시오.

① 삶이 소중한 만큼 그 삶을 소중하게 만들어 주는 죽음 역시 □□의 일부이다.

② 죽음을 두려움의 대상이 아니라 자연의 □□로 받아들일 수 있을 때, 더 의미 있고 가치 있게 살 수 있다.

📖 내신 만점을 위한 탐구 자료

자료1 죽음에 대한 장자의 관점 ≫

장자는 아내가 죽었을 때 술동이를 엎어 놓고 두드리며 노래까지 한다. 인간의 도의상 장자의 이러한 행동은 이해할 수 없는 일이지만, 자연의 도를 따르는 장자는 이것을 당연한 것으로 여긴다. 그렇다면 그에게 죽음의 도는 무엇인가? 장자는 인간의 삶과 죽음에 대해 다음과 같이 이야기한다.

"대지는 인간에게 형체를 주어 일을 하게 하고, 도(道)는 삶을 꾸려 가게 하며, 늙으면 일에서 풀려나게 하고 죽음이라는 영원한 휴식에 들어가게 한다. 그러므로 현실에 주어진 생명을 귀하게 여기는 것이 죽음을 평안하게 맞이하는 방법이다."

자료2 랜디 포시의 '마지막 강의' ≫

포시 교수는 2007년 9월 췌장암으로 시한부 인생을 선고받은 가운데서도 '어린 시절의 꿈을 실현하는 법'이라는 주제의 마지막 강의를 펼쳤다. 죽음을 앞둔 절망적인 상황에서도 희망을 선사한 그의 고별 강의는 당시 강의를 들은 학생 및 교수 400여 명에게 감동을 선사한 것은 물론, '마지막 강연'이라는 이름의 동영상으로 전 세계로 전파되었다. 또 이 강연을 토대로 출간된 책 "마지막 강의"는 29개국 언어로 번역되어 출간된 바 있다.

🔍 교과서 활동 과제 풀이

스스로 생각하기 죽음을 어떻게 받아들일 것인가?   @ 교과서 171쪽

활동 목적 인간이 영원히 살 수 있다면 가치 있는 삶을 위해 노력할 수 있을지, 자신이 죽음을 맞이하는 순간을 가정하여 죽음을 어떻게 받아들일지에 대해 생각해 봅시다.

예시 답안

> 생각1 오늘, 이 달, 올해가 가지는 소중한 의미가 약해지면서 삶이 지루하고 무의미하게 다가올 수 있을 것이다. 또 도덕적이고 가치 있는 삶에 대한 요청도 설득력이 약해질 수 있다.

> 생각2 후회 없는 인생을 살기 위해 노력했더라도 얼마간의 아쉬움은 있을 것 같다. 더 많이 사랑하고 베풀며 살지 못하고 바쁘게 지낸 시간들에 대해 다시 고쳐서 살고 싶다는 생각이 들 수도 있다. 그러지 않도록 지금을 더 열심히 살아야 한다.

생각 Tip 사람들은 옛날부터 장수를 꿈꾸었는데, 만일 영원히 산다면 진정한 축복이 될지 생각해 보고, 죽음의 순간에 후회하지 않으려면 어떻게 해야 할지에 대해 생각해 보세요.

생각 더하기 죽음에 대한 다양한 입장들의 공통점   @ 교과서 172쪽

활동 목적 죽음에 대한 동서양 철학자와 종교의 입장들이 보여 주는 차이를 확인하고, 그 속에서 주장하고 있는 삶의 자세

예시 답안 가 무엇인지 탐구함으로써 보편적 관점에서 죽음을 인식해 봅시다.

– 아직 오지도 않은 죽음에 대한 막연한 두려움과 불안으로 지금의 삶을 망쳐서는 안 된다.
– 삶의 유한성을 보여 주는 죽음을 통해 현재의 삶을 소중히 여기고 의미 있게 살기 위해 노력해야 한다.

활동 Tip 죽음과 내세에 대한 동서양의 다른 입장들 속에서 삶의 자세에 대해 공통적으로 강조한 점을 찾아보세요.

생각 더하기

남은 100일을 위한 버킷 리스트

교과서 173쪽

활동 목적 영화 '버킷 리스트'의 주인공들이 죽기 전에 할 일을 적어서 실행했던 것처럼 자신이 꼭 경험하여 이루고 싶은 일들을 정리하면서 자신의 가치를 확인하고 삶의 의미를 생각해 봅시다.

예시 답안

1. 꼭 해야 할 일	• 내 물건들 정리하여 필요한 사람들에게 나누어 주기 • 부모님과 가족들에게 남기는 작별 인사 글쓰기
2. 하고 싶은 일	• 숲속의 바람과 냄새를 느끼며 조용히 걸어 보기 • 무서워서 못 했던 일 도전해 보기 ⑩ 번지 점프

활동 Tip 죽음에 대해 진지하게 생각하고 진실한 자신의 내면과 솔직한 이야기를 적어 보세요.

묘비명 작성하기

교과서 175쪽

활동 목적 삶과 죽음의 의미를 생각하고 자신의 삶과 생각을 압축하여 표현할 수 있는 글귀를 정하는 과정을 통해 의미 있는 삶의 필요성과 가치 있는 삶의 실현에 대한 의지를 기를 수 있다.

예시 답안 **1. 아래의 묘비명을 통해 무엇을 느꼈는지 친구들과 의견을 나누어 보자.**

죽는 순간에 후회하지 않도록 최선을 다해 삶을 살아야겠다는 생각이 들었다.

2. 자신의 묘비명을 작성해 보고 친구들에게 발표해 보자.

'삶을 사랑하고 모든 순간 최선을 다했던 사람이 여기 잠들다.'

활동 Tip 자신이 소중하게 여기는 것, 중요하게 생각하는 것, 타인에게 비친 모습 등을 통틀어 나타낼 수 있도록 해 보세요.

 스스로 정리하기

죽음의 가치와 죽음을 대하는 바른 태도

교과서 175쪽

활동 목적 죽음의 특징과 죽음에 대한 다양한 관점들을 살펴봄으로써 죽음이 가지는 도덕적 의미를 이해하고 가치 있는 삶을 살기 위해 노력하려는 마음가짐을 가집니다.

예시 답안   죽음은 불가피성과 보편성을 특징으로 한다. 누구나 죽을 수밖에 없고 그것을 피할 방법은 없다. 또 죽음에 대한 입장에는 크게 두 가지가 있는데, 삶의 끝이라 보는 것과 새로운 내세의 시작이라고 보는 것이다.

정리 2 죽음이 가지는 도덕적 가치는, 우리가 죽음을 통해 삶의 소중함을 깨달으며 도덕적이고 의미 있는 삶을 살아 자신의 삶을 더욱 가치 있게 만들고자 노력하게 해 준다는 점이다.

정리 Tip 이번 주제를 공부하면서 죽음의 도덕적 의미와 죽음에 대한 올바른 인식이 생겨났는지 확인해 봐요!

주제별 평가 문제

● 정답 233쪽

1 다음 유물의 주인공이 가졌던 죽음에 대한 입장은?

① 죽음을 두려워하고 영원한 삶을 욕망하였다.
② 사회적 관계의 단절이자 욕구의 종말로 생각했다.
③ 육체의 구속을 떠난 정신의 자유로운 상태로 보았다.
④ 현재의 삶에 대한 적절한 보상을 받는 과정이라고 여겼다.
⑤ 생명을 가진 모든 존재가 받아들여야 할 자연의 순리로 보았다.

2 **[중요]** 죽음에 대한 다양한 철학과 종교들이 공통적으로 강조하는 것은?

① 죽음은 인간의 두려움이 만들어 낸 생각 때문에 부정적으로 인식된다.
② 죽음의 도덕적 의미를 깨달아 현재의 삶을 의미 있게 살도록 노력해야 한다.
③ 호흡 정지를 동반하는 생물학적인 죽음보다 정치적 죽음이 더 고통스러운 것이다.
④ 죽음이란 인간의 불완전한 육체가 구속하는 정신이 이데아의 세계로 가는 것이다.
⑤ 만약 자신이 구원받기를 원한다면 종교의 가르침에 따라 순종하면서 살아가야 한다.

3 삶과 죽음에 대해 다음과 같은 입장을 보인 사람은?

살이 있는 동안 죽음을 경험할 수는 없습니다. 따라서 죽음을 두려워하기보다는 현실에서의 행복한 삶을 추구해야 합니다.

① 공자 　　② 예수 　　③ 플라톤
④ 소크라테스 　　⑤ 에피쿠로스

4 다음은 영화 '버킷 리스트'의 소개 글이다. 영화 제목과 관련하여 다음 빈칸에 들어갈 문장으로 옳은 것은?

> 삶의 환경이 다른 두 주인공이 삶의 마지막 순간 한 병원에 입원하게 된다. 그러다 우연히 너무나 다른 서로에게서 중요한 공통점을 발견하게 된다. 나는 누구인가를 돌아보고 정리할 필요가 있다는 것, 또 남은 시간 동안 (_____.)

① 가진 것에 감사한다는 것이다.
② 더 많은 여유를 가진다는 것이다.
③ 미운 사람에게 복수한다는 것이다.
④ 하고 싶은 일을 해야겠다는 것이다.
⑤ 자신의 운명에 대해 불평한다는 것이다.

5 **[중요]** 죽음이 가지는 도덕적 의미는 무엇인가?

① 죽음은 누구에게나 일어나는 보편적이고 평등한 현상이다.
② 죽음에 대한 성찰을 통해 자신의 삶을 돌아보고 의미 있는 삶을 살자고 다짐하게 된다.
③ 죽음에 대해 더 많이 알게 될수록 삶에 대한 집착과 욕망이 커져 이기적 삶을 살게 된다.
④ 죽음은 언젠가는 우리에게 다가올 일이며 살아 있는 모든 존재에게는 필연적인 사건이다.
⑤ 죽음을 피할 수 없는 인간의 한계에 실망감을 느끼고 자연 초월적이고 절대적인 힘에 의존하고자 한다.

6 죽음을 대하는 사람들의 반응 단계에 대한 연구를 설명한 것으로 옳지 않은 것은?

① 1단계 부인 – 이건 뭔가 잘못된 거야.
② 2단계 분노 – 왜 하필 나인 거야?
③ 3단계 거래 – 얼마면 고칠 수 있어?
④ 4단계 우울함 – 슬픔이 너무 커서 힘들어.
⑤ 5단계 수용 – 그래, 내 운명을 받아들여야지.

③ 삶을 의미 있게 살아가기 위해 무엇을 할 것인가?

⊘ 교과서 176~179쪽

학습의 주안점

• 의미 있는 삶의 조건
• 의미 있는 삶의 자세

1 의미 있는 삶의 조건

(1) 의미 있는 삶: 스스로가 진정 행복하다고 느끼는 삶, 타인으로부터 가치 있는 삶을 살았다고 인정받는 삶

(2) 의미 있는 삶을 위한 조건 [자료1]

① 자기 존중: 자신에게 관심을 가지고 스스로 아껴 자랑스럽게 만들고자 노력함.

② 주인 의식: 어떤 일을 할 때 스스로 판단하고 그 일에 대해 책임을 짐.

③ 올바른 가치 추구: 만족감이 오래가고 그 자체가 목적이 되며 혜택의 범위가 넓은 가치를 추구함. [Tip] 물질적 가치만 추구해서는 안 돼.

② 삶의 목표 수립: 삶의 이정표❶가 되어 더 의미 있는 삶을 살도록 해 줌.

2 의미 있는 삶을 살기 위한 자세

(1) 의미 있게 살기 위한 노력 [자료2]

① 목표를 이루기 위한 노력: 삶의 목표는 저절로 이루어지는 것이 아님. 목표를 이루려고 열심히 노력하는 과정과 결과를 통해 의미 있는 삶이 이루어짐.

② 배려와 나눔: 다른 사람과 더불어 살아가며 도움을 주고받음. 배려와 나눔의 실천을 통해 상대방이 기뻐할 때 보람과 행복을 느낄 수 있음.

③ 반성하는 생활: 목표를 세우는 데 도움을 주고 결심한 것을 이루도록 돕는 견인차❷ 역할을 함. 자기가 할 수 있는 일과 해야 할 일을 판단할 수 있게 함.

(2) 일상에서 가꾸는 내 삶의 의미

① 소질❸과 적성❹의 계발: 자기의 소질과 적성을 살려 자신을 계발함.

② 조화로운 인간관계: 가족, 친구, 이웃들과 조화로운 삶을 이어감.

③ 책임 이행과 고난 극복: 맡은 일을 열심히 하고 어려움을 이겨 냄.

❶ 이정표
어떤 일이나 목적의 기준

❷ 견인차
짐차를 끄는 기관차로, 앞서서 이끄는 것을 비유하는 말

❸ 소질
타고난 능력이나 기질

❹ 적성
어떤 일에 알맞은 성질이나 적응 능력

🔍 기본 확인 문제

⊘ 정답 233쪽

1 다음 내용이 옳으면 ○표, 틀리면 ×표를 하시오.

① 의미 있는 삶이 되려면 스스로 느끼는 행복보다는 남들이 인정하는 삶을 살아야 한다. ( )

② 남을 탓하는 것은 주체적인 삶의 모습이다. ( )

③ 목표를 정하는 것만으로 의미 있는 삶을 살 수 있다. ( )

2 목표나 계획을 세우는 데 도움을 주고, 결심한 것이 제대로 이루어지도록 이끄는 견인차 역할을 하는 것은?

3 의미 있는 삶을 살기 위해 '최선의 노력'이 필요한 이유는?

4 다음 빈칸에 들어갈 알맞은 말을 쓰시오.

① 자신에게 관심을 가지고 스스로를 아끼며 자랑스럽게 만들고자 노력하는 것이 □□□□이다.

② 우리는 물질적 가치만이 아니라 □□□이 오래가고, 그 자체가 □□이 되며 많은 사람들에게 혜택이 돌아가는 올바른 가치를 추구해야 한다.

📖➕ 내신 만점을 위한 탐구 자료

자료1 성공하는 10대들의 7가지 습관 ≫

숀 코비(Sean Covey)는 "성공하는 사람들의 7가지 습관"으로 유명한 스티븐 코비의 아들로, 자신의 10대 시절의 기억을 되살려 10대들의 문제를 진단해 주고 그 해결 방법을 제시해 주고 있다. 그 방법으로 '7가지 습관'을 제시하였다. 그가 전하는 다음의 습관들은 '경쟁이 아닌 공존'의 사회생활을 목표로 한다.

① 주도적이 되라. '정지 버튼 만들기'는 순간의 상황에 대해 즉각적으로 반응하기보다는 한번 멈추고 더 현명한 반응을 하는 습관이다. '감정 은행 계좌 만들기'는 다양한 자신의 감정을 축적해 두란 것이다.

② 목표를 확립하고 행동하라. 자신이 갈 길은 스스로 정해야 한다.

③ 소중한 것을 먼저 하라. 일의 우선순위를 정하고 가장 중요한 일부터 하라.

④ 상호 이익을 모색하라. '전쟁의 철학'을 버리고, '공동의 승리'를 추구하라.

⑤ 경청한 다음 이해시켜라. 다른 사람의 말을 진심으로 들어 주라.

⑥ 시너지를 활용하라. 연쇄 작용으로 효과를 높일 수 있게 하라.

⑦ 끊임없이 쇄신하라. 규칙적으로 자신을 새롭게 하라.

자료2 배려와 봉사의 치유 효과, 헬퍼스 하이(Helper's High) ≫

미국의 한 대학에서 5년에 걸쳐 423쌍의 장수 부부들의 장수 비결을 조사하던 중 찾아낸 공통점은 바로 그들은 정기적으로 몸이 불편하거나 가족이 없는 사람들을 방문하여 봉사 활동을 하고 있다는 것이었다.

인터뷰에 응한 봉사자들은 "그냥 기분이 좋아진다.", "그냥 마음이 편해진다."라고 말했지만 사실 그냥이 아니었다. 남을 돕고 난 후의 심리적 포만감인 '헬퍼스 하이(Helper's High)'의 영향으로 혈압과 콜레스테롤 수치는 하락하고 엔도르핀은 정상치의 3배 이상 상승하며 타액 속 바이러스와 싸우는 면역 항체는 상승하는 등, 진정한 배려와 봉사는 봉사자 자신의 건강에도 유익하다는 놀라운 연구 결과가 나왔다.

결국 인간은 더불어 살 때 진정한 행복을 느끼는 도덕적이고 사회적인 존재인 것이다. 도덕적인 사람은 늘 손해를 보고 당하기만 한다는 사회적 통념을 유쾌하게 뒤집어 이타적인 삶이야말로 자신을 건강하고 행복하게 이끄는 것임을 이 연구는 보여 주었다.

🔍 교과서 활동 과제 풀이

스스로 생각하기 **매일을 생의 마지막 날처럼 산다는 것** ⊘교과서 176쪽

활동 목적 스티브 잡스가 자신의 매일을 인생의 마지막 날처럼 살았다는 연설문 내용을 읽고, 그것의 의미에 대해 생각하여 의미 있는 삶의 자세를 가지도록 합시다.

예시 답안
생각1 외부의 기대나 자부심, 수치감, 실패의 두려움을 모두 떨쳐 버리고 자신이 원하는 바를 쫓으며 살아간다는 뜻이다. 진정 자신이 원하는 것이 무엇인지를 아는 것이 삶을 의미 있게 사는 첫걸음이 된다는 것이다.

생각2 남은 하루를 어떻게 보낼 것인지 계획하여 보내고 싶다. 업적이나 성취를 위한 것이라거나 칭찬을 바라는 것이 아니다. 오직 나의 삶에 소중했던 사람들과 마지막 인사를 나누거나 아름다운 자연의 풍경이나 예술 작품을 체험하는 즐거움이 될 것이다.

생각Tip 나에게 남은 날이 오직 하루밖에 없다면 얼마나 소중하게 여겨질까를 생각하면서 무엇을 할지 생각해 보세요.

생각 더하기 　**내 삶의 의미와 행복**

◎ 교과서 178쪽

활동 목적　삶의 의미나 행복과 관련되어 스스로 중요하다고 생각하는 요소들을 적어 봄으로써 자신의 삶의 방향을 세워 볼 수 있도록 합니다.

예시 답안

구분	관련 요소	실천 방안
삶의 의미와 행복	신체적 건강	• 규칙적으로 운동하기 • 균형 잡힌 식단의 건강한 밥상 만들기 • 바른 자세로 걷고, 앉을 때도 반듯한 자세 유지하기
	인간관계	• 가정에서 부모님, 형제자매와 대화 많이 하기 • 학교에서 친구들에게 공격적인 말이나 욕설 하지 않기 • 사회생활을 하며 만나는 낯선 이에게도 친절과 배려 실천하기
	여유와 안정	• 마음의 안정을 유지하기 위한 명상 매일 10분하기 • 바쁠 때일수록 심호흡을 하고 일의 순서와 경중을 따져서 하기 • 할 일을 미루지 말고 계획성 있게 추진하기
	예술과 문화	• 직접 연주할 수 있는 악기 1가지를 목표로 주말에 연습하기 • 방학 동안에 미술관 전시와 공연을 2회 이상 체험하기 • 용돈을 모아서 좋아하는 작가의 관련 제품 구입하기

활동 Tip　구체적이고 미래 지향적인 실천 방안을 적어 봐요!

스스로 정리하기　**삶을 의미 있게 살아가기 위한 노력**

◎ 교과서 179쪽

활동 목적　의미 있는 삶을 살기 위한 조건과 자세를 공부하면서 자신의 생각이 어떻게 변화되었는지 정리해 봅시다.

예시 답안

　의미 있는 삶을 다른 말로 표현하면 가치 있는 삶이 될 것이다. 왜냐하면 의미 있는 삶이란 우리의 삶을 값으로 매겼을 때 더욱 값지고 귀하게 사는 것을 뜻하기 때문이다. 이를 위해서는 단지 삶의 목표를 세우고 이루는 것만으로는 부족하다. 의미 있는 목표를 설정하여 실현하고 그 결과 역시 바람직한 것이 되어야 한다. 의미 있는 삶으로 이끄는 목표가 될 수 있는 것들은 물질적 가치가 아닌 정신적 가치들로서 그 자체가 삶의 목적이 되는 궁극적 가치이며, 참된 것을 추구하는 진(眞), 착하고 바른 것을 추구하는 선(善), 아름다움을 추구하는 미(美), 거룩함과 자연 초월을 추구하는 성(聖)의 가치가 여기에 해당한다. 요약해 보면 의미 있는 삶을 위해서는 정신적 가치를 추구하는 삶을 살아야 한다.

　의미 있는 삶을 살아가기 위해서는 다음의 자세들이 필요하다. 첫째, 목표를 이루기 위해 노력하는 자세이다. 위의 정리1에서 살펴 본 정신적인 가치들을 삶의 목표로 정했다면 이를 실현하기 위해 최선을 다해야 한다. 성실한 노력 없이는 허황된 꿈에 머물 수 있을 것이다. 둘째, 배려와 나눔을 실천해야 한다. 우리는 남과 더불어 살며 도움을 주고받으면서 삶의 의미와 소중함을 깨달을 수 있다. 이기적인 마음을 극복하고 이타적인 삶을 살려고 애쓰는 것은 떳떳한 인생을 살고 있다는 보람과 행복을 안겨 준다. 셋째, 삶에 대한 반성이 필요하다. 반성은 자신에 대해 구체적으로 알게 해 주며 무엇을 하거나 하지 말아야 할지에 대한 답을 준다. 따라서 실수와 후회를 줄이고 잘못을 고쳐서 미래의 삶을 의미 있게 설계하는 데 도움을 준다.

정리 Tip　의미 있는 삶이 그동안 내가 원했던 삶과 같은지 다른지를 생각해 보세요.

※[1~2] 다음 글을 읽고 물음에 답하시오.

> (가) 매일을 인생의 마지막 날처럼 산다면 언젠가는 의인(義人)이 되어 있을 것입니다. 나는 매일 아침 거울을 보며 물었습니다. 오늘이 내 인생의 마지막 날이라면 지금 하려고 하는 일을 할 것인가?
>
> 모든 외부의 기대, 자부심, 수치심, 실패의 두려움은 죽음 앞에서 모두 떨어져 나가고, 오직 진실로 중요한 것만이 남게 됩니다. 죽음을 생각하는 것은 무엇을 잃을지도 모른다는 두려움에서 벗어나는 최고의 길입니다.
>
> 여러분은 죽을 몸입니다. 그러므로 (나) 가슴을 따라 살아야 합니다. 여러분의 시간은 한정되어 있습니다. 다른 사람의 삶을 사느라 시간을 낭비하지 마십시오.

1 밑줄 친 (가)의 의미로 적합하지 않은 것은?

① 대단한 업적을 남겨 인생을 의미 있게 만든다.
② 자신의 목표를 실현하기 위해 성실히 노력한다.
③ 도움을 받은 사람에게 감사의 마음을 표현한다.
④ 누군가에게 도움을 주면서 삶의 의미를 깨닫는다.
⑤ 계획한 것을 제대로 하고 있는지 살피고 반성한다.

2 밑줄 친 (나)가 의미하는 것은?
중요

① 남들의 기대에 잘 따라야 한다.
② 내게 어울리지 않는 행동은 피한다.
③ 괜히 부끄러워질 일은 하지 말아야 한다.
④ 실패할 일은 시작조차 하지 않아야 한다.
⑤ 진정 원하는 것이 무엇인지 알아야 한다.

3 다음이 설명하는 의미 있는 삶의 조건은?

> 어떤 일을 할 때 스스로 판단해서 하고, 그 일의 결과에 대해 책임을 질 줄 알아야 한다. 다른 사람에게 의존적인 생활을 하거나 무슨 일이 잘못되었을 때, 남을 탓하는 것은 바람직한 삶의 태도라고 볼 수 없다.

① 자기 존중   ② 주인 의식
③ 삶의 목표 수립   ④ 올바른 가치 추구
⑤ 배려와 나눔의 실천

4 의미 있는 삶을 살기 위해 추구해야 할 바람직한 가치가 아닌 것은?
중요

① 만족감이 오래가는 가치
② 혜택의 범위가 넓은 가치
③ 그 자체가 목적이 되는 가치
④ 물질적 충족과 관련 있는 가치
⑤ 삶의 궁극적 목표로 적합한 가치

5 밑줄 친 부분과 관련 있는 삶의 목표가 될 수 있는 것은?

> 의미 있는 삶이란 스스로 진정 행복하다고 느끼며, 타인으로부터 가치 있는 삶을 살았다고 인정받는 삶이다.

① 성공한 정치인이 되고 후세에 이름을 남기겠다.
② 돈을 많이 벌어 세계 50여 개 나라를 여행하겠다.
③ 넓은 마당이 있는 집을 사서 5마리의 반려견을 키우면서 즐겁게 살겠다.
④ 청정에너지를 개발하여 미래 세대의 권리를 보장하는 과학자가 되겠다.
⑤ 신체적으로 건강하고 외형적으로 아름다운 몸매를 만들어서 남의 부러움을 사고 싶다.

6 다음 사례에서 볼 수 있는 삶의 자세는?

> ○○○ 원장은 처음 의학을 공부하면서 "사람을 살리는 데 이용하겠다."라고 자신과 약속했다. 그는 치료비가 없어서 죽는 환자가 있다는 사실에 괴로워했고, 결국 의대 교수직을 내려놓고 가난한 사람들을 위한 의원을 개원하였다.
>
> 평생을 환자들을 보면서 살았던 그는 위암과 투병하며 죽음을 앞둔 상황에서도 환자를 진료하였다. 그는 의사는 단지 밥벌이하기 위해 하는 일이 아니라는 자신과의 약속을 지켰다.

① 타율과 순종   ② 사회적 성공
③ 높은 성취감   ④ 나눔과 봉사
⑤ 계획과 반성

01 삶의 의미에 대한 성찰을 한 사람은?

① 마루 – 어떻게 사는 것이 옳을까?

② 가온 – 무엇을 먹어야 맛이 있을까?

③ 두리 – 몇 명의 사람이 이 일을 해야 할까?

④ 하나 – 어떤 직업이 돈을 많이 벌 수 있지?

⑤ 나래 – 어느 학원에 가면 성적이 많이 오를까?

02 다음 글에서 설명하는 삶의 특징은?

> 모래시계는 모래가 다 떨어지면 되돌려 놓으면 되지만, 인간의 삶은 다시 되돌릴 수 없다.

① 공평성　② 일회성　③ 반복성

④ 양면성　⑤ 상대성

※[03~04] 다음 글을 읽고 물음에 답하시오.

> 다른 아이들과 다르게 생긴 아이가 있었어요. 그 아이의 이름은 느낌표였어요. 느낌표는 다른 아이와 다른 자신의 모습이 싫어 어디든 도망치고 싶었어요. 그러다가 다른 아이들과 다른 물음표를 만났어요. 물음표는 느낌표에게 많은 물음들을 쏟아 냈죠. "이름이 뭐야? 네가 가장 잘하는 게 뭐야? 커서 뭐가 되고 싶어? 지금 가장 하고 싶은 건 뭐야?" 느낌표는 갑작스러운 질문에 당황하며 "그만!"이라고 외쳤어요. 물음표와 헤어진 후 느낌표는 질문에 대해 곰곰이 생각해 보았습니다. 다시 물음표를 만난 느낌표는, "나는 공을 잘 치고 달리기를 잘해. 앞으로는 훌륭한 야구 선수가 되고 싶어."라고 말했습니다. 그 말을 들은 물음표는 느낌표의 생각을 응원해 주었어요. 느낌표는 이제 자신과 자신의 삶을 소중하게 생각하게 돼요. 느낌표는 삶의 행복을 느끼게 됩니다.

03 위 글이 말하는 삶의 소중함을 알기 위해 필요한 것은?

① 남들과 다르게 생겨야 한다.

② 남들에 대한 호기심을 가져야 한다.

③ 공을 잘 치고 달리기를 잘해야 한다.

④ 자신이 누구인지를 먼저 알아야 한다.

⑤ 친구가 칭찬과 응원의 말을 해 주어야 한다.

04 삶을 소중하게 생각하게 된 느낌표가 할 수 있는 말로 옳지 <u>않은</u> 것은?

① 고마워!　② 내버려 둬!　③ 참 잘했어!

④ 행복하구나!　⑤ 친하게 지내자!

05 삶의 의미에 대한 성찰이 주는 결과가 <u>아닌</u> 것은?

① 나의 삶이 왜 소중한지 알게 된다.

② 다른 사람의 인생을 존중하게 된다.

③ 남들보다 성공하는 인생을 살게 된다.

④ 자신의 삶을 주체적으로 끌어 가게 된다.

⑤ 올바른 길을 찾아내어 실천에 옮기게 된다.

06 다음 글을 통해 알 수 있는 것은?

> 저의 아들이 불치병 판정을 받은 지 벌써 3년이 지났네요. 건강하던 아들이 이렇게 될 줄은 정말 몰랐어요. 바쁘다는 핑계로 더 많이 함께 해 주지 못한 것이 가슴 아픕니다. 아픈 가운데서도 부모를 위해 힘겹게 웃어 주는 아들의 얼굴을 보면 고맙고 미안합니다. 아들이 힘든 줄 알지만 이렇게라도 내 곁에 더 오래 있어 주었으면 좋겠다는 마음이 간절합니다. 아들이 내 옆에 살아 있는 것만으로도 행복한 일이라는 것을 예전에는 왜 몰랐을까요?

① 부모의 사랑은 불치병을 낫게 하는 기적을 일으킨다.

② 나의 삶은 나보다 다른 사람에게 더 소중한 법이다.

③ 내 삶은 나와 관계를 맺는 가족들에게도 의미가 있다.

④ 친구가 좋다고는 하지만 가족만큼 소중하지는 않다.

⑤ 어린 나이에 불치병 판정을 받는 사람이 늘고 있다.

07 서술형 삶이 절대적 가치를 가진다고 말하는 이유는 무엇인지 쓰시오.

08 소중한 삶을 가치 있게 살기 위해 우리가 관리해야 할 요소와 거리가 <u>먼</u> 것은?

① 시간　② 건강　③ 관계

④ 친구　⑤ 외모

09 다음과 같은 역할을 하는 것은?

> 현재 위치에서 자신이 해야 할 일을 깨닫게 하여, 자기 자신은 물론 다른 사람에게 부끄럼 없는 삶을 살게 하는 길잡이가 된다.

① 삶의 목표   ② 학교 성적   ③ 개성과 성격
④ 안정적 생활   ⑤ 직업적 멘토

10 죽음에 대해 다음과 같은 입장을 가졌던 사상가는?

> 죽음은 믿음 · 소망 · 사랑의 실천을 통해 영원한 행복으로 가는 것입니다. 따라서 죽음은 내세에서 영원한 존재가 되려면 거쳐야 할 단계이고 과정이라 하겠습니다.

① 장자   ② 공자   ③ 예수
④ 플라톤   ⑤ 소크라테스

11 죽음 앞에서 자신의 삶을 정리하는 내용으로 적합하지 <u>않은</u> 것은?

① 가까이 지냈던 사람들과 함께하며 사랑을 확인한다.
② 바빠서 만나지 못한 친구들을 찾아서 추억을 나눈다.
③ 살면서 도움을 받았던 사람에게 감사 인사를 전한다.
④ 갈등이 있었던 사람에게 먼저 화해와 용서를 구한다.
⑤ 내게 상처를 준 사람을 찾아서 받은 만큼 되돌려 준다.

★
12 밑줄 친 다짐의 내용이 <u>아닌</u> 것은?
중요

> 우리는 주변에서 죽음의 문턱에서 살아 돌아온 사람들의 이야기를 종종 듣게 된다. 이와 같은 경험을 한 사람들은 자신이 그동안 중요하게 여기며 살았던 것들이 사실은 정말 중요한 것이 아니었음을 깨닫게 되면서 <u>새로운 삶을 다짐하게 된다.</u>

① 더 많이 베풀면서 살겠다.
② 가족과 보내는 시간을 늘리겠다.
③ 원하는 꿈을 이루기 위해 노력하겠다.
④ 사회적으로 높은 지위와 명예를 얻겠다.
⑤ 일상의 작은 행복들에 대해 감사하며 살겠다.

13 서술형 버킷 리스트라는 말의 의미와, 도덕적이고 가치 있는 삶을 위한 자신의 버킷 리스트 세 가지를 쓰시오.

14 다음 이야기가 말해 주는 죽음의 도덕적 의미는?

> 다이너마이트를 발명하여 큰 부자가 된 노벨은 어느 날 신문을 읽다가 깜짝 놀랐다. 그의 형이 죽은 것을 신문사가 잘못 알고 노벨의 사망 기사를 쓴 것이었다. 그런데 그가 충격을 받은 것은 자신의 사망 기사가 실렸다는 사실뿐만이 아니었다. 그 기사의 제목에 적힌 그의 호칭이 '죽음의 상인 알프레드 노벨'이었던 것이다. 이 일을 통해 노벨은 자신의 죽음과 죽음 이후를 심각하게 생각하기 시작했고, 어떻게 살아야 할지를 고민하게 되었다. 그리하여 노벨은 자신의 전 재산을 사회에 환원하기로 결심했다.

① 부유한 사람도 죽음을 맞이하게 된다.
② 잘못된 글이 죄 없는 사람을 죽일 수도 있다.
③ 자신이 오래 살아 있음을 부끄럽게 여겨야 한다.
④ 삶을 가치 있게 살아야겠다는 다짐을 하게 한다.
⑤ 한 사람의 희생은 많은 사람을 행복하게 만든다.

15 다음에서 공통적으로 강조하는 삶의 자세는?

> • 인생은 흘러가는 것이 아니라 채워지는 것이다. 우리는 하루하루를 흘려보낼 것이 아니라 내가 가진 무엇으로 채워 가야 한다. – 러스킨
> • 세상에서 가장 중요한 때는 바로 지금, 이 순간이다. 가장 중요한 사람은 지금 너와 함께 있는 사람이고, 가장 중요한 일은 지금 네 곁에 있는 사람을 위해 좋은 일을 하는 것이다. – 톨스토이

① 현재의 삶에 충실해야 한다.
② 이루려는 꿈을 크게 정하여야 한다.
③ 다른 사람들을 행복하게 해 주어야 한다.
④ 남들보다 더 많은 물질을 가지고자 노력한다.
⑤ 과거를 잊지 말고 미래를 완벽하게 계획해야 한다.

① 고통을 어떻게 대해야 할까?

📖 교과서 183~186쪽

학습의 주안점

- 고통의 의미와 원인
- 고통의 의의
- 올바른 고통 극복의 자세

1 고통의 의미와 원인

(1) 고통의 의미와 유형

① 의미: 육체적, 정신적으로 느끼는 아픔이나 괴로움

② 유형: 개인적·사회적 고통, 선택한 고통·주어진 고통, 일시적·지속적 고통

(2) 고통의 원인

① 내부적 원인: 과도한 목표의 설정, 노력의 부족, 잘못된 습관, 비도덕적 행동

② 외부적 원인: 재해, 인간관계에서의 오해, 주변의 과도한 기대, 잘못된 관행❶ 등

2 고통의 의의

(1) 고통의 특징

① 보편성: 누구나 크고 작은 고통을 겪음. 고통이 없는 사람은 없음.

② 양면성❷: 좌절의 경험이기도 하지만 성찰의 계기❸가 되기도 함.

(2) 고통 극복에서 배우는 것

> **Tip** 고통은 누구나 경험하는 거지만 어떻게 마주하느냐에 따라 그 의의는 달라져.

① 성장과 발전: 고통 극복의 과정을 통해 성장하고 긍정적으로 변화함.

② 도덕적 성숙: 타인의 고통에 대한 공감 능력을 키워 도덕적으로 성숙해짐.

③ 진정한 행복: 고통을 통해 행복을 더 절실하게 느끼게 됨.

3 고통을 대하는 올바른 자세

(1) 자신의 고통에 직면하는 자세 [자료1]

① 객관적 파악: 고통의 원인을 정확하게 파악하여 해결 방안을 모색함.

② 적극적 대처: 좌절하거나 체념❹하지 않고 극복하려는 의지와 용기를 가짐.

③ 자립적 노력: 남에게 의존하기보다는 스스로 해결하려는 노력을 기울임.

(2) 타인의 고통을 대하는 자세: 이웃들의 고통에 관심을 가지고 도움의 손길을 줌.

❶ **관행**
오래전부터 해 오는 대로 함.

❷ **양면성**
한 가지 사물에 속하여 있는 서로 맞서는 두 가지의 성질

❸ **계기**
어떤 일이 일어나거나 변화하도록 만드는 결정적인 원인이나 기회

❹ **체념**
희망을 버리고 아주 단념함.

📖 기본 확인 문제

📖 정답 234쪽

1 다음 내용이 옳으면 ○표, 틀리면 ×표를 하시오.

① 고통은 괴롭고 피하고 싶은 것이므로 고통을 스스로 택하는 사람은 없다. ( )

② 어떤 고통은 한 가지 유형에만 해당하지 않고 여러 유형의 특성들이 동시에 섞여 있어서 더욱 괴롭다. ( )

③ 고통은 누구나 경험하는 것이지만 어떻게 마주하고 성찰하느냐에 따라 그 의의는 사람마다 다르다. ( )

2 고통을 직면할 때 가장 먼저 해야 할 일은?

3 다음 빈칸에 들어갈 알맞은 말을 쓰시오.

① 유교에서 고통의 원인은 절제되지 않은 인간의 ☐☐ 때문이며, 수양으로 선한 본성을 회복해야 극복할 수 있다.

② 혼자 힘으로 고통을 해결하기 어려울 경우에는 다른 사람의 ☐☐을 받는 것도 필요하다.

📔 내신 만점을 위한 탐구 자료

자료1 **고통이 있어 시를 쓸 수 있었다는 시인 정호승** ≫

   정호승 시인은 선암사를 방문했다가 우연히 해우소 분뇨가 쌓이는 아래쪽을 보게 되었는데, 해우소를 받치고 있는 그 기둥과 주춧돌이 온갖 오물 속에서 버티고 있는 모습을 보고 충격을 받았다. 그 기둥이 된 소나무를 바라보니 고통은 그처럼 희생인 것을 알게 되었고, 이를 통해 자신의 고통을 이해하게 되었다고 한다.

   또 시인은 그의 시 '스테인드글라스'에서 모든 색채가 빛의 고통이고, 성당에 아름다운 빛깔로 존재하는 스테인드글라스는 자신의 몸을 산산조각 내어 아름다운 것이라고 했다. 고통이 없었다면 시를 쓸 수 없었노라고 그는 말한다. 시는 고통의 꽃, 상처의 꽃임을 알았기에 이제는 고통을 원망하지 않고 조금이라도 감사하고 겸손하게 허리를 굽힐 줄 알게 되었다는 그는, 우리도 자신에게 찾아온 고통의 의미를 찾아 행복해지라 당부하며 '산산조각'이란 시에서 이렇게 적었다.

"산산조각이 나면 산산조각을 얻을 수 있지.
산산조각이 나면 산산조각으로 살아갈 수가 있지."

📔 교과서 활동 과제 풀이

스스로 생각하기   고통이 주는 선물, 날갯짓

◎ 교과서 183쪽

활동 목적   **고치를 빠져나오는 고통을 겪지 않는다면 하늘로 날아오를 수 없는 나비의 한살이를 통해 고통이 가지는 긍정적인 효과를 확인하고, 우리 삶에서 고통이 가지는 의미에 대해 이야기해 봅니다.**

예시 답안

 생각1
- 내가 덜어 주고 싶었던 것은 고치를 빠져나오는 고통이었는데, 나의 실수로 소중한 나비의 생명을 빼앗고 말았구나.
- 고치를 빠져나오는 동안에 날갯짓 훈련이 되고 날개에 묻은 유분기가 고루 펴지는데 나 때문에 날개의 힘도 부족하고 유분기가 뭉쳐서 날 수 없게 되었구나.

생각2   시험 기간 동안에 게임을 하지 않는 게 힘들었지만, 좋은 점수를 받기 위해 놀고 싶은 마음을 참고 공부했다. 나도 마음을 먹으면 할 수 있다는 것을 알았다.

생각 Tip   자신이 경험했던 크고 작은 고통을 떠올려 보고, 어떻게 이겨 냈는지 지금의 내게 미친 영향은 무엇인지 말해 보세요.

생각 더하기   고통의 사례와 원인 분석

◎ 교과서 184쪽

활동 목적   **고통의 사례를 분석하여 그 원인을 확인하고 자신이 경험한 고통에 대해 객관적으로 살펴보는 힘을 길러 앞으로의 고통에 대한 대처 능력을 기르도록 합니다.**

예시 답안

고통의 사례	고통의 원인	고통의 사례	고통의 원인
수학 시험 50점	노력의 부족, 과도한 목표 설정	친구의 돈을 훔침.	비도덕적 행동, 잘못된 집착
아토피로 인한 가려움증	질병	외모 차별	잘못된 관행
대인 기피 의심	인간관계에서의 오해	친구와의 갈등	잘못된 집착, 노력의 부족

활동 Tip   자신이 경험한 고통에 대해 객관적으로 분석해 보면 그 원인을 구체적으로 찾을 수 있어요.

생각 더하기 **고통의 의의**

📎 교과서 185쪽

활동 목적 고통이 우리 삶에 미치는 긍정적 영향에 대하여 비유와 은유를 활용한 다양한 표현을 함으로써 창의적인 표현력을 기르고 고통을 대하는 부정적 태도를 개선시킬 수 있습니다.

예시 답안

나에게 고통이란 ( )와/과 같다.	_____ 때문이다.
쓴 약	약이 쓰다고 먹지 않으면 질병을 치료할 수 없듯이, 고통을 올바르게 극복해 내야 성장할 수 있기 때문이다.
황사	황사가 있다고 해서 집에만 있을 수는 없는 것처럼, 고통이 예상되어도 묵묵히 내 삶을 살아가야 하기 때문이다.

활동 Tip 고통을 통해 얻을 수 있는 것들과 고통의 경험을 연관 지어서 자기만의 표현을 만들어 보세요.

  모둠 활동 **나의 고민에 친구가 직접 댓글을!**

📎 교과서 186쪽

활동 목적 친구들의 고민에서 드러나는 고통에 대해 관심과 공감을 표현하며 친구의 고민 해결을 위해 내가 할 수 있는 위로와 응원 그리고 충고의 댓글을 진심을 담아서 달아 봅니다.

예시 답안

> ○○이가 친구들에게 나에 대한 욕을 한다는 소문을 듣고, 너무 화가 나서 SNS에 그 친구를 비난하는 글을 올렸어. 그런데 알고 보니 그 소문은 사실이 아니었고 오히려 나의 비방 글 때문에 ○○이가 괴로워한다는 것을 알게 되었어. 나는 어떻게 해야 할지 고민이야.
>
> ┗ 너의 실수를 인정한다면 먼저 다가가서 미안하다고 사과하는 게 옳아. 진심으로 사과하면 ○○이도 용서해 주지 않을까? 용기를 내.
>
> ┗ 처음 소문을 들었을 때 ○○이를 만나 직접 확인을 했더라면 좋았을 텐데 아쉽구나. ○○이를 만나 오해를 하게 된 상황을 설명한다면 ○○이도 괴로움을 덜 수 있을 거야.

활동 Tip 친구의 고민을 가볍게 여기지 말고 진지하게 생각해 주는 것부터 시작해 보세요.

스스로 정리하기 **고통의 의의와 고통을 대하는 자세**

📎 교과서 186쪽

활동 목적 고통을 어떻게 대해야 할 것인가에 대한 이번 주제를 마무리하면서 고통이 가진 의의와 고통을 대하는 올바른 자세에 대해 자신의 생각을 정리하는 과정을 통해 고통에 대한 긍정적 태도를 기릅니다.

예시 답안

정리 1 고통은 괴롭고 아픈 것이니 이를 반길 사람은 없을 것이다. 하지만 고통은 말 그대로 고통만 주는 것은 아니다. 우리가 고통을 어떻게 마주하느냐에 따라서 삶의 값진 경험이 되기도 한다는 것을 알아야 한다. 고통은 삶을 성찰하고 성장과 발전을 이루는 계기가 될 수 있으며 우리가 진정한 행복의 의미를 찾게 해 준다는 점에서 그 의미가 크다.

정리 2 우리가 직면한 고통 중에서 갑작스런 재난이나 질병, 죽음처럼 결코 극복할 수 없는 유형도 있다. 그에 대해서는 수용할 수밖에 없다. 그러나 대부분의 고통은 적절히 대응하여 극복할 수 있다. 따라서 우리는 고통을 부정하거나 거부하지 말아야 한다. 또 쉽게 포기하거나 좌절해서는 안 된다. 객관적으로 고통의 원인을 파악하여 적극적이고 주체적으로 고통에 대처할 때 우리는 이를 극복할 수 있다.

정리 Tip 고통이 우리의 삶에서 어떤 중요한 가치를 가지는지 생각한 후 고통을 대하는 올바른 자세에 대해서도 정리해 보세요.

주제별 평가 문제

◉정답 234쪽

★
1 다음 그림에서 배울 수 있는 고통에 대한 이해로 옳은 것은?
중요

어떻게 된 일이지? 고치에서 쉽게 나올 수 있도록 도움을 주었는데 왜 제대로 날지도 못하고 죽어 가는 걸까?

① 고통은 단순한 것에 지나지 않는다.
② 남의 고통을 덜어 주려 하면 안 된다.
③ 고통을 겪지 않고는 얻을 수 없는 것이 있다.
④ 어차피 생겨날 고통은 사람의 힘으로 피할 수 없다.
⑤ 직접 경험해 보지 않으면 타인의 고통을 알기 어렵다.

2 다음의 고통이 생겨난 원인 두 가지를 <u>모두</u> 고르면?

내 친구 ○○이는 얼굴도 예쁘고 공부도 잘한다. 중학교에 올라온 후 나와 멀어지는 것 같아서 질투가 났다. 그래서 나는 ○○이의 비밀을 학급 친구들에게 말해 버렸다. 나 때문에 ○○이는 화가 많이 났고, 뒤늦게 나는 미안한 마음이 들기 시작해 무척 고통스럽다.

① 잘못된 집착　　　② 잘못된 제도
③ 과도한 목표 설정　④ 비도덕적인 행동
⑤ 사람들의 과도한 기대

3 다음 중 고통에 대해 <u>잘못</u> 이해한 사람은?

① 마루 – 대부분 크고 작은 고통을 겪지만 운이 좋으면 이를 피할 수 있다.
② 힘찬 – 고통이란 육체적, 정신적으로 느끼는 아픔이나 괴로움을 뜻한다.
③ 나래 – 어떤 고통은 그 원인이 한 가지가 아니라 여러 가지인 경우도 있다.
④ 두리 – 육체적 고통과 정신적 고통은 서로 영향을 미치기 때문에 고통을 잘 극복해야 한다.
⑤ 하나 – 개인적 고통에 비하여 사회적 고통은 그 피해의 범위가 넓고 지속적인 특징을 띤다.

4 다음과 같이 고통의 원인을 설명한 사상가는?

순간적이고 육체적인 쾌락만 추구하면 고통스러울 수밖에 없습니다. 육체적 쾌락을 최소화하고 정신적 쾌락을 추구하면 고통이 사라질 것입니다.

① 공자　　　　　② 예수
③ 석가모니　　　④ 에피쿠로스
⑤ 소크라테스

★
5 다음 글과 관련 깊은 인간의 특징은?
중요

인간은 단지 고통을 회피하거나 벗어나는 것만 추구하지 않고, 고통을 통해 무언가를 얻고 배울 수 있다.

① 협동하는 존재　　② 놀이하는 존재
③ 성찰하는 존재　　④ 소비하는 존재
⑤ 경쟁하는 존재

6 다음 인물이 보여 준 고통을 대하는 자세로 옳지 <u>않은</u> 것은?

프리다 칼로는 여섯 살 때 소아마비에 걸려 왼쪽 다리를 절게 되었다. 18세가 될 무렵에는 교통사고를 당해 척추를 비롯한 뼈가 부서지기도 했다. 이후 몇 차례의 유산과 이혼으로 정신적 고통을 겪고, 골수 이식 과정에서의 감염 때문에 여섯 번의 대수술을 하고 결국 오른쪽 다리는 절단하게 된다. 이러한 육체적 · 정신적 고통은 그녀의 작품 세계에서 평생의 주제가 된다.
　그녀는 계속되는 고통과 절망을 삶의 의지로 극복하며 아름다운 예술의 꽃을 피웠다. 많은 사람들은 그녀의 작품에서 고통과 에너지의 공존을 읽고 위로를 받는다.

① 고통에 대한 객관적인 분석
② 자기 고통에 대한 비관과 체념
③ 고통을 통한 자기 성숙의 노력
④ 고통의 원인에 대한 적극적 대처
⑤ 고통 극복을 위한 스스로의 노력

나는 **무엇**을 **희망**할 수 있을까?

교과서 187~191쪽

학습의 주안점
- 희망의 의미
- 마음의 평화
- 마음의 평화를 위한 삶의 자세

1 희망의 의미와 삶

(1) 희망의 의미: 미래의 어떤 일에 좋은 결과를 기대하는 것

(2) 인간의 삶과 희망의 관계

① 존재적 특징: 사람은 현재를 넘어 미래를 꿈꾸는 존재

② 희망의 중요성: 희망을 통해 절망적인 상황을 극복함.

(3) 희망에 대한 바른 자세

① '나다움'의 실현: 헛되고 바람직하지 못한 욕망과 구분됨.

② 실현을 위한 노력: 실천 계획을 세워 꾸준히 노력함. Tip 희망은 단지 꿈꾸는 것만으로 이루어지는 것은 아니야.

③ 도덕적인 방법: 바람직하지 않은 방법을 사용해서는 안 됨.

2 희망과 마음의 평화 자료1

(1) 마음의 평화: 외부의 환경이나 자극에 휘둘리지 않고 평온한 상태를 유지하는 것

(2) 희망과 마음의 평화의 관계

① 희망을 버리지 않고 자신감을 가진다면 마음의 평화를 얻을 수 있음.

② 마음의 평화를 유지한다면 목표를 향해 더 나아갈 수 있음.

(3) 마음의 평화를 방해하는 부정적 감정: 분노, 질투, 원망, 불안, 불신❶ 등

3 마음의 평화를 위한 노력 자료2

(1) 마음의 여유: 갈등을 예방하고 올바른 해결 방안을 찾을 수 있음.

(2) 동서양의 지혜: 욕구의 절제❷(아리스토텔레스, 석가모니, 이황, 스토아학파)

(3) 종교 생활: 마음의 평화와 안식❸을 제공함.

(4) 성찰과 도덕적 삶의 자세: 양심에 따르는 떳떳한 마음을 유지함.

(5) 사회적 제도의 뒷받침: 사회 구성원들이 마음의 안정과 평화를 누리게 함.

❶ 불신
믿지 아니함. 또는 믿지 못함.

❷ 절제
정도에 넘지 않도록 알맞게 조절하여 제한함.

❸ 안식
편히 쉼.

📖 기본 확인 문제

정답 234쪽

1 다음 내용이 옳으면 ○표, 틀리면 ×표를 하시오.

① 희망이란 과거의 일에 좋은 점을 기억하는 것이다. (   )

② 우리가 추구해야 할 희망은 자신의 삶의 목표이며 '나다움'을 실현하기 위한 것이 되어야 한다. (   )

③ 희망을 이루기 위해서는 목표가 달성되었을 때를 상상하며 고통을 이겨 내야 한다. (   )

2 외부의 자극에 흔들리지 않는 평온한 마음의 상태는?

3 인간이 삶의 궁극적 의미와 더 나은 삶의 방향을 찾도록 하여 마음의 평화를 얻게 해 주는 것은?

4 다음 빈칸에 들어갈 알맞은 말을 쓰시오.

① 현실적 상황이 아무리 어려워도 희망을 가지고 노력한다면 마음의 평화와 함께 진정한 □□에 이를 수 있다.

② 국가나 사회는 인권과 삶의 질을 보장할 수 있는 □□적 기반을 마련하여 모두가 희망하는 사회로 나아가야 한다.

내신 만점을 위한 탐구 자료

자료1 죽음의 수용소에서 정신의 자유를 희망했던 빅터 프랑클 »

유대인 정신과 의사인 빅터 프랑클은 악명 높았던 아우슈비츠 수용소에서 그동안 연구해 온 심리학 이론과 정신의
학적 개념을 집대성한 원고를 옷 깊숙한 곳에 숨겨 놓았지만, 그 옷을 잃어버리면서 원고도 함께 없어져 버리고 말았
다. 망연자실했던 프랑클은 새로 시작하기로 결심했다. 만일 그 원고를 갖고 있었다면 그 내용으로부터 자유로울 수
없었겠지만, 몽땅 잃어버린 덕분에 처음부터 다시 시작할 수 있었다.

그는 죽음의 수용소에서 직접 한 경험을 바탕으로 육체적으로 강한 사람이 반드시 살아남는 것은 아니라는 사실을
알게 되었다. 살아남느냐 죽느냐는 당사자의 내적인 힘, 즉 이 끔찍한 경험을 개인의 성장에 이용할 수 있는 능력에
좌우된다는 프랑클의 생각은 점차 확신으로 변해 갔고 그가 세운 심리학 이론의 중심이 되었으며 그 자신을 살리는 힘
이 되었다. 2년 반 동안 네 군데의 수용소로 옮겨졌지만 '무슨 일이 있어도 삶을 포기하지 말라.'라는 마음이 그를 살
렸던 것이다. 부모와 아내, 남동생을 모두 잃는 비극 속에서도 그는 삶의 의미를 찾으려고 노력했다.

그는 어떤 시련이 오더라도 인간에게는 단 한 가지 자유, 즉 자신의 태도를 결정하고 삶의 길을 선택할 정신의 자유
만은 그 누구도 빼앗을 수 없고 그 자유를 잃게 되면 살아가지 못한다는 것이다. 그는 니체의 말을 인용하여 "왜 살아
야 하는지 아는 사람은 그 어떤 상황도 견딜 수 있다."라고 했는데, 이것이 그의 이념의 핵심이기도 하다.

자료2 틱낫한 스님이 말하는 평화와 '화' 다스리기 »

베트남 스님 틱낫한은 현대를 살아가는, 외롭고 지친 영혼들에게 마음의 평화를 선물한다. 어떠한 자극에도 감정
의 동요를 받지 않고 늘 평상심을 유지하는 방법을 알아야 한다는 깨달음을 전한다. 그리고 '화'라는 구름에 가려져서
하늘이 보이지 않더라도 그 순간 원래 존재하는 본질적 태양인 사랑을 잊지 말라고 당부한다. 그는 외부의 어떤 자극
에도 평화와 평안은 네 자신에게서 나온다는 것을 강조한다.

한편 "화"라는 책에서 스님은 화를 다스리는 방법으로 '좋은 씨앗에 물 주기'를 말씀하셨다. "불교에서는 사람의 마음을
밭에 비유합니다. 그런데 밭에는 '좋은 씨앗'도 있고, '나쁜 씨앗'도 있습니다. '좋은 씨앗'이란 자애, 평화, 형제애, 평등,
비폭력을 의미합니다. 그리고 '나쁜 씨앗'은 폭력, 두려움, 증오를 가리킵니다. 쉽게 화를 내는 사람은 그의 마음속에 들
어 있는 화의 씨앗에 오랫동안 자주 물을 줬기 때문입니다. 깨어 있음의 씨앗은 우리 모두에게 들어 있지만 우리는 대개
그 씨앗에 물을 주는 것을 잊어버립니다." 그러니 사랑하고 이해하는 마음으로 좋은 씨앗을 꽃피우라고 당부합니다.

교과서 활동 과제 풀이

스스로 생각하기 **꿈을 이루어 낸 사람들**

@교과서 187쪽

활동 목적 절망적인 고통 상황 속에서도 역경을 이겨 내고 꿈을 이룬 에벌린 글레니와 폴 포츠의 사례를 통해 우리의 삶에
서 희망이 어떤 영향을 주는지 생각해 봅시다.

예시 답안 생각① 내가 에벌린 글레니였다면 청력을 잃은 신체적 고통 앞에서 꿈을 포기했을 것 같다. 폴 포츠의 경우에도
꿈보다는 현실을 택할 수밖에 없다는 탄식을 하면서 불만스럽게 살았을 것 같다.

생각② 이들은 자신이 직면한 고통에 움츠러들지 않고 꿈을 향해 나아갔다. 그들이 보여 준 의지와 용기를 배우고 싶다.
또한 개인의 성취에 그치지 않고 다른 사람들에게 희망의 메시지를 전하는 일을 하고 있다는 점을 닮고 싶다.

 생각Tip 두 사람의 고통은 결코 작은 것이 아니지요. 그렇다면 그들이 꿈을 실현할 수 있었던 것은 무엇 때문일지 생각해 보세요.

생각 더하기 **내가 생각하는 희망의 뜻**　　　　　　　　　　　　　　　　　 📎교과서 188쪽

활동 목적　　희망에서 연상되는 것을·글자 수에 맞추어서 표현해 보는 과정을 통해 희망의 의미와 기능을 더욱 잘 이해할 수 있으며, 자신의 생각을 창의적으로 표현하는 사고력을 기를 수 있습니다.

예시 답안

세 글자로 표현하는 희망	• 가능성, 새 세상, 무지개, 기다려, 진통제
네 글자로 표현하는 희망	• 할 수 있어, 두근두근, 내가 갈게, 미래의 나
희망이란 (　　　)이다.	• 희망이란 (나를 끌어당겨서 목표에 도달하게 만드는 자석)이다. • 희망이란 (지금의 고통을 이겨 내도록 도와주는 진통제)이다.

활동 Tip　　희망의 의미를 생각하고 그 느낌을 살려 다양한 글자 수로 표현해 보세요.

모둠 활동 **숫자로 보는 우리들의 희망 전시회**　　　　　　　　　　　　　 📎교과서 188쪽

활동 목적　　희망의 의미를 생각하며 모둠의 친구들이 함께 생각하고 이야기를 나누며 숫자를 이용한 글이나 그림 등으로 다양하게 표현하는 과정을 통해 도덕적 정서 능력과 창의력을 기를 수 있습니다.

예시 답안
- **숫자 3**: 희망 사항을 눈앞에 삼삼하게 떠올리는 모습으로 표현해 본다. 눈을 크게 그리고 눈동자 속에 실제로 내가 희망하는 상태나 모습 등을 그려서 넣는다.
- **숫자 14**: 올해에 읽을 책의 권수로 표현한다. 적어도 한 달에 한 권 이상의 책을 읽고 싶다는 희망을 말한다.
- **숫자 20**: 체육관에서 학생이 20파운드짜리 아령을 양손에 하나씩 들고서 팔 운동하는 모습을 그린다. 건강한 신체를 가꾸는 것을 희망한다는 내용을 담은 것이다.

활동 Tip　　자신의 희망 사항들을 먼저 이야기 나누고, 각자가 뽑은 숫자와 연결해서 내용을 표현해 보세요.

생각 더하기 **무인도에서의 조난 결과 예측해 보기**　　　　　　　　　 📎교과서 189쪽

활동 목적　　영화 '캐스트 어웨이'의 상황을 가정하고 마음의 평화와 희망을 간직한 경우와 그렇지 않은 경우를 비교하여 이야기의 전개를 달리 하는 과정을 통해 마음먹기에 따라 삶이 달라질 수 있음을 이해하고 희망을 가지도록 합니다.

예시 답안

A. 희망을 버린 경우	바닷가에 앉아서 구조를 기다렸지만 지나가는 배가 보이질 않았다. 집으로 돌아갈 수 없다는 절망감이 커져 갈수록 나의 불행과 고통에 대해 소리 지르는 것 외에는 할 수 있는 일이 없었다. 섬에 있는 과일 나무들로 배를 채우지만 평생을 이것만 먹으면서 살기는 싫다. 점점 무료하고 짜증이 났다. 들어 주는 사람이 없으니 짜증 내는 것도 무의미하다. 식욕을 잃은 건지 식사량이 줄어들고 자연히 기운이 없어서 가만히 누워만 있다. 그러다 비가 심하게 내린 날 밤에 체온이 떨어지면서 눈앞이 흐려졌고 나의 생도 끝이 났다.
B. 희망을 간직한 경우	오지 탐험 프로그램에서 불 피우기 하던 것을 따라서 열심히 나무 막대를 마찰시켜서 불 피우기에 성공했다. 더위를 피할 움막도 지은 후에 섬을 둘러보니 마침 과일이 매달린 나무들이 보였다. 바닷가에 나가서 난파선에서 흘러나온 식료품도 주웠으니 어느 정도 버틸 식량은 확보했다. 몇 차례 구조 요청이 실패하자 섬에 있는 나무들을 엮어서 뗏목을 만들고 모아 둔 식량을 실은 채 섬을 벗어났다. 지나가던 어선에 의해 구조된 후 무사히 집으로 돌아올 수 있었다. 나의 경험을 바탕으로 쓴 "무인도에서 살아남기"는 중학생들의 필독서가 되었고 작가와의 만남도 여러 차례 가지게 되었다. 무인도에서 꿈꾸었던 나의 미래는 지금 현실이 되었다.

활동 Tip　　희망이 있다는 것은 나아지는 미래를 꿈꾼다는 것이고, 그 결과 꿈이 현실이 된다는 것을 보여 주세요.

생각 더하기 **마음의 평화를 얻기 위한 실천 노력**　　　　　⊘교과서 191쪽

활동 목적　**자신이 버려야 할 마음가짐, 고쳐야 할 행동과 함께, 가꾸고 만들어야 할 사고방식이나 행동 습관을 정리해 보며 마음의 평화를 얻기 위해 필요한 노력을 올바르게 이해합니다.**

예시 답안

1. 버려야 할 마음가짐	• 지나친 욕심과 질투심 • 현실에 안주하려는 나태함 • 뭐든지 대충 하려는 편의주의와 이기심 • 다른 사람을 낮추어 보는 오만과 편견
2. 버려야 할 행동	• 항상 욕심을 부려서 절제하지 못하는 습관 • 일을 벌이기만 하고 제대로 매듭을 짓지 못하는 습관 • 다리를 계속 떨거나 손가락으로 책상을 두드리는 등의 산만한 태도 • 친구의 물건을 몰래 가져다 쓰고 잃어버렸는데도 모른 체 하는 행동
3. 내가 실천할 일	• 욕심을 줄이고 계획성 있게 실천하는 것 • 하고 싶은 일만 내세우기보다는 해야 할 일을 책임감 있게 수행하는 것 • 명상이나 심호흡으로 마음을 안정시켜서 산만한 행동을 고치는 것 • 양심을 지키고 정직하고 도덕적인 생활 자세를 기르는 것

활동 Tip　마음의 평화가 깨졌을 때를 떠올려 보고 그 원인을 분석하는 것이 필요해요.

스스로 정리하기 **나의 희망과 마음의 평화 추구**　　　　　⊘교과서 191쪽

활동 목적　**희망의 의미와 희망을 이루기 위한 노력에 대해 생각해 보고, 마음의 평화가 소중하다는 것을 이해하여 이를 실천하려고 노력합니다.**

예시 답안

정리1　내가 희망하는 것은 일상 속에서 느끼는 작은 행복들이다. 예를 들면 가족들과 밥을 먹고 친구와 영화를 보며 좋은 전시회가 있으면 찾아가서 작품을 감상하는 것이다. 반려 식물을 키우면서 계절의 변화를 함께 느끼고 날씨가 포근한 날에는 조금 멀리 나가서 강가의 바람을 느끼며 걸어 보는 것도 좋을 것이다. 이처럼 내가 꿈꾸는 소소한 행복들을 실현하기 위해서는 신체적, 사회적, 정서적인 건강함이 필요하다. 이를 위해 나는 건강을 잘 관리하고 친구와의 우정을 길러 가는 한편, 공동체의 질서와 복지에도 관심을 가지고 규범을 준수하는 것과 함께 사랑과 배려를 실천해 나가야 할 것이다.

정리2　마음의 평화는 내면의 안정과 평온함을 간직할 때 이루어진다. 이를 위해서는 외부의 자극이나 상황 변화에도 흔들리지 않는 나의 주관과 마음 다스림이 있어야 한다. 이를 위한 구체적인 노력에는 마음의 여유를 가지는 것, 동서양 철학자가 알려 주는 마음의 평화에 관한 지혜를 배우는 것, 종교적 수행과 도덕적 성찰 습관화, 삶의 질을 보장하는 사회 제도 정착을 위한 노력 등이 있다.

정리 Tip　이번 주제를 공부하면서 희망과 마음의 평화에 대한 올바른 인식이 생겨났는지 확인해 봐요!

주제별 평가 문제

1 다음 글에 나타난 두 사람의 공통점은?

> 에벌린 글레니는 12살 때 청력을 잃었지만 포기하지 않고 노력한 끝에 세계 최고의 타악기 연주자가 되었다.
> 폴 포츠는 평범한 외판원이었지만 오페라 가수라는 꿈을 간직하고 노력한 결과 오디션 프로그램에서 우승하여 세계적인 가수가 되었다.

① 사회 비판적 성격의 행위 예술 대가들이다.
② 세계 평화와 환경 보호에 앞장선 사람들이다.
③ 경제적 어려움을 이겨 내고 성공한 기업인이다.
④ 어려운 상황에서도 꿈을 이루어 낸 사람들이다.
⑤ 인종적 편견에 맞서 자신의 꿈을 이룬 사람들이다.

★
2 희망과 삶에 대한 설명으로 옳지 <u>않은</u> 것은?
<중요>
① 사람은 현재를 넘어 미래를 꿈꾸는 존재라는 특성을 가진다.
② 희망을 이루기 위해서는 실천 계획을 세워 꾸준히 노력하는 것이 필요하다.
③ 우리 주변을 보면 꿈이 없는 사람은 있어도 잘못된 욕망을 꿈꾸는 사람은 없다.
④ 꿈을 이루는 방법이 도덕적으로 바람직한 방법일 때 진정한 행복을 얻을 수 있다.
⑤ 우리가 추구해야 할 희망은 여러 요소를 고려한 삶의 목표이며 '나다움'의 실현이어야 한다.

3 다음 중 개인적 차원의 희망을 말한 사람은?
① 마루 – 많은 친구보다는 소수의 친구와 우정을 나누고 싶어.
② 나래 – 성적 조작이나 채용 비리 같은 부정부패가 사라져야 해.
③ 두리 – 교통사고 사망률이 여전히 높은 점이 문제라고 생각해.
④ 힘찬 – 남북이 통일되어 이산가족의 아픔을 없애 주었으면 좋겠어.
⑤ 하나 – 다양한 문화를 바탕으로 하는 이주민들이 잘 정착할 수 있는 나라가 되기를 바라.

4 다음 글이 설명하는 이것은 무엇인가?

> • 이것은 외부의 환경이나 자극에 휘둘리지 않고 평온한 상태를 유지하는 것을 말한다.
> • 자신의 희망을 이루는 과정에서 한계에 부딪히거나 목표가 실현되지 않았을 때 이것은 깨질 수 있다.

① 자신감
② 기대 심리
③ 삶의 만족
④ 자기 관리
⑤ 마음의 평화

※[5~6] 다음 글을 읽고 물음에 답하시오.

> 마음속에서 고통의 상태를 긍정적으로 받아들이지 못하고 절망이나 좌절로만 받아들일 때 우리는 (가) <u>부정적인 감정들</u>이 일어나는 것을 경험한다.
> 또한 이러한 부정적 감정들을 적절히 조절하지 못하면 (나) <u>또 다른 문제를 낳을 수 있다.</u>

5 밑줄 친 (가)에 해당하지 <u>않는</u> 것은?
① 분노심
② 질투심
③ 원망감
④ 불신감
⑤ 자부심

★
6 밑줄 친 (나)에 해당하는 것을 <u>모두</u> 고르면?
<중요>
① 이성적으로 판단하는 것을 방해하게 된다.
② 자신의 감정이나 생각을 솔직하게 전달한다.
③ 다른 사람을 배려하지 못하는 비도덕적 행동을 한다.
④ 자신의 상황이 어려워도 일단 스스로 해결하려고 노력한다.
⑤ 자신도 모르는 사이에 마음의 고통을 벗어날 수 있게 된다.

7 다음은 영화 '캐스트 어웨이'의 줄거리이다. 주인공이 무인도에서 삶을 견뎌 내고 마침내 탈출할 수 있었던 이유로 옳은 것은?

전 세계를 돌아다니며 바쁘게 살아가는 남자 척 놀랜드는 여자 친구를 깊이 사랑하지만 막상 함께 할 시간은 가지지 못한다. 크리스마스 전날, 캘리와의 데이트를 채 끝내지도 못한 그에게 빨리 비행기를 타라는 호출이 울리고 둘은 연말을 기약하고 헤어지게 된다.

캘리가 선물해 준 시계를 손에 꼭 쥐고 비행기에 올랐는데, 착륙하기 직전 사고가 나 기내는 아수라장이 된다. 눈을 떠보니 완전히 다른 세상이다. 아무도 살지 않는 섬에 떨어진 것을 알게 된 척은 생존을 위해 새로운 환경에 적응하며 외롭게 살아간다.

하지만 캘리에 대한 사랑을 간직한 채 그녀를 만날 수 있다는 희망을 잃지 않는다. 4년 후. 고립된 섬에서 1500일이나 되는 시간을 사랑으로 이겨 낸 척. 어느 날 떠내려 온 판자 하나를 이용해 섬을 빠져나갈 방법을 고안해 내고, 자신이 갖고 있는 모든 물건을 이용하여 뗏목을 만든다. 섬에 표류한지 4년 만에 거친 파도를 헤치고 탈출을 감행한다.

① 두고 온 재산이 많아서 그냥 죽기가 아까워서
② 사랑하는 이에게 돌아가려는 희망이 있었기 때문
③ 주어진 현실에 만족할 수 없는 주인공의 성향 때문
④ 복잡한 인간관계에 지쳐서 조용한 삶을 살기 위해서
⑤ 남들로부터 관심과 집중을 받지 못하는 삶이 싫어서

8 마음의 평화가 필요한 이유로 옳지 <u>않은</u> 것은?

① 원하는 목표의 실현을 위해
② 절망과 좌절을 극복하기 위해
③ 비도덕적 행동을 예방하기 위해
④ 사회적 문제 해결과 정치 발전을 위해
⑤ 삶의 만족을 통한 진정한 행복을 위해

9 평화를 위한 지혜에 대해 말한 인물과 설명이 바르게 연결된 것은?

① 퇴계 이황 – 넘치거나 모자라지 않는 적절한 상태의 행위를 하라.
② 스토아학파 – 금욕적인 삶을 통해 외부의 고통에 흔들리지 않는 마음을 갖추어라.
③ 아리스토텔레스 – 사사로운 욕심을 버리고 마음을 다스려 진정한 군자가 되어라.
④ 석가모니 – 기도를 통해 마음의 평화와 안식을 얻어서 영원한 행복으로 나아가라.
⑤ 에피쿠로스 – 탐욕과 분노, 어리석음으로는 평화를 얻을 수 없으므로 해탈의 경지에 들어라.

10 다음이 설명하는 마음의 평화를 위한 노력은?

삶의 주인공은 우리 자신이므로 지속적으로 자신의 삶에 대해 생각해야 한다. 삶의 의미를 찾기 위한 노력을 게을리하는 사람은 방황하거나 무기력한 상태로 고통받을 수 있기 때문이다. 그리고 우리가 옳지 못한 행동을 했을 때는 불안과 두려움을 느낀다. 그러므로 양심에 따라 행동하여 떳떳한 마음을 유지해야 한다.

① 도덕적인 삶　　　　　② 신체적 건강
③ 경제적 안정　　　　　④ 원만한 인간관계
⑤ 목표를 이루는 삶

11 종교의 특성과 기능을 설명한 것으로 옳지 <u>않은</u> 것은?

① 종교를 통해서 마음의 안식과 평화를 얻을 수 있다.
② 종교의 가르침을 통해 사람들은 더 나은 삶의 방향을 찾을 수 있다.
③ 종교는 인간으로 하여금 죽음을 넘어 삶의 궁극적 의미를 찾게 한다.
④ 종교는 이웃에 대한 사랑의 실천을 통해 사회적 유대감을 높여 준다.
⑤ 종교에서 행하는 기도나 명상은 현실 문제를 무조건 받아들이게 만든다.

단원 정리 문제

01 다음 중 고통의 원인이 외부에 있는 것은?

① 하나 – 친구보다 잘하려고 무리하게 달리다가 넘어져 다리를 다쳤다.

② 가온 – 엄마의 지갑에서 돈을 훔쳐 쓴 뒤에 들켜서 혼날까 봐 불안해한다.

③ 두리 – 성적 목표를 100점으로 높이 잡았는데 60점밖에 안 나와서 괴롭다.

④ 마루 – 우리 누나는 입사 면접에서 여성에 대한 차별을 경험하여 힘들어한다.

⑤ 나래 – 동생이 자꾸만 숙제를 미루다가 급하게 하느라 결국 발표를 망쳐 속상해한다.

02 고통에 대한 설명으로 옳지 <u>않은</u> 것은? **중요**

① 몸이나 마음으로 겪는 괴로움을 고통이라 한다.

② 우리는 살면서 크고 작은 아픔과 괴로움을 겪게 된다.

③ 고통의 원인으로는 내부적인 것과 외부적인 것이 있다.

④ 어떤 고통은 일시적으로 끝나지 않고 오래 지속되기도 한다.

⑤ 괴롭고 힘든 고통을 피하고 싶은 것이 당연하며 스스로 선택하지는 않는다.

03 (가)와 (나)에 들어갈 말을 차례대로 적은 것은?

사상	고통의 원인
(가)	절제되지 않는 인간의 욕구 때문에 고통이 생깁니다. 수양을 통해 선한 본성을 보존하고 욕망을 극복하면 고통에서 벗어날 수 있습니다.
불교	(나)을(를) 얻지 못하여 집착하기 때문에 고통이 발생합니다. 수행을 통해 (나)을(를) 얻는다면 모든 집착에서 벗어나 고통이 사라집니다.

① 유교 – 번뇌   ② 유교 – 깨달음

③ 그리스도교 – 구원   ④ 그리스도교 – 깨달음

⑤ 에피쿠로스학파 – 구원

※[04~05] 다음 글을 읽고 물음에 답하시오.

> 3년 전 직장을 잃은 아버지께서 새로 시작한 음식점마저 실패하면서 우리 집은 경제적으로 어려움을 겪게 되었다. 살던 집을 팔아 빚을 갚은 뒤 셋방을 구해야 했다. 처음에는 아버지를 원망하는 마음도 있었지만, 우리 가족은 서로를 이해하려고 노력했다. 얼마 후 전업주부로 지내시던 어머니께서도 아르바이트를 시작하셨고 나는 엄마를 대신하여 집안일을 돕게 되었다. 아버지께서도 '가족에게서 힘을 얻는다.'라고 하시며 용기를 내셨고, 최근에 다시 직장을 구하게 되셨다. 예전에 비해 넉넉한 형편은 아니지만 가족의 소중함을 알게 되어 서로의 사랑을 느끼는 지금의 생활에서 나는 만족과 기쁨을 느낀다.

04 위 내용에서 찾을 수 있는 고통의 의의는?

① 가장에게 의존하지 않아야 고통을 이겨 낼 수 있다.

② 일부의 사람이나 특별한 사람들만 고통을 극복한다.

③ 경제적 어려움은 가족들의 정신적 고통으로 이어진다.

④ 고통을 통해 우리는 행복을 더 절실하게 느끼게 된다.

⑤ 현대 사회에서 가정 해체의 고통은 흔한 일이 되었다.

05 위 내용 전체와 관련 깊은 속담은?

① 비 온 뒤에 땅이 굳는다.

② 마른하늘에 날벼락이다.

③ 까마귀 날자 배 떨어진다.

④ 소 잃고 외양간 고치는 격이다.

⑤ 손바닥으로 하늘을 가릴 수 없다.

06 **서술형** 고통에 직면하게 될 때에 객관적으로 파악하기가 필요한 이유를 쓰시오. (포함해야 할 단어: 원인, 해결)

※[07~08] 다음 이야기를 읽고 물음에 답하시오.

> 그리스 신화의 제우스는 대장장이의 신 헤파이스토스를 불러 여자 인간을 만들라고 했고, 판도라라는 인간이 탄생하였다. 제우스는 판도라의 탄생을 축하하며 상자를 주었고, 절대 열어 보지 말라는 경고를 하였다. 판도라는 프로메테우스의 동생과 결혼하고 행복하게 살았지만, 어느 날 호기심을 참지 못하고 결국 상자를 열고 만다. 그 상자에서는 욕심, 질투, 증오, 잔인성, 분노, 굶주림, 가난, 고통, 질병, 노화 등 장차 인간이 겪게 될 온갖 재앙이 쏟아져 나왔다. 이것들은 상자를 빠져나와 세상 곳곳으로 퍼졌다. 평화롭던 세상은 금세 험악해지고 말았다. 판도라는 깜짝 놀라 급히 상자를 닫았으나 상자 안의 나쁜 것들은 이미 전부 빠져나온 뒤였다. 그러나 그 안에 있었던 희망은 빠져나가지 않아서, 사람들은 상자에서 빠져나온 악들이 자신을 괴롭히고 갖가지 불행에 시달려도 희망만은 고이 간직하게 되었다고 한다.

07 위 이야기를 통해 알 수 있는 희망의 의미는?

① 평화롭고 행복한 세상을 재앙에 빠뜨린다.
② 호기심을 가진 사람이 더 많은 희망을 차지한다.
③ 절망적인 상황과 고통 속에서도 우리와 함께한다.
④ 원래 남자의 것이었지만 결국 여자가 가지게 된다.
⑤ 욕심, 질투, 가난, 노화 등의 고통을 피하도록 한다.

08 주관식 위 이야기에서 유래한 말로, 뜻밖의 재앙의 근원을 가리키는 말을 쓰시오.

09 사회적 차원의 희망에 해당하지 않는 것은?

① 지역 공동체의 발전
② 약자들의 권리 보장
③ 안전하고 정의로운 사회
④ 기회의 평등과 과정의 공정성
⑤ 건전한 가치관과 올바른 책임 의식

10 서술형 고통의 상태를 극복하는 데 있어 마음의 평화가 중요한 이유를 2가지 쓰시오.

11 다음 중 마음의 평화를 가장 잘 설명한 것은?

① 외부의 자극에 휘둘리지 않고 평온한 상태
② 편안한 수면 가운데 무의식 상태로 접어드는 것
③ 주변에 무슨 일이 생겨도 무관심하게 대하는 것
④ 전쟁이나 가난, 질병 같은 고통이 전혀 없는 상태
⑤ 분노, 불안 등의 부정적인 감정이 전혀 없는 상태

★
12 동서양의 많은 학자들이 공통적으로 말하는 마음의 평화
중요 를 위한 지혜는?

① 욕망 충족을 위한 능력 신장
② 과도한 욕구를 절제하는 삶의 태도
③ 어떤 욕구나 희망도 가지지 않는 자세
④ 어리석음을 깨달아 학식을 쌓으려는 노력
⑤ 좋아하는 것과 잘하는 것만 집중적으로 하는 습관

13 빈칸에 들어갈 유교의 이상적 인간상은?

> 퇴계 이황은 진정한 (   )이(가) 되기 위해서는 출세와 같은 사사로운 욕심을 버리고 자신의 마음을 잘 다스려야 한다고 했다.

① 임금   ② 소인   ③ 군자
④ 부처   ⑤ 양반

14 종교가 줄 수 있는 올바른 마음의 평화가 아닌 것은?

① 시험공부를 하지 않았지만 기도를 통해 좋은 성적을 얻을 수 있다는 희망을 가진다.
② 죽음에 직면하더라도 두려움을 이겨 내고 내세에 대한 믿음으로 이를 받아들일 수 있다.
③ 어려운 시련 앞에서도 더 나은 삶을 위한 시험대로 생각하며 최선을 다해 노력할 수 있다.
④ 삶의 의미와 고통의 원인 등과 같이 인생의 근본적인 질문들에 대한 해답을 얻을 수 있다.
⑤ 자신보다 더 어려운 사람들을 위해 봉사하는 삶을 통해 스스로가 치유되는 기쁨을 느낄 수 있다.

'생명의 합성은 인류의 권리인가?'

제시된 글은 합성 생물학이 가져올 혜택과 문제점을 말하고 있다. 합성 생물학의 의미와 서로 다른 평가에 대한 탐구를 통해 Ⅳ영역의 핵심 주제인 자연과 인간의 삶의 조화라는 입장에서 논술문을 완성해 보자.

활동 목표
- 합성 생물학의 학문적 성격을 이해한다.
- 합성 생물학이 인류에게 줄 수 있는 혜택과 문제점을 설명할 수 있다.
- 과학 기술의 책임에 대해 타당한 사례 혹은 근거를 들어 주장하는 글을 쓸 수 있다.

논술 길잡이 및 예시 답안

 1단계 **자연을 간섭하거나 변경하는 인간의 행동은 나쁜 것인가?**

→ 이에 대한 평가는 인간과 자연의 관계에 대해 어떤 입장을 가지고 있느냐에 따라 달라질 수 있다.

답 자연을 바라보는 입장에 따라 다르게 평가될 수 있다. 우선 인간 중심주의의 입장에서는 인간의 물질적 풍요와 행복을 위해 자연은 얼마든지 개발할 수 있으며 새로운 생명의 창조와 지배는 정당한 것이 된다. 반면 생태 중심주의의 입장에서 본다면 자연을 간섭하거나 변경하는 것은 생태계의 균형과 조화를 깨뜨리는 행위가 되므로 매우 잘못된 것이다.

 2단계 **인류의 복지와 행복을 위해 생명 합성을 허용해야 할까?**

→ 생명 합성은 그 결과와 영향력을 예측하기 어려운 정도로 파급 효과가 큰 영역이다. 인류의 복지와 행복을 생각한다면 과학자 또는 과학 기술자의 사회적 책임과 윤리 의식이 우선되어야 하는 문제임을 강조하면서 글을 쓴다.

답 생명 합성은 핵무기보다 더욱 위협적일 수 있다. 왜냐하면 적은 비용과 소규모 실험실에서도 얼마든지 활용될 수 있어 기술적, 외교적 통제가 거의 불가능하기 때문이다. 따라서 생명 합성 기술이 허용된다면 인류의 복지와 행복은 물론 생존 자체가 위험에 빠질 수 있다.

 3단계 **'생명의 합성은 인간의 권리인가?'라는 주제로 논술문을 작성해 보자.**

→ 권리는 '~할 수 있다.'는 것이다. 하지만 할 수 있다고 해서 무엇이건 한다면 우리는 결코 의미 있는 삶을 살 수 없다. 할 수 있지만 옳지 않은 일에 대해서는 하지 않겠다는 것이야말로 진정 도덕적 삶을 사는 것이며, 미래 세대와 생태계를 위한 가치 있는 선택이라는 글을 쓴다.

답 생명 합성은 자연과 생명에 대한 인간의 권리가 아니며 오히려 폭력이 될 수 있다. 생명 합성의 결과를 누구도 책임질 수 없다. 게다가 개인이나 기업에 의해 잘못 사용된다면 그로 인한 피해는 지구 생태계 전체에 미칠 수 있다. 따라서 생명의 합성은 인간이 해서는 안 되는 영역이다.

활동 평가 기준 ※ 논술 활동은 다음과 같은 단계를 거쳐 평가된다. 스스로 평가해 보자.

평가 요소	평가 내용	배점				
		5	4	3	2	1
1단계	자연과 인간의 관계를 바라보는 입장에서 비교하였다.					
2단계	생명 합성이 가지고 있는 문제점을 구체적으로 제시하였다.					
3단계	인류의 책임과 당위의 입장에서 문제를 이해하고 있다.					
	전체적인 글의 구성과 근거가 명확하고, 논리의 완결성이 높다.					

깨끗한 지구 만들기

생활 속에서의 구체적인 실천을 통해 환경친화적인 삶을 위해 노력하는 바른 인성을 함양하고, 창의력을 발휘한 놀이판의 제작과 놀이의 규칙을 준수하는 태도를 기르기 위한 통합적 인성 활동이다. 영역의 핵심 가치인 책임을 확고하게 내면화하고, 환경을 소중히 여기며 자연과 공존하는 삶을 실천하자.

교과서 194~195쪽

활동 목표

- 자연환경에 피해를 주는 잘못된 소비 습관과 생활 방식을 이해한다.
- 환경친화적인 삶을 위해 스스로 노력하고 실천해야 할 일을 탐구한다.
- 일상생활 속에서 가깝고 쉬운 것부터 환경친화적인 삶을 실천할 수 있다.

활동 방법

1단계	잘못된 소비 습관과 환경에 피해를 주는 생활 방식 및 환경에 도움이 되는 삶의 자세를 나의 생활 속에서 찾아보고 이를 놀이판 내용으로 구성하는 단계이다. 벌칙을 창의적으로 재미있게 넣어서 서로에게 유익하면서 즐거운 놀이가 되도록 한다.
2단계	놀이판을 이용하여 환경친화적인 삶을 위한 구체적인 노력과 고쳐야 할 점들을 자연스럽게 배울 수 있는 단계이다. 놀이를 하는 동안 환경친화적인 생활이 보상을 받고 환경을 해치는 행동이 벌칙을 받는 과정을 통해 긍정적 행동에 대한 심리적 각인이 이루어진다.
3단계	가정과 학교 등 일상생활 속에서 환경친화적인 삶을 위한 구체적 노력들이 지속적으로 실천될 수 있도록 성찰하는 글쓰기를 하는 단계이다. 지속적인 습관을 통해 바람직한 인성이 자리 잡을 수 있기에 실천 내용과 결과를 발표하여 서로 격려하고 환경친화적 삶의 태도를 강화시킨다.

활동 평가 기준

※ 성찰 활동은 다음과 같은 단계를 거쳐 평가된다. 스스로 평가해 보자.

평가 요소	평가 내용	배점				
		5	4	3	2	1
1단계	환경에 도움이 되는 생활 방식을 찾아서 정리하였다.					
	환경에 피해를 주는 생활 방식을 찾아서 정리하였다.					
	벌칙의 내용이 다양하면서 창의적이다.					
	서로 협력하면서 놀이판을 제작하였다.					
	민주적인 의사소통으로 놀이 규칙을 결정하였다.					
2단계	놀이의 과정에서 질서를 지키며 함께 했다.					
	과제의 벌칙 수행을 정직하고 성실하게 행하였다.					
3단계	환경친화적인 생활 규칙들을 지속적으로 실천하였다.					
	실천 내용과 결과에 대해 객관적으로 성찰하였다.					

1 자연과 인간의 바람직한 관계는 무엇인가?

01 다음 글에 나오는 환경들 중 성격이 다른 하나는?

> 휴일을 맞아 아버지와 함께 약수터에 갔다. 시원한 바람과 햇살을 받으면서 걸으니 기분이 좋았다. 거리의 은행나무들이 노랗게 물든 것을 보며 가을이 깊었음을 느꼈다. 산을 오른 지 얼마 지나지 않아 다람쥐를 발견하니 기분이 매우 좋았다. 아버지께서는 약수터 옆에 설치된 운동 기구를 보자 같이 해 보자며 권하셔서 나도 재미있게 놀았다. 집으로 돌아오는 길에 아버지께서는 동네 빵집에 들러 내가 좋아하는 빵을 사 주셨다.

① 휴일 　　② 약수터
③ 가로수 　　④ 다람쥐
⑤ 동네 빵집

02 [주관식] 인간과 동식물 같은 생물적 요소와 기후, 지형, 바람 등의 비생물적 요소들이 상호 작용하며 살아가는 체계를 무엇이라고 하는지 쓰시오.

03 ★ 자연에 대한 서로 다른 관점을 바르게 설명한 것은?
[중요]
① 인간 중심주의─ 자연과 인간이 조화를 유지하기 위해 필요한 관점이다.
② 인간 중심주의─ 자연은 인간의 욕구를 충족시키는 수단이며, 인간은 자연의 주인이다.
③ 생태 중심주의─ 인간의 행복을 위해서라면 자연을 마음대로 이용할 수 있다.
④ 인간 중심주의─ 지구는 하나의 생명체이고 인간도 자연의 일부로서 기능한다.
⑤ 인간 중심주의─ 인간을 포함한 모든 생물과 무생물들은 그 자체로 가치를 가지고 있다.

04 환경 문제의 원인으로 볼 수 없는 것은?

① 인구의 증가
② 빈부 간의 격차
③ 산업화와 도시화
④ 환경에 대한 무지와 무관심
⑤ 무분별한 개발과 환경의 파괴

05 [주관식] 미래 세대가 필요로 하는 자원과 그들이 누려야 할 권리를 침해하지 않는 범위 안에서 현재 세대의 필요를 충족하는 발전 방식을 무엇이라고 하는지 쓰시오.

06 다음 글에 나타난 정연이의 잘못된 소비 생활의 자세는?

> 오늘은 현장 체험학습을 가는 날이다. 아침 일찍 정연이 아버지께서는 김밥과 과일을 준비하여 도시락 통에 담아 주시고 수저도 챙겨 넣으셨다. 이를 본 정연이는 나중에 도시락 통과 수저를 가지고 오는 게 귀찮다면서 일회용 도시락과 나무젓가락을 넣어 갔다.

① 종 차별주의 　　② 생태 중심주의
③ 외모 지상주의 　　④ 개인 편의주의
⑤ 물질 중심주의

07 (가), (나)의 환경친화적 소비 생활을 차례대로 바르게 나열한 것은?

> • (가): 인류의 행복과 자연이 조화를 이루는 삶을 추구하는 소비
> • (나): 자신의 건강뿐만 아니라 환경과 지속 가능성까지 배려하는 생활 방식

① 합리적 소비 – 윤리적 소비
② 윤리적 소비 – 로하스
③ 녹색 소비 – 윤리적 소비
④ 로하스 – 윤리적 소비
⑤ 윤리적 소비 – 합리적 소비

2 과학 기술과 도덕의 관계는 무엇인가?

08 과학 기술이 우리 삶에 미치는 영향을 가장 바르게 이해한 것은?

① 우리의 삶에서 과학 기술이 차지하는 부분은 과거에 비해 점차 약해지고 있다.

② 과학 기술은 혜택과 문제점을 동시에 안고 있으므로 비판적으로 검토할 필요가 있다.

③ 과학 기술의 발달은 인간과 생태계에 재앙을 가져올 뿐이므로 과학을 포기해야 한다.

④ 과학 기술의 발달은 우리의 삶을 풍요롭게 만들었으며 아무런 문제점도 찾을 수 없다.

⑤ 과학 기술의 발달로 기계화가 진행될수록 인간이 기계를 지배하는 비인간화 문제가 있다.

09 서술형 인류가 과학 기술의 위험성을 깨닫고 과학 기술의 사회적 책임을 중요하게 인식하게 된 계기가 된 사건과 그 이유를 서술하시오.

10 환경 문제를 바라보는 여러 입장 중에서 과학 만능주의에 해당하는 것은?

① 인류의 욕망을 줄이지 않고서 환경 문제를 해결할 수 없다.

② 과학 기술의 발달은 더 많은 자원 소비를 통한 환경 문제를 가져왔다.

③ 과학 기술 그 자체는 환경 문제와 관련이 없으며 기계에 의존하는 인간의 태도가 잘못이다.

④ 과학 기술은 자연의 원리를 밝혀내고 이를 인간 생활에 유용하도록 식량과 건강 등에 관한 환경을 개선하였다.

⑤ 현재 우리가 경험하는 환경 오염을 비롯한 모든 환경 문제는 과학 기술이 발달하면 모두 완전히 해결할 수 있다.

11 주관식 헉슬리가 쓴 공상 과학 소설로, 과학의 발달로 인해 우리가 마주하게 될지도 모를 미래 사회의 암울한 모습을 그린 책 제목은 무엇인지 쓰시오.

12 빈칸에 들어갈 가장 알맞은 말은?

> 나래: 과학의 발전은 인간에게 물질의 풍요를 주었어.
>
> 마루: 네 말이 맞아. 그렇지만 물질적 풍요에 대한 과도한 욕망으로 인해 (　　　)에 빠지게 만든 부정적인 면도 있지.
>
> 두리: 새로운 과학 기술이 또 다른 문제를 가져온 경우도 있지. 예를 들면 항생제가 전혀 듣지 않는 슈퍼 박테리아가 생겨났으니까.

① 물질 만능주의 　　　② 과학 만능주의

③ 외모 지상주의 　　　④ 과학 혐오주의

⑤ 인간 중심주의

13 과학 기술이 발달하면서 해결되고 있는 문제가 <u>아닌</u> 것은?

① 식량 문제 　　　② 삶의 의미 찾기

③ 질병 치료와 건강 증진 　④ 지리적인 한계의 극복

⑤ 생명 연장에 대한 희망

14 과학 기술의 발달에 따라 등장하게 되는 도덕 문제로 적합하지 <u>않은</u> 것은?

① 안락사를 허용해야 할 것인가?

② 동물의 장기를 이식하는 것이 옳은가?

③ 인간 복제 실험을 하는 것은 정당한가?

④ 인간과 기계의 경계를 어떻게 나눌 것인가?

⑤ 첨단 과학 분야에 대한 국가적 지원을 해야 하는가?

15 과학 기술의 바람직한 발전을 위해 필요한 노력으로 옳지 <u>않은</u> 것은?

① 인간의 절대적 가치와 존엄성을 잊지 말아야 한다.

② 인류의 삶을 개선하기 위해서 자연 파괴는 허용한다.

③ 생명체를 함부로 다루거나 불필요한 고통을 주지 말아야 한다.

④ 연구 대상이나 방법, 결과의 사용 등 연구 전반에 대한 규범을 마련하여 지킨다.

⑤ 과학 기술이 올바른 방향으로 발전하도록 도덕이 바른 길잡이 역할을 하도록 한다.

3 삶과 죽음의 의미는 무엇인가?

16 다음 글에 나타난 삶의 특징이 **아닌** 것은?

> 삶은 왜 소중할까? 그것은 단 한 번뿐이기 때문이다. 또한 지나간 시간은 되돌릴 수 없기에 되풀이하여 살 수 없으며, 앞으로의 시간도 영원하지 않기 때문이다.

① 일회성 ② 유한성 ③ 불공평성
④ 비가역성 ⑤ 반복 불가

17 다음의 표현과 의미가 서로 통하는 것은?

> 내가 헛되이 보낸 오늘 하루는 어제 죽어 간 이가 그토록 살고 싶어 하던 내일이다. – 소포클레스

① 참된 욕구가 없으면 참된 만족도 없다. –볼테르
② 최고의 도덕은 끊임없는 봉사, 인류를 위한 사랑으로 일하는 것이다. –간디
③ 자연은 인간을 결코 속이지 않는다. 우리를 속이는 것은 항상 우리 자신이다. –루소
④ 별이 빛나는 하늘과 내 마음 속의 도덕 법칙을 통해 나는 살아 있다는 것을 느낀다. –칸트
⑤ 만약 오늘이 내 인생의 마지막 날이라면 지금 하려고 하는 일을 할 것인지 묻는다. –스티브 잡스

18 사회적 관계 측면에서 삶의 소중함을 바르게 설명한 것은?

① 삶은 누구에게나 한 번만 주어진다.
② 후회하는 삶을 살고 싶은 사람은 없다.
③ 비교할 수 없는 절대적 가치를 가지고 있다.
④ 오래 살기를 원하지만 삶이 영원할 수는 없다.
⑤ 나의 삶은 가족이나 친구들에게도 큰 의미가 있다.

19 주관식 다음이 공통으로 설명하는 이것은 무엇인지 쓰시오.

> • 삶의 첫 마디가 태어남이라면 끝마디는 이것이다.
> • 이것을 통해 삶의 의미와 소중함을 알게 된다.

20 죽음을 대하는 태도로 옳지 **않은** 것은?

① 갈등이 있었던 사람에게 화해를 청한다.
② 자신을 돌아보는 마무리 시간을 가진다.
③ 사랑하는 사람들에게 감사의 인사를 전한다.
④ 자신의 운명에 대한 분노를 행동으로 표출한다.
⑤ 자연의 섭리이자 삶의 한 부분으로 받아들인다.

21 주관식 죽음에 대해 다음과 같은 입장을 가졌던 사상가는 누구인지 쓰시오.

> 죽음은 참된 진리에 대한 앎을 방해하는 육체로부터의 해방이다. 죽음의 세계에 도착하면 그들이 이 세상에서 바라던 지혜를 얻게 될 희망으로 가득할 것이다. 죽음의 세계에서만 참된 지혜를 보람 있게 향유할 수 있으므로 기쁨으로 죽음을 맞이해야 한다.

22 죽음에 대해 다음과 같은 입장을 보여 주는 묘비명은?

> 아름다운 마무리는 삶에 대해 감사하게 여긴다. 내가 걸어온 길 말고는 나에게는 다른 길이 없었음을 깨닫고 그 길이 나를 성장시켜 주었음을 긍정한다. 자신에게 일어난 일들과 모든 과정의 의미를 이해하고 나에게 성장의 기회를 준 삶에 대해, 이 존재계에 대해 감사하는 것이 아름다운 마무리다. 그리고 아름다운 마무리는 언제든 떠날 채비를 갖춘다. 우리 앞에 놓인 이 많은 우주의 선물도 그저 감사히 받아 쓸 뿐, 언제든 빈손으로 두고 떠날 수 있도록 준비한다. – 법정 스님

① 일어나지 못해서 미안하오. – 헤밍웨이
② 고로 여기 이 철학자는 영원히 존재할 것이다. –데카르트
③ 아름다운 이 세상 소풍 끝내는 날, 가서 아름다웠다고 말하리라. – 천상병
④ 상상력, 큰 희망, 그리고 굳은 의지는 우리를 성공을 이끌 것이다. – 에디슨
⑤ 내면을 사랑한 이 사람에게 고뇌는 일상이었고, 글쓰기는 구원을 향한 간절한 기도의 한 형식이었다. –카프카

4 마음의 평화는 어떻게 이룰 수 있을까?

23 고통의 원인에 대한 유교의 입장을 나타낸 글이다. 빈 칸을 바르게 채우면?

> 절제되지 않는 인간의 욕구 때문에 고통이 생깁니다. 수양을 통해 (   )을(를) 보존하고 욕망을 극복하면 고통에서 벗어날 수 있습니다.

① 해탈　　　　　② 쾌락
③ 중용　　　　　④ 선한 본성
⑤ 믿음, 소망, 사랑

24 다음에서 알 수 있는 고통의 의의로 가장 옳은 것은?

> 고통을 회피하거나 좌절로만 받아들이려는 삶, 현재의 자기 삶에 대해 성찰 없는 만족, 뚜렷한 목표와 실천을 하지 않는 삶이 과연 행복한 것일까? 인간은 고통의 경험을 통해 삶을 성찰할 수 있는 존재이다. 오랜 기간 비가 오는 장마의 시기가 지나 맑은 날씨를 느끼듯, 고통은 아픔 이상의 의미를 준다.

① 삶의 소중함을 느끼게 하는 계기가 된다.
② 삶을 성찰하여 종교와 신앙을 가지게 된다.
③ 심하면 인간을 좌절과 죽음에 이르게 한다.
④ 타인의 고통에 대한 공감 능력을 이끌어 준다.
⑤ 예술적 영감을 불러일으켜 위대한 작품을 남긴다.

25 다음 글에서 찾을 수 있는 고통의 역할은?

> 추위를 피하려고 옷과 집을 만들었고, 배고픔에서 벗어나고자 농사를 지었다. 지진이 잦은 일본은 그 피해를 줄이기 위해 노력하는 가운데 세계 최고의 내진 설계 기술을 발달시킬 수 있었다.

① 개인적으로 몸과 마음을 단련시켜 준다.
② 다른 사람을 이해하고 배려하도록 도와준다.
③ 스스로를 자신을 보호하고 위험을 벗어나게 한다.
④ 새로운 인류 문화와 문명을 창조하는 바탕이 된다.
⑤ 자신의 삶이 얼마나 소중한지를 다시 깨닫게 해 준다.

26 희망을 대하는 자세로 옳지 <u>않은</u> 것은?

① 희망을 실현하기 위해 구체적 계획을 세운다.
② 나다움을 실현하는 것으로 개인적 희망을 이해한다.
③ 능력보다는 하고 싶은 것을 중심으로 희망을 설정한다.
④ 어려운 상황 속에서도 희망을 통해 현실을 극복하려고 노력한다.
⑤ 희망을 이루는 과정 속에서도 도덕적 방법으로 이루려고 노력한다.

27 서술형 마음의 평화를 위한 노력으로 마음의 여유를 강조하는 이유 두 가지를 쓰시오.

28 희망을 통한 마음의 평화가 우리에게 주는 것으로 옳지 <u>않은</u> 것은?

① 비도적적인 행동을 예방해 준다.
② 절망과 좌절을 극복하도록 돕는다.
③ 목표를 이루는 결과에 집착하도록 한다.
④ 고통을 이겨 내고 목표를 향해 나아가는 힘을 준다.
⑤ 삶에 대한 만족을 통해 진정한 행복을 느끼게 한다.

29 도덕적인 삶을 통한 마음의 평화를 이루기 위해 가장 필요한 것은?

① 진정한 친구와의 우정
② 양심을 지키는 떳떳한 마음
③ 침착하게 상황을 분석하는 이성
④ 다른 사람의 충고를 받아들이는 열린 생각
⑤ 지나간 일에 대한 후회와 미래에 대한 불안감

01 다음 내용을 통해 이끌어 낼 수 있는 것은?

> 우리는 궁금한 것이 있으면 사이버 공간을 찾는다. 학교에서 내 주는 숙제를 할 때도, 우리 동네에서 가장 맛있는 음식점을 찾을 때도, 어떤 일을 처리하기 위해 어떻게 관공서를 찾아가야 하는지 확인할 때도 사이버 공간을 찾는다.

① 사이버 공간은 대중 매체이다.
② 사이버 공간은 정보의 바다이다.
③ 사이버 공간에서는 사생활이 노출된다.
④ 사이버 공간은 정의가 실현된 공간이다.
⑤ 사이버 공간은 또 하나의 생활 공간이다.

02 사이버 폭력에 대한 설명과 거리가 먼 것은?

① 누구나 사이버 폭력의 피해자가 될 수 있다.
② 자유롭게 말할 수 있기 때문에 자주 발생한다.
③ 누가 폭력을 행사했는지 밝혀내기가 용이하다.
④ 급속도로 확산되어 돌이킬 수 없는 피해를 입는다.
⑤ 개인 정보를 철저히 관리하는 것은 사이버 폭력 예방에 도움이 된다.

03 다음 글에 나타난 사이버 공간의 특성은?

> 사이버 공간의 정보는 남녀노소나 지위의 높고 낮음의 떠나 모든 사람들이 이용할 수 있다.

① 익명성   ② 자율성
③ 다양성   ④ 신속성
⑤ 개방성

04 다음 글에서 이야기하고 있는 사이버 공간의 도덕적 원칙은?

> 다른 사람을 해치지 말아야 한다는 소극적 의미와 함께 다른 사람의 행복을 증진해야 한다는 적극적 의미를 모두 포함한다. 인터넷을 통해 해킹(hacking)을 하거나 바이러스나 거짓 소문을 퍼뜨리는 경우가 있다. 이러한 비도덕적 행동은 불특정 다수에게 물질적·정신적으로 많은 피해를 준다.

① 관용   ② 정의
③ 책임   ④ 해악 금지
⑤ 인간 존중

05 모티켓의 내용과 거리가 먼 것은?

① 통화할 때 전화를 받는 사람이 통화가 가능한지부터 확인한다.
② 문자 메시지를 보낼 때 발신자 이름을 반드시 적어 보내도록 한다.
③ 상대방이 운전 중일 때는 졸음 방지를 위해 긴 시간 동안 통화한다.
④ 지하철이나 버스에서는 다른 사람에게 피해가 가지 않도록 조용히 간단하게 통화한다.
⑤ 카메라 폰을 이용할 경우 상대방의 인권과 사생활을 침해하지 않는지 생각한 후 양해를 구하고 찍는다.

06 (주관식) 다음 글에서 말하는 사이버 범죄는 무엇인지 쓰시오.

> 창작물은 정당한 대가를 주고 이용해야 합니다. 돈을 지불했더라도 창작물을 저작자의 동의 없이 공유하는 것은 범죄 행위입니다.

07 주관식 컴퓨터와 정보 통신 기술이 산업의 중심이 되는 시대를 무엇이라고 하는지 쓰시오.

08 서술형 과도한 스마트폰 사용으로 인해 발생하는 부작용을 두 가지 이상 서술하시오.

09 채팅 방에 불러 놓고 비난과 욕설을 하는 행위는?

① 사이버 따돌림
② 사이버 괴롭힘
③ 개인 정보 침해
④ 지식 재산권 침해
⑤ 사이버 명예 훼손

10 다음 (가), (나)에 대한 설명으로 옳지 않은 것은?

(가) (나)

① (가)는 외적 갈등이고 (나)는 내적 갈등이다.
② (가)와 같은 갈등은 주로 선택의 어려움에 직면할 때 나타난다.
③ (나)와 같은 갈등이 깊어지면 인간관계가 단절되는 경우가 발생할 수 있다.
④ (나)의 경우처럼 다른 사람들과 갈등 관계에 놓이면 서로 감정적으로 불편해질 수 있다.
⑤ (가)의 경우 자신의 옷을 사고 싶은 욕구와 어머니의 생신 선물을 사야 한다는 생각이 갈등을 겪고 있다.

11 가치 갈등에 대한 설명으로 옳지 않은 것은?

① 개인 간의 갈등이 심화되면 인간관계가 불편해진다.
② 갈등은 개인이나 사회의 발전에 아무런 도움을 주지 못한다.
③ 사고방식이 다르거나 의사소통이 부족할 때도 갈등이 일어난다.
④ 갈등은 그 자체가 문제라기보다 미숙하게 해결할 때 문제가 된다.
⑤ 비언어적 의사 표현도 가치 갈등을 줄이는 데 도움이 될 수 있다.

12 갈등을 평화적으로 해결하는 것이 중요한 이유를 │보기│에서 모두 고른 것은?

│보기│
ㄱ. 갈등을 해결하는 과정에서 신뢰를 잃을 수 있다.
ㄴ. 사람들 사이의 갈등의 정도를 심화시킬 수 있다.
ㄷ. 다른 사람의 입장을 이해하고 존중하는 태도를 기를 수 있다.
ㄹ. 오해를 풀고 타협을 하는 과정에서 서로의 관계가 더욱 돈독해진다.
ㅁ. 타협하는 자세를 배우고 민주적인 의사소통의 자세를 지닐 수 있다.

① ㄱ, ㄴ, ㄷ
② ㄴ, ㄷ, ㄹ
③ ㄷ, ㄹ, ㅁ
④ ㄱ, ㄷ, ㄹ
⑤ ㄴ, ㄹ, ㅁ

13 서술형 다음과 같은 갈등 해결 방법에 대해 평가해 보시오.

갈등 상황에서 혼자 참고 넘어가거나 화제를 돌려 회피하는 사람이 있는가 하면, 어떤 사람은 직접 상대방을 비난하고 화를 내거나 폭력을 행사하기도 한다.

14 주관식 갈등을 해결할 때 사용되는 가장 부적절한 방법은 무엇인지 쓰시오.

15 다음과 같은 상황에서 필요한 태도로 가장 적절한 것은?

① 대립과 경쟁　　　② 후회와 성찰
③ 봉사와 희생　　　④ 역할과 책임
⑤ 대화와 타협

16 갈등을 평화적으로 해결하는 방법에 해당하는 용어가 알맞게 짝지어진 것은?

> (가) 대화를 통해 당사자들이 만족할 수 있는 합의를 이끌어 낸다.
> (나) 갈등 당사자 각각에게 이야기를 들어 보고 중립적인 제삼자가 해결책을 직접 제시한다.
> (다) 제삼자가 당사자들의 의견을 들어 보고 당사자들의 의사소통을 도와 스스로 해결 방법을 찾을 수 있도록 한다.

	(가)	(나)	(다)
①	협상	중재	조정
②	협상	조정	중재
③	중재	협상	조정
④	중재	조정	협상
⑤	조정	협상	중재

17 주관식 다음 글의 밑줄 친 부분에 들어갈 적절한 말을 쓰시오.

> 갈등 자체를 바람직하지 못한 것으로만 봐서도 안 된다. 중요한 것은 갈등을 어떻게 해결해 나가느냐 하는 것이다. _____을(를) 통해 갈등을 해결하려고 노력한다면 갈등은 건강한 사회의 조건이 될 수 있다.

18 갈등에 대한 생각으로 옳지 않은 것은?

① 갈등은 평화적인 방법을 통해 적극 해결해야 한다.
② 갈등은 건강한 사회를 이루는 조건이 될 수도 있다.
③ 갈등 자체를 바람직하지 못한 것으로 보면 안 된다.
④ 갈등이 전혀 나타나지 않는 사회가 건강한 사회이다.
⑤ 사람들이 지닌 다양한 관점과 가치를 존중해야 갈등을 줄일 수 있다.

19 다음 대화에서 나타나는 갈등 해결 방법은?

> 나래: 하천 주변 청소는 이미 옆반에서도 하기로 했다고 들었어.
> 두리: 나도 꼭 하천 주변 청소만 해야 한다는 것은 아니지만, 우리가 진짜 도움이 필요하신 분들을 선정하는 것도 힘들지 않을까?
> 하나: 그렇다면 노인 복지 센터를 통해서 우리가 도울 일이 있는지 알아보고 계획을 짜는 것은 어떨까?
> 나래: 하나, 네 말이 맞아. 왜 그 생각을 못했을까?
> 두리: 나도 찬성이야. 그러면 먼저 어느 노인 복지 센터를 통하는 것이 좋을지부터 결정하자.

① 중재　　　　　② 협상
③ 조정　　　　　④ 폭력
⑤ 회피

⊘정답 237쪽

20 다음 중 폭력을 행사할 가능성이 가장 낮은 사람은?

다음 질문에 그렇다고 생각하면 ○표, 그렇지 않다고 생각하면 ×표, 그저 그렇다고 생각하면 △표를 하시오.

번호	질문 내용	A	B	C	D	E
1	문제 해결 과정에서 폭력을 사용하면 안 된다.	○	×	○	○	×
2	화가 나면 엉뚱한 사람에게 화풀이를 한다.	×	○	×	×	○
3	갈등이 생기면 직접 분풀이를 해야 직성이 풀린다.	×	×	○	×	○
4	폭력은 피해 학생 스스로 해결해야 한다.	×	○	×	×	○
5	폭력은 피해자에게 신체적·심리적 후유증을 남긴다.	×	×	○	○	×

① A   ② B   ③ C
④ D   ⑤ E

21 다음 밑줄 친 부분에 들어갈 말로 적절한 것은?

> 폭력이 널리 퍼져 있는 사회의 구성원들은 어떤 문제를 해결할 때 합리적인 절차와 과정을 따르기보다는 부당한 방법을 써서라도 더 강한 힘을 가지려고 하게 된다. 이렇게 되면 결국 _____

① 폭력의 악순환이 끊어지게 된다.
② 사회 정의가 무너지게 될 것이다.
③ 폭력은 근본적으로 해결할 수 있다.
④ 옳고 그름의 기준이 확립될 것이다.
⑤ 이성적이고 합리적인 사회가 될 것이다.

22 (서술형) 개인적 차원에서 폭력 예방을 위해 길러야 할 능력을 두 가지 쓰시오.

23 다음 그림에서 나타나는 폭력의 유형을 순서대로 제시한 것은?

① 구조적 폭력, 언어적 폭력, 정서적 폭력
② 언어적 폭력, 신체적 폭력, 정서적 폭력
③ 정서적 폭력, 언어적 폭력, 구조적 폭력
④ 언어적 폭력, 간접적 폭력, 정서적 폭력
⑤ 사이버 폭력, 구조적 폭력, 언어적 폭력

24 폭력에 대한 설명으로 옳은 것은?

① 폭력이 사라지지 않는 것은 방관자의 잘못도 크다.
② 방관자가 되지 않으려면 물리적 힘을 길러야 한다.
③ 폭력에는 직접 나서지 않고 지켜보는 것도 필요하다.
④ 방어자보다 방관자가 많아야 학교 폭력이 줄어든다.
⑤ 친한 친구가 폭력을 당하면 힘을 모아 응징해야 한다.

25 다음 글을 통해 배워야 할 점으로 가장 적절한 것은?

> 저는 폭력의 가해자만큼이나 방관자도 잘못이라고 생각합니다. 무엇보다 제 자신이 어려움에 처한 친구를 외면했다는 비겁함에 대한 죄책감을 떨칠 수가 없습니다. 저는 방관자는 또 다른 유형의 가해자이자 피해자가 될 수밖에 없다는 사실을 이제야 깨닫게 되었습니다.

① 학교 폭력 상담 기관의 연락처를 알아두어야 한다.
② 폭력 없는 학교, 폭력 없는 사회를 만들어야 한다.
③ 폭력 가해자와 방관자는 같은 처벌을 내려야 한다.
④ 다른 사람에게 피해를 주는 행동을 해서는 안 된다.
⑤ 폭력을 당하는 친구의 어려움에 공감하고 도와야 한다.

01 국가의 기원에 대한 홉스의 입장에 해당하는 것은?

① 국가는 신의 뜻을 따라 성립되었고 국왕은 신이 보낸 유일한 대표자이다.

② 서로 함께 살아가려는 인간의 사회적 본성 때문에 자연스럽게 국가가 발생하였다.

③ 사회적 동물인 인간이 자연스럽게 서로 어울려 집단을 만들고 그것이 커지면서 국가가 되었다.

④ 소득, 보건, 의료, 교육, 주택, 재활 등 각각의 사회 복지 분야에 지원하기 위해 국가를 만들었다.

⑤ 국가가 없는 자연 상태는 위험하거나 불안정하므로 생명, 안전, 재산을 보호하기 위해 국가를 만들었다.

02 다음 중 소극적 국가관에 해당하는 주장은?

① 개인의 자유와 권리를 최대한 보장하기 위해 국가의 역할을 최소화해야 한다.

② 형편이 어려워 끼니를 해결하기 어려운 사람들에게는 국가에서 식사를 지원해야 한다.

③ 국민이 인간다운 삶을 살 수 있도록 국가가 개인의 생활에 적극적으로 개입해야 한다.

④ 어려운 사람에게 의료 혜택을 주는 등의 방법으로 국민이 인간답게 살 권리를 보장해야 한다.

⑤ 개인은 국가에 지나치게 의존하고 개인의 자유가 침해될 수 있으며, 국민의 세금 부담이 커질 수 있다.

03 [주관식] 다음 글의 빈칸에 공통적으로 들어갈 말을 쓰시오.

> 국가는 권력의 주체가 (   )임을 알고, 다수의 (   )들을 위해 권력을 책임감 있게 사용해야 한다.

04 [주관식] 다음 글에서 설명하고 있는 개념이 무엇인지 쓰시오.

> • 민주주의 국가에 살면서 권리와 의무를 갖고 국가의 여러 가지 일에 참여하는 사람을 뜻한다.
> • 자발적이고 능동적으로 자신이 속한 공동체에 대해 고민하고, 주체적으로 참여하는 사람을 말한다.

05 다음 대화의 밑줄 친 부분에 들어갈 말로 옳은 것은?

> 선생님: 바람직한 시민이 되기 위해 우리가 가져야 할 자세에는 무엇이 있을까요?
> 나래: 정치 지도자들이 알아서 잘할 테니, 우린 각자 할 일을 열심히 해야겠죠.
> 두리: 사회 문제에 신경 쓰기보다는 자신의 삶을 도덕적으로 잘 사는 게 중요할 것 같아요.
> 선생님: _____

① 정치 지도자들을 믿는다고? 기대하지 말아야 해.

② 개인이 도덕적으로 살면 도덕적인 사회가 되는 거야.

③ 사회적인 일에 관심을 가지면 개인적으로 손해가 돼.

④ 우리 일도 바빠. 나라 일을 생각할 시간이 어디 있니?

⑤ 주인 의식을 가지고 사회의 일에도 적극적으로 참여해야 해.

06 나라를 사랑하는 바람직한 자세에 해당하는 것은?

① 다른 나라에 대한 우월감을 가진다.

② 자기 나라에 대한 관심과 애정을 가진다.

③ 자기 나라의 이익만을 우선해서 추구한다.

④ 국가가 하는 일은 그것이 무엇이든 따른다.

⑤ 자기가 속한 나라는 완벽한 나라로 생각한다.

⊘정답 238쪽

07 서술형 **다음 글에서 이끌어 낼 수 있는 결론을 서술하시오.**

> 민주주의 국가에서는 제도를 잘 만드는 것도 중요하지만, 그 제도를 이끌어 가는 시민들이 올바른 시민 의식을 지닐 때 더욱 발전한다.

08 **다음 대화의 주제로 볼 수 있는 것은?**

> 민지: 법을 지켜야만 최소한 지켜야 할 기준이 생기고, 사회의 질서가 생기게 된다.
> 동수: 사회적인 합의를 통해 만들어진 법을 지키는 것도 최소한의 약속이며, 마땅한 의무이다.
> 영훈: 사회적인 합의를 통해 만들어진 법을 지키는 것도 최소한의 약속이며, 사회 구성원들의 마땅한 의무이다.

① 법을 지키면 공익을 증진할 수 있는가?
② 법을 지키지 않았던 경험이 존재하는가?
③ 시민들이 갖추어야 할 자질은 무엇인가?
④ 법을 지키지 않으면 어떤 문제가 생기는가?
⑤ 우리가 법을 지켜야 하는 이유는 무엇인가?

09 **다음 글을 통해 알 수 있는 것은?**

> 1950년대에도 미국에서는 흑인과 백인 사이에 제도적 차별이 존재하였다. 미국 몽고메리 시에서 시내버스에 흑인 좌석 분리 규정이 있었는데, 파크스는 이에 대항하여 버스 승차 거부 운동을 주도하였고, 결국 버스 좌석 분리 제도는 폐지되었다.

① 인간의 기본적인 권리는 하늘이 준 것이다.
② 인종 간에는 태어날 때부터 차이가 존재한다.
③ 대중교통은 시민 모두가 같이 이용해야 한다.
④ 정의롭지 못한 법은 개선하도록 노력해야 한다.
⑤ 시민들의 권리는 개인의 노력으로 지켜야 한다.

10 주관식 **다음 글의 밑줄 친 이것이 가리키는 것을 쓰시오.**

> • 이것은(는) 옳고 그름에 대한 도덕적 판단을 위한 원리로서 모든 사회 질서의 근본이 된다.
> • 어떤 행위나 제도가 옳은지 그른지를 알아보기 위해서는 이것(이)라는 잣대로 판단해야 한다.

11 **분배의 정의에 대한 설명으로 옳은 것은?**

① 각자의 노력에 관계없이 똑같은 몫을 나누어 주는 것을 원칙으로 삼아야 한다.
② 동등하지 못한 사람이라도 같은 몫을 받게 해야 분배의 정의에 어긋나지 않는다.
③ 사회 구성원들 사이에 발생하는 이익이나 부담을 나누는 절차가 공정한가라는 문제와 관련된다.
④ 이익을 어떻게 분배할 것인가에 대한 가장 기본적인 대답은 '각자에게 그에 합당한 몫을 주는 것'이다.
⑤ 분배와 관련된 정의에는 다양한 관점이 있으므로 공정한 분배 방식에 대해서 모두 법으로 정해야 한다.

12 **다음 글에서 늑대 B가 억울해한 이유가 아닌 것은?**

> 창고에 둔 고기가 종종 없어지곤 하였다. 조사 결과 도둑 늑대는 두 마리였는데, 한 번 훔친 늑대 A와 여섯 번이나 훔친 대장 늑대의 동생인 늑대 B였다.
> 화가 난 대장 늑대는 늑대 A와 늑대 B에게 일주일 동안 고기를 나누어 주지 않는다는 벌을 내렸다. 늑대 A는 여섯 번이나 훔친 B가 자신과 같은 벌을 받는다는 것은 말이 안 된다면서 억울해했다.

① 대장 늑대 동생보다 더 많이 훔치지 못하였다.
② 대장 늑대는 '처벌의 형평성'을 고려하지 않았다.
③ 대장 늑대의 동생이라는 이유로 봐주면 안 된다.
④ 잘못의 정도에 따라 처벌의 정도가 정해져야 한다.
⑤ 사사로움을 떠나 잘못에 합당한 처벌을 해야 한다.

13 다음 글의 밑줄 친 부분에 들어갈 말은?

> 삶의 과정에서 경쟁이 필요한 것은 사실이다. 그러나 경쟁에서 살아남으려는 과정에서 남을 속이거나 짓밟는 등 많은 부작용이 드러나기도 한다. 이와 같은 문제를 해결하기 위해 필요한 것이 _____이다.

① 경쟁의 회피 ② 공정한 경쟁
③ 완전한 경쟁 ④ 치열한 경쟁
⑤ 무제한적 경쟁

14 (서술형) 다음과 같은 경쟁이 공정한 경쟁인지 아닌지 밝히고, 그렇게 생각한 이유가 무엇인지 서술하시오.

> 참가 선수들이 똑같이 42,195㎞를 달리는 국제 마라톤 경기를 하는데 우리나라 선수들은 내리막길을 달리게 하고, 다른 나라 선수들은 오르막길을 달리게 한다면 공정한 경쟁일까?

15 다음 글을 통해 알 수 있는 것은?

> 일부 회사에서 직원 자녀 우선 채용이나 특별 채용 사례가 좀처럼 사라지지 않고 있는 것으로 확인되면서 취업 준비생들의 불만이 쏟아지고 있다.
> 부모가 한 회사에서 오랫동안 일을 했거나 정년을 마쳤다는 이유로 취업 경쟁에서 그들의 자녀를 우대하는 것은 일자리를 대물림하는 것이라는 비판이 일기도 한다.

① 경쟁에 참여할 기회를 균등하게 보장해야 한다.
② 부모의 직업을 이어받는 것은 바람직한 일이다.
③ 특별 채용이 될 수 있는 방법을 알아 두어야 한다.
④ 경쟁 과정에서 살아남으려면 요령이 있어야 한다.
⑤ 경쟁 과정에서 성별이나 경제적 능력을 고려해야 한다.

16 부패 행위가 가져오게 되는 결과로 옳은 것은?

① 정부나 기업에 대한 불신이 사라진다.
② 개인의 도덕적 실천 의지가 강화된다.
③ 개인의 자아실현에 장애 요인이 된다.
④ 사회 정의 실현에 긍정적으로 작용한다.
⑤ 국가 경쟁력을 강화시키는 기반이 된다.

17 다음 중 연고주의에 바탕을 두고 한 말은?

① 윗물이 맑아야 아랫물이 맑다는 것을 알아야 해.
② 한국에서 성공하기 위해서는 인맥이 가장 중요해.
③ 실력이 중요해. 실력이 있으면 못할 게 뭐가 있어.
④ 실력이 없어도 행운이 있으면 합격할 수 있을 거야.
⑤ 공부를 열심히 하는 것보다 몇 등이냐가 더 중요해.

18 다음 중 아래와 같은 자세가 특히 많이 요구되는 사람은?

> 공적인 권한을 행사하는 사람들은 어느 누구보다도 사소한 부패 행위조차 용납하지 않으려는 높은 청렴 의식을 갖추어야 한다.

① 회사원 ② 농업인
③ 공무원 ④ 예술인
⑤ 고등학생

19 (주관식) 다음과 같은 상황이 초래된 시기는 언제인지 쓰시오.

> 북한은 경제난과 거듭된 자연재해를 거치면서 체제를 정상적으로 운영할 수 없게 되었다. 이에 따라 주민들은 자생적으로 생겨난 장마당과 암시장 등에 의존하여 생존을 영위해 나갈 수밖에 없다.

20 다음 글을 통해 알 수 있는 것은?

> 한반도는 대륙 세력과 해양 세력이 마주치는 곳으로 강대국들의 이해관계가 얽히면서 세력 대립의 각축장이 되었다. 이러한 이유로 제2차 세계 대전의 연합국이었던 미국과 소련은 일제를 패망시키면서 우리나라를 일본군 무장 해제라는 명분으로 나누어 점령하였다.

① 한국은 자치 능력이 부족한 나라이다.
② 한국은 발전 가능성이 있는 나라이다.
③ 우리 국민들은 분단을 당연하게 여겼다.
④ 한반도는 지정학적으로 중요한 지역이다.
⑤ 강대국들은 우리나라의 미래를 걱정하였다.

21 북한의 사회 현실에 대한 설명으로 옳은 것은?

① 주민들의 권리와 의무는 민주주의 기본 원칙에 바탕을 두고 있다.
② 출신 성분에 따라 교육 혜택, 직업 배치, 승진 등을 차별하지 않는다.
③ 집단의 이익보다는 개인의 이익을 추구하는 것을 바탕으로 하고 있다.
④ 북한의 국경 지역에서 외부 문물에 대한 주민들의 관심이 확산되고 있다.
⑤ 가정에서 자녀들이 부모를 섬기는 것은 수령을 받드는 것보다 중요하다고 교육받고 있다.

22 북한의 중앙 집권적 경제 체제가 가져온 결과로 옳은 것은?

① 경제의 비효율성과 공급 부족을 낳았다.
② 사치품을 생산하는 기업들이 성장하였다.
③ 주민들의 과소비 현상이 나타나게 되었다.
④ 근로자들의 대량 해고 사태가 발생하였다.
⑤ 기업들 간의 경쟁이 치열하게 전개되었다.

23 다음 주장의 근거가 되는 사례로 적절하지 <u>않은</u> 것은?

> 북한은 북한 주민들의 기본적 인권을 보장해야 할 의무가 있음에도 불구하고 이를 소홀히 하여 국제 사회에서 많은 비난을 받고 있다.

① 불법 구금 및 체포, 고문, 불공정한 재판 절차 등이 이루어지고 있다.
② 국가 정책에 반대하는 말을 한 사람은 정치범 수용소로 보내지기도 한다.
③ 출신 성분과 당성에 따라 차별받고 있어 평등권도 보호받지 못하고 있다.
④ 거주 이전의 자유, 종교의 자유, 여행의 자유 등 개인의 자유는 허용되지 않는다.
⑤ 주민들은 주택을 자유롭게 구매하거나 매달 사용료를 내는 임대 형식으로 살고 있다.

24 서술형 다음 글을 통해 이끌어 낼 수 있는 결론을 쓰시오.

> 북한 이탈 주민들은 남한에 정착하는 과정에서 경제적 어려움 못지않게 북에 두고 온 가족에 대한 그리움과 죄책감, 새로운 환경에 대한 두려움, 주위 사람들의 편견과 차별에 따른 상처 등을 안고 있다.

25 북한 이탈 주민들이 겪는 어려움으로 볼 수 <u>없는</u> 것은?

① 노력하지 않으면 원하는 결과를 기대할 수 없다.
② 북한에서 유용했던 자격을 인정받지 못하고 있다.
③ 남한 사회의 사고방식과 생활 방식을 낯설어 한다.
④ 새로 부딪히는 환경에 대한 두려움을 느끼게 된다.
⑤ 북에 두고 온 가족에 대한 그리움을 안고 생활한다.

01 통일을 해야 하는 이유를 알맞게 제시한 것은?

① 우리 민족이 지속적으로 발전할 수 있다.

② 군사력을 강화하여 약한 나라를 도울 수 있다.

③ 통일을 해야 하는 유일한 이유는 경제 발전이다.

④ 다른 나라의 부러움을 사는 데 필요한 조건이다.

⑤ 우리나라가 동북아시아의 강대국으로 군림할 수 있다.

02 통일에 대한 토론을 하였다. 옳지 않은 주장을 한 사람은?

① 수지: 지리적으로 나누어진 한반도가 하나로 이어져야 한다.

② 종혁: 통일은 남북한이 하나의 국가 공동체를 이룬 상태를 말한다.

③ 세나: 서로 다름을 존중하면서 우리는 하나라는 의식을 가져야 한다.

④ 미연: 정치·경제적으로 서로 대립된 제도와 체제를 존중하며 사는 것이다.

⑤ 준석: 심리적으로 남북한이 한마음으로 통하고 이질화된 문화가 통합되어야 한다.

03 주관식 다음과 같은 결과를 가져오기 위해 필요한 것은 무엇인지 쓰시오.

> 인구가 늘어나면서 노동과 소비 시장이 확대되고 사회에 활력을 줄 것이다. 줄어드는 국방비만큼 예산을 사회 복지 분야에 사용하여 복지 국가를 실현할 수도 있다. 또한 자원이 부족한 우리가 북한의 풍부한 자원을 활용함으로써 우리 민족의 잠재력을 발휘하는 기반을 마련할 수 있다.

04 서술형 '통일이 되면 많은 비용이 필요하다.'라는 주장의 근거가 무엇인지 두 가지를 서술하시오.

05 다음 글을 통해 교훈으로 삼아야 할 점은?

> 독일은 통일 후 사회 통합 과정에서 많은 진통을 겪었다. 오시(ossi)란 게으르고 불평만 늘어놓는 동독인이라는 말이고, 베시(wessi)는 거드름 피우며 잘난 척하는 서독인이라는 말이다. 지금은 더 이상 출신 지역으로 편을 나누지 않는다는 점에서 심리적 갈등은 사라졌다고 할 수 있다. 하지만 아직도 경제적인 면에서 기존 동독 주민과 서독 주민의 경제적 격차가 완전히 해소되지는 않았다. 독일 통일의 사례에서 알 수 있듯이 통일을 위해서는 지리·정치적으로 하나가 되는 것도 중요하지만 사회·심리적으로 먼저 하나가 되어야 한다.

① 지리적으로 통일하는 것이 중요하다.

② 경제적 격차를 완전히 해소해야 한다.

③ 통일에 대한 생각은 사람마다 다르다.

④ 가장 중요한 것은 정치 제도의 통일이다.

⑤ 남북한 주민들의 마음의 통일이 필요하다.

06 남북한이 믿음을 쌓고 민족 동질성을 회복하기 위해 필요한 노력은?

① 가능한 분야에서 교류와 협력을 증진한다.

② 주변 국가들과의 국제적 협력을 강화한다.

③ 상대방을 압도할 수 있는 강한 무기를 갖춘다.

④ 북한 주민들의 인권 보장을 지속적으로 요구한다.

⑤ 남북한이 실현하려고 했던 체제와 이념을 포기한다.

07 다음 빈칸에 들어갈 말을 순서대로 고르시오.

> (⊙: 문화적 / 정치적 / 지리적)(으)로 한반도가 하나로 이어지고, (ⓒ: 문화적 / 정치적 / 지리적)(으)로 서로 대립되었던 제도와 체제가 하나가 되며, (ⓒ: 문화적 / 정치적 / 지리적)(으)로는 이질화된 문화가 통합되고, 서로 다름을 존중하면서도 우리는 하나라는 의식을 가질 때 통일을 이루었다고 할 수 있다.

08 열린 민족주의를 위해 노력해야 할 점을 |보기|에서 모두 고른 것은?

> ┌보기┐
> ㄱ. 일상생활에서 연고주의를 강화한다.
> ㄴ. 다른 체제에 대한 배타적인 태도를 가진다.
> ㄷ. 우리 민족의 통합과 발전을 위해 노력한다.
> ㄹ. 인류 공영을 추구하는 진취적인 자세를 가진다.
> ㅁ. 다른 나라 문화의 장점을 적극적으로 받아들인다.

① ㄱ, ㄴ, ㄷ   ② ㄴ, ㄷ, ㄹ
③ ㄷ, ㄹ, ㅁ   ④ ㄱ, ㄷ, ㄹ
⑤ ㄴ, ㄷ, ㅁ

09 다음과 같은 주장에 대한 타당한 근거는?

> 우리는 남북한 간의 가치관이나 생활 방식 등의 차이점을 인정하되 인류의 보편적 가치에 비추어 잘못된 점을 고쳐 나가고 민족 동질성을 회복하는 작업을 해야 한다.

① 분단된 역사가 길고 문화의 이질화가 심하다.
② 남북한의 문화적 배경과 전통은 서로 다르다.
③ 남북한의 생활 방식의 차이는 돌이킬 수 없다.
④ 남북한은 역사적으로 동질성이 없는 집단이다.
⑤ 인류의 보편적 가치는 시대에 따라 차이가 있다.

10 다음 글을 통해 알 수 있는 것은?

> 인간은 자연에서 태어나 자연의 혜택 속에서 살고 자연으로 돌아간다. 하늘과 땅과 바다와 이 속의 온갖 것들이 우리 모두의 삶의 자원이다. 자연은 인간을 비롯한 모든 생명체의 원천으로서 오묘한 법칙에 따라 끊임없이 변화하면서 질서와 조화를 이루고 있다.

① 지구의 자원은 인간이 이용하기에 충분하다.
② 인간은 자연을 충분히 이용하며 살아야 한다.
③ 자연의 도움 없이 인간은 생존이 불가능하다.
④ 인간과 자연은 조화를 이루며 살기가 어렵다.
⑤ 인간이 있어야 자연의 모습을 유지할 수 있다.

11 다음 요소들의 공통점을 올바르게 찾은 것은?

> • 땅   • 숲
> • 공기   • 바다

① 생활의 편리함을 위해 만든 결과물이다.
② 원래부터 자연적으로 주어져 있는 것이다.
③ 시간이 흐를수록 점점 더 충분해지고 있다.
④ 과학 기술이 발달하면서 점차 늘어나고 있다.
⑤ 경제적 이익을 위해 인위적으로 만든 것이다.

12 다음 글을 통해 교훈으로 삼아야 할 것은?

> 햄버거에 들어가는 고기 한 조각을 생산하기 위해서는 5㎡의 목초지를 조성하여 소를 방목해야 한다. 이 때문에 숲이 파괴된다. 또한 매년 우리나라 땅 크기의 목초지가 방목으로 인해 사막화된다.

① 서양의 음식 문화는 변화시켜야 한다.
② 햄버거 재료는 수입해서 사용해야 한다.
③ 인간의 소비는 환경에 큰 영향을 끼친다.
④ 고기를 먹는 습관은 채식으로 고쳐야 한다.
⑤ 소를 방목하지 말고 우리에서 키워야 한다.

13 주관식 환경 중에서 주택, 공장, 도로, 차량과 같이 생활의 편리함이나 경제적 이득을 얻기 위해 만든 것을 무엇이라고 하는지 쓰시오.

14 서술형 '지속 가능한 발전'의 의미를 서술하시오.

15 소비에 대한 설명으로 옳지 않은 것은?

① 사람들은 많은 물건들을 소비하며 살아간다.
② 합리적인 소비를 하면 환경 문제는 해결된다.
③ 편의주의는 환경 문제를 가져오는 원인이 된다.
④ 소비는 우리 삶에서 중요한 부분이라고 할 수 있다.
⑤ 대부분의 소비자는 높은 만족도를 얻을 수 있는 방향에서 결정한다.

16 다음 글의 제목으로 적절한 것은?

> 오늘날 지구는 각종 환경 오염 및 자원 고갈, 환경 파괴 등으로 몸살을 앓고 있다. 현세대의 편리한 삶을 위해 무분별한 개발과 소비를 계속한다면, 이는 우리 자신뿐만 아니라 식물이나 동물 등 지상의 다른 생명체, 더 나아가 우리 후손의 생존까지 위협하게 될 것이다.

① 환경 변화에 대한 이해
② 환경친화적 삶의 필요성
③ 생태 중심주의의 문제점
④ 윤리적 소비를 하는 방법
⑤ 환경에 대한 가치관 실천 방법

17 자정 능력에 대한 설명으로 옳은 것은?

① 산업화로 많은 공장이 건설되면 자연의 자정 능력도 향상된다.
② 자연의 자정 능력에 대한 확고한 믿음을 가지고 생활해야 한다.
③ 지금과 같은 방법으로 자연을 개발하면 자정 능력에는 큰 문제가 없다.
④ 자연이 스스로를 복구 · 유지하면서 생명 활동을 가능하게 하는 능력이다.
⑤ 자연은 자정 능력이 있기 때문에 무분별하게 개발하고 활용해도 문제가 생기지 않는다.

18 다음 글에서 우리가 교훈으로 삼아야 할 것은?

> 평소에 소비자의 건강을 최우선으로 생각한다고 광고해 온 회사가 실제로는 환경을 오염시켜 온 것으로 드러났다. 이 회사는 오염 물질을 정화 처리하지 않고 빗물에 그냥 흘려보냈다가 관계 당국에 의해 적발되었다. 이 회사의 사장은 비용을 아끼기 위해 정화 처리 시설을 설치하지 않은 것이다. 그런데 오염 물질을 함부로 흘려보내는 행위가 이 회사 이외에도 많은 곳에서 벌어지고 있어서 심각한 사회 문제가 되고 있다.

① 인간의 이기심은 환경에 커다란 피해를 준다.
② 환경에 대한 충분한 지식을 갖추지 않으면 안 된다.
③ 자원 고갈을 방지하려면 모두가 함께 노력해야 한다.
④ 어떤 대가를 치르더라도 편리한 생활은 누려야 한다.
⑤ 환경에 대한 무관심은 인간의 생존 환경을 오염시킨다.

19 물새 서식지로서 중요한 습지의 보전에 관한 국제적 약속에 해당하는 것은?

① 바젤 협약 ② 교토 의정서
③ 람사르 협약 ④ 몬트리올 의정서
⑤ 리우 환경 협약

20 '현대는 과학 기술의 시대이다.'라는 주장의 근거로 볼 수 없는 것은?

① 각종 전기 · 전자 제품은 우리의 삶을 편리하고 윤택하게 만들어 준다.

② 교통 · 정보 통신 기술의 발달은 사람들 사이의 교류를 확대해 주었다.

③ 생명 공학의 발전으로 과거에 비해 우리의 건강이 증진되고 생명이 연장되었다.

④ 식량 문제나 질병과 같이 인류가 오랫동안 고민해 온 문제들을 해결해 주고 있다.

⑤ 사람들은 서로를 경쟁의 대상으로 보지 않고 더불어 살아갈 이웃으로 보고 있다.

21 서술형 다음 글을 통해 이끌어 낼 수 있는 결론이 무엇인지 서술하시오.

> 과학적 사고방식이 확산되면서 신화적 세계관이나 종교적 인간관은 상대적으로 위축되었다. 그 결과 과학적으로 증명할 수 없는 것들은 비합리적이고 신뢰하기 어렵다는 생각이 널리 자리 잡았다.

22 현대 과학 기술의 특징으로 보기 어려운 것은?

① 인류가 오랫동안 고민해 온 다양한 문제들을 해결해 주고 있다.

② 엄청난 비용을 투자하는 첨단 과학 기술 분야의 사업이 추진되고 있다.

③ 분자보다 작은 입자들을 조작하여 여러 기계 장치와 새로운 물질을 개발하고 있다.

④ 공동 연구에서 벗어나 다양한 분야의 전문가들이 독자적으로 연구를 진행하고 있다.

⑤ 과거 인류 역사상 이룬 모든 과학 기술보다 빠른 발전이 최근 100여 년 사이에 일어나고 있다.

23 다음 글을 통해 알 수 있는 것은?

> 노화와 수명의 비밀에 대한 인간의 도전은 계속되어 왔다. 구석기 시대부터 산업 혁명까지 인간의 기대 수명은 30세 안팎이었다. 하지만 현대 과학은 인간의 노화가 세포의 수명과 관련이 깊다는 사실을 밝혀냄으로써 수명 연장의 가능성을 열어 놓고 있다. 유엔에서 발표한 세계 인구 전망 보고서에 따르면 한국인의 기대 수명이 2015년 81.4세에서 2100년에는 93.6세로 꾸준히 늘 것으로 전망된다.

① 과학 기술은 모든 문제를 해결해 줄 수 있다.

② 과학 기술의 발달로 수명 연장이 가능해졌다.

③ 노화와 수명의 비밀은 이제 더 이상 비밀이 아니다.

④ 과학 기술의 목적은 인간의 수명을 연장하는 것이다.

⑤ 인류의 미래를 위해 수명은 무제한 연장되어야 한다.

24 '과학 기술은 가치 중립적이다.'라는 말의 의미는?

① 과학 기술에 도덕적 책임을 물을 수 있어야 한다.

② 과학을 이용하는 사람들의 가치관은 매우 다양하다.

③ 과학 기술이 우리의 삶에 끼치는 영향력이 높아졌다.

④ 오늘날에는 기술의 발달에 따른 인권과 생명 경시의 위험성이 제기된다.

⑤ 과학의 본질은 자연 현상의 원리와 법칙이라는 객관적 사실을 밝히는 것이다.

25 미래 세대의 권리를 존중해야 하는 이유는?

① 생명은 함부로 대해서는 안 되는 귀한 것이다.

② 물질 중시와 인간 중심적 태도를 극복해야 한다.

③ 다른 생명체와 지구 생태계에 피해를 주면 안 된다.

④ 현재의 필요를 충족시키기 위한 기술 개발이 과도한 자원의 낭비를 가져온다.

⑤ 살려고 하는 것은 모든 생명체의 고유한 성질임을 깨닫고 이를 존중해야 한다.

01 다음 중 삶에 대한 자세가 가장 올바른 학생은?

① 연아: 내 삶은 다른 사람보다 더 소중한 거야. 그러니 열심히 살아야 해.

② 효준: 삶은 너무 불공평해. 운명은 정해져 있는 거니까 열심히 살 필요가 없는 거야.

③ 동진: 가끔은 삶이 정말 허무하게 느껴질 때가 있어. 어차피 언젠가 모두 죽을 테니까.

④ 수미: 오직 한 번뿐인 삶이기에 삶을 소중하게 여기고 책임감 있게 살 수 있는 것 아닐까?

⑤ 철현: 글쎄, 나의 삶인데 굳이 책임이 필요할까? 남한테 피해만 안 주면 마음대로 살아도 되는 것 아니야?

02 다음 글을 통해 알 수 있는 것은?

> 삶은 다른 무엇과 비교할 수 없는 절대적 가치를 가지고 있다. 사람으로 태어났다는 사실 그 자체가 성스럽고도 존엄하다.

① 인간의 삶은 다양한 모습으로 나타난다.

② 인간의 삶은 그 어떤 것과도 바꿀 수 없다.

③ 다른 사람의 삶과 비교하면서 살아야 한다.

④ 사람답게 살아가려면 많은 노력이 필요하다.

⑤ 사람으로 태어나면 어떤 생활을 해도 성스럽다.

03 인간의 생명에 대한 설명으로 옳지 <u>않은</u> 것은?

① 한 번 잃어버리면 다시 찾을 수 없다.

② 유한하기 때문에 언젠가는 죽게 되어 있다.

③ 사람에 따라 존중해야 하는 이유가 다르다.

④ 인간의 어떠한 노력으로 만들어 낼 수 없다.

⑤ 그 어느 것과도 바꿀 수 없는 소중한 것이다.

04 (서술형) 인간의 삶이 소중한 이유가 무엇인지 두 가지 이상 서술하시오.

05 다음 글을 쓴 사람이 강조하고자 하는 것은?

> 사람들은 영원한 삶을 꿈꾸기도 하고, 죽으면 다시 태어나 새로운 삶을 살고 싶은 꿈을 갖기도 한다. 그러나 우리의 삶은 영원할 수 없고, 또 되풀이되지 않는다.

① 사람은 누구나 평등한 존재이다.

② 인간의 삶은 의미가 없는 것이다.

③ 사람들의 꿈은 이루어지지 않는다.

④ 현재의 삶의 소중함을 알아야 한다.

⑤ 나의 삶은 다른 사람의 삶보다 소중하다.

06 죽음을 마주하게 되었을 때 가져야 하는 태도로 옳은 것을 |보기|에서 있는 대로 고른 것은?

> **보기**
>
> ㄱ. 자신의 죽음을 부정하고 불운이라고 생각한다.
>
> ㄴ. 죽음을 두려워하고 피할 수 있는 방법을 찾는다.
>
> ㄷ. 자신의 삶을 되돌아보고 정리하는 시간을 가진다.
>
> ㄹ. 갈등이 있었던 사람들에게 화해와 용서를 구한다.
>
> ㅁ. 가깝게 지냈던 사람들에게 위로와 감사의 인사를 전한다.

① ㄱ, ㄴ, ㄷ   ② ㄴ, ㄷ, ㄹ

③ ㄷ, ㄹ, ㅁ   ④ ㄱ, ㄷ, ㄹ

⑤ ㄴ, ㄷ, ㅁ

07 (주관식) 다음의 밑줄 친 이것이 가리키는 것은 무엇인지 쓰시오.

> • 이것은(는) 생명체의 목숨이 끊어지는 것을 말하는 것으로, 우리의 삶이 영원할 수 없다는 삶의 유한성을 분명하게 보여 준다.
> • 인간을 비롯한 모든 생명체는 탄생과 성장의 과정을 거쳐 마침내 이것에 이르게 된다.

08 다음 물음에 대한 대답으로 옳지 <u>않은</u> 것은?

> 누구나 죽는다는 것은 보편적이고, 또 생명을 가진 것은 반드시 죽는다는 점에서 필연적이다. 우리는 이러한 죽음을 통해 무엇을 배울 수 있을까?

① 죽음은 삶의 기쁨과 생명의 소중함을 알려 준다.
② 삶을 의미 있게 살아야겠다는 다짐을 하게 된다.
③ 가치 있는 삶을 살아야 하는 이유를 일깨워 준다.
④ 자신이 도덕적으로 살아왔는지 돌아볼 수 있게 한다.
⑤ 높은 지위를 얻는 것이 중요하다는 생각을 갖게 한다.

09 (서술형) '죽음을 마주하게 되었을 때 어떻게 하는 것이 바람직할까?'라는 물음에 대한 답을 두 가지 제시하시오.

10 인간이 영원히 살 수 있게 될 경우 예상되는 결과는?

① 현재의 삶을 지극히 아끼고 사랑하게 될 것이다.
② 순간순간의 소중함을 느끼며 살아가야 할 것이다.
③ 지금의 삶을 가치 있게 살아야 할 이유가 될 것이다.
④ 주어진 시간의 소중함을 절실히 성찰해야 할 것이다.
⑤ 많은 사람들이 한정된 공간과 자원을 가지고 어렵게 살아갈 것이다.

11 다음 주장의 공통점을 옳게 제시한 것은?

> • 삶도 모르는데 어찌 죽음을 알겠습니까? 현실에서의 도덕적 삶이 무엇보다 중요합니다.
> • 살아 있는 동안 죽음을 경험할 수는 없습니다. 따라서 죽음을 두려워하기보다는 현실에서의 행복한 삶을 추구해야 합니다.

① 삶과 죽음 그 자체에 어떤 의미를 두지 않고 있다.
② 죽음의 세계에서 참다운 지혜를 보람 있게 누릴 수 있다고 생각한다.
③ 죽음을 내세에서 영원한 존재가 되려면 거쳐야 하는 단계로 보는 입장이다.
④ 내세의 삶보다는 현실 속에서의 도덕적 삶이나 행복 추구가 무엇보다 중요하다고 보고 있다.
⑤ 죽음을 행복한 내세를 맞이하는 과정으로 생각하고, 현재의 삶 속에서 도덕적으로 살 것을 강조한다.

12 (서술형) 다음 글에서 강조하는 자세가 무엇인지 서술하시오.

> 자신이 스스로 판단해서 어떤 일을 하고, 그 일에 대한 책임을 스스로 질 줄 알아야 한다. 다른 사람에게 의존적인 생활을 하거나 어떤 일이 잘못되었을 때 남을 탓하는 것은 올바른 삶의 태도라고 볼 수 없다.

13 다음 글이 강조한 내용으로 보기 <u>어려운</u> 것은?

> 잘못은 부끄러워하라. 그러나 잘못을 반성하는 것은 부끄러워하지 말라.   – 루소

① 잘못 판단한 것은 숨기려고 하지 말라.
② 일상생활에서 후회하는 습관을 가져라.
③ 자신의 부족한 점을 끊임없이 보완하라.
④ 자신의 행동을 냉정하게 돌이켜 보아라.
⑤ 자기 자신의 행동을 지속적으로 단속하라.

14 다음 글을 통해 알 수 있는 것은?

> 나의 삶은 나에게만 소중한 것이 아니라, 가족이나 친구 등 나와 관계를 맺고 있는 모든 사람들에게도 큰 의미가 있다.

① 나의 삶의 소중함을 다른 사람들에게 알려야 한다.
② 삶의 소중함은 사회적 관계 속에서도 찾을 수 있다.
③ 나의 삶의 주인은 나 자신이라고 생각하면 안 된다.
④ 우리는 미래를 생각하지 말고 현재만 생각해야 한다.
⑤ 자신의 삶보다 다른 사람들의 삶을 더 소중하게 여겨야 한다.

15 서술형 다음 글에서 알 수 있는 것이 무엇인지 서술하시오.

> 소질과 적성을 살려 자기 계발을 하고 이웃과 조화롭게 사는 것도 보람 있는 일이다. 또 자기가 맡은 일을 열심히 하는 가운데 사회를 위하여 필요한 일꾼이 된다거나, 어려운 환경에도 불구하고 용기를 가지고 인생을 개척해 나가는 것도, 화려하지는 않을지라도 충분히 의미 있는 삶으로 평가받을 수 있을 것이다.

16 다음 내용이 강조하려고 하는 것은?

> 인생은 산행(山行)과 비슷합니다. 산에는 오르기 힘든 가파른 언덕이 있는가 하면 걷기 쉬운 내리막길도 있습니다. 그러므로 오늘의 삶이 고통스럽다고 하더라도 절망할 필요는 없습니다. 고통을 참고 견디면 그에 대한 보상은 반드시 얻게 될 것입니다.

① 사람은 사람으로서 지켜야 할 도리가 있다.
② 보상이 돌아오지 않는 행동을 할 필요가 없다.
③ 사람은 건강과 관련된 취미 생활을 해야 한다.
④ 고난 앞에서 용기를 잃지 말고 적극 대처해야 한다.
⑤ 가장 어려운 방법을 선택해서 목표를 달성해야 한다.

17 주관식 다음과 같은 주장을 한 사람은 누구인지 쓰시오.

> 순간적이고 육체적인 쾌락만을 추구하면 고통스러울 수밖에 없습니다. 육체적 쾌락을 최소화하고 정신적 쾌락을 추구하면 고통이 사라질 것입니다.

18 고통에 대한 자세로 옳지 않은 것은?

① 시간이 흐르면 고난은 멀리 떠나게 되어 있다. 인내심을 가지고 참고 기다려야 한다.
② 우리 이웃들이 겪고 있는 고통에도 관심을 가지고, 이들의 고통에 공감하고 이를 극복하는 데 도움을 주는 자세도 필요하다.
③ 병의 원인을 정확하게 진단해야 올바른 처방을 할 수 있듯이, 고통의 원인을 객관적으로 파악해야 바람직한 해결 방안을 찾을 수 있다.
④ 고통 앞에서 좌절하거나 체념해서는 안 된다. 현재의 고통은 자신이 극복할 수 있다는 강인한 의지를 가지고 이겨 내도록 노력해야 한다.
⑤ 혼자 힘으로 해결하기 어려울 경우 도움을 받는 것도 필요하다. 그러나 스스로 해결할 수 있는데도 남에게 의존하려 한다면, 다음에 다가올 고통도 극복하기 어렵게 된다.

19 마음의 평화를 얻기 위한 석가모니의 가르침으로 가장 적절한 것은?

① 하나의 신을 믿고 간절히 기도해야 한다.
② 넘치거나 모자람이 없는 행위가 필요하다.
③ 탐욕과 분노, 어리석음으로부터 벗어나야 한다.
④ 금욕적 삶을 통해 외부의 어려움이나 고통에 흔들리지 말아야 한다.
⑤ 출세와 같은 사사로운 욕심을 버리고 자신의 마음을 다스려 군자가 되어야 한다.

20 주관식 **다음 밑줄 친 이것이 가리키는 자세는 무엇인지 쓰시오.**

> • 이것은(는) 자신에게 관심을 기울이고 스스로를 아끼며, 자신을 자랑스럽게 만들고자 노력하는 것이다.
> • 이것이(가) 부족하면 자신의 장점을 제대로 발견하지 못할 뿐만 아니라 자신을 하찮은 존재로 여겨 의미 있는 삶을 살 수 없다.

21 다음 글을 통해 추정할 수 있는 결론은?

> 어떤 사람이 누에를 치고 있었습니다. 하루는 누에 고치에서 나방이 나오는 것을 보고, 누에고치 하나를 집어 나방이 잘 나올 수 있도록 가위로 큰 구멍을 뚫어 주었습니다. 다른 나방들은 스스로의 힘으로 힘겹게 구멍을 뚫고 나왔지만, 구멍을 뚫어 준 나방은 쉽게 나올 수 있었습니다.
> 그런데 이상한 일이 벌어졌습니다. 스스로 구멍을 뚫고 나온 나방은 모두 날개를 치며 공중으로 힘차게 날아올랐지만, 구멍을 뚫어 준 나방은 아름다운 날개를 지니고도 날지 못한 채, 비실비실 땅으로 떨어지고 말았습니다.

① 고통은 사람을 더욱 강건하게 만든다.
② 누에를 치는 일은 매우 어려운 일이다.
③ 고난은 누구나 겪게 되는 삶의 한 부분이다.
④ 다른 사람의 어려움을 도와주어서는 안 된다.
⑤ 일상생활에서 남의 도움을 받아서는 안 된다.

22 고통에 대한 설명으로 옳은 것은?

① 우리가 어쩔 수 없이 당하는 고통이 있다.
② 우리는 고통을 일부러 선택할 필요는 없다.
③ 우리가 겪는 고통의 원인은 매우 단순하다.
④ 고통은 육체적으로 느끼는 아픔에 국한된다.
⑤ 성공은 고통을 피하는 능력에 따라 결정된다.

23 고통의 의의에 대한 설명으로 옳은 것은?

① 더 높은 곳에 대한 희망을 잃게 만든다.
② 다른 사람의 고통에 무관심하게 만든다.
③ 순간적이고 육체적인 쾌락을 추구하게 만든다.
④ 행복한 삶을 더 절실하게 느끼는 계기가 된다.
⑤ 고통을 극복하는 과정에서 자신감을 잃게 된다.

24 다음 글의 주인공에게 배워야 할 점은?

> 에벌린 글레니는 친구의 북 치는 모습에 반해 타악기 연주를 시작했지만, 열두 살 때 청력을 완전히 잃고 크게 좌절했다.
> 하지만 그녀는 이십여 년 간의 노력 끝에 발끝 진동과 뺨의 떨림으로 소리를 감지하는 법을 익혀 세계 최고의 타악기 연주자가 되었다. 현재 그녀는 공연뿐만 아니라 청각 장애 어린이들의 음악 치료법을 지원하고 있다.

① 어릴 때 가진 꿈은 이루어지게 되어 있다.
② 주위에서 기대를 하지 않은 사람들이 성공한다.
③ 좌절과 절망 속에서 희망을 잃지 않고 노력하였다.
④ 신체적인 장애는 꿈을 이루는 데 많은 도움이 된다.
⑤ 성공하려면 특별한 재능을 가진 친구가 있어야 한다.

25 마음의 평화에 대한 설명과 거리가 먼 것은?

① 마음의 평화란 외부의 환경이나 자극에 자기 자신을 맡길 때 얻을 수 있다.
② 다가오는 고통을 긍정적으로 받아들이지 못하면 마음의 평화가 깨지게 된다.
③ 희망을 버리지 않는다면 평온한 마음의 상태로 목표를 향해 다가갈 수 있을 것이다.
④ 우리를 고통스럽게 하는 환경 속에서도 흔들리지 않고 목표를 향해 가는 것은 희망이 있기 때문이다.
⑤ 희망을 이루는 과정에서 한계에 부딪히거나 목표가 실현되지 않았을 때 마음의 평화가 깨질 수 있다.

memo

정답과
해설

II 타인과의 관계

5 정보화 시대에 우리는 어떻게 소통해야 하는가?

① 정보화 시대에 발생하는 도덕 문제에는 무엇이 있을까?

기본 확인 문제

1 ① × ② ○ ③ ×　　**2** 사이버 공간　　**3** 다양성
4 ① 정보화 시대 ② 표현

주제별 평가 문제

1 ③　**2** ②　**3** ①　**4** ④　**5** ⑤　**6** ②

1 사이버 공간은 현실적으로 존재하는 공간이 아니라, 컴퓨터 통신망 안에 있는 가상의 공간이다.

2 다른 사람의 개인 정보를 손쉽게 얻을 수 있는 것은 편리한 점이라기보다는 문제점에 해당한다.

3 누구나 자율적으로 참여할 수 있다는 특징은 절제하지 못할 경우 중독에 빠질 수 있다는 문제점이 있다.

4 사이버 공간에서는 일방적으로 정보를 전달받는 것이 아니라 상호 간의 의사소통까지 가능하다는 것은 쌍방향 의사소통이 가능하다는 것이다.

5 사이버 공간의 익명성은 표현의 자유를 누릴 수 있지만 자신이 잘 드러나지 않기 때문에 무책임하게 행동할 가능성이 있다.

　바로 알기 각각 ② 개방성 ③ 자율성 ④ 다양성에서 오는 문제점에 해당한다.

6 사이버 공간에는 개인 정보 유출 문제, 한글 파괴 문제, 사이버 범죄 등 다양한 도덕 문제가 발생한다.

　바로 알기 ①, ③, ④, ⑤는 모두 사이버 공간의 긍정적인 면에 해당한다.

② 정보화 시대에 도덕적 책임이 필요한 이유는 무엇일까?

기본 확인 문제

1 ① × ② ○ ③ ○　　**2** 개인 정보　　**3** 정의
4 ① 모티켓 ② 도덕적 책임

주제별 평가 문제

1 ②　　**2** ④　　**3** ③　　**4** ①　　**5** ②
6 ⑤　　**7** ④

1 사이버 공간은 익명의 공간이기 때문에 누가 어떻게 이용했는지 밝혀내기가 쉽지 않다.

2 타인에게 피해를 주지 않고 행복을 증진하는 것은 해악 금지의 원칙이다.

3 자기 행동이 다른 사람들에게 어떤 영향을 미칠 것인지 생각하고 행동하는 것은 책임의 원칙이다.

4 사이버 공간의 도덕적 원칙을 실현하기 위해서 필요한 것이 자기 절제와 타인 배려이다. 사이버 공간에서 표현의 자유는 보장되어야 하지만 남에게 피해를 주지 않도록 스스로 절제해야 함은 물론 상대방의 입장에서 생각하고 공감할 줄도 알아야 한다.

5 기분에 따라 행동하면 상대방에게 마음의 상처를 줄 수 있으므로 상대방을 배려하고 공감할 줄 알아야 한다.

　바로 알기 ① 자신이 드러나지 않는 것을 마음껏 누리는 것은 책임 문제가 생길 수 있다. ③, ④ 감정적 반응이나 비난은 옳지 않다. ⑤ 상대방 허락을 받지 않고 사진을 SNS에 올리는 것은 큰 문제가 될 수 있다.

6 존중은 나와 타인의 권리와 인격을 존중하는 것이다.

　바로 알기 ①, ② 정의 ③, ④ 책임의 원칙에 해당한다.

7 익명성은 사이버 공간의 원칙이 아니라 사이버 공간의 특성이다.

③ 정보 통신 매체를 올바르게 사용하기 위해 어떠한 태도가 필요할까?

기본 확인 문제

1 ① × ② ○ ③ ×　　**2** 사용자 모두의 책임
3 스마트폰　　　　　　**4** ① 범죄 ② 인터넷

주제별 평가 문제

1 ③　　**2** ①　　**3** ⑤　　**4** ②　　**5** ⑤　　**6** ④

1 정보화 사회로 변화함에 따라 개인 정보 유출이나 사이버 범죄와 같은 사회적인 문제들이 나타나고 있다.

2 사이버 불링이란 사이버 상에서 욕설, 험담, 허위 사실 유포, 따돌림 등으로 상대방을 괴롭히는 것을 말한다.

　바로 알기 ② 지식 재산권 ③ 현피 ④ 사이버 명예 훼손 ⑤ 해킹에 대한 설명이다.

3 최근 개봉한 영화를 불법으로 내려받는 것은 지식 재산권을

침해하는 행위로 법적 처벌의 대상이 된다.

4 건강한 사이버 공간이 되려면 네티즌들이 지식 재산권을 보호해야 하고 다른 사람의 개인 정보나 사생활을 보호해야 한다.
[바로 알기] ㄱ. 해로운 정보는 접하지 말아야 한다. ㅁ. 다른 사람들이 즐거워하는 영상이라 하더라도 건전한 것을 골라 탑재해야 한다.

5 사이버 공간은 익명성이 있기 때문에 다양한 아이디나 닉네임으로 활동할 수 있다.
[바로 알기] ①, ②, ③, ④는 모두 불법적인 행위이다.

6 해킹은 다른 전산망에 무단으로 침입하여 그 속에 축적되어 있는 정보를 없애거나 망가뜨리는 행위이기 때문에 해킹 능력을 시험해 보아서는 안 된다.

단원 정리 문제

01 사이버 공간　　**02** 장점: 표현의 자유를 누릴 수 있다. 문제점: 신분이 잘 드러나지 않기 때문에 무책임한 행동을 할 수 있다.　　**03** ③　　**04** ①　　**05** ⓜ 사이버 공간은 컴퓨터 통신망 안에 현실적으로 존재하는 공간으로, → 사이버 공간은 컴퓨터 통신망 안에 있는 가상 공간으로,　　**06** ②　　**07** ⑤　　**08** ①　　**09** ⑤　　**10** (가) 개인 정보 유출　(나) 해킹　　**11** 사이버 공간에 알려진 정보는 본인의 의지와 상관없이 신속하고 광범위하게 퍼져 나가기 때문에 그로 인한 피해가 상상을 초월할 정도로 클 수 있다. **12** ④
13 ②

02 ▼ 채점 기준

	사이버 공간의 익명성이 가져오는 장단점을 모두 옳게 기술하였다.
	사이버 공간의 익명성이 가져오는 장단점 중 하나를 옳게 기술하였다.

03 사이버 공간은 우리의 생활을 더욱 편리하게 해 주지만, 개인 정보 유출, 해킹, 바이러스 유포 등 다양한 도덕 문제를 가지고 있다.

04 스마트폰은 우리에게 편리함을 주었지만 각자 가지고 있는 스마트폰으로 검색을 하거나 게임을 하는 경우가 많기 때문에 대화가 단절되는 경우가 많다.
[바로 알기] ②, ③, ④, ⑤는 스마트폰의 장점에 해당한다.

05 ▼ 채점 기준

	옳지 않은 부분을 제대로 지적하고 바르게 고쳤다.
	옳지 않은 부분을 제대로 지적했으나 고친 부분의 내용이 바르지 않다.

06 제시문은 사이버 공간의 장점을 기술한 내용이다. 하지만 사이버 공간이 많은 장점을 가지고 있다고 해서 부정적인 영향을 끼치지 않는다고 결론 내리기는 어렵다.

07 사이버 공간은 누구나 자율적으로 참여할 수 있는 자율성을 가지고 있다.

08 개인 정보 유출은 개인의 안전과 재산에 큰 피해를 줄 수 있기 때문에 보호해야 하고, 이를 어길 경우 법적 처벌을 받는다.

09 키보드 워리어는 근거 없는 소문이나 악성 댓글 등을 인터넷에 무차별적으로 유포하는 누리꾼들을 말한다. 따라서 이러한 사람들은 세상을 아름답게 만드는 것이 아니라 사이버 공간을 오염시키는 역할을 한다.

11 ▼ 채점 기준

	도덕적 책임이 요구되는 이유를 올바르게 기술하였다.
	도덕적 책임이 요구되는 이유를 바르지 않게 기술하였다.

12 제시문은 스마트폰을 습관적으로 사용하는 사람들에게서 나타나는 부작용에 대한 글이다. 이와 같은 문제에서 벗어나기 위해서는 스마트폰 사용을 절제하는 습관을 길러야 한다.

13 과제는 스스로 해결해야 하며, 아이디(ID)와 비밀번호와 같은 개인 정보는 누구에게도 알려 주어서는 안 된다.

6 평화적 갈등 해결은 어떻게 가능한가?

① 갈등은 왜 발생하는가?

기본 확인 문제

1 ① × ② ○ ③ ○　　**2** 내적 갈등　　**3** 세대 차이
4 ① 폭력 ② 이해관계

주제별 평가 문제

1 ③　　**2** ⑤　　**3** ③　　**4** ④　　**5** ②　　**6** ①

1 갈등이 심화되면 구성원들 간의 대립과 반목이 깊어져 서로를 불신하게 되고, 사회 또한 불안하게 되어 개인은 자신의 삶을 설계하고 계획대로 실천하기 어렵다.
[바로 알기] ① 가치 갈등과 구성원들의 반목은 비례한다. ② 내적 갈등은 의지력이 약한 사람들이 가치 결정 과정에서 자주 겪는다. ④ 가치 갈등을 겪으면 불안하게 된다. ⑤ 인간관계에서 생기는 갈등은 공동체 의식을 약화시킨다.

2 내적 갈등은 의지가 강한 사람들이 잘 극복할 수 있다.

3 혜미는 개인이고 혜미 친구들은 집단이기 때문에 개인과 집단 간의 갈등으로 볼 수 있다.

　바로 알기 ① 개인과 개인 간의 갈등 ② 개인 내부의 갈등이면서 개인 간의 갈등이기도 하다. ④ 집단과 집단 간의 갈등 ⑤ 개인 내부의 갈등에 해당한다.

4 제시문은 집단과 집단 간의 갈등에 해당한다. 집단 간의 갈등은 단순한 의견 충돌로 끝날 수 있는 개인 간의 갈등과는 달리, 자칫하면 사회 문제를 일으킬 수도 있기 때문에 더 심각하다고 할 수 있다.

5 집단 간의 가치 갈등은 당사자들이 많기 때문에 개인 간의 갈등보다 해결하기가 더 어렵다.

6 종교적 규율 때문에 돼지고기를 못 먹는 데서 오는 갈등은 문화의 차이에서 오는 갈등이다.

② 갈등을 평화적으로 해결해야 하는 이유는 무엇일까?

📖 기본 확인 문제

1 ① ○ ② × ③ ○　　　**2** 건강한 사회　　　**3** 사회의 화합, 공공의 이익 추구　　**4** ① 합리적 ② 인격적

✋ 주제별 평가 문제

1 ②　　**2** ⑤　　**3** ③　　**4** ①　　**5** ①　　**6** ④

1 어떤 어려움이 있더라도 갈등은 평화적으로 해결해야 한다.

2 갈등 자체를 바람직하지 못한 것으로 보아서는 안 된다. 갈등을 잘 이겨 내면 건강한 사회가 될 수 있다.

3 갈등을 평화적으로 해결하면 오해를 풀고 타협을 하는 과정에서 서로의 관계가 더욱 돈독해질 수 있다.

4 처음에는 세미가 청소를 잘 하지 않는 불성실한 친구라고 오해를 했다. 그러나 대화를 통해 세미는 호흡기가 나빠 청소를 제대로 할 수 없다는 것을 알게 되었다. 이처럼 대화를 하면 오해를 풀고 갈등 당사자와 관계를 증진할 수 있음을 알 수 있다.

5 폭력을 통해 갈등을 해결할 경우 서로의 감정이 상하고, 갈등은 제대로 해결되지도 않을 뿐더러 모두가 피해를 보게 될 것이다.

6 갈등을 겪는 친구에게 평화적인 방법으로 해결할 것을 충고해 주어야 한다.

　바로 알기 ①, ② 갈등은 시간이 흐른다고 해결되는 일이 아니다. ③ 갈등을 해결할 때 친구들과 합세하여 세력을 모으는 것은 일종의 위협이고 협박에 해당한다. ⑤ 단순히 갈등이 생겼다고 해서 관계를 단절시켜서는 안 된다.

③ 평화적인 갈등 해결을 위한 구체적인 방법은 무엇일까?

📖 기본 확인 문제

1 ① × ② ○ ③ ×　　　**2** 관용　　　**3** 협상
4 ① 중재 ② 대화

✋ 주제별 평가 문제

1 ⑤　　**2** ④　　**3** ①　　**4** ③　　**5** ②　　**6** ①

1 나와 생활 방식과 사고방식이 다른 사람을 인정하고 이해하는 것은 관용의 자세이다.

2 제시문과 같이 대화를 통해 문제를 확인하고 당사자들이 만족할 수 있는 합의를 이끌어 내는 것은 협상이다.

3 중재란 제삼자가 분쟁을 하는 당사자들 사이에서 해결책을 제시하여 화해를 모색하는 것을 말한다.

　바로 알기 ② 중재는 갈등 해결책을 제삼자가 직접 제시하고 당사자들은 중재안을 따라야 한다. ③ 중재를 하는 사람을 중재자라 한다. ④ 조정에 해당한다. ⑤ 당사자 모두가 요청해야 제삼자가 역할을 제대로 할 수 있다.

4 입장이 서로 다른 양자 또는 다자가 무엇을 타결하기 위해 의논하고 협의하는 것이 협상이다.

　바로 알기 ① 대화 ② 중재 ④ 조정 ⑤ 다수결의 원칙 적용에 해당한다.

5 조정과 중재는 갈등 해결 과정에 모두 제삼자가 개입한다는 공통점이 있다. 그러나 조정은 당사자들이 갈등을 해결하도록 제삼자가 도와주는 역할을 하고, 중재는 제삼자가 해결책을 직접 제시한다는 점이 다르다.

6 다수의 의견이라고 항상 옳은 것은 아니다.

단원 정리 문제

01 의사소통 부족　　**02** ③　　**03** ①　　**04** 갈등이 발생하는 원인은 매우 다양하지만 주로 이해관계의 대립(충돌)으로 인해 생겨난다.　　**05** ①　　**06** ⑤　　**07** ②
08 ③　　**09** ⑤　　**10** ④　　**11** 개인의 발전을 이루고 공동의 이익을 추구하는 데 도움을 준다.　　**12** 협상
13 ②　　**14** ④

02 친구와의 약속을 지킬 것인지 아닌지를 고민하는 것은 개인 내부의 갈등이며, 나머지 넷은 모두 집단과 집단 간의 갈등에 해당한다.

03 가치 갈등의 원인은 매우 복잡하고 다양해서 해결하기 어려운 경우가 많다.

　바로 알기 ② 가치 갈등이 전혀 없는 사회는 존재하지도 않

고 바람직하지도 않다. ③ 가치 갈등은 당사자들에게 불안 요소가 된다. ④ 가치 갈등이 많은 사회는 구성원들이 서로 불신하게 된다. ⑤ 현대 사회는 전통 사회에서보다 가치 갈등이 많이 일어나고 있다.

04 ▼ 채점 기준

| | 갈등의 주요 원인을 이해관계의 대립으로 기술하였다. |
| | 갈등의 원인은 맞지만 세대 차이, 문화 차이 등으로 기술하였다. |

05 각자 자기 생각이나 주장만 하면 갈등이 해결되지 않는다. 가치 갈등을 해결하는 데 중요한 것은 상대방의 입장을 이해하고 배려하는 것이다.

06 집단 간의 갈등은 이해 당사자가 많기 때문에 사회 문제로 확대되기도 한다.

07 가치 갈등을 해결하기가 쉬운 일은 아니지만 지혜롭게 해결하면 돈독한 관계를 유지할 수 있고, 사회 발전을 이루는 토대를 마련할 수도 있다.

바로 알기 ① 가치 갈등이 없을 수는 없지만 그렇다고 많은 것이 좋은 것은 아니다. ③ 갈등은 쉽게 해결되는 것도 있지만 해결하기 어려운 경우도 있다. ④ 갈등의 문제점으로 볼 수 있다. ⑤ 시대의 변화에 따라 가치 갈등은 더 많아지고 있다.

08 친구들과 갈등이 생기면 설득하는 방법을 통해 해결하도록 해야 한다.

09 갈등을 통해 다른 사람의 입장을 이해하고 민주적 의사소통의 자세를 지닐 수 있는 것은 인격적 성숙을 이룰 수 있다는 뜻이다.

10 조정은 갈등 당사자들의 이야기를 제삼자가 각각 들어 보고 당사자들의 의사소통을 도와 스스로 해결책을 찾을 수 있도록 하는 것이다.

11 ▼ 채점 기준

| | 개인적인 면과 사회적인 면을 모두 올바르게 기술하였다. |
| | 개인적인 면과 사회적인 면 중 한 가지를 올바르게 기술하였다. |

13 갈등을 피하려 하거나 지나가기를 기다려서는 안 되고 적극적으로 대처해서 해결해야 한다.

14 정당한 절차를 통해 결정한 것은 내 생각과 다르더라도 기꺼이 받아들여야 한다.

---

7 폭력의 문제를 어떻게 대할 것인가?

1 폭력은 왜 비도덕적인가?

■ 기본 확인 문제

1 ① × ② × ③ ○   **2** 힘의 세기   **3** 약육강식
4 ① 존엄성 ② 폭력

✔ 주제별 평가 문제

1 ④   **2** ⑤   **3** ①   **4** ⑤   **5** ②   **6** ③

1 의도적이든 아니든 우리가 평화롭게 사는 것을 방해하는 것은 모두 폭력이다.

2 폭력을 행한 가해자도 죄책감에 시달리기도 하고, 법의 처벌을 받기도 한다.

3 힘이 약한 자가 인간답게 살 수 없는 세상은 정의가 무너진 세상이다.

4 남을 때리거나 물건을 부수는 것만을 폭력이라고 생각하는 마루는 폭력을 좁은 의미로 보고 있다. 신체적, 직접적 폭력도 있지만 따돌림이나 험담 등도 폭력에 해당한다.

5 폭력은 피해자들의 자존감을 짓밟고 인격을 손상시킴으로써 생명의 소중함과 인간의 존엄성을 훼손한다.

바로 알기 ① 폭력은 사람들이 건강하고 행복하게 살 권리를 빼앗는다. ③, ④ 어떤 이유로도 폭력을 사용하면 안 된다. ⑤ 폭력을 예방하고 대처할 수 있는 방법은 다양하다.

6 청소년기에 경험하는 폭력은 정서적·심리적 불안감 등의 충격을 안겨 줌으로써, 대인관계를 잘 맺지 못하게 되는 결과를 가져오는 경우가 많다.

2 일상생활에서 일어나는 폭력의 종류로 어떤 것이 있을까?

■ 기본 확인 문제

1 ① ○ ② ○ ③ ×   **2** 구조적 폭력   **3** 묻지 마 폭력
4 ① 언어 ② 정서적

✔ 주제별 평가 문제

1 ①   **2** ③   **3** ①   **4** ②   **5** ⑤   **6** ④

1 언어폭력은 야유나 욕설 등 인격을 무시하고 모욕적인 말을 함으로써 상대방에게 상처를 주는 폭력 유형이다.

바로 알기 ② 신체적 폭력 ③ 정서적 폭력 ④ 성폭력 ⑤ 사

이버 폭력에 해당한다.

2 친구를 의도적으로 배제하는 따돌림은 정서적 폭력이다.

바로 알기 ① 언어적 폭력 ② 신체적 폭력 ④ 사이버 폭력 ⑤ 돈을 갚지 않으면 돈을 빼앗아 간 것과 같으므로 물리적 폭력에 해당한다.

3 제시된 행위는 모두 집단 따돌림에 해당한다.

4 강대국이 그렇지 않은 나라를 압박하거나 식민지로 만드는 것은 국가 간에 일어나는 구조적 폭력이다.

5 폭력은 일상생활 속에서 많이 나타난다. 가정에서 폭력이 일어나기도 하고, 이웃 간의 다툼이 폭력으로 번지기도 하며, 제시문의 고객처럼 화를 삭이지 못하고 다른 사람들에게 화풀이를 하기도 한다.

6 자신은 장난이라고 생각하여 행동했다고 해도 피해를 당한 사람이 불쾌감이나 위협을 느꼈다면 모두 폭력이 될 수 있다.

③ 폭력에 어떻게 대처할까?

📖 기본 확인 문제

1 ① × ② ○ ③ ○   **2** 자존감 향상   **3** 방관자
4 ① 무감각 ② 동물

✍ 주제별 평가 문제

1 ②   **2** ⑤   **3** ①   **4** ⑤   **5** ②   **6** ④

1 자제력이 부족하거나 자기중심적인 사람, 분노 조절 능력이 부족한 사람들이 폭력을 사용하기 쉽고 이성적이고 합리적인 사람은 대화로 문제를 해결하려는 경향이 있다.

2 제시문의 민수처럼 순간적인 충동이나 분노를 참지 못해 폭력을 사용하기도 한다.

3 문제를 폭력으로 해결하면 폭력의 악순환이 일어나고, 평화적으로 해결해야 폭력을 방지할 수 있다.

4 폭력을 경험하거나 대중 매체의 폭력적인 장면에 자주 노출되다 보면 폭력에 무뎌져 본인도 모르게 폭력을 사용할 수 있다.

바로 알기 ① 컴퓨터 게임에서 폭력 장면이 너무 무분별하게 등장한다면 오히려 규제를 강화해야 한다. ② 사회적인 흐름이라고 해도 그것이 옳지 않으면 따르지 말아야 한다. ③ 예술성이 있더라도 표현 수단이 폭력적이어서는 안 된다. ④ 피해자가 고통을 겪는 것처럼 가해자들도 고통을 겪는다.

5 폭력을 당하면 신고해야 한다. 친구들과 힘을 모아 폭력으로 대응하면 더 심각한 문제가 생길 수 있다.

6 폭력을 당하는 친구가 있으면 먼저 위로하고 공감하며 도움을 주어야 한다. 폭력을 당하는 친구를 폭력으로 도와주면 자신이 가해자가 되어 어려움을 겪게 된다.

01 폭력	**02** ③	**03** ④	**04** ③	**05** 폭력은 피해자에게 고통을 안겨 준다.
			06 ⑤	**07** 언어적 폭력
08 ④	**09** ③	**10** ⑤	**11** 폭력을 당하는 친구의 어려움에 공감하고 도와주어야 한다.	
12 ②	**13** ④	**14** ②		

02 폭력에 폭력으로 대응하는 것은 문제를 해결하는 올바른 방법이 될 수 없다.

03 제시문을 보면 언어폭력은 신체에 가하는 폭력 못지않게 큰 상처를 남길 수 있음을 알 수 있다.

04 제시문은 학교 폭력의 피해 학생이 겪는 모욕감을 잘 드러내고 있다. 이처럼 폭력은 피해자들에게 심리적 불안감과 두려움을 물론이고 자존감마저 상실하게 만든다.

05 ▼ 채점 기준

	폭력이 비도덕적인 이유로 피해자에게 고통을 준다고 기술하였다.
	폭력이 비도덕적인 다른 이유를 기술하였다.

06 우리가 도덕적인 삶을 살기 위해서 지켜야 할 원리 중의 하나가 '다른 사람에게 피해를 주면 안 된다.'라는 것이다. 도덕 추론 형식을 사용하여 '폭력을 사용하면 안 된다.'라는 도덕 판단을 추론하면 다음과 같다.

바로 알기 도덕 원리: 다른 사람에게 피해를 주면 안 된다.
사실 판단: 폭력을 사용하면 다른 사람에게 피해를 준다.
도덕 판단: 폭력을 사용하면 안 된다.

08 상대방의 인격을 무시하고 모욕하는 행위는 구조적 폭력이 아니라 언어적 폭력에 해당한다.

09 친구들로부터 지속적인 위협을 받으면 학교에 가기 싫어질 것은 분명하다. 이러한 폭력 피해 학생들은 학교를 그만두기도 하고 때로는 가출을 하여 배움의 시기를 놓치기도 한다.

10 언어적 논쟁은 일종의 토론으로 폭력으로 보기 어렵다.

11 ▼ 채점 기준

	폭력을 당하는 친구의 어려움에 공감하고 도와야 한다고 기술하였다.
	폭력을 당하는 친구의 어려움에 공감하고 도와야 한다는 것 중 한 가지만 기술하였다.

12 폭력은 개인적인 면에서 보면 자제력이나 분노 조절 능력이 부족한 사람들이 사용하는 경우가 많다.

바로 알기 ①, ③, ④, ⑤ 폭력의 사회적인 요인이다.

13 ①, ②, ③, ⑤는 폭력 예방을 위한 사회적·제도적 차원의 노력이고, ④는 개인적 차원의 노력에 해당한다.

14 폭력을 당하면서도 그냥 참고 받아들이다 보면 가해자는 습관적으로 폭력을 행사하게 된다. 따라서 폭력에는 적극적으로 대처해야 한다.

01 익명성은 자신의 신분을 숨길 수 있다는 의미이기 때문에 실명을 사용하지 않고 아이디나 별명을 사용하는 것을 말한다.
바로 알기 ② 다양성 ③ 자율성 ④ 개방성 ⑤ 광역성에 해당하는 내용이다.
02 '정보의 바다'는 정보가 많은 공간을 말한다. 다양하고 풍부한 자료나 정보가 있는 것은 다양성에 해당한다.
03 사이버 공간의 개방성은 누구나 평등하게 이용할 수 있지만 유익하지 않은 자료, 때로는 해로운 자료나 사이트에 접근할 수도 있다는 문제점이 있다.
05 제시문은 지식 재산권 침해와는 관련이 없는 개인 정보 유출에 대한 내용이다.
06 불법 다운로드를 하지 않는 것은 '정의'의 원칙, 사진을 함부로 올리지 않는 것은 '책임'의 원칙에 해당한다.

07 ▼ 채점 기준

	개인 정보 유출로 인한 피해를 두 가지 이상 기술하였다.
	개인 정보 유출로 인한 피해를 한 가지 기술하였다.

10 개인 정보가 유출되면 다양한 범죄의 표적이 되기 때문에 함부로 개인 정보를 공개해서는 안 된다.
11 사이버 공간에서 욕설이나 험담을 계속하면 그런 행동을 하지 말라고 충고해야 한다. 충고를 해도 고쳐지지 않고 같은 행동을 계속할 경우 신고 기능을 이용해서 신고해야 한다.

12 ▼ 채점 기준

	충고하는 말에 절제의 의미가 들어가도록 기술하였다.

	절제의 의미를 넣지 않고 기술하였다.

13 외적 갈등에는 개인과 개인 간의 갈등, 개인과 집단 간의 갈등, 집단과 집단 간의 갈등이 있다. 이러한 외적 갈등은 개인이나 집단 사이에 서로 적대시하거나 불화가 생기는 것이다.
14 제시문의 사례는 옷을 구입한 개인과 인터넷 쇼핑몰이라는 집단 사이의 갈등에 해당한다.
15 제시된 사례는 쓰레기 처리 공장을 짓겠다는 회사와 이를 반대하는 지방 자치 단체와 주민들 간에 발생하는 집단 간의 갈등에 해당한다.
바로 알기 ② 공공사업을 추진하는 과정에서 집단 간의 갈등은 자연스럽게 나타난다. ③ 공공사업 추진 과정에서 나타나는 갈등은 강력한 처벌이 아니라 대화와 협상을 통해 해결해야 한다. ④ 집단 간의 갈등은 개인 간의 갈등보다 미치는 영향이 더 크다. ⑤ 갈등이 일어나지 않는 사회가 건강한 사회가 아니라, 갈등을 잘 해결하는 사회가 건강한 사회이다.

17 ▼ 채점 기준

	외적 갈등이 일어나는 이유를 세 가지 이상 기술하였다.
	외적 갈등이 일어나는 이유를 두 가지 기술하였다.
	외적 갈등이 일어나는 이유를 한 가지 기술하였다.

18 갈등이 없는 사회가 좋은 사회가 아니다. 중요한 것은 갈등을 어떻게 해결해 나가느냐 하는 것이다. 평화적인 방법으로 갈등을 해결하려고 노력한다면 갈등은 건강한 사회의 조건이 될 수 있다.
19 조정과 중재는 비슷하지만 조정은 당사자들이 스스로 해결책을 찾도록 제삼자가 도와주는 것이고 중재는 해결책을 제삼자가 직접 제시한다.
20 갈등 당사자가 다수이며 다양한 가치와 이해관계가 충돌하면 협상이나 조정, 중재를 통해 해결하기 어렵다. 이런 경우에는 토론을 통해 입장 차이를 줄이면서 더 나은 결론에 이를 수 있다.
21 넓은 의미로 폭력은 평화롭게 사는 것을 방해하는 모든 행위를 말하며, 여기에는 남에게 피해를 입히는 말이나 따돌림도 포함된다.
바로 알기 ㄴ. 좁은 의미의 폭력은 신체적 폭력이다. ㄹ. 폭력은 문제 해결 방법이 아니라 갈등을 더 심화시킬 뿐이다.
22 폭력은 피해자들의 자존감을 짓밟고 인격을 손상시키기 때문에 인간의 존엄성을 훼손하는 결과를 가져온다.
바로 알기 ② 폭력의 가해자들도 고통을 받는다. ③ 누가 되었든 폭력에 따른 법적 책임을 면하게 해서는 안 된다. ④ 폭

력은 사회 갈등을 심화시킨다. ⑤ 폭력은 문제 해결의 방법이
되어서는 안 된다.

23 ▼ 채점 기준

 | 폭력을 사용할 가능성이 높은 사람의 특성을 두 가지 이상 기술하였다.

 | 폭력을 사용할 가능성이 높은 사람의 특성을 한 가지 기술하였다.

24 구조적 폭력은 사회 구조적 모순 때문에 발생하는 폭력으로 실업이나 빈곤 등과 같이 정치 · 경제적 요인에 의해 발생하는 경우가 많다.

26 어떤 이유로 사용되었든 폭력은 개인과 사회에 나쁜 영향을 주게 된다.

27 친구가 당하는 폭력은 나와 상관없다고 생각하며 방관하는 것은 더 큰 피해를 가져온다. 따라서 우리는 방관자가 되어서는 안 되고 방어자가 되어야 한다.

Ⅲ 사회 · 공동체와의 관계

4 국가 구성원으로서 바람직한 자세는 무엇인가?

① 어떤 국가가 바람직한 국가인가?

기본 확인 문제

1 ① ○ ② ○ ③ ×　　　　2 국가　　　　3 복지
4 ① 국가 ② 존엄성

주제별 평가 문제

1 ③　　2 ②　　3 ⑤　　4 ①　　5 ②　　6 ④

1 오늘날에는 과거에 비해 국가의 역할과 중요성이 점점 더 확대되고 있다.

2 국가는 그 나라 국민들의 재산과 생명을 보호하고, 구성원들 간의 갈등을 조절하며, 국민들의 인간다운 삶을 보장하기 위해 노력하기 때문에 아끼고 소중히 여겨야 한다.

3 제시문은 국가의 안정과 번영은 국민들의 삶과 밀접한 관계가 있음을 보여 주는 사례이다.

4 국민들의 재산과 생명 보호, 갈등 조절, 인간다운 삶 보장 등은 모두 국가의 주요 역할이다.

5 야경 국가란 국가가 국방과 치안 등 국민들의 안전을 지키는 최소한의 역할만 하고 나머지는 최대한의 자유를 허용하는 데 중점을 두는 국가이다.

바로 알기 ①, ③, ④는 복지 국가에 해당하는 설명이다.
⑤ 국가는 국민의 안전에 관심을 갖는다.

6 모든 사람은 존엄한 존재이기 때문에 타고난 조건이 다르다고 해서 차별 대우를 해서는 안 된다.

② 시민이 갖추어야 할 자질은 무엇인가?

기본 확인 문제

1 ① × ② × ③ ○　　　　2 공동체 의식
3 배타적 애국주의　　　　4 ① 국민 ② 관용

주제별 평가 문제

1 ⑤　　2 ②　　3 ②　　4 ①　　5 ④　　6 ③

1 오늘날 시민이란 자신이 속한 공동체의 발전을 위해 자발적이고 능동적으로 참여하는 사람을 말한다.

바로 알기 ① 오늘날에는 시민과 국민을 같은 의미로 사용하기도 한다. ② 과거의 시민은 특정 도시에 거주하는 사람을 의미하였다. ③ 오늘날에는 도시에 사는 사람이라는 의미도 있지만, 자율성과 보편성을 지닌 민주 사회의 구성원으로 쓰이는 경우가 많다. ④ 민주 사회의 시민은 권리와 의무를 동시에 지니고 있다.

2 오늘날 우리가 나누어야 할 대상은 세계 인류로 확대되었다.

3 대중은 불특정 다수의 사람들로 이루어진 집합체를 의미하는 것으로, 대량 생산 · 대량 소비를 특징으로 하는 현대 산업 사회를 구성하는 대다수의 사람을 말한다.

4 시민들이 서로를 더불어 살아갈 이웃으로 생각해야 한다는 것은 공동체 의식을 강조하는 것이다.

5 시민들은 서로 경쟁의 상대이지만 단순히 경쟁의 상대로만 보아서는 안 된다. 경쟁의 대상이면서 협력의 대상이기도 하기 때문이다. 이익을 보는 사람과 손해를 보는 사람이 구분되면 사회 정의는 실현될 수 없다.

6 자신과 다른 사상이나 행동을 너그럽게 받아들이는 것은 관용의 자세이다.

바로 알기 ① 용서는 지은 죄나 잘못한 일에 대하여 꾸짖거나 벌하지 않고 덮어 주는 것, ④ 묵인은 모르는 체하고 눈감아 주는 것으로 관용과는 구분된다.

③ 법을 지키면 공익을 증진할 수 있을까?

📖 기본 확인 문제

1 ① ○ ② × ③ ○ ④ × ⑤ ×   2 인권 침해

3 ① 법 ② 남용

📝 주제별 평가 문제

1 ①   2 ④   3 ③   4 ⑤   5 ②   6 ⑤

1 교통 신호를 지키지 않고 서로 먼저 가려고 하는 것은 준법정신, 질서 의식이 없기 때문이다.

2 학교 교칙은 사회의 법과 같다. 학교의 교칙을 지키지 않으면 학교는 질서가 없어지고 혼란에 빠질 것이다.

3 법은 물론 잘 지켜야 하지만 도덕이나 예절과 같은 규범도 잘 지켜야 한다.

4 법을 어기면 법의 처벌을 받는 것뿐만 아니라, 주위 사람들로부터 도덕적 비난까지 받게 되고 다른 사람들에게 많은 피해를 끼치게 된다.

바로 알기 ㄴ. 법을 어기면 단기적으로 이익을 얻을지 모르지만 장기적으로는 모두 손해로 돌아온다. ㄷ. 법은 강제적인 규범이기 때문에 법을 어기면 일정한 처벌을 피할 수 없다. ㄹ. 법을 어기는 것은 나의 존재를 인식시키기 위한 방법이 아니다.

5 법은 개개인의 이익을 지키기 위한 것이 아니라 사회 또는 사회 구성원 전체의 이익을 위해 제정한 것이다.

6 시민 불복종 운동은 최초의 수단이 아니라 마지막 수단으로 사용해야 하는 것이다.

📘 단원 정리 문제

01 ④   02 ③   03 ⑤   04 국가   05 사회적 결속력이 약해질 뿐만 아니라, 국가적인 문제들을 해결해 나가기가 어려울 수밖에 없다.   06 ①   07 ②
08 ①   09 ⑤   10 ④   11 개인적인 면: 법의 처벌, 사회적인 면: 사회적 무질서와 혼란   12 시민 불복종   13 ①   14 ④

01 아리스토텔레스는 인간은 자연적인 본성에 따라 모여 살며 가족, 부족을 이루고 나아가 국가로까지 확장되어 간다는 입장이다.

02 홉스는 자연 상태의 인간이 여러 가지 문제를 해결하기 위해 서로 계약을 맺고 국가를 만들었다는 '사회 계약설'을 주장하였다.

03 어떤 국가도 완벽할 수 없으므로 시민들이 건전한 감시자로서 잘못된 부분을 비판하고 고치도록 해야 한다.

바로 알기 ①, ③ 국가는 국민들의 헌신과 사랑 속에서 발전하고 유지·존속되는 것이다. ② 국가가 국민을 감시하는 것은 독재 국가에서 있는 일이다. ④ 국가 이외의 다른 조직이 국가의 많은 역할을 대신할 수는 없다.

05 ▼ 채점 기준

	애국심이 없을 경우 예상되는 문제점을 두 가지 이상 기술하였다.
	애국심이 없을 경우 예상되는 문제점을 한 가지 기술하였다.

06 개인의 자유를 최대한 보장하고자 하는 국가를 소극적 국가관 또는 야경국가라 한다. 이러한 국가에서는 국가가 개인의 삶에 간섭을 최소화하기 때문에 빈부 격차가 심화될 수밖에 없다.

07 제시문의 내용은 적극적 국가관에 따른 복지 국가이다. 이런 입장을 가진 나라는 국민의 인간다운 삶을 보장하기 위해 돈이 많이 필요하기 때문에 세금의 부담이 생길 수 있다.

08 왕이 통치하던 전제 군주 정치 시대에는 군주에게 충성하는 백성, 신하된 사람으로서의 '백성'인 신민으로서 살도록 하였다.

09 제시문에서 시민의 개념은 시대가 변함에 따라 그 의미가 점차 변해 가고 있음을 알 수 있다.

10 맹목적인 애국심이나 배타적 애국주의는 잘못된 애국심이다. 자기 나라를 사랑하는 것과 같이 다른 나라도 존중하는 나라 사랑의 자세를 가져야 한다.

11 ▼ 채점 기준

	법을 지키지 않을 경우 예상되는 문제점을 개인적인 면과 사회적인 면 모두 옳게 기술하였다.
	법을 지키지 않을 경우 예상되는 문제점을 개인적인 면과 사회적인 면 중 한 가지만 기술하였다.

13 시민 불복종이 자의적인 기준에 따라 남용될 경우 사회는 혼란에 빠져 그 의미를 상실하게 될 것이다.

바로 알기 ② 국가 권력이 남용되어서 개인의 자유나 인권을 침해할 경우 불복종 운동을 전개할 수 있다. ③ 불복종 운동은 처벌을 감수하면서 하는 것이다. ④ 폭력적으로 대응해서는 안 된다. ⑤ 부당하고 정의롭지 못한 법에 대해 불복종 운동을 한다.

14 법은 따라야 하지만 국가 권력이 남용되어 인권을 침해할 경우 이를 바로잡을 책임은 시민들에게 있다.

5 정의란 무엇인가?

① 왜 정의로운 사회를 추구하는가?

1 ① × ② ○ ③ ○　　**2** 분배적 정의　　**3** 정의
4 ① 사회 정의 ② 차별

1 ⑤　　**2** ①　　**3** ③　　**4** ②　　**5** ③
6 ①　　**7** ④　　**8** ①　　**9** ③　　**10** ⑤
11 ①　　**12** ④

1 과거에는 개인 윤리를 바탕으로 사회 정의를 이루고자 하였다. 그러나 오늘날에는 정의가 사회 윤리의 성격을 띠게 되었다.

2 오늘날 사회 갈등 요소가 다양해지고 빈부의 격차 같은 문제가 발생하면서 정의가 사회 윤리의 중요한 덕목이 되었다.

3 절차적 정의는 어떤 방식을 결정하는 방법이나 절차가 공정했는지에 관한 것이다.
　바로 알기 ① 절차가 공정했다고 해도 분배의 정의, 사법적 정의가 실현되지 않으면 공정한 사회가 되지 못한다. ②, ④, ⑤ 분배적 정의에 관한 것이다.

4 모둠 전체에 부여하는 점수가 있다고 해도 각자의 역할에 대해 차등 점수를 주는 것이 공정하다고 할 수 있다. 누구에게나 같은 점수를 주면 열심히 참여한 학생 입장에서는 불만이 있을 수밖에 없다.

5 이익이나 부담을 어떻게 나누는 것이 공정한가와 관련된 것은 분배적 정의이다.

6 처벌과 보상의 형평성에 관한 것이 사법적 정의이다.

7 분배적 정의에는 능력에 따라 나누는 방법, 필요에 따라 나누는 방법, 노력에 따라 나누는 방법이 있다. 이처럼 분배적 정의에는 다양한 관점이 있으므로 공정한 분배 방식에 대한 사회적 합의가 중요하다.

9 사회 제도의 내용은 일부 사람들에게 유리하거나, 혹은 불리하게 작용하면 안 된다.

10 농구 선수의 능력을 골을 많이 넣은 것으로 판단하면 수비수의 경우 아무리 상대의 공격을 잘 막아 내도 소용이 없을 것이기 때문에 불만이 있을 수 있다. 따라서 능력을 공정하게 판단하는 기준을 다양하게 마련해야 한다.

11 일부를 위한 사회 제도는 사회 정의에 어긋나는 것이다. 사회

정의를 실현하기 위해서는 모든 사람에게 공정하게 적용되는 것이어야 한다.

12 사회 제도가 공정하게 운영되지 않거나 정의롭지 못할 경우 구성원들의 인권이 침해되며, 공정한 경쟁을 방해하고 부패한 사회가 되기 쉽다.

② 공정한 경쟁이 이루어지기 위한 조건은 무엇인가?

1 ① ○ ② ○ ③ ○　　**2** 공정한 경쟁
3 국가 경쟁력 강화　　**4** ① 분발심 ② 공동체 의식

1 ⑤　　**2** ①　　**3** ②　　**4** ③　　**5** ③　　**6** ④

1 경쟁은 인간뿐만 아니라 동물이나 식물, 즉 모든 생명체에서 공통적으로 나타난다.
　바로 알기 ① 인간의 삶은 경쟁의 연속이라고 할 수 있다. ② 누구나 경쟁을 하지 않을 수는 없지만, 치열한 경쟁 사회에서 살기를 원하는 사람들은 거의 없을 것이다. ③ 경쟁은 긍정적인 면도 있지만 사회적 불평등을 심화시키는 등의 부작용도 있다. ④ 같은 목적을 가지고 협력하는 것은 협동이고 경쟁은 서로 겨루는 것이다.

2 가족 구성원들이 집안일을 나누어 처리하는 것은 경쟁이 아니라 역할 분담으로, 협력의 하나이다.

3 제시문은 경쟁의 문제점을 지적하는 내용이다.

4 경쟁은 구성원들 간의 갈등을 해소하는 것이 아니라, 서로 이기려고 싸우는 것이기 때문에 갈등을 부추기는 요인이 된다.

5 공정한 경쟁이 되기 위해서는 같은 출발선에서 출발해야 하고 경쟁 과정도 공정해야 한다.

6 경쟁의 부작용을 해결하려면 참여하는 사람들이 모두 인정하는 공정한 경쟁이 되어야 한다.

③ 부패는 왜 발생하며, 그것을 어떻게 예방할 수 있을까?

1 ① ○ ② ○ ③ ×　　**2** 결과 지상주의　　**3** 청렴
4 ① 도덕적 ② 시민 의식

1 ①　　**2** ⑤　　**3** ②　　**4** ④　　**5** ②
6 ③　　**7** ④　　**8** ⑤　　**9** ①　　**10** ③
11 ②　　**12** ①

1 부패 행위에 대해서는 공직자뿐만 아니라 누구나 신고할 수 있어야 한다.

2 좋은 직장에 사원을 뽑는다는 사실을 알려 주는 행위는 부패 행위가 아니다.

3 철수는 반장을 뽑는 선거에서 개인의 능력보다 출신 초등학교를 강조하고 있다. 이처럼 지연, 혈연, 학연 등의 인연을 중시하는 입장을 연고주의라 한다.

4 '돈으로 모든 문제를 해결할 수 있다고 생각한다.', '불법 행위를 목격하더라도 보복이 두려워서 고발하지 않는다.', '학급 회장으로 당선된 학생은 한턱을 내야 한다고 생각한다.'라는 문항에는 그렇지 않다고 해야 부패에 대한 인식이 높은 사람이다.

5 부패 행위로 편안하게 살아가는 사람이 많으면 개인의 도덕적 실천 의지는 약해지게 된다.
바로 알기 ① 구성원들의 준법 의식은 약화된다. ③ 부패한 사회에서는 양심이나 도덕성을 발휘하면 오히려 불이익을 당할 수 있다. ④ 수단과 방법을 가리지 않고 부당한 이익을 얻으려는 사람들이 증가하게 된다. ⑤ 자기 지위를 부당하게 이용하려는 사람들이 늘어나게 될 것이다.

6 합리주의는 이치에 맞게 생각하려 하기 때문에 부패를 막을 수 있는 태도이다.

7 부패 행위는 개인적으로 도덕적 타락을 부추기고, 개인과 집단의 이익만 내세워 결국 사회 통합을 어렵게 만들어 사회와 국가를 위험에 빠뜨릴 수 있다.

8 능력이나 실적과는 상관없이 개인적 친분이나 정을 기준으로 사람을 쓰는 것을 정실주의라 한다.

9 혈연은 핏줄의 개념이다, 훌륭한 조상을 둔 후손들은 자부심을 느끼되 핏줄을 기준으로 사람을 판단하면 안 된다.

10 연고주의는 혈연, 학연, 지연을 중시하기 때문에 정(情)을 바탕으로 따뜻한 인간관계를 맺을 수 있다는 장점이 있다.

11 '다른 친구들은 다 부정행위를 하는데 나 하나쯤 하면 어때?' 라는 생각이 아니라 '나 하나만이라도 부정행위를 하지 말자.'라고 생각해야 한다.

12 '너와 나는 친구지만 친구라도 봐줄 수는 없다.'라는 말은 심사 위원으로서 공정하게 공과 사를 분별하겠다는 것이다.

단원 정리 문제

01 정의 02 ① 03 ⑤ 04 잘못의 정도에 따라 처벌의 정도가 정해져야 한다는 '사법적 정의(처벌의 형평성)'에 어긋난다. 05 ② 06 ② 07 ④ 08 ⑤ 09 ④ 10 모든 사람들에게 경쟁에 참여할 기회를 균등하게 보장해야 한다. 경쟁 과정도 공정해야 한다. 경쟁의 결과에 대한 보상이 공정해야 한다. 11 기회의 균등 12 ① 13 ③

02 '교내 경시대회에 나갈 대표를 담임 선생님이 임의로 정한다.'라는 것은 절차적 정의에 어긋나는 것이고, '부모의 사회적 신분이 높다는 이유로 취직 시험에서 우대를 받는다.'라는 것은 차별 대우에 해당한다.

03 사회 복지 정책은 사회적 약자들에게 인간다운 삶을 살 수 있도록 돕는 정책이다.
바로 알기 ① 집안의 명예를 더럽혔다는 이유로 당사자를 죽음으로 내모는 일 ② 남편이 죽으면 아내가 남편을 따라 죽어야 하는 인도의 제도 ③ 인도의 신분 제도 ④ 미국 등에서 있었던 흑인 차별 제도로 인권을 침해하는 제도들이다.

04 ▼ 채점 기준

	사법적 정의(처벌의 형평성)라는 말을 사용하여 기술하였다.
	의미는 통하나 잘못의 정도가 다른데 같은 처벌을 내렸다는 등 일반적인 내용을 기술하였다.

05 제시문은 사회 제도가 공정하게 만들어졌다고 하더라도 그것이 불공정하게 운영되면 사회적 갈등의 씨앗이 될 수 있음을 보여 주는 사례이다.

06 경쟁은 분발심을 자극한다거나 창의력을 북돋워 주지만 승자와 패자를 갈라놓음으로써 불평등을 심화시키고, 구성원들 사이의 공동체 의식을 약화시킬 수 있다.

07 제시문의 사례는 선의의 경쟁과 우정 어린 협력을 하는 좋은 본보기이다.

08 경쟁은 공정하게 각자가 가진 능력을 발휘하는 것이어야 하지만, 사회적 약자들에게 보통 사람들과 같은 경쟁을 하라는 것은 불평등을 심화시키는 결과를 가져온다. 따라서 이들에게는 일정한 배려가 필요하다.

09 과정이야 어떻게 되었든 결과만 좋으면 된다는 결과 지상주의는 옳지 못한 사고방식이다. 좋은 목적이라고 해도 그 목적을 이루는 수단과 방법이 정당해야 한다.

10 ▼ 채점 기준

	공정한 경쟁의 조건을 두 가지 이상 기술하였다.
	공정한 경쟁의 조건을 한 가지 기술하였다.

12 아무리 좋은 제도를 만들었다고 해도 그 제도가 제대로 운영되지 않으면 아무 소용이 없다. 따라서 공정한 사회가 되려면 제도도 잘 만들고 그 제도도 공정하게 운영되어야 한다.

13 부패 행위를 근절하는 데 개인의 양심에 호소하는 것도 필요하다. 그러나 사회가 전반적으로 부패한 상태라면 개인이 아무리 도덕적으로 행동하려고 해도 그것이 불가능하다.

6 북한을 어떻게 이해하고 바라볼 것인가?

① 북한을 어떻게 이해할 것인가?

기본 확인 문제

1 ① × ② ○ ③ ○　　**2** 1948년　　**3** 집단주의
4 ① 선군 정치 ② 선전

주제별 평가 문제

1 ①　　**2** ②　　**3** ④　　**4** ④　　**5** ③
6 ②　　**7** ①

1 우리는 오랜 역사를 거쳐 오는 동안 한 뿌리에서 나온 하나의 민족이었다.

2 본래 하나였던 우리는 1948년 남북한이 따로 정부를 수립하면서 정치적으로 분단되었다.

3 ①, ②, ③, ⑤는 우리가 분단된 민족 내부의 요인이고 ④는 국제적 요인이다.

4 북한에서 실질적인 권한은 당에 집중되어 있고, 당은 북한 노동당 위원장 1인 통치에 의해 운영되고 있다.

　　바로 알기　① 북한은 주체사상을 통치 이념으로 삼는다. ② 북한 주민은 공산혁명을 이루기 위한 수단에 불과하다. ③ 북한은 당이 지배하는 일당 독재 체제이다. ⑤ 북한도 외형적으로 삼권 분립 제도를 채택하고 있다.

5 사회주의 경제 체제를 채택하고 있는 북한에서는 원칙적으로 사유 재산을 인정하지 않고 모든 경제 활동을 당에서 통제한다.

　　바로 알기　① 북한 경제는 자력갱생을 목표로 자급자족 경제가 중심을 이루고 있다 따라서 무역 의존도가 다른 나라에 비해 높지 않은 편이다. ②, ⑤ 북한 경제는 중앙 집권적 계획 경제로 모두 당에서 통제한다. ④ 고난의 행군 시기 이후 북한은 배급제가 거의 무너졌다.

6 장마당은 배급제가 무너지면서 북한 주민들이 생존하기 위해 자생적으로 생겨난 시장이다.

7 북한의 언론은 언론 고유의 비판적 기능을 상실하고 북한 체제 유지를 위한 중요한 수단으로 이용되고 있다.

② 북한 주민들은 어떻게 살고 있고, 그들은 우리에게 어떤 존재인가?

기본 확인 문제

1 ① ○ ② ○ ③ ×　　**2** 고난의 행군
3 정치범 수용소　　**4** ① 정치적 ② 조직

주제별 평가 문제

1 ③　　**2** ②　　**3** ②　　**4** ④　　**5** ⑤　　**6** ①

1 북한에서는 출신 성분과 당성에 따라 주민들이 차별받고 있어 평등권도 보장받지 못하고 있다.

2 북한에서는 자유를 보장받지 못하고 정치적 권리도 광범위하게 제한되고 있다는 것은 정치적 권리를 보장받지 못하고 있다는 증거가 된다.

3 북한에서 의복은 그동안 배급제를 시행하였으나, 1990년대 중반에 중단된 후 개인적으로 구입해서 입는다.

4 출신 성분이란 출신, 즉 어떤 부모 밑에서 태어났느냐 하는 것으로 북한에서는 이러한 출신 성분을 바탕으로 개인의 진학이나 취업 등이 결정된다.

　　바로 알기　①, ② 북한의 출신 성분은 운명적이라고 보아야 한다. ③ 북한은 출신 성분에 의해 차별 대우를 받는다. ④ 북한에서는 감시와 사회적 차별을 정당화하기 위한 정치적 목적에서 출신 성분을 구분하였다.

5 북한에서는 개인보다 전체를 우선하는 집단주의 원칙 아래 어릴 때부터 조직 생활을 하고 있다.

6 북한에서는 남한의 대중문화와 접촉하는 것을 불법으로 규정하고 있다. 그러나 남한의 가요나 드라마를 시청하는 주민들이 계속 늘어나고 있다고 한다.

③ 북한 이탈 주민의 생활을 통해 본 통일의 과제는 무엇인가?

기본 확인 문제

1 ① × ② ○ ③ ○　　**2** 맞춤형 교육
3 ① 편견 ② 경쟁

주제별 평가 문제

1 ③　　**2** ②　　**3** ④　　**4** ①　　**5** ⑤　　**6** ③

1 북한 이탈 주민들 중에는 남한에 성공적으로 정착하는 사람도 있지만, 어렵게 살아가는 사람도 있다.

2 북한 이탈 주민에 대한 직업 훈련, 사회 적응 교육 등의 지원

을 하고 있다.

3 북한 이탈 주민들은 남한의 낯선 문화에 어려움을 겪는다. 이들은 남한 사람들의 사고방식과 생활 방식에 낯설어 하고, 외래어가 많은 남한 말을 익히는 데도 어려움을 겪는다.

4 그리움과 죄책감 등은 심리적 어려움에 해당하는 고통이다.

5 일하지 않고도 편하게 살 수 있게 하는 것은 있을 수도 없고, 또 그것이 바람직한 지원도 아니다.

6 북한 이탈 주민들은 사회주의 체제에서 살아왔기 때문에 남한 사회의 자본주의의 치열한 경쟁에 적응하지 못하고 경제적 약자로 사는 경우가 많다.

　바로 알기　① 북한 이탈 주민들에 대한 교육 차별은 없다. ② 남한 사회에서는 출신에 따른 제한은 없다. ④ 노력하지 않으면 좋은 결과를 얻기 어려운 것은 남한만이 아니라 어느 사회에서나 마찬가지이다.

단원 정리 문제

01 ④　　**02** ③　　**03** ②　　**04** 주체사상
05 중앙 집권적 계획 경제　　**06** ①　　**07** ⑤
08 ⑤　　**09** ③　　**10** 출신 성분, 당성　　**11** 남북한은 학교 제도에 차이가 많고, 교육 내용에서도 다른 점이 많다.
12 ④, ⑤　　**13** ⑤

01 우리나라가 분단된 데는 국제적 요인도 있지만 분열과 갈등을 보여 준 우리 민족 내부 요인도 있다.

02 선군 정치란 북한에서 군대를 우선시하는 통치 방식을 말한다.

03 장마당은 배급제가 무너지면서 자생적으로 생겨난 일종의 시장이다.

06 북한에서도 주민들은 가정을 소중히 여기며 가족 간의 따뜻한 정을 나누며 생활한다.

07 북한의 교육은 '주체형의 새 인간 양성'을 교육 목표로 내세우고 체제에 복종하고 충성하는 인간을 길러 내는 데 역점을 두고 있다.

08 북한에서는 국가 정책에 반대하는 사람은 정치범 수용소에 보내지고, 이들은 인간 이하의 어려운 생활을 하게 된다.

　바로 알기　①, ② 생존권을 위협받고 있는 상황에 관한 문제이다. ③, ④ 생명권 위협에 관한 문제이다.

09 북한은 주택의 개인 소유가 허용되지 않기 때문에 주민들은 주택을 국가로부터 배정받아 매달 사용료를 내는 임대 형식으로 살고 있다.

11 ▼ 채점 기준

	북한 이탈 청소년들이 학교생활에서 겪는 어려움을 두 가지 기술하였다.
	북한 이탈 청소년들이 학교생활에서 겪는 어려움을 한 가지 기술하였다.

12 제시된 지도를 보면 북한 이탈 주민들은 가까운 거리에 있는 남한을 멀리 돌아와야 하는 어려움을 이겨 낸 사람들이다. 이러한 어려움을 극복하기 위해서는 남북한이 자유롭게 왕래할 수 있는 통일이 되어야 한다.

13 남한에 적응하지 못하고 어렵게 살아가는 북한 이탈 주민들도 있지만, 제시된 사례처럼 성공적인 정착을 한 사람들도 있다.

7 우리에게 통일의 의미는 무엇인가?

① 도덕적으로 바라볼 때 통일은 왜 필요한가?

　기본 확인 문제

1 ① × ② ○ ③ ×　　**2** 국방비　　**3** 이산가족
4 ① 국가 공동체 ② 전쟁

　주제별 평가 문제

1 ①　　**2** ①　　**3** ⑤　　**4** ③　　**5** ④　　**6** ④

1 북한이 핵무기를 개발하고 미사일 실험을 계속하고 있기 때문에 북한을 많이 지원해 줄 수 있는 상황이 아니다. 북한을 지원하는 데 많은 비용이 들어간다는 것은 분단에서 오는 문제점이라기보다는 북한이 낙후되어 있기 때문이다.

2 통일이 된다면 국방비에 들어가는 예산을 대폭 줄여 복지 분야에 투입하면 삶의 질이 좋아질 것이고, 전쟁의 공포에서도 벗어나게 될 것이다.

3 소극적 평화는 힘의 지배로 전쟁이 없는 상태를 유지하는 것이다. 곧 한반도의 군사력 강화를 통해 분단 체제를 계속 유지하는 것과 같다.

　바로 알기　① 적극적 노력이 없으면 소극적 평화도 유지할 수 없다. ② 적극적 평화를 말하고 있다. ③, ④ 갈등의 평화적 해결을 말하고 있다.

4 통일의 필요성을 도덕적 관점에서 생각하면, 먼저 이산가족과 실향민, 북한 이탈 주민의 심리적 고통을 덜어 주기 위한 것이다.

5 우리가 통일을 이루어야 하는 이유는 민족의 역사와 동질성 회복, 한반도의 평화 정착, 이산가족과 실향민의 고통 해소 등이다.

　바로 알기　ㄴ. 통일이 된다고 해서 모든 문제를 한꺼번에 해결할 수는 없다. ㅁ. 제한 없는 자유는 보장할 수 없고, 보장

되어서도 안 된다.

6 다문화 사회를 이루고 있는 우리의 현실을 보면 단일 민족의 모습으로 돌아갈 수 없다.

② 통일 한국을 어떤 모습으로 가꾸어야 할까?

🔍 기본 확인 문제

1 ① ○ ② × ③ ○   **2** 독일   **3** 국민
4 ① 이질화 ② 기회

📝 주제별 평가 문제

1 ③   **2** ①   **3** ①   **4** ④   **5** ②   **6** ③

1 원래 동질적인 남북한은 서로 다른 체제에서 오랫동안 살아왔기 때문에 이질적 요소들이 쌓이게 되었다.

2 인구 증가로 인한 내수 시장의 확대는 문제점이 아니라 긍정적인 면에 해당한다.

　　바로 알기 ②, ③, ④, ⑤는 모두 통일이 되면 생길 수 있는 문제점이다.

3 독일의 통일은 서독이 동독으로 편입된 것이 아니라, 동독이 서독에 편입되면서 이루어졌다.

4 통일이 되면 북한 지역에 투자해야 할 여러 가지 비용을 통일 비용이라 한다.

　　바로 알기 ③ 분단 비용이란 국방비와 같이 분단되어 있기 때문에 우리가 지불해야 할 비용을 말한다.

5 통일 후에 가장 많이 줄일 수 있는 부분이 국방비이다.

6 평등이 보장되고 자아실현을 할 수 있는 나라는 인간의 존엄성이 보장되는 나라, 인권이 보장되는 나라이다.

③ 통일 국가를 형성하고 세계 평화에 기여하려면 어떤 자세를 지녀야 할까?

🔍 기본 확인 문제

1 ① ○ ② ○ ③ ×   **2** 통일 비용   **3** 한반도
4 ① 긍정적 ② 위협

📝 주제별 평가 문제

1 ①   **2** ②   **3** ⑤   **4** ④   **5** ③   **6** ②

1 우리가 통일을 이루기 위해서는 지속적인 교류와 협력으로 신뢰를 쌓아야 한다. 그러나 북한의 우리의 적이기도 하기 때문에 경계심을 버려서는 안 된다.

2 남북한은 휴전선을 사이에 두고 치열한 군사적 대립을 하고 있기 때문에 안보를 소홀히 해서는 안 된다.

3 남북통일은 우리의 문제이면서 국제적 문제이기도 하기 때문에 한반도를 둘러싼 나라들과 국제적 협력을 강화해야 한다.

4 다문화 사회로 접어든 우리는 단일 민족을 주장하기 어렵다.

5 제시문은 다양한 생태계의 보고인 DMZ의 가치를 이야기하고 있다.

　　바로 알기 ①, ② DMZ 보존을 위해 비무장 지대를 확대해야 한다거나 분단 상태를 지속시키자는 것은 옳은 방법이 아니다. ④ 군사적 대치 상태 없이도 노력하면 생태계를 보존할 수 있다. ⑤ 우리 민족의 번영을 가로막고 있는 가장 큰 요인은 분단이다.

6 세계 평화에 기여하기 위해서는 하나의 사태를 다양한 관점에서 바라보고, 상대방에 대한 편견이나 선입견을 갖지 말아야 한다.

📘 단원 정리 문제

01 ④　　　**02** ③　　　**03** ⑤　　　**04** ⓒ 정치 · 경제적으로 대립되었던 제도를 서로 존중하며 → 정치 · 경제적으로 서로 대립되었던 제도와 체제가 하나가 되며 **05** 통일 **06** ②
07 통일 비용 문제, 이질화 극복 문제　　**08** 국제 협력 강화
09 ②　　**10** ⑤　　**11** ④　　**12** ③　　**13** ①

01 제시문은 북한에 살고 있는 아들이 어머니를 못 잊어 쓴 편지 글이다. 이와 같은 문제를 해결하려면 이산가족 상봉을 위한 다양한 노력이 있어야 한다.

02 우리가 통일을 이루고자 하는 것은 우리 민족의 번영과 동북아시아와 세계 평화에 기여하기 위한 것이지 우리를 두려워하는 국가로 만들기 위한 것이 아니다.

03 휴전선으로 분단된 것은 지리적 분단이기 때문에 휴전선을 걷어 내는 일이 지리적 통일을 이루는 것이 된다.

04 ▼ 채점 기준

 | 옳지 못한 부분을 제대로 지적하고 바르게 고쳤다.

 | 옳지 못한 부분은 제대로 지적했으나 고친 부분의 내용이 바르지 않다.

06 우리가 통일이 되면 사회 복지 분야의 예산을 국방비에 쓰는 것이 아니라, 국방비를 사회 복지 분야에 쓸 수 있다.

07 ▼ 채점 기준

 | 통일이 될 때 예상되는 문제점을 두 가지 기술하였다.

 | 통일이 될 때 예상되는 문제점을 한 가지 기술하였다.

09 기본적인 자유가 보장되는 것은 자유이고, 법 앞에서 모든 국민이 동등하다는 것은 평등이다.

10 동서독은 우리와 여러 가지 면에서 차이가 있다. 그러나 남북

한이 이념적으로 대립하고 있듯이 독일도 자본주의 서독과 공산주의 동독으로 나뉘어 대립하였다.

11 북한을 민족적 차원에서 도와야 하지만, 우리가 일방적으로 도와서는 안 된다. 호혜적 차원에서 도움을 주고받아야 한다.

12 지도를 보면 한반도를 들러싸고 있는 나라들을 볼 수 있지만, 남북한 간의 이질화는 나타나지 않는다.

13 통일이 된 이후에도 일정 규모의 군대가 있어야 한다. 통일을 위해서 필요한 것은 남북한 군인들의 무장 해제가 아니라 군사 비용 축소나 군사적 대립 완화를 위한 노력 등이다.

학교 시험 대비 영역별 평가 문제

01 아리스토텔레스　**02** 진정한 애국이 아니라 배타적 애국주의이다.　**03** ⑤　**04** ⑤　**05** ③　**06** ①
07 사회적 갈등 요소가 다양해지고, 빈부 격차와 같이 개인 윤리만으로 해결하기 어려운 문제가 등장하였다.　**08** ③
09 ⑤　**10** ①　**11** 절차적 정의　**12** ④　**13** 한반도 공산화를 노린 북한이 남침하면서 시작되었다.　**14** 사고방식과 생활 방식을 낯설어하고, 외래어가 많은 남한 말을 익히는 데 어려움을 겪는다.　**15** ⑤　**16** ①　**17** ④
18 ③　**19** ④　**20** 지리적, 심리적　**21** 이산가족의 아픔, 실향민의 아픔, 전쟁의 불안과 공포, 많은 국방비 사용
22 ②　**23** ⑤　**24** ②　**25** ②　**26** ①

02 ▼ 채점 기준

	진정한 애국이 아니고 배타적 애국주의라고 기술하였다.
	진정한 애국이 아니라고 기술하였다.

03 국가가 어려움에 처하면 그 국가에 소속된 국민들이 어려움을 겪게 되고, 나라가 영광된 시기에는 국민들도 평온한 생활을 할 수 있다.

04 적극적 국가관에 따르면 국민들의 인간다운 삶을 보장하기 위한 다양한 복지 정책 추진을 중시한다.

　바로 알기　① 적극적 국가관은 현대 국가들이 지향하는 국가관이다. ②, ③, ④는 모두 소극적 국가 역할관에 관한 설명이다.

05 학생 자치 법정을 통해 학생들의 법적 소양과 준법 의식, 그리고 민주 시민으로서 필요한 인성을 함양할 수 있는 계기를 마련할 수 있다.

06 애국심은 맹목적이거나 환상적이어서는 안 된다. 바람직한 애국심은 이성에 바탕을 두어야 한다.

07 ▼ 채점 기준

	정의의 성격이 변화한 이유를 두 가지 이상 기술하였다.
	정의의 성격이 변화한 이유를 한 가지 기술하였다.

08 과제 활동에 제대로 참여하지 못한 학생에게 점수를 주지 않는 것은 옳다고 볼 수 있다. 그러나 일부러 게으름을 피운 것이 아니라 몸이 아파 제대로 참여하지 못했다면 일정한 점수를 주어야 공정하다고 할 수 있다.

09 부패 행위로 얻게 된 이익보다 더 큰 처벌을 받는다면 사람들이 부패 행위를 하지 않으려 할 것이다.

　바로 알기　①, ④ 부패 행위는 개인의 잘못된 사고방식이나 옳지 못한 제도, 또는 제도의 불공정한 운영 등이 원인이 된다. ② 절차를 복잡하게 만들어 담당자에게 자율권을 주면 담당자가 부패 행위를 저지를 가능성이 높다. ③ 사사로운 정에 얽매이다 보면 부패 행위를 저지를 가능성이 높다.

10 어떤 문제에 대한 처벌과 보상의 공정성과 관련된 정의는 사법적 정의이다.

12 친분에 따라 이익을 주게 되면 정실주의와 연고주의가 강화된다. 정실주의와 연고주의는 학연, 지연, 혈연을 중시하는 사고방식을 말한다.

13 ▼ 채점 기준

	북한의 남침으로 시작하였다는 것과 남침의 목적을 함께 기술하였다.
	북한의 남침으로 시작하였다는 것만 기술하였다.

14 ▼ 채점 기준

	북한 이탈 주민이 겪는 어려움을 두 가지 기술하였다.
	북한 이탈 주민이 겪는 어려움을 한 가지 기술하였다.

15 북한은 우리에게 이중적 존재이다. 북한은 분명히 우리에게 경계의 대상이지만, 북한 주민은 우리와 함께 살아갈 동포이며 협력의 대상이기도 하다.

16 북한에서 예술은 아름다움을 표현하고 창조하는 자유로운 작품 활동이라기보다는 당의 이념과 정책을 선전하는 기능을 담당하고 있다.

17 제시문의 내용은 모두 생명을 함부로 다루고 있음을 보여 주는 사례들이다.

18 북한에서 가정은 혈연의 의미뿐만 아니라 사회주의 혁명과 국가를 위해 존재해야 하는 집단으로 규정하고 있다. 그러나 주

민들은 가정을 소중히 여기며 가족 간에 따뜻한 정을 나누며 생활한다.

19 '고난의 행군'은 북한에서 1990년대 중후반 국제적 고립과 자연재해 등으로 극도의 어려움을 겪는 시기에, 이를 극복하고자 제시한 구호이다.

21 ▼ 채점 기준

 | 분단으로 인한 고통을 두 가지 이상 기술하였다.

 | 분단으로 인한 고통을 한 가지 기술하였다.

22 심리적 통일이란 이질화된 사회가 하나로 통합되고, 서로 다름을 존중하면서도 우리는 하나라는 의식을 가지는 것을 말한다.

23 궁극적으로 통일 한국은 구성원 전체가 단순히 하나였던 과거의 통일 상태로 돌아가는 것이 아니라, 다양성 속에서 동질성을 추구하여 더욱 성숙하고 선진적인 민주 복지 국가여야 한다.

24 우리는 남북으로 분단되어 있기 때문에 섬나라와 다를 바 없는 실정이다.

바로 알기 ①, ④ 우리의 교통수단이나 도로망은 세계적인 수준이다. ② 남한은 OECD에 가입할 정도의 경제력을 가지고 있다. ⑤ 우리나라 국민의 해외 관광객 수는 2016년 말 1,000만 명을 넘어섰다.

25 통일 한국은 국가가 원하는 통일이 아니라 국민들이 원하는 통일이 되어야 한다.

26 북한은 통일의 대상이기도 하지만 우리를 위협하는 존재이기 때문에 굳건한 안보 의식을 확립해야 한다.

III 자연·초월과의 관계

1 자연과 인간의 바람직한 관계는 무엇인가?

① 인간은 자연의 주인일까?

📕 기본 확인 문제

1 ① × ② ○ ③ ×　　**2** 환경　　**3** 생태 중심주의
4 ① 자연 ② 인간

✏️ 주제별 평가 문제

1 ③　　**2** ①　　**3** ⑤　　**4** ①　　**5** ④　　**6** ③

1 자연환경은 우리 삶에 필요한 각종 자원을 제공하여 생존의 바탕과 토대가 되어 주는 원래의 자연적인 것이며, 인공 환경은 우리의 생활이 더욱 편리하도록 사람이 만든 것이다.
　　바로 알기 ③ 인공 환경에 대한 설명이다.

2 1978년 10월 5일에 선포된 자연 보호 헌장의 첫 문장으로 자연과 인간의 관계를 단적으로 드러내 준다.

3 과학 기술의 발달, 도시화와 산업화, 인구의 증가 등에 의해 인공 환경이 발달하면서 자연환경은 오염되고 파괴되었으며 각종 자원들의 소비 속도가 빨라져 자원 부족과 고갈의 문제가 대두하게 되었다.

4 인공 환경에는 도로, 학교 같이 눈에 보이는 것과 규범이나 도덕 같은 눈에 보이지 않는 것이 포함된다.
　　바로 알기 ① 친구는 자연환경 중 생물적 요소에 해당한다.

5 자연을 바라보는 서로 다른 두 입장으로 인간 중심주의와 생태 중심주의를 말할 수 있는데, 제시된 내용들은 인간 중심주의를 나타낸다.

6 자연을 바라보는 입장에 따라서 케이블카 설치에 대한 의견이 달라진다. 제시된 내용은 생태 중심주의의 입장에서 동물들의 서식지에 대한 권리를 대변한다. 이에 대한 반론은 케이블카 설치가 동물들의 생존에 오히려 도움에 된다는 논지를 내세워야 한다.

② 환경에 대한 가치관과 소비생활은 어떤 관계가 있을까?

📕 기본 확인 문제

1 ① × ② ○ ③ ○　　**2** 지속 가능한 발전　　**3** 윤리적 소비
4 ① 합리적 ② 편의주의

✏️ 주제별 평가 문제

1 ③　　**2** ②　　**3** ①　　**4** ⑤　　**5** ③　　**6** ③

1 자연은 자정 능력을 가지고 있다. 그러나 인간이 만들어 낸 각종 오염이 이를 뛰어넘게 되면서 환경 문제가 심각해졌다. 인간의 욕구가 무한한 데 비하여 자연이 줄 수 있는 자원의 양과 자정 능력에는 한계가 있다.

2 제시된 만화는 일회용품의 사용으로 인한 쓰레기의 증가를 보여 준다. 이는 대체로 인간의 편의주의에 따른 생활 방식 때문이다.
　　바로 알기 ① 종 차별주의의 태도는 나타나 있지 않다. ③ 물질 중심주의의 태도는 찾아보기 어렵다. ④ 가치 전도 현상

이 원인이라고 보기는 어렵다. ⑤ 외모 지상주의의 태도와는 거리가 멀다.

3 최소의 비용으로 최대의 효과를 얻으려고 하며 가격과 품질, 편리성 등을 고려하는 것은 합리적 소비의 특성이다.

4 윤리적 소비자는 환경, 동물, 사람, 지속 가능성 등의 요소를 고려하여 환경 문제를 해결하고 인간과 자연이 조화롭게 살기 위해 노력한다.

5 제시된 내용은 윤리적 소비자가 제품을 구매할 때에 고려하는 기준 중에서 환경과 관련된 것이다.

6 윤리적 소비가 확산된다면 기업 역시 소비자를 만족시키기 위하여 친환경적이며 인권과 동물 복지가 보장되는 생산 시설을 갖추어 사회적 책임을 다하는 제품을 생산하게 될 것이다.

③ 환경친화적 삶을 위한 구체적인 실천 방안은?

📖 기본 확인 문제

1 환경친화적 삶   **2** ① × ② × ③ ×
3 재사용, 재활용, 감소   **4** ① 협약 ② 세대

✏️ 주제별 평가 문제

1 ⑤	**2** ④	**3** ⑤	**4** ①	**5** ②
6 ③	**7** ③	**8** ③	**9** ④	**10** ②
11 ①	**12** ⑤			

1 환경친화적으로 산다는 것은 자신의 행동이 환경에 미치는 영향을 생각하며 환경 오염을 줄이는 행동을 하고 환경과 어울려 살아가는 것을 뜻한다.

2 제시된 사진들은 차례대로 수질 오염, 쓰레기 문제, 대기 오염, 지구 온난화와 멸종 위기의 동물을 나타낸다. 이 모두를 포괄할 수 있는 단어는 환경 문제이다.

3 도덕은 사람으로서 마땅히 지켜야 할 옳음을 알고 실천하는 것이다. 환경친화적 삶은 환경 문제를 해결하기 위해 생태계의 질서를 유지하고 조화를 추구한다는 점에서 도덕적 요구이자 의무이다.

4 환경 문제의 근본적 해결을 위해서는 생태 중심주의적 가치관을 확립하는 것이다.

5 제시된 글은 환경 문제가 단순히 자연 환경의 문제로 끝나는 것이 아니라 현재의 인류뿐만 아니라 우리의 미래 세대가 누려야 할 생존권마저 위협할 수 있다는 심각성을 일깨우고 있다.

6 환경친화적인 삶을 위해서는 친환경적인 제품을 선택하고 이산화 탄소의 배출을 줄이려는 노력을 기울여야 한다.

바로 알기 ③ 최신 유행 상품을 구매하려는 것은 물질 중심

주의적 태도로 결국은 더 많은 쓰레기를 배출하는 잘못된 소비 생활의 모습이다.

7 제시된 사례는 환경을 보호하면서도 기업을 성공적으로 경영하여 사람들로부터 존경을 받을 수 있다는 것을 잘 보여 준다.

8 환경친화적 삶을 위해 개인, 기업과 사회, 국가, 국제 사회의 노력이 총체적으로 필요하다. 기업의 경우에는 제품의 생산, 유통, 소비에 이르는 전 과정을 통해 환경에 미치는 피해를 줄이려고 노력해야 한다.

바로 알기 ① 경제적 이익보다도 환경에 도움이 되는 것을 고려해야 한다. ② 포장을 최소화하는 것이 환경에 도움이 된다. ④, ⑤ 기업이 아닌 국가의 노력에 해당한다.

9 환경을 생각하는 3R은 재사용, 재활용, 감소이다. 이 때 감소란 각종 지하자원이나 물, 공기 및 에너지 자원의 소비량을 줄이려는 노력을 의미한다.

10 제시된 그림의 내용은 우유팩 30개를 재활용하면 재생 두루마리 휴지 5개를 생산할 수 있다는 것이다.

11 제시된 글은 정크 아트를 소개하고 있다. 버려지는 각종 쓰레기에 작가의 예술적 감성이 더해져서 유용하고 의미 있는 작품으로 재탄생되는 과정을 소개한 것이다.

12 오늘날의 환경 문제는 특정 지역이나 어떤 국가만의 문제가 아니다. 생태계 보호와 미래 세대의 권리를 보장하기 위해서는 지구 온난화, 유해 물질의 국가 간 이동 규제, 멸종 위기 동식물의 보존 등 국제 사회의 협력이 반드시 필요한 것이다.

단원 정리 문제

01 ①	**02** ⑤	**03** ②	**04** 생태 중심주의
05 ③	**06** ③	**07** ⑤	**08** 자정 능력 **09** ②
10 ③	**11** 미래 세대의 권리를 보장하고, 생태계와 공존을 추구한다.	**12** ⑤ **13** ④ **14** ② **15** 각종 오염 물질과 쓰레기를 계속 배출하여 환경을 파괴하고, 자원을 고갈시킨다.	

01 인간은 자연이 제공하는 각종 자원을 이용하여 자신의 삶을 영위한다는 점에서 인간도 생태계의 구성원이다.

02 동물원은 인간이 다양한 동물들에 대한 편리한 접근과 오락을 위해 만든 것으로 인공 환경에 속한다.

03 환경 문제는 환경 오염과 환경 파괴, 자원 부족 및 고갈 문제 등을 모두 포함한다.

바로 알기 ② 실업 증가는 환경 문제가 아니라 사회·경제적 문제이다.

04 자연환경은 그 자체로서 소중한 것이라는 점에서 본래적 가치를 지닌다고 보는 것은 생태 중심주의의 기본 입장이다.

05 생태 중심주의적 관점에 따르면 인간도 생태계의 일원으로서

생태계의 다른 생물 및 무생물과의 유기적 관계를 생각하며 공존을 추구해야 한다.

06 생태 중심주의적 관점에서 국립공원의 케이블카 설치에 대해 취할 수 있는 입장을 추론해 볼 때, 케이블카 설치에 따른 자연 자원의 훼손 및 동식물의 서식지 파괴 등을 주장할 수 있다.

07 자연에 대한 인간 중심주의적 관점은 환경 문제를 일으킨 주요한 원인이다.

08 생태계는 그에 가해진 위해나 변화에 대해 스스로 적응하고 균형을 유지하여 영향을 줄일 수 있는 자정 능력을 가지고 있다.

09 제시문의 주인공은 자신의 행동이 환경에 나쁜 영향을 미치는 줄 알면서도 귀찮다는 이유로 일을 대충 처리하고 있다. 이처럼 어떤 일을 자기 이익과 편리함을 위해 대충 처리하는 것은 편의주의에 따른 것이다.

10 환경 문제를 해결하고 인간과 자연이 조화를 이루는 삶을 위해서는 환경 친화적인 소비 생활을 해야 한다.

바로 알기 ①, ②, ④, ⑤는 합리적 소비의 자세이다.

11 ▼ 채점 기준

 | 지속 가능한 발전의 도덕적 의미 두 가지를 모두 기술하였다.

 | 지속 가능한 발전의 도덕적 의미 한 가지를 기술하였다.

12 물건 구매 줄이기, 지역 농산물 사먹기, 일회용품 사용하지 않기 등을 실천할 수 있으며, 텔레비전을 자주 시청하는 것은 친환경적 삶과 거리가 멀다.

13 환경친화적 삶을 위한 노력은 주체에 따라 그 실천 내용에 차이가 있다. 개인의 노력, 사회와 국가의 노력, 국제 사회의 노력으로 구분할 수 있다.

바로 알기 ④ 개인의 노력에 해당한다.

14 물새 서식지로서 국제적으로 중요성을 지닌 습지의 보전에 관한 국제 협약은 람사르 협약이다.

바로 알기 ① 유해 폐기물의 국가 간 이동 및 처리에 관한 협약이다.

15 ▼ 채점 기준

 | 물질 중심주의에 따른 환경 문제 두 가지를 모두 기술하였다.

 | 물질 중심주의에 따른 환경 문제 한 가지를 기술하였다.

---

2 과학 기술과 도덕의 관계는 무엇인가?

① 과학 기술은 인간의 삶을 어떻게 바꾸었나?

기본 확인 문제

1 ① × ② ○ ③ × **2** 물질생활을 더욱 풍요롭고 편리하게 만드는 데 기여하였다. **3** 과학적 사고방식

4 ① 교통 ② 비인간화

주제별 평가 문제

1 ②	**2** ③	**3** ③	**4** ④	**5** ①
6 ②	**7** ⑤	**8** ⑤	**9** ④	**10** ①
11 ②	**12** ①			

1 백열전구, 축음기, 영화 장비 등은 에디슨의 업적이다.

2 김순권 박사는 유전 공학 기술을 통해 병충해에 강한 옥수수를 개발하였다. 유전 공학은 생물의 유전자를 조작하거나 가공하여 실생활에 적용하고자 하는 학문으로 각종 질병 치료와 식량 및 환경 문제 해결 등 다양한 분야에 적용되고 있다.

3 과학 기술은 인류의 오랜 과제였던 식량 문제의 해결 및 생명 연장에서 상당한 성과를 보여 주고 있다.

4 과학은 지식과 이론 체계를 제공하고, 기술은 이를 바탕으로 실생활에 응용하거나 적용할 수 있는 수단을 만들어 낸다.

5 과학 기술의 발달은 인류의 외형적 삶뿐만 아니라 내면에도 많은 영향을 미쳤다. 신화적 세계관이나 종교적 인간관 등이 위축된 것도 이와 관련이 있다.

바로 알기 ②, ⑤ 인류의 외형적인 면에 미친 영향에 해당한다. ③ 종교적 인간관으로부터 멀어지게 되었다. ④ 과학 기술의 발전으로 인해 인간이 생태 중심주의적 태도를 갖게 되었다고 보기는 어렵다.

6 설거지를 하는 중에 생긴 접시의 파손에 대한 과학적 사고는 객관적 사실과 과학 원리를 적용하여 원인과 결과를 이성적으로 분석하도록 요구한다.

7 현대 과학 기술의 특징으로는 연구 범위와 비용의 확대, 복잡하고 미세한 분야 도전, 매우 빠른 속도의 발전, 다른 분야와의 공동 연구 등을 꼽을 수 있다.

바로 알기 ⑤ 다양한 분야의 전문가들이 함께 연구를 진행하여 새로운 결과들을 탄생시키고 있다.

8 제시문의 내용은 과학 기술에 지나치게 의존하면서 인간의 능력이 저하되는 문제의 대표적 예로 디지털 치매를 설명한 것이다.

9 제시문은 과학 기술의 발전에 따라 발생하는 여러 문제들을 나열하고 있다. 생산 기술의 급속한 발전 그 자체를 문제 삼기보다는 그 결과로 생겨난 문제들을 제시한다.

10 자연환경의 오염과 파괴의 주요한 원인 중 하나는 인간의 욕구를 충족시키기 위해 자연을 무분별하게 개발한 것이다.

11 영화 '모던 타임즈'의 한 장면으로, 기계의 부품이 되어 버린 인간의 모습을 상징하며 인간 소외 문제를 보여 준다.

12 현대 과학 기술이 가져온 문제점 중의 하나인 비인간화 문제를 극복하기 위해서는 인간 본연의 자율적이고 주체적인 모습을 되찾아야 한다.

---

② **과학 기술은 모든 문제를 해결해 줄 수 있는가?**

📕 **기본 확인 문제**

1 ① × ② ○ ③ ○ **2** 멋진 신세계 **3** 비관론
4 ① 만능주의 ② 균형

✏️ **주제별 평가 문제**

1 ④	**2** ②	**3** ③	**4** ①	**5** ③
6 ③	**7** ④	**8** ②	**9** ⑤	**10** ②
11 ⑤	**12** ④			

1 제시된 도표는 대한민국 인구의 출산 연도별 예상 기대 수명을 나타낸다. 2010년 기준으로 보면 남자의 기대 수명이 77.2세였다.

[바로 알기] ① 수명의 비밀에 대한 인간의 도전과 관련된 내용은 찾아볼 수 없다. ② 산업 혁명기의 기대 수명은 표에 나와 있지 않다. ③ 2015년 한국 여성의 기대 수명은 84.1세를 조금 넘어섰다. ⑤ 2100년의 기대 수명은 표를 통해 알 수 없다.

2 과학 기술에 대한 비관론과 상대되는 관점으로 과학 기술에 대한 낙관론이 있다.

3 과학 기술에 대한 비관론의 내용을 알아야 한다. 비관론은 부정적인 면을 부각시키는 것으로, 과학 기술이 인간과 자연을 모두 파괴할 것이라는 입장이다.

4 인간과 같은 학습 능력과 사고력을 갖춘 인공 지능이 인류에게 축복일지, 재앙일지는 여전히 논란의 대상이 되고 있다.

5 지금까지의 과학 기술은 혜택과 문제점이라는 양면적 효과를 가져왔다. 이러한 양면성 때문에 앞으로의 과학 기술 역시 인간에게 행복한 미래를 약속할 것이라는 기대와 함께 기계에 의한 지배를 받을 것이라는 우려를 내포하고 있다.

6 과학 기술에 대한 낙관론의 입장에서는 휴대전화의 편리성을 강조한다. 반면 과학 기술에 대한 비관론의 입장에서는 휴대폰 중독과 직접적 대화의 단절을 지적할 것이다.

---

7 제시된 내용은 영국의 사상가 베이컨이 쓴 소설 "새로운 아틀란티스"에 관한 것이다.

8 헉슬리의 소설 "멋진 신세계"의 내용으로, 타율적 삶과 조작된 행복에 길들여진 인간을 묘사하고 있다. 따라서 이들이 회복해야 할 인간성은 자율성과 주체성이 될 것이다.

9 과학 기술이 가져온 혜택과 문제점을 구분하고, 이를 통해 과학 기술에 대한 균형 잡힌 시각을 가질 수 있어야 한다.

10 이 시에는 과학 기술의 명암이 대조적으로 드러난다. 화자는 자동차를 가지게 되면서 계절의 변화를 느끼는 감성과 이웃의 삶을 향한 관심 등 따뜻한 인간미를 잃게 될 것을 안타까워하고 있다.

11 물질 만능주의는 더 많은 물질을 가짐으로써 자신의 가치가 높아진다고 여긴다. 그 결과 물질이 가진 가치를 다른 가치보다 더 우위에 두는 것이다.

12 과학 기술에 대한 균형 잡힌 관점을 가지기 위해서는 과학 기술에 대한 맹목적 낙관이나 지나친 비관을 경계해야 한다.

---

③ **과학 기술에 책임이 필요한 이유는 무엇인가?**

📕 **기본 확인 문제**

1 가치 중립성 **2** ① × ② ○ ③ × **3** 기업이나 국가의 이익 때문에 인간 존엄성과 행복 실현이라는 과학의 궁극적 목적에 반하는 연구를 해서는 안 된다. **4** ① 책임 ② 행복

✏️ **주제별 평가 문제**

1 ③	**2** ①	**3** ②	**4** ②	**5** ④
6 ④	**7** ④	**8** ⑤	**9** ③	**10** ⑤

1 1986년에 발생한 체르노빌 원자력 발전소의 폭발 사고를 계기로 인류는 핵에너지의 이용이 가져온 위험성을 절실히 느끼게 되었고, 안전성 검사의 중요성을 알게 되었다.

2 제시된 사진은 체르노빌 지역에서 발견된 돌연변이 해바라기이다. 이는 방사능 유출에 의한 유전자의 변형을 보여준다.

3 가치 중립성은 어떤 가치관이나 태도에도 치우치지 않는 성질, 또는 연구에 연구자의 주관이나 가치를 개입시키지 않는 학문적 태도를 말한다.

4 과학 기술이 세밀하고 복잡해지면서 일반 사용자들은 그 원리와 결과를 알기 어렵게 되었다. 따라서 과학 기술의 영향과 문제에 대해서 과학 기술자들에게 그 책임을 물어야 한다는 요구가 커지게 되었다.

5 과학 기술에 대해 가치 중립성을 허용해야 한다는 주장은 과학 기술의 학문적 바탕이 되는 과학의 성격에 근거한다. 즉 과학은 자연 현상의 원리와 법칙이라는 객관적 사실을 밝히는

것으로, 연구자의 가치나 주관이 개입하지 않는다는 것이다.

6 프리츠 하버의 사례를 통해 과학 기술자의 윤리 의식에 대해 생각해 볼 수 있다.

7 1945년 8월 6일 히로시마에 인류 최초의 원자 폭탄이 투하되었다. 그로부터 3일 뒤인 8월 9일에는 나가사키에 두 번째 원자 폭탄이 투하되었다.

8 과학 기술자는 인간의 존엄성과 행복 실현이라는 과학의 궁극적 목적을 위해 노력해야 한다는 사회적 책임이 있다.

9 과학 기술의 영향력 확대와 일반인이 과학 기술의 세밀한 내용에 대해 그 결과를 알기 어려워졌다는 점을 동시에 고려할 때 과학 기술자가 과학 기술이 가져올 문제와 영향에 대해 책임을 져야한다는 것이다.

10 환경 문제나 핵의 평화적 이용에 관해서는 개인이나 국가의 차원에서 효과를 기대하기 어렵다. 따라서 전 지구적 차원에서 국제 사회의 협력이 요청된다.

단원 정리 문제

01 ③　　**02** ④　　**03** ⑤　　**04** ④　　**05** ④
06 ⑤　　**07** 인공 지능 기술　　**08** 과학 기술은 인류의 행복한 미래를 보장하고 모든 문제를 해결할 수 있다.
09 ④　　**10** ②　　**11** ②　　**12** ⑤　　**13** ③

01 과학 기술은 과학의 학문적 지식을 바탕으로 인간이 직면한 문제들을 해결하고 생활에 유용한 것들을 만들어내는 수단이다.

02 서로에게 꼭 필요하며 떼려야 뗄 수 없는 관계를 가리켜 불가분의 관계라고 한다.

03 과학 기술은 우리의 삶이 물질적으로 풍요로우며 편리하도록 만들어주었다. 또한 현대를 '과학 기술의 시대'라고 부를 만큼 우리 생활에 미치는 영향과 중요성이 매우 크다.

04 현대 과학 기술 분야로는 우주 항공이나 정보 통신 기술, 나노 기술, 생명 과학 기술 등과 같은 최첨단 과학 기술 연구가 이루어지고 있다. 이를 위해서는 막대한 자본이 필요하기에 국가적 차원에서의 지원 없이는 추진하기 어렵다.

06 제시문은 한 학생의 사례를 통해 인터넷 활용과 컴퓨터 이용이 주는 편리함에 길들여지면서 스스로 문제를 확인하고 해결 방안을 찾는 노력은 소홀해지는 과학 기술 의존적 성향을 보여준다.

07 인공 지능 기술은 인간의 학습 능력과 각종 사고력을 컴퓨터 프로그램으로 실현하는 기술이다.

08 ▼ 채점 기준

 | 과학 기술에 대한 낙관론의 기본 입장 두 가지를 모두 기술하였다.

| 과학 기술에 대한 낙관론의 기본 입장 한 가지를 기술하였다.

09 과학 기술자는 기술의 사용에 대한 판단이나 책임으로부터 자유롭다는 입장이다.

10 현대 과학 기술에 대한 책임을 누가 져야 할 것인가에 대해서는 여러 주장이 있다. 과학 기술자에 대해 책임이 강조되는 것은 일반 사용자들은 복잡한 과학 기술의 원리나 사용에 따른 결과를 잘 알 수 없다는 것이 그 이유이다.

11 과학 기술자가 사회적 책임을 다 하기 위해 갖추어야 할 능력은 도덕적 상상력이다.

12 핵물리학자인 아인슈타인은 핵폭탄이 실제로 전쟁에 사용되는 것을 보고, 자신이 핵무기 개발을 촉구하는 편지를 대통령에게 썼던 행동에 대해 큰 책임을 느꼈다. 그리하여 뜻을 같이 하는 여러 과학자들과 함께 핵무기의 완전한 통제를 요구하는 평화 운동을 전개하였다.

13 제시문은 화학자 프리츠 하버의 사례로 과학 기술자의 사회적 책임에 관한 윤리적 요청을 보여준다. 과학 기술자는 개인적 성취와 기업의 이익 또는 국가의 필요를 이유로 인간의 존엄성과 인류의 행복에 피해를 끼쳐서는 안 된다.

3 삶과 죽음의 의미는 무엇인가?

① 무엇이 나의 삶을 소중하게 만드는가?

기본 확인 문제

1 ① ○ ② × ③ ○　　**2** 삶은 그 무엇과도 바꿀 수 없고 비교할 수 없는 소중한 것이다.　　**3** 삶은 자신뿐만 아니라 관계를 맺고 있는 다른 모든 사람들에게도 큰 의미가 있다.
4 ① 관리 ② 목표

주제별 평가 문제

1 ④　　**2** ②　　**3** ④　　**4** ⑤　　**5** ④　　**6** ①

1 가치 있고 소중한 삶은 사회적 성공이나 경제적 부와 같은 물질적이고 외형적인 가치를 얻는 것이 아니다. 정신적 가치를 추구하는 삶이야말로 진정 가치 있는 삶이다.

2 삶에 대한 성찰을 통해 어떻게 살아야 할 것인지를 바르게 알 수 있다.

3 겉으로 보았을 때 성공하지 못한 것 같다고 생각되더라도, 삶은 그 자체로서 성스럽고 존엄한 것이다.

4 삶의 소중함은 사회적 관계 속에서도 찾을 수 있다. 나의 삶

은 나뿐만 아니라 나와 관계를 맺고 있는 모든 사람들에게도 큰 의미를 가지기 때문이다.

5 그 누구의 삶이건, 어떤 상태에서 있건 삶은 그 자체로 소중한 절대성을 지닌다.

6 소중한 삶을 가치 있게 살기 위해 가장 먼저 알아야 할 것은 삶의 소중함을 이해하는 것이다.

② 죽음을 어떻게 생각해야 할까?

📗 기본 확인 문제

1 ① × ② ○ ③ ×　　2 버킷 리스트　　3 공자
4 ① 삶 ② 섭리

✏️ 주제별 평가 문제

1 ①　　2 ②　　3 ⑤　　4 ④　　5 ②　　6 ③

1 중국 진나라의 시황제가 만들었다는 병마용을 통해 우리는 그가 영원한 삶을 욕망하였음을 짐작할 수 있다.

2 죽음에 대한 여러 사상과 종교들이 공통적으로 강조하는 것은 현재의 삶을 의미 있고 소중하게 여기는 삶의 자세이다.

3 에피쿠로스는 우리가 살아 있는 동안에는 결코 죽음을 경험할 수 없을 것이므로 죽음을 두려워하기보다는 현실에서의 행복한 삶을 추구하라고 가르쳤다.

4 버킷 리스트는 죽기 전에 꼭 해야 할 일이나 하고 싶은 일들을 적은 목록을 말한다.

5 죽음을 통해 우리는 삶의 소중함을 깨닫고 더 의미 있고 가치 있는 삶을 살고자 노력할 수 있다.

6 죽음을 연구한 학자들에 따르면 사람들이 죽음을 직면하게 되었을 때에 나타내는 반응으로 부인, 분노, 거래, 우울, 수용의 5단계가 있다고 한다.

> **바로 알기** ③의 거래는 자신이 죽지 않고 살게 된다면 앞으로는 착하고 바르게 살겠다는 약속을 하면서 신과의 거래를 시도하는 것이다.

③ 삶을 의미 있게 살아가기 위해 무엇을 할 것인가?

📗 기본 확인 문제

1 ① × ② × ③ ×　　2 반성　　3 아무리 좋은 목표를 세우더라도 노력하지 않으면 이룰 수 없기 때문이다.
4 ① 자기 존중 ② 만족감, 목적

✏️ 주제별 평가 문제

1 ①　　2 ⑤　　3 ②　　4 ④　　5 ④　　6 ④

1 매일을 인생의 마지막 날처럼 산다는 것은 하루하루를 성실하게 살아간다는 뜻이다. 자신의 일을 소중히 여기고 주변 사람들과의 관계를 원만히 하는 것은 물론 진정으로 자신이 원하는 일을 찾으려 노력하는 것이다.

2 제시문은 스티브 잡스가 대학 졸업식에서 행한 연설의 일부이다. 이때, 가슴을 따라 산다는 것은 내면의 소리에 귀 기울여서 자신이 진정 무엇을 원하는지를 파악하라는 것이다. 주변 사람들의 요청이나 사회적 평가에 신경 쓰느라 정작 자신이 원하는 삶을 포기하지 말라는 뜻이다. 이와 관련하여 스티브 잡스는 우직하게 나아가라는 말을 남겼다.

3 주인 의식은 어떤 일에 대해 스스로 판단하고 선택하며 그 결과에 대해서도 책임지는 것이다. 다른 사람이 시키는 대로 따르는 복종이나 타율과 구분되며 남에게 책임을 떠넘기거나 핑계를 대는 태도와는 확연히 다르다.

4 의미 있는 삶을 살기 위해서는 본래적 가치, 정신적 가치와 같은 궁극적 가치를 추구해야 한다.

5 진정 의미 있는 삶이란 주관적인 만족과 더불어 타인으로부터 가치 있는 삶을 살았다는 인정을 얻을 수 있어야 한다. 이를 위해서는 모든 사람들이 그 소중함을 인정할 수 있는 보편적 가치를 추구해야 한다.

6 제시문에 나오는 인물의 삶은 나눔과 봉사를 실천한 참 의료인으로서의 모습을 보여 준다.

📘 단원 정리 문제

01 ①　　02 ②　　03 ④　　04 ②　　05 ③
06 ③　　07 그 무엇과도 바꿀 수 없고, 비교할 수도 없는 소중하고 귀한 것이다.　　08 ⑤　　09 ①　　10 ③
11 ⑤　　12 ④　　13 죽기 전에 꼭 해야 할 일이나 하고 싶은 일을 적은 목록이다. 나는 하루의 계획 세우기, 다른 사람 칭찬하기, 스스로에게 미소 짓기를 실천하겠다.　　14 ④
15 ①

01 삶의 의미에 대해 성찰한다는 것은 나의 삶이 왜 소중한지, 어떻게 살아야 할지, 무엇이 내 삶을 의미 있게 만들어 주는가 등의 물음에 대해 깊이 생각하여 답을 찾는 것이다.

02 제시문의 모래시계와 대비되는 인생과 삶의 특징은 일회성, 유한성, 비가역성이다.

03 제시문은 느낌표가 자신이 누구인지에 대해 알아 가는 과정을 보여 준다.

04 삶을 소중하게 여긴다면 자신과 함께 다른 사람의 삶 역시 소중하게 여겨야 한다. 따라서 부정적 느낌의 말로써 다른 사람에게 피해를 주어서는 안 된다.

05 삶의 의미에 대한 성찰이 성공하는 삶에 대한 보증은 아니다.

06 제시문은 불치병에 걸린 아들을 둔 아버지의 슬픔을 통해 삶이 소중한 이유가 가족을 비롯한 사회적 관계 속에도 있음을 보여 준다.

07 ▼ 채점 기준

	삶이 절대적 가치를 지니는 이유를 적절히 기술하였다.
	삶이 절대적 가치를 지니는 이유를 미흡하게 기술하였다.

08 삶을 더욱 가치 있게 만들기 위한 자기 관리의 내용으로는 시간, 건강, 인간관계 등이 있다.

바로 알기 ⑤ 삶을 가치 있게 만드는 것은 정신적 가치에 대해 추구하는 것이다. 외모를 관리하는 것은 물질적 가치를 추구하는 것이므로 이에 해당하지 않는다.

09 삶의 목표가 있는 사람은 현재 자신의 위치에서 해야 할 일을 안다.

10 예수는 죽음에 대해 믿음·소망·사랑의 실천을 통해 내세의 영원한 생명과 행복을 맞이하는 단계라 하였다.

11 죽음을 마주하게 되었을 때에는 자신의 삶을 성찰하고 잘 마무리하려는 자세가 필요하다.

바로 알기 ⑤ 내가 받은 상처를 복수로 되돌려 주는 것은 자신에게 또 다른 상처를 만드는 것이고 남겨질 사람들에 대한 폭력이다.

12 죽음 앞에서 얻게 되는 지혜는 더 많이 사랑하고 용서하며 배려하고 행복한 삶을 살아야 한다는 것이다.

바로 알기 ④ 높은 지위는 진정한 행복을 위한 가치가 될 수 없다.

13 ▼ 채점 기준

	버킷 리스트의 뜻과 자신의 버킷 리스트 세 가지를 기술하였다.
	버킷 리스트의 뜻과 자신의 버킷 리스트 세 가지를 올바르게 기술하지 못하였다.

14 죽음은 우리가 도덕적이고 가치 있는 삶을 살아야 하는 이유를 일깨워 준다.

15 지나간 과거를 고칠 수 없듯이 오지 않은 미래 때문에 불안해하며 시간을 낭비해서는 안 될 것이다. 현재를 충실히 사는 것이야말로 자신의 삶을 의미 있게 만드는 노력이다.

---

4 마음의 평화는 어떻게 이룰 수 있을까?

① 고통을 어떻게 대해야 할까?

📖 기본 확인 문제

1 ① × ② ○ ③ ○   **2** 객관적으로 파악하기
3 ① 욕구 ② 도움

✔ 주제별 평가 문제

1 ③   **2** ①, ④   **3** ①   **4** ④   **5** ③   **6** ②

1 고통은 괴롭고 힘들기만 한 것이 아니다. 고통이 없다면 결코 알지 못하고 얻을 수 없는 것들이 있기에 때로는 고통이 우리 삶에서 꼭 필요한 것이 되기도 한다.

2 제시된 예화는 친구에 대한 지나친 집착으로 생겨난 고통과 옳지 않은 행동을 하여 생겨난 고통을 보여 준다.

3 고통의 유형은 매우 다양하다. 개인적인 것과 사회적인 것, 일시적인 것과 지속적인 것, 선택한 것과 주어진 것, 내부적 원인에 의한 것과 외부적 원인에 의한 것 등 기준에 따라 다르게 분류할 수 있다.

바로 알기 ① 사람들은 성장과 발전을 위해 고통을 선택하기도 하며, 운이 좋다고 해서 피할 수 있는 것은 아니다.

4 에피쿠로스는 고통의 원인을 사람들이 순간적이고 육체적인 쾌락을 추구하는 데서 찾았다.

5 인간은 고통을 받는 데서 끝나지 않고 고통의 원인과 자신이 할 수 있는 극복 방법 등에 대해 성찰함으로써 교훈을 얻는다.

6 멕시코의 화가 프리다 칼로는 자신의 불행과 고통을 예술 작품으로 승화시켰다.

② 나는 무엇을 희망할 수 있을까?

📖 기본 확인 문제

1 ① × ② ○ ③ ○   **2** 마음의 평화   **3** 희망
4 ① 행복 ② 제도

✔ 주제별 평가 문제

1 ④   **2** ③   **3** ①   **4** ⑤   **5** ⑤
6 ①, ③   **7** ②   **8** ④   **9** ②   **10** ①
11 ⑤

1 에벌린 글레니는 신체적 장애를 극복하고 세계적인 타악기 연

주자가 되었으며, 폴 포츠는 경제적 어려움 속에서도 가수가 되고 싶은 희망을 포기하지 않아 결국은 성악가의 꿈을 이루었다.

2 희망은 미래에 어떤 좋은 일이 생길 것을 기대하는 것으로 사람은 현재를 넘어 미래를 꿈꾸는 존재이고, 희망이 있어 고통과 어려움을 이겨낼 수 있다.

바로 알기 ③ 우리 주변에는 자신의 잘못된 욕망 때문에 남에게 피해를 주는 사람이 있다.

3 희망을 분류하면 자신의 개인적 차원에서 원하는 희망과 공동체의 발전과 관련되는 사회적 차원의 희망으로 나눌 수 있다.

4 마음의 평화란 외부의 변화나 자극에 휘둘리지 않고 평온을 유지하는 상태이다.

5 마음의 평화를 잃게 되면 분노, 질투, 불신, 원망 등의 부정적 감정이 일어난다.

바로 알기 ⑤ 자부심은 자기와 관련되어 있는 것에 대하여 스스로 당당히 여기는 마음으로, 긍정적인 감정이다.

6 적절히 조절되지 못한 부정적 감정들이 일으키는 문제로 감정에 치우친 판단, 타인을 배려하지 않고 폭력을 사용하는 것 등이 있다.

7 희망은 우리들로 하여금 절망 속에서도 용기를 잃지 않고 긍정적 자세로 고통을 견뎌 내며 원하는 것을 성취하도록 힘을 준다.

8 마음의 평화를 가진다면 삶의 목표를 향해 꾸준히 노력할 수 있고 진정한 행복에 이를 수 있다.

바로 알기 ④ 마음의 평화는 개인적 차원에서의 행복을 위한 조건이다. 사회적 문제 해결과 정치 발전을 위해서는 제도적 개선과 공동체의 합의와 같은 요건들이 갖추어져야 한다.

9 평화로운 마음의 상태를 유지하기 위해 동서양의 지혜를 배우는 것은 도움이 된다.

바로 알기 ① 아리스토텔레스가 강조한 중용에 해당한다. ③ 유교(퇴계 이황)의 가르침이다. ④ 예수가 강조한 것이다. ⑤ 석가모니의 지혜이다.

10 도덕적인 삶은 떳떳하고 올바른 삶을 살도록 이끌어 마음의 평화를 얻게 한다.

11 종교를 통해서 마음의 평화와 안식을 얻을 수 있다.

바로 알기 ⑤ 대체로 종교는 사회적 참여를 통한 정의의 실현과 약자에 대한 존중과 보호를 요청한다.

단원 정리 문제

01 ④　　**02** ⑤　　**03** ②　　**04** ④　　**05** ①
06 고통의 원인과 상태를 객관적으로 파악해야 바람직한 해결 방안을 찾을 수 있다　　**07** ③　　**08** 판도라의 상자
09 ⑤　　**10** 마음의 평화가 깨지면 고통을 절망과 좌절로 받아들인다. 이성적 판단을 가로막거나 비도덕적 행동을 하게 되어 더 큰 고통을 일으킨다. **11** ①　　**12** ②　　**13** ③
14 ①

---

01 고통을 일으키는 외부적 원인으로 질병이나 재난 재해, 인간 관계에서의 오해, 잘못된 제도와 관행, 주변 사람들의 과도한 기대 등이 있다.

02 고통은 원인이 다양할 뿐만 아니라 어떻게 마주하느냐에 따라서도 그 의의가 달라진다.

바로 알기 ⑤ 사람들은 자신의 성장이나 공동체의 발전을 위해 스스로 고통을 선택하기도 한다.

03 유교에서는 고통의 원인을 절제되지 않은 욕구에서 찾으며, 불교에서는 깨달음을 얻지 못한 집착 때문에 고통이 생겨나는 것이라고 본다.

04 제시문은 고통을 통해 서로의 소중함을 깨달은 가족이 일상 속에서 소소한 행복을 깨달아 가는 과정을 보여 준다.

05 '비 온 뒤에 땅이 굳는다.'라는 속담은 어떤 시련을 겪은 뒤에 더 강해진다는 것을 나타낸다.

06 ▼ 채점 기준

	두 단어를 모두 활용하여 알맞은 내용을 기술하였다.
	두 단어 중 하나만 기술하였거나, 내용이 적절하지 못하다.

07 희망은 절망적인 상황 속에서도 긍정적으로 바라보아 고통을 헤쳐 나가도록 도와준다.

08 판도라의 상자는 뜻밖의 재앙이 생겨나는 근원을 의미한다.

09 사회적 차원의 희망은 공동체의 지향이나 공동체 구성원 모두가 함께 바라는 것을 의미한다.

바로 알기 ⑤ 개인적 차원의 희망이다.

10 ▼ 채점 기준

	고통의 극복을 위해 마음의 평화가 중요한 이유를 두 가지 기술하였다.
	고통의 극복을 위해 마음의 평화가 중요한 이유를 한 가지 기술하였다.

11 마음의 평화를 얻기 위해서는 어떤 외부의 자극이나 환경의 변화에도 흔들리지 않는 평온한 마음 상태를 유지해야 한다.

12 마음의 평화를 얻기 위해서는 과도한 욕구를 절제해야 한다는 것이 동서양의 많은 사상가와 종교가 공통적으로 강조하는 것이다.

13 군자는 유교의 이상적 인간상을 가리키는 말이다.

14 종교를 가진 많은 사람들이 마음의 평화를 얻는 것은 감사와 사랑, 겸손과 절제 등을 생활 속에서 실천하기 때문이다.

바로 알기 ① 현실 개선과 목표 성취를 위해서는 자신의 노력이 우선되어야 한다. 또한 최선을 다한 후에는 결과를 수용하는 자세가 필요하다.

01 ④　　02 생태계　03 ②　　04 ②　　05 지속 가능한 발전　06 ④　　07 ②　　08 ②　　09 제2차 세계 대전. 대량 살상 무기로 인해 많은 사람들이 목숨을 잃었다. 10 ⑤　　11 멋진 신세계　12 ①　　13 ②　　14 ⑤ 15 ②　　16 ③　　17 ⑤　　18 ⑤　　19 죽음 20 ④　　21 플라톤　　22 ③　　23 ④　　24 ① 25 ④　　26 ③　　27 마음의 여유를 잃으면 성급한 행동으로 더 큰 고통을 겪을 수 있다. 상황을 객관적으로 파악하여 올바른 해결 방안을 찾을 수 있다.　　28 ③　　29 ②

01 우리를 둘러싼 환경은 자연환경과 인공 환경으로 구분된다. ①, ②, ③, ⑤는 모두 인공 환경이며 ④는 자연환경이다.

02 생태계란 어떤 지역 안에 사는 생물군과 이것들을 제어하는 무생물적 환경 요인이 종합된 복합 체계를 말한다.

03 인간 중심주의는 자연이 도구적 가치를 가진다고 보는 반면 생태 중심주의는 자연이 본래적 가치를 지닌다고 본다.

　바로 알기　① 인간 중심주의의 관점에서 자연은 인간을 위한 수단일 뿐이다. ③ 생태 중심주의의 관점에 따르면 인간은 자연을 함부로 이용해서는 안 된다. ④, ⑤ 생태 중심주의의 입장에 해당한다.

04 환경 문제를 일으킨 원인들은 인구 증가, 산업화와 도시화, 인간의 무관심, 무분별한 개발 등 매우 다양하다.

　바로 알기　② 여기서 말하는 환경은 자연환경을 의미하며 따라서 빈부 간의 격차는 환경 문제의 원인이라고 보기 어렵다.

05 지속 가능한 발전은 미래 세대의 권리와 생태계와 공존을 추구한다는 점에서 도덕적 의미를 가진다.

06 잘못된 소비 생활의 자세 중 편의주의에 관한 것이다.

07 인류의 행복과 자연이 조화를 이루는 소비 행태를 윤리적 소비라 하며, 개인의 건강과 환경, 지속 가능성을 고려하는 생활 방식을 로하스(LOHAS)라고 한다.

08 과학 기술에 대해 균형 잡힌 시각을 가지기 위해서는 과학 기술의 양면성을 이해해야 한다.

09 ▼ 채점 기준

 | 사건과 이유 두 가지를 모두 적절히 기술하였다.

 | 사건과 이유 중 한 가지만 기술하였다.

10 과학 만능주의는 과학이 인류가 직면하는 모든 문제들을 해결할 수 있으며 인간의 행복한 미래를 보장해 줄 것이라고 생각하는 것이다.

11 올더스 헉슬리는 "멋진 신세계"에서 인류의 미래 사회를 과학 기술이 지배하는 암울한 디스토피아로 그려 놓았다.

12 과학 기술은 인간의 풍요로운 물질생활을 가능하게 도움을 준 반면 인간이 물질 만능주의에 빠져 정신적 가치를 소홀히 하는 문제를 가져왔다.

13 과학 기술이 아무리 발달하더라도 삶의 의미에 대한 답은 자신에 대한 올바른 이해를 바탕으로 삶을 성찰하고 바람직한 삶을 탐구하는 철학적 사고 과정을 통해 얻게 된다.

14 과학 기술의 발달에 따라서 인간의 존엄성과 생명 존중, 의료 평등 문제 등과 같은 여러 가지 논란이 제기된다.

　바로 알기　⑤ 도덕 문제라기보다 정치적 논란이나 경제적 고려 대상에 가깝다.

15 과학 기술의 바람직한 발전은 미래 세대의 권리 보장, 인간과 생태계의 공존을 바탕으로 한다.

16 제시문은 삶의 특징이 되는 일회성, 유한성, 비가역성, 반복하여 살 수 없음을 담고 있다.

17 제시된 표현은 현재의 삶을 충실히 살 것을 강조한다.

18 삶의 소중함은 사회적 관계 속에서도 파악될 수 있다. 예를 들면 나의 삶은 우선적으로 나 자신에게 소중한 것이지만, 나의 가족이나 친구들에게도 큰 의미와 영향을 가진다.

19 죽음이 있기에 우리의 삶은 더 의미 있고 소중한 것으로 다가온다.

20 죽음에 직면하게 되었을 때 죽음을 부정하고 회피하거나 분노를 표출하는 것은 바람직하지 않다. 오히려 죽음을 자연의 섭리로 받아들이고 삶을 되돌아보고 정리하는 자세가 요청된다.

21 플라톤은 육체로부터 해방되어 진리의 세계로 나아가 마침내 지혜를 얻는 계기로서 죽음을 설명하였다.

22 제시문은 죽음은 자연의 섭리로, 그리고 삶은 그 자체로 감사하게 여겨야 할 것으로 표현하고 있다.

23 유교는 고통의 원인이 인간의 잘못된 욕구에 있다고 보며 이를 극복하기 위해서는 본래 지녔던 선한 본성을 되찾아야 한다고 강조한다.

24 고통은 아픔 그 이상의 의미로써 삶의 소중함을 느끼는 계기가 된다.

25 고통 극복의 과정을 통해 개인이 몸과 마음을 단련시키듯이, 인류는 고통과 한계를 극복하기 위한 노력을 통해 새로운 문명과 문화를 창조해 왔다.

26 우리가 추구해야 할 희망은 자신의 능력을 고려하여 할 수 있는 것을 목표로 하고 능력을 길러서 이루고자 노력할 때에 그 실현 가능성이 더욱 높아진다.

27 ▼ 채점 기준

 | 마음의 여유가 중요한 이유 두 가지를 모두 바르게 기술하였다.

 | 마음의 여유가 중요한 이유 두 가지 중 한 가지를 바르게 기술하였다.

28 희망을 통한 마음의 평화를 이룬다면 우리는 절망적인 상황에서도 목표를 이루기 위한 노력을 지속적으로 실천할 수 있으며 고통을 긍정적으로 받아들이고 도덕적으로 옳은 행동을 하게 된다.

29 마음의 평화를 이루기 위해서는 도덕적인 삶을 살아야 한다. 이 때에 도덕적인 삶을 위해 가장 중요한 것은 자신의 양심을 지켜서 떳떳하고 부끄럽지 않은 삶을 사는 것이다.

1학기 모의 중간평가 문제

01 ② **02** ③ **03** ⑤ **04** ④ **05** ③
06 지식 재산권 침해 **07** 정보화 시대 **08** 부모님과의 관계가 악화되기도 하고, 디지털 치매 증상을 보이는 등 여러 가지 부작용을 겪는다. **09** ② **10** ① **11** ②
12 ③ **13** 갈등을 근본적으로 해소하기보다는 오히려 더 악화시키기 쉽다. **14** 폭력 **15** ⑤ **16** ①
17 평화롭고 합리적인 방법 **18** ④ **19** ① **20** ④
21 ② **22** 공감 능력과 분노 조절 능력을 길러야 한다.
23 ③ **24** ① **25** ⑤

01 제시된 글은 사이버 공간이 다양하고 풍부한 정보를 가지고 있음을 나타낸다.

02 사이버 공간은 익명의 공간이기 때문에 어떤 행동을 하는 사람이 누구인지 밝혀내기가 쉽지 않다.

03 사이버 공간은 누구에게나 열려 있는 개방된 공간이기 때문에 지위, 나이, 성별에 관계없이 누구나 평등하게 이용할 수 있다.

04 타인에게 피해를 주지 않고 행복을 증진하는 것은 사이버 공간의 도덕 원칙 중 '해악 금지'의 원칙에 해당한다.

05 운전 중일 때는 교통사고 방지를 위해 휴대폰 통화를 자제해야 한다.

08 ▼ 채점 기준

	스마트폰 사용으로 인한 문제점을 두 가지 이상 기술하였다.
	스마트폰 사용으로 인한 문제점을 한 가지 기술하였다.

09 단체 채팅방에 불러 놓고 여러 친구들이 심한 비난과 욕설들을 하는 것은 사이버 폭력의 하나인 사이버 괴롭힘에 해당한다.

바로 알기 ① 사이버 따돌림은 사이버 공간에서 상대방이 없는 것처럼 무시하고 투명 인간 취급하는 것이다. ③ 개인의 동의 없이 정보를 수집하여 이용하거나 제3자에게 전달하는 것이다. ④ 지적 창작물을 무단으로 이용하는 것이다. ⑤ 사이버 공간에서 타인에 대한 사실이나 허위 사실을 불특정 다수에게 알려 명예를 훼손하는 것을 말한다.

10 (가)는 옷을 살 것인가, 엄마 생신 선물을 살 것인가를 고민하는 내적 갈등이다. (나)는 냄새나는 조끼를 말리는 장소를 놓고 다투는 개인 간의 외적 갈등이다.

11 갈등을 원만하게 해결하면 서로 간의 신뢰를 회복하고 관계가 더욱 돈독해질 수 있다.

12 갈등을 평화적으로 해결하면 당사자들 간의 신뢰를 회복하고 갈등을 원만하게 해결할 수 있다.

13 ▼ 채점 기준

	폭력의 문제점을 논리적으로 기술하였다.
	'폭력을 사용하면 안 된다.'와 같이 일반적인 내용을 기술하였다.

15 갈등은 대화와 타협을 통해 평화적으로 해결해야 모두에게 이익이 된다.

16 대화를 통해 합의를 이끌어 내는 것은 협상, 중립적인 제삼자가 해결책을 직접 제시하는 것은 중재, 제삼자가 해결 방법을 찾도록 돕는 것은 조정이다.

18 갈등 자체를 바람직하지 못한 것으로 봐서는 안 된다. 갈등이 전혀 없는 사회야말로 오히려 건강하지 못한 사회이다.

19 나래와 두리·사이에서 제삼자인 하나가 해결책을 제시하였으므로 중재를 통한 갈등 해결에 해당한다.

20 폭력은 피해자에게 큰 상처를 주기 때문에 어떤 이유에서라도 폭력을 사용하면 안 된다.

바로 알기 ②, ③ 화가 났다고 해서 분풀이를 하면 안 된다. ④ 피해 학생의 대부분은 가해자보다 약자이기 때문에 주변에서 도와주어야 한다.

21 힘센 자가 지배하고, 힘이 약한 자는 인간답게 살 수 없는 사회는 정의가 무너진 약육강식의 사회이다.

22 ▼ 채점 기준

	폭력 예방을 위해 길러야 할 능력을 두 가지 모두 올바르게 서술하였다.
	한 가지만 올바르게 서술하였다.

23 특정인과 놀지 말라고 하는 것은 따돌림, 말로 비난하는 것은 언어적 폭력, 실직은 구조적 폭력에 해당한다.

24 학교 폭력이 일어나는 요인에는 가해자의 잘못만 있는 것이 아니다. 괴롭힘 당하는 친구를 보고도 못 본 체하는 '방관자'의 잘못 또한 크다. 폭력의 방어자가 방관자보다 더 많아진다면 폭력은 점차 사라질 것이다.

25 친구가 당하는 폭력은 나와 상관없다고 생각하며 방관하는 것은 더 큰 피해를 가져올 수 있다.

01 ⑤ **02** ① **03** 국민 **04** 시민 **05** ⑤
06 ② **07** 현대 사회에서 시민의 역할은 매우 중요하다.
08 ⑤ **09** ④ **10** 정의 **11** ④ **12** ①
13 ② **14** 공정한 경쟁이 아니다. 공정한 경쟁이 되려면
경쟁 과정이 공정해야 한다. **15** ① **16** ③
17 ② **18** ③ **19** 1990년대, 고난의 행군
20 ④ **21** ④ **22** ② **23** ③ **24** 북한 이
탈 주민들은 많은 심리적 어려움을 겪고 있다. **25** ①

01 홉스는 자연 상태의 인간은 자신의 생존과 이익을 위해 이기적으로 행동하므로 서로가 불안하고 위험한 상태에 처한다고 보고, 이를 해결하기 위해 사람들이 서로 계약을 맺고 국가를 만들었다고 주장하였다.

02 소극적 국가관은 국가는 개인의 자유를 최대한 보장하고 국민의 안전을 지키는 최소한의 역할만 해야 한다는 입장이다.

05 국가의 주인은 국민이기 때문에 국민은 주인 의식을 갖고 국가의 정책이나 법을 만드는 과정에 적극 참여해야 한다.
　바로 알기 ① 국가는 어떤 특정한 지도자의 노력만으로 발전하는 것은 아니다. ② 개인이 도덕적으로 살더라도 사회 제도가 정의롭지 못하면 도덕적인 사회가 되지 못한다. ③, ④ 사회적인 일에 관심을 가져야 장기적으로 나에게도 이익이 된다.

06 애국심을 가지려면 국가에 관심과 애정을 가져야 한다. 우리나라의 고유한 역사와 문화, 국토와 국민 등에 대해 지속적인 관심을 갖는다면 국가를 소중히 여기는 마음이 생길 수 있다.

07 ▼ 채점 기준

	시민 의식의 중요성을 기술하였다.
	시민의 중요성을 기술하지 못하였다.

08 제시문은 법을 지켜야 하는 이유에 대한 대화이다.

09 국민은 국가의 법을 지킬 의무가 있지만, 부당하고 정의롭지 못한 법이나 정책에 대해서는 이를 고치도록 해야 한다.

11 분배적 정의는 사회 구성원들 사이에 발생하는 이익이나 부담을 어떻게 나누는 것이 공정한가와 관련된 사회 정의이다.

12 늑대 A는 더 많이 훔치지 못한 것을 후회하는 것이 아니라, 대장 늑대의 동생이 자신보다 더 많이 훔쳤음에도 불구하고 같은 처벌을 받는 것에 불만을 가지고 있다. 즉 사법적 정의에 대한 문제를 제기하고 있다.

13 출발은 물론 경쟁 과정의 공정성을 보장해야만 경쟁에 참여한 사람들이 그 결과를 받아들일 수 있다.

14 ▼ 채점 기준

	공정한 경쟁이 아니라는 것과 그렇게 주장하는 이유를 모두 옳게 기술하였다.
	공정한 경쟁이 아니라는 것은 옳게 밝혔으나 그렇게 주장하는 이유는 잘못 기술하였다.

15 모든 사람에게 경쟁에 참여할 기회를 균등하게 보장해야 한다. 경쟁에 참여하고자 하는 사람들에게 정당한 이유 없이 성별이나 경제적 능력 등을 이유로 참여를 제한해서는 안 된다.

16 부패 행위는 사회 정의 실현에 나쁜 영향을 미쳐 개인의 자아 실현에도 장애 요인으로 작용한다.
　바로 알기 ① 정부나 기업에 대한 불신이 증가한다. ② 개인의 도덕적 실천 의지는 약화된다. ④ 사회 정의를 훼손하는 행위이다. ⑤ 국가 경쟁력을 약화시키는 요인으로 작용한다.

17 연고주의는 인맥, 즉 혈연, 지연, 학연 등의 인간관계를 공식 관계보다 우선시하는 것을 말한다.

18 특히 공무원은 공적인 권한을 행사하기 때문에 누구보다도 부패 방지를 위한 높은 윤리 의식을 가져야 한다.

20 강대국의 이해관계가 얽힌 지역이란 그만큼 지리적·정치적으로 중요한 위치라는 것이다.

21 북한에서는 남한의 대중문화를 접촉하는 것을 불법으로 규정하고 있지만, 남한 가요나 드라마를 시청하는 주민들은 계속 늘어나고 있다. 특히 외부 문물을 접촉하기 쉬운 국경 지역 주민들은 다른 문화에 대한 관심이 높다.
　바로 알기 ① 북한 주민들은 기본적인 권리를 보장받지 못하고 있다. ② 북한은 출신 성분이 개인의 성공을 좌우하는 사회이다. ③ 북한은 집단주의 원칙이 지배하는 사회이다. ⑤ 북한에서도 가족 간의 따뜻한 정을 소중히 여기고 있다.

22 북한에서는 생산에서 소비에 이르기까지 모든 경제 활동을 당에서 통제하기 때문에 경제의 비효율성과 공급 부족을 낳았다.

23 북한에서는 주택의 개인 소유는 허용되지 않기 때문에 임대 형식으로 살고 있다.

24 ▼ 채점 기준

	북한 이탈 주민들이 심리적 어려움을 겪고 있음을 기술하였다.
	북한 이탈 주민들이 어려움을 겪고 있음을 기술하지 못하였다.

25 노력하지 않으면 원하는 결과를 기대할 수 없다는 것은 어려움이 아니라 어느 사회에서나 당연히 나타나는 결과이다.

01 ① **02** ④ **03** 통일 **04** 남북 간 경제적 격차를 해소해야 한다. 북한 지역의 사회 간접 시설 확충 등에 많은 비용이 든다. **05** ⑤ **06** ① **07** ㉠: 지리적, ㉡: 정치적, ㉢: 문화적 **08** ③ **09** ① **10** ③ **11** ② **12** ③ **13** 인위적(인공적) 환경 **14** '다음 세대가 필요로 하는 삶의 여건을 해치지 않으면서 지금 세대가 필요로 하는 것을 충족시키는 개발'을 말한다. **15** ② **16** ② **17** ④ **18** ① **19** ③ **20** ⑤ **21** 과학 기술의 발전은 인간의 내면에도 크게 영향을 미쳤다. **22** ④ **23** ② **24** ⑤ **25** ④

01 통일이 되면 분단으로 인한 문제점을 해결할 수 있을 뿐만 아니라 경제적으로 발전할 수 있고, 복지 국가를 앞당길 수 있기 때문에 우리 민족이 지속적으로 발전할 수 있다.

02 서로 다른 체제와 제도를 존중한다면 그것을 통일이 아니다. 통일은 대립되는 제도를 하나로 만드는 것이다.

04 ▼ 채점 기준

통일 비용이 필요한 이유를 두 가지 이상 기술하였다.

통일 비용이 필요한 이유를 한 가지 기술하였다.

05 지리·정치적으로 하나가 되는 것도 중요하지만 사회·심리적으로 먼저 하나가 되어야 한다는 것은 심리적 통일이 중요함을 알려 주는 것이다.

06 남북한이 교류와 협력을 증진하면 그 과정에서 서로 믿음을 회복할 수 있다.

08 열린 민족주의란 우리 민족의 통합과 발전을 위해 노력하면서도 다른 문화의 장점도 적극적으로 받아들여 인류의 공존과 공영을 추구하는 진취적인 자세를 말한다.

바로 알기 ㄱ. 연고주의를 강화하면 혈연과 지연을 중시하기 때문에 열린 민족주의에 접근하기 어렵다. ㄴ. 열린 민족주의는 배타적인 태도가 아니라 수용적이고 포용적인 태도이다.

09 남북한의 문화가 이질화된 배경은 분단의 역사가 길고, 남한과 북한이 서로 다른 체제와 사상을 가지고 살아왔기 때문이다.

10 인간은 자연의 혜택을 누리며 자연 속에서 살기 때문에 자연의 도움 없이 인간은 생존 자체가 불가능하다.

11 공기, 숲, 땅, 바다는 원래부터 주어진 자연환경이다.

12 우리가 햄버거를 먹는 일이 결국 숲을 파괴하는 현상에 이르게 된다는 것은 우리의 소비 생활이 환경에 큰 영향을 끼친다는 것을 알려 주고 있다.

14 ▼ 채점 기준

현세대와 미래 세대의 필요를 중심으로 알맞게 기술하였다.

미래 세대의 필요와 관련지어 기술하였다.

15 환경 문제의 심각성을 생각한다면 합리적 소비만을 강조하는 것으로는 충분하지 못하다. 합리적인 것으로만 생각하면 일회용 용기나 비닐 포장을 자주 쓸 수 있다. 그러나 이것은 환경을 생각하는 소비 생활은 아니다.

16 제시문과 같은 위기의식 때문에 환경친화적 삶의 필요성에 대한 인식이 커지게 되었다.

17 자정 능력은 시간의 흐름에 따라 대기와 해양의 순환 과정을 통해 스스로 오염을 정화하는 능력을 말한다.

18 비용을 아끼기 위해 정화 처리 시설을 설치하지 않은 것은 이기심 때문에 환경을 훼손하는 것이다.

19 습지 보호에 관한 국제 협약은 '람사르 협약'이다.

바로 알기 ① 유해 기물의 국가 간 이동 및 처리에 관한 협약 ② 지구 온난화 규제와 방지를 위한 협약 ④ 오존층 파괴 물질에 대한 규제 협약 ⑤ 지구 온실화를 가속화시키는 주범인 이산화 탄소의 배출 규제를 위한 협약

20 과학 기술이 발달하고 산업이 발달하면서 공동체 의식은 약화되어 이웃을 경쟁의 상대로 보는 경우가 많다.

21 ▼ 채점 기준

과학 기술의 발전이 인간의 삶과 내면에 영향을 끼쳤음을 기술하였다.

과학 기술의 발전이 인간에게 영향을 끼쳤음을 기술하였다.

22 현대 과학 기술은 다양한 분야의 전문가들이 함께 연구를 진행하여 새로운 결과를 탄생시키고 있다.

23 제시문에는 오늘날 과학 기술의 발달로 질병 진단과 치료 기술이 발달하여 인간의 수명이 늘어나고 있음을 보여 주고 있다.

바로 알기 ① 과학 기술이 모든 문제를 다 해결해 줄 수는 없다. ③ 과학 기술이 아무리 발전하더라도 노화와 수명을 완전히 해결해 줄 수는 없다. ④ 과학 기술의 목적은 인간의 행복을 증진하는 데 있다. ⑤ 인간의 수명 연장은 긍정적인 면도 있지만 문제점도 있다.

24 가치 중립성이란 어떤 가치관이나 태도에도 치우치지 않는 것, 또는 연구에 연구자의 주관이나 가치를 개입시키지 않는 학문적 태도를 말한다.

25 미래 세대의 권리를 존중해야 한다는 것은 현세대의 필요를 충족시키기 위해 기술을 개발해야 하지만, 그것이 과도한 자원 낭비나 생태계 교란으로 이어져 미래 세대의 삶을 위협해서는 안 된다는 것이다.

01 ④　　**02** ②　　**03** ③　　**04** 삶은 누구에게나 단 한 번만 주어지며, 언젠가는 죽게 되어 있기 때문이다.

05 ④　　**06** ③　　**07** 죽음　　**08** ⑤　　**09** 죽음을 두려움의 대상이 아니라 자연의 섭리로 받아들인다. 자신의 삶을 되돌아보고 정리하는 시간을 가진다.　　**10** ⑤

11 ④　　**12** 주체적인 삶의 태도(주인 의식을 가진 삶)가 필요하다.　　**13** ②　　**14** ②　　**15** 의미 있게 살 수 있는 길은 매우 다양하다.　　**16** ④　　**17** 에피쿠로스

18 ①　　**19** ③　　**20** 자기 존중　　**21** ①　　**22** ①

23 ④　　**24** ③　　**25** ①

01 우리의 삶이 소중한 이유는 일회성, 유한성, 절대성에 있다. **바로 알기** ① 인간의 삶은 모두 소중하다. ② 모든 것을 운명에 맡기는 삶의 태도는 옳지 못하다. ③ 우리가 살아 있는 동안에는 열심히 노력해야 한다. ⑤ 소극적인 삶보다 적극적인 생활 태도를 가지고 살아야 한다.

02 절대적인 가치를 지녔다는 것은 다른 무엇과 비교할 수 없는 소중한 것이라는 의미이다.

03 모든 사람은 사람으로 태어났다는 이유 하나만으로 소중한 존재임을 알아야 한다.

04 ▼ 채점 기준

	삶이 소중한 이유를 두 가지 이상 기술하였다.
	삶이 소중한 이유를 한 가지 기술하였다.

05 우리의 삶은 영원할 수도 없고 되풀이되지도 않기 때문에 현재의 삶이 더없이 소중한 것이다.

06 죽음에 마주하게 되었을 때에는 자신의 삶을 되돌아보고 정리하는 시간을 통해 삶을 아름답게 마감하도록 해야 한다.

08 죽음은 우리가 도덕적이고 가치 있는 삶을 살아야 하는 이유를 알려 준다. 죽음 앞에서는 명예가 높다거나 부를 축적한다거나 높은 사회적 지위를 가진 것 등은 모두 의미를 잃게 된다.

09 ▼ 채점 기준

	죽음을 대하는 바람직한 자세를 두 가지 기술하였다.
	죽음을 대하는 바람직한 자세를 한 가지 기술하였다.

10 우리가 영원히 살 수 있다면 순간순간의 소중함을 느낄 수 없을 것이고, 인구가 많아져 생활 공간을 확보하는 문제 등 다양한 문제가 생길 것이다.

11 앞의 이야기는 공자, 뒤의 이야기는 에피쿠로스가 말한 내용이다. 이들은 내세보다는 현실 속에서 도덕적인 삶이나 행복

추구가 무엇보다 중요하다고 보고 있다.

12 ▼ 채점 기준

	주체적인 삶의 태도가 필요함을 기술하였다.
	남에게 의존하지 말아야 함을 기술하였다.

13 잘못은 후회하고 반성하고 성찰해야 하지만, 후회하는 습관을 기르는 것을 옳지 않다.

14 제시문은 삶의 소중함은 나 자신뿐만 아니라 사회적 관계 속에서도 찾을 수 있음을 보여 주는 내용이다.

15 ▼ 채점 기준

	의미 있는 삶의 다양성을 기술하였다.
	삶의 다양성을 기술하였다.

16 '오늘의 삶이 고통스럽다고 하더라도 절망할 필요는 없다.'라는 것은 고난이나 고통 앞에서 좌절하지 말고 적극 대처해야 함을 말하는 것이다.

18 시간이 지나가기를 바란다고 해서 고통이 사리지는 것은 아니다. 고통 앞에서 좌절하거나 체념해서는 안 된다. 현재의 고통은 자신이 극복할 수 있다는 강인한 의지를 가지고 이겨 내도록 노력해야 한다.

19 석가모니는 탐욕과 분노, 어리석음으로 인간이 마음의 평화를 얻을 수 없다고 말하였다.
바로 알기 ① 그리스도교 ② 아리스토텔레스 ④ 에피쿠로스 ⑤ 이황이 말한 내용이다.

21 고통을 극복하고 개선하는 과정을 통해 성장하고 긍정적으로 변화할 수 있으며, 고통은 사람을 더욱 강인하게 만드는 역할을 한다.

22 천재지변이나 각종 사고, 죽음 등은 어쩔 수 없이 당하는 고통으로 볼 수 있다.
바로 알기 ② 수험생의 공부 시간 확보, 운동선수의 체력 훈련 등 사람들은 자기 발전을 위해 고통을 선택하기도 한다. ③ 고통의 원인은 다양하며 복합적이다. ④ 육체적 고통뿐만 아니라 정신적 고통도 있다. ⑤ 고통을 피하는 능력에 따라 성공이 결정되지는 않는다.

23 몸이 아프면 건강이 더 소중하게 느껴지는 것처럼 고통을 통해 행복을 더 절실하게 느끼게 된다.

24 제시문의 주인공은 어려운 상황 속에서도 포기하지 않고 꿈을 이루어 낸 사람이다.

25 마음의 평화란 외부의 환경이나 자극에 자신을 맡기는 것이 아니라 그것에 휘둘리지 않고 평온한 상태를 유지하는 것을 말한다.